「科幻推進實驗室」的誕生

雖然生物技術已經越來越高深
可是《科學怪人》的憂慮卻似乎離我們越來越近

雖然「一九八四」已經過去二十幾年
可是人類卻好像越來越走向《一九八四》

偉大的科幻心靈就像宇宙中原子聚合的恆星
發光發熱，照亮銀河中黑暗的角落

「科幻推進實驗室」立志要集合這些既精采又深刻
既娛樂又啟發的科幻傑作，逐年出版

把科幻推進到這個社會
讓我們享受這些非凡想像力所恩賜的心靈奇景

讓我們在娛樂中獲得啟發
在通俗中得到智慧

這就是「科幻推進實驗室」誕生的目標

經典艾西莫夫 04

機器人四部曲之Ⅳ

機器人與帝國

經典艾西莫夫 04

機器人四部曲之Ⅳ

機器人與帝國

艾西莫夫◎著

葉李華◎譯

〔導讀〕

艾西莫夫偏心的理由

葉李華

科幻大師艾西莫夫用了半生的歲月，以整個銀河系為背景，撰寫了一套俯仰兩萬載、縱橫十萬光年的未來史，為二十世紀科幻文壇，立下一個難以超越的里程碑。

這套名副其實源遠流長的「大河科幻小說」，其上、中、下游分別為機器人系列、銀河帝國系列與基地系列。雖說手心手背都是肉，但艾氏晚年曾在一篇文章中「偷偷告訴讀者」，還是機器人系列在他心中占了最重的份量。

如果要認真探究艾西莫夫為何「偏心」，至少得寫一篇上萬字的論文。但若抽絲剝繭，直指核心，那麼首要的理由，應當是三大系列中，要數機器人系列最為豐富多元，並且包羅萬象。最簡單的例子，本系列包含三十幾個中短篇（主要描述近未來世界，全部收入《機器人故事全集》一書）以及四部長篇（描述大約兩千年後的遠未來），就和其他兩大系列，在結構上有顯著的不同。

其次，雖說早在一九四二年，艾西莫夫就以「機器人學三大法則」，開創了一個嶄新的科幻領域，並終身奉行不渝，以致他筆下的機器人，無異於三大法則的化身（只有極少數例外），然而這絕不代表，在本系列各個故事中，除了三大法則之外，再無其他可觀之處。

事實上，艾氏在闡揚三大法則之餘，總不忘求新求變，在他的機器人小說裡，加入其他（科幻或非科幻）主題和元素，尤其擅長將表面上冷冰冰的機器人，寫成有情有義甚至賺人熱淚的角

色。這在《機器人故事全集》的中短篇裡，已經屢屢可見，到了本系列的長篇部分，更是發揮得淋漓盡致。

舉例而言，貫穿四部長篇的主角丹尼爾，便是這類機器人的典型，至於「後起之秀」的吉斯卡，在情義這方面的表現，也可說不遑多讓。

此外，就類型小說而言，本系列每一部長篇，都並非單純的機器人科幻小說。但在探討這個特點之前，需要先做些歷史背景的介紹。

若從寫作順序來看，四部長篇明顯分割成兩個時代，《鋼穴》和《裸陽》是一九五〇年代的作品，《曙光中的機器人》和《機器人與帝國》則晚了近三十年。可是，在研究這四本書的時候，最好避免這樣的二分法，因為實際上，艾氏早就有心寫成一套「機器人三部曲」，只是好事多磨，早年未能完成這個心願。換言之，《曙光中的機器人》可算是難產多年之後才終於誕生的作品，其基本架構並未偏離當初的寫作大綱。

後來，讀者們自然而然，將這三本書合稱為「貝萊三部曲」，因為這三個故事的第一男主角，是一位名叫貝萊的地球警探。由此即不難想像，貝萊三部曲同時也是標準的推理小說；每一個故事，都以一件兇殺案為主軸。

兩種類型小說的聯姻，總是能帶來無窮的新意，在這個實例中，艾西莫夫更是將「科幻＋推理」玩得出神入化。一來，他本身也是推理迷（自己也動手寫過）；二來，機器人學三大法則天生就是極佳的推理題材；三來，推理小說在科幻世界裡找到了更寬廣的舞台，使得以巧智見長的艾西莫夫，倍感如魚得水，揮灑自如。

因此之故，在這套三部曲中，處處可見顛覆傳統推理小說的情節，其中最重要的，當數機器人可以扮演各式各樣的角色，從警探到受害者，從兇手到幫兇和兇器，幾乎無所不包。只不過，

在此當然不能討論機器人行兇是否有違「第一法則」，得請大家靜待作者揭開謎底。

至於第四本長篇，則需要多花些筆墨來討論。

首先，在這個故事裡，貝萊已經作古將近兩百年，成了銀河中家喻戶曉的傳奇人物（頗為類似基地系列的謝頓），所以當然可將這本書，視為貝萊三部曲的「後傳」。

我們只要多讀幾遍，即可發現艾氏相當用心經營這本後傳，比方說，他特別利用倒敘手法，讓讀者瞥見貝萊臨終前，所交代的一番重要遺言（導致丹尼爾悟出了凌駕三大法則的「第零法則」，其影響力一直延伸到基地系列的大結局）。此外，貝萊三部曲的場景，分別是地球、索拉利星和奧羅拉星，而在本書，或許為了暗示它是三部曲之後的「句點」，所以刻意讓這三顆行星，都在故事裡占有一席之地。

更耐人尋味的是，如果我們換個角度，不難看出由於第四冊的加入，這個「四部曲」還巧妙地組成了雙重三部曲——後面三本，可稱為「嘉蒂雅三部曲」。

這位嘉蒂雅不是別人，正是遲至《裸陽》才終於出場的女主角。她的出現，替陽剛的機器人推理小說，不著痕跡地注入一絲浪漫氣息，而且越到後面，這股氣息越明顯。因此我們可以大膽假設，艾西莫夫至少在潛意識中，試圖將嘉蒂雅三部曲寫成一套愛情科幻小說。

所謂橫看成嶺側成峰，除了上述這些觀點，其實還能從另一個完全不同的角度，解析艾氏撰寫這本書的動機和目的。原來，在艾氏早年的作品中，刻意不讓機器人系列和其他系列扯上關係，以暗示彼此是互相獨立的虛擬歷史，但在沉潛二十多年後，艾西莫夫終於決定，要將三大系列融鑄成一個科幻有機體，亦即本文開頭所提到的銀河未來史。

種種證據顯示，艾氏在生命中最後十年，最大的心願就是修完這套未來史！所以他在這段時期所寫的長篇小說，無論機器人系列或基地系列，都含有替這個目的鋪路的企圖。而在這個補綴

和自圓其說的浩大工程中，最關鍵的一環，莫過於在機器人系列和銀河帝國系列之間，搭起一座時空橋樑——在這個譬喻下，這座橋名叫《機器人與帝國》，自然再恰當不過。

最後再回過頭來，對《機器人故事全集》做些補充。顧名思義，本書當然是艾氏所寫的機器人中短篇故事大全，其中還包括一篇貝萊與丹尼爾的故事〈鏡像〉，而《我，機器人》這部經典之作，則化整為零地藏身於這本全集內（因此嚴格說來，艾氏未來史的「機器人系列」只有五冊，並不包括《我，機器人》）。不過除了完整之外，本書另有一大特色，就是以分門別類的方式編排所有的故事。例如上述的〈鏡像〉，收錄在「人形機器人篇」；艾氏自己最喜歡的機器人故事〈雙百人〉，則收在「壓軸篇」。這種別出心裁的呈現方式，顯然兼顧了舊雨新知——新讀者很容易一目了然，老讀者則會有一網打盡的滿足感。唯一美中不足的是，本書始終未曾再版，以致艾氏晚年的幾篇作品（例如蘇珊．凱文的最後一役〈機器人之夢〉）因而成了遺珠之憾。

＊　＊　＊

十多年前，聯合報王開平先生神來一筆，送給我「艾西莫夫中文世界代言人」這樣的榮銜，老實說，我內心始終相當惶恐。因為過去二十年來，雖然我一直有心想要完成「艾西莫夫未來史」三大系列的翻譯工作，可惜陰錯陽差，竟讓機器人四部曲兩度擦身而過，所以我經常戲稱自己只能算是「十五分之十一的代言人」。

如今，先有上海讀客出版社的鼓勵，後有台北貓頭鷹出版社的肯定，讓我終於得以完成這個重大心願，並以兩種中文於同一年發表。從今以後，我總算能心安理得地接受這個代言人的封號了。

【參考資料】皆收錄於筆者個人網站「艾西莫夫未來史」單元

- 現代機器人故事之父（《我，機器人》導讀）
- 樞紐與轉捩點（銀河帝國系列導讀）
- 不朽的科幻史詩（基地三部曲導讀）
- 基地與機器人（基地前後傳導讀）

導讀人兼譯者簡介

葉李華，一九六二年生於高雄市，台灣大學電機系畢業，加州大學柏克萊分校理論物理博士，致力推廣中文科幻與通俗科學二十餘年。曾任交通大學科幻研究中心主任，現為自由作家。著有科幻小說「衛斯理回憶錄」系列，主編有《倪匡科幻獎作品集》等。

科普譯作包括《胡桃裡的宇宙》等十餘冊，科幻譯作包括艾西莫夫科幻經典「機器人系列」、「銀河帝國系列」與「基地系列」共十六冊，被譽為「艾西莫夫在中文世界的代言人」。個人網站 http://www.yehleehwa.net/。

〔代序〕

機器人小說背後的故事

艾西莫夫

我和機器人結下不解之緣的時間，就寫作而言是在一九三九年五月十日，然而身為科幻迷的我，在更早之前就愛上了機器人。

畢竟，機器人並不是什麼新鮮的科幻題材，早在一九三九年已是如此。在古代和中世紀的神話傳說中，就有不少機械所製造的人類。至於「robot」這個名詞，最早則是出現於卡爾・查別克（Karel Capek）所寫的劇本《RUR》，這齣舞台劇於一九二一年在捷克首映，而劇本很快就翻譯成許多種外語。

RUR的意思是「羅森的全能機器人」，劇中的羅森是一位英國工業家，他為了讓人類能夠過著充滿創造性的悠閒生活，因而製造了一批人造人來為人類服務（「robot」就是衍生自捷克文的「奴工」一詞）。雖說羅森的立意良好，事實並未照他的計畫發展，那些機器人叛變了，人類因此自取滅亡。

這種想像中的新科技，會在一九二一那個年頭被視為大災難的根源，或許並沒有什麼好驚訝的。別忘了，當時第一次世界大戰剛結束不久，人類才見識過戰車、飛機和毒氣的威力——借用「星際大戰三部曲」的說法，那正是「原力的黑暗面」。

相較於《科學怪人》這個更有名的故事，《RUR》注入了較濃的悲觀色彩，前者雖然也有人造人的情節，而且這個舉動同樣導致不幸，相對而言規模卻小得多。由於這兩部經典作品的影響，在一九二〇和三〇年代的科幻作品中，作者經常將機器人描寫成危險的裝置，照例一定會毀

掉它的創造者。這類作品一而再、再而三強調一個寓意，那就是：「有些事物人類不該知道。」

不過，我在十幾歲的時候就有不同的見解，我無法接受「如果知識代表危險，無知就是解決之道」這樣的觀點。在我看來，解決之道似乎是善用人類的智慧才對。人類不該拒絕面對危險，而應當學習如何化險為夷。

畢竟，早在某一群靈長類變成人類之初，這樣的問題已經是人類所面臨的挑戰。任何一項新科技都有可能帶來危險，打從一開始，火就是一種危險的科技，而語言又何嘗不是（且危險性尤有過之），這種情形直到今天仍未改變。可是如果沒有這兩項科技，人類就不是人類了。

總之，當時我雖然不太清楚自己對機器人故事有何不滿，內心卻一直在期待更精彩的作品。不久我終於等到了，那是刊登於《震撼科幻小說》一九三八年十二月號的一個短篇〈海倫．奧洛〉，作者是列斯特．德爾瑞（Lester del Rey），他以極富同情心的筆調來描寫一個機器人。我相信那只是他所發表的第二個故事，但從此以後，我就是個至死不渝的德爾瑞迷了（請大家千萬別告訴他，他一定還不知道）。

而幾乎同一時間，在一九三九年一月號的《驚異故事》中，因多．班德（Eando Binder）在短篇小說〈我，機器人〉裡也創造了一個引人同情的機器人。雖然相較之下，這個故事的內容貧乏得多，但我再度大受感動。不知不覺間，我開始有了想要創作機器人故事的念頭，而且決心要把我的機器人寫得人見人愛。在一九三九年五月十日這一天，我終於動筆了，前後總共寫了兩週，因為在那個時代，我寫作的速度還相當慢。

這個故事被我命名為〈小機〉，主角是個機器人保母，雖然它和所照顧的女孩感情很好，女孩的媽媽卻怕它怕得要死。然而，弗列德．普爾（Fred Pohl，當年他和我一樣才十九歲，此後我們的歲數也年年相同）比我來得聰明，他讀完這個故事之後告訴我，由於情節和〈海倫．奧洛〉

太接近了，大權獨攬的《震撼》主編約翰·坎柏（John Campbell）不可能刊登。他說得很對，後來坎柏正是以這個理由退稿。

沒想到幾個月後，弗列德成為兩家新雜誌的編輯，而他竟然在一九四〇年三月二十五日買下了〈小機〉，並將它刊登在一九四〇年九月號的《超級科幻小說》，不過題目改成了〈奇異的玩伴〉（弗列德有個可怕的惡習，就是喜歡亂改別人的題目，而且幾乎總是改得更糟。後來，這個故事在別處發表過許多次，一律使用我原來的題目）。

然而在那個時代，除非是將作品賣給坎柏，否則我無論如何都會感到遺憾。所以不久之後，我便試著創作另一個機器人短篇。不過，這回我先和坎柏討論了自己的構想，以確定本篇完成之後，他退稿的唯一原因就是寫得不夠好。然後，我才正式動筆寫出〈理性〉這個故事，大意是說一個機器人有了宗教信仰。

坎柏於一九四〇年十一月二十二日接受了這篇小說，並於次年四月刊登在他所主編的《震撼》。這是我賣給他的第三個作品，但卻是他第一次照單全收，沒有要求我做任何修改。我因此感到十分得意，於是很快又寫了我的第三個機器人短篇，主角是個擁有讀心術的機器人，題目叫做〈騙子！〉。坎柏同樣爽快地接受了，將它刊登於一九四一年五月號，換句話說，連續兩期《震撼》都有我的機器人小說。

但我並未打算就此停手，我心中有一系列的故事要寫。

還有一件更重要的事。一九四〇年十二月二十三日，當我和坎柏討論讀心機器人這個構想的時候，兩人不知不覺談起了規範機器人行為的規則。在我看來，機器人應該是具有內建安全機制的工業產品，於是我們開始替這些安全機制設想白話的版本——這就是「機器人學三大法則」的前身。

後來，我在第四個機器人短篇〈轉圈圈〉中，首次寫出三大法則的確定內容，並在故事裡直接引用。這個短篇發表於一九四二年三月號的《震撼》，其中「機器人學三大法則」在該刊第一百頁首次出現。我很重視這件事，因為據我所知，這也是「機器人學」這個名詞在人類歷史上首度亮相。

在一九四〇年代結束之前，我又賣了四個機器人短篇給《震撼》，分別是〈抓兔子〉、〈逃避〉（坎柏改成了〈矛盾的逃避〉，因為兩年前他刊登了一篇同樣叫做〈逃避〉的故事）、〈證據〉和〈可避免的衝突〉，分別發表於一九四四年二月號、一九四五年八月號、一九四六年九月號以及一九五〇年六月號。

自一九五〇年起，幾家大型出版機構（其中最有名的是雙日公司）開始出版精裝的科幻小說。一九五〇年一月，雙日公司出版了我自己的第一本書——長篇科幻小說《蒼穹一粟》，與此同時，我已在埋首撰寫自己的第二部長篇。

那陣子，我的經紀人剛好是弗列德．普爾，他自然而然想到，或許我的機器人故事也可以出一本書。雖然當時雙日公司對短篇小說集沒什麼興趣，但另一家非常小的格言出版社態度則不同。

於是，一九五〇年六月八日，我將這個選集交給了格言出版社，暫訂的書名是《心靈與鋼鐵》。結果，出版商搖了搖頭。

「改為《我，機器人》吧。」他說。

「不行。」我說，「十年前，因多．班德的短篇小說就用過這個題目。」

「管他的！」出版商答道（不過這幾個字是經過我刪節之後的版本）。結果，我懷著相當不安的心情，勉強被他說服了。《我，機器人》成為我的第二本書，在一九五〇年的年尾問世。

這本書收錄了我在《震撼》所發表的八個機器人短篇，但次序經過了調整，好讓前因後果更

為合理。除此之外，我還把那篇〈小機〉也收在裡面，因為雖然它被坎柏退稿，我仍舊很喜歡這個故事。

其實在一九四〇年代，我另外還寫過三個機器人短篇，它們或是遭到坎柏退稿，或是他根本沒看過，但由於和其他故事構成的主線欠缺直接關聯，我並未將它們收錄於《我，機器人》。後來，在該書出版後的幾十年間，我又寫了好些機器人短篇，最後它們連同上述三篇，全部毫無遺漏地收錄於另一個選集中——書名是《機器人短篇全集》，由雙日公司於一九八二年出版。

《我，機器人》的出版並未造成什麼轟動，但是年復一年，它的銷售量即使不大，至少一直很穩定。而在五年之內，這本書又陸續推出軍用平裝本、平價精裝本、英國版和德文版（這是我的書第一次譯成外文）。到了一九五六年，「新美國文庫」甚至也替它出了平裝本。

唯一的問題是，格言出版社長期處於苟延殘喘的狀態，從未提供一份清楚的銷售報表給我，稿酬就更別提了（我的「基地三部曲」也交給了格言出版社，所以遭到同樣的命運）。

一九六一年，雙日公司在獲悉格言出版社的困境之後，趕緊設法接手《我，機器人》以及「基地三部曲」。從那時開始，這幾本書的銷售狀況不可同日而語。事實上，《我，機器人》自問世以來，始終未曾絕版過，至今已經三十三年了。而在一九八一年，我甚至賣出了電影版權，可惜目前為止尚未開拍。此外據我所知，它被翻譯成了十八種語言，包括俄文和希伯來文在內。

但我的故事好像講得太快了。

再回到一九五二年吧，當時《我，機器人》尚未脫離苦海，只是格言出版社的叢書之一，而我根本不覺得有任何成就感。

當時，好些新的一流科幻雜誌出現了，科幻文壇又來到「百家爭鳴」的時期。例如一九四九年創刊的《奇幻與科幻雜誌》，以及一九五〇年的《銀河科幻》都是代表。約翰．坎柏因而喪失

了獨霸的地位，四〇年代的「黃金時代」也隨之結束了。

在這種環境下，我開始為《銀河》的主編侯瑞斯．高德（Horace Gold）供稿，而這也令我鬆了一口氣。前後曾有八年的時間，我一律只投稿給坎柏，不禁覺得自己是他的專屬作家，萬一坎柏哪天出了意外，我也就完了。好在，和高德的密切合作解除了我這方面的焦慮。高德甚至連載了我的第二部長篇小說《繁星若塵》，不過他將書名改成《太暴星》，我覺得很糟糕。

我新認識的編輯其實不只高德一人，例如我還把一個機器人短篇賣給了霍華德．布朗尼（Howard Browne），那陣子他正任職於想轉型為高格調雜誌的《驚異》。後來，這篇〈保證滿意〉發表於該刊的一九五一年四月號。

不過，這件事只能算是例外。整體而言，當時我已不打算再寫機器人的故事。《我，機器人》的出版似乎自然而然為我這方面的文學生涯畫上了句點，而我也已經開始朝其他方向發展了。

然而，高德幫我連載完那部長篇之後，非常希望再接再厲，而更重要的原因，則是我剛完成的另一部長篇《星空暗流》已交由坎柏連載。

於是，一九五二年四月十九日，高德找我討論接下來能再為《銀河》寫一部什麼樣的長篇。他建議寫個機器人的故事，我卻堅決地搖了搖頭。在此之前，我寫的機器人都是短篇，而我根本不確定能否以機器人為題材，寫出一部長篇小說。

「你當然沒問題，」高德說：「要不要寫一個人口過剩的世界，機器人逐漸取代了人力。」

「太灰色了。」我說：「我不覺得自己會想處理這麼沉重的社會議題。」

「那就保持你的風格。你喜歡推理故事，就在裡面安排一樁謀殺案，然後讓一名偵探和一個機器人合作辦案，如果偵探束手無策，機器人就會取而代之。」

這句話激起了火花。坎柏常常說，所謂的「科幻推理」本身就是個矛盾的名詞，因為作者可

以投機取巧，利用新科技替偵探解決疑難雜症，而讀者也就上當了。

因此，我決心寫一個不會欺騙讀者的正統推理故事——但同時也要是標準的科幻小說。結果我寫出了《鋼穴》，隨即在一九五三年十月號至十二月號的《銀河》分三期連載完畢。次年，雙日公司出版了這部長篇小說，是為我的第十一本書。

毫無疑問，《鋼穴》是我那時為止最成功的作品，不但比之前的每一本書都要暢銷，就連讀者的來函也變得更為親切了，而（最佳的證明是）雙日公司對我眉開眼笑的程度大大超過以往。過去，他們在簽約之前，一律要求我提供大綱並試寫幾章，但從此以後，我只要表示想寫一本新書，合約就會立刻送來。

事實上，由於《鋼穴》太過成功，令我無可避免地想要寫個續集。要不是當時我剛投入科普的創作，而且覺得其樂無窮，我想自己一定會馬上動筆。由於這個緣故，我直到一九五五年十月，才真正開始撰寫《裸陽》這個故事。

然而一旦開動，一切便很順利。就許多方面而言，它和前一本書起著互相平衡的作用：《鋼穴》的時空背景是未來的地球，那是個人類太多而機器人太少的世界；《裸陽》的故事則發生在索拉利，那個世界恰恰相反，人類太少而機器人太多。此外，雖然我的小說通常欠缺男歡女愛，這回我卻刻意用輕描淡寫的筆法，在《裸陽》中引進一段愛情故事。

我對這個續集極為滿意，而且在我內心深處，甚至認為它比《鋼穴》更精彩，問題是，接下來我該怎麼做呢？當時我和坎柏已經有些疏遠，因為他開始涉獵一種稱為「戴尼提」的偽科學，而且竟然對飛碟、心靈力學等等的怪力亂神越來越感興趣。但另一方面，我受過他太多的恩惠，因而對於自己將重心轉移到高德身上（我最近的兩個作品都交給他連載）我感到相當內疚。好在高德從未參與《裸陽》的寫作計畫，它的歸宿當然可以完全由我決定。

因此之故，我將這部小說投給了坎柏，他立刻接受了，分成三部分連載於《震撼》的一九五六年十月號至十二月號，而且照例沒有更動我的書名。次年，也就是一九五七年，雙日公司出版了這部長篇小說，成了我的第十二本書。

即使沒有青出於藍，《裸陽》的表現也絕對不輸《鋼穴》，於是雙日公司立刻指出，我可不能到此為止。正如我的「基地三部曲」那樣，我應該再寫一本，湊成另一個三部曲。

我完全同意，而且心中很快就有了粗略的構想，甚至連書名都想好了，叫做《無限的邊界》。

一九五八年七月，我們全家安排了一個長達三週的假期，住在麻州馬什菲爾德的海濱度假小屋。我原本打算利用這個空檔，把這本新書寫出七、八成來。故事預定發生在奧羅拉，其中的「人類／機器人比」相當合理，既不像《鋼穴》那樣前者遠遠超過後者，也不像《裸陽》那種剛好相反的情形。而且，我決定對其中的愛情部分更加著墨。

看來是萬事俱備——結果還是出了問題。這麼說吧，進入一九五〇年代之後，我對「非小說文類」的寫作越來越感興趣，於是生平頭一遭，寫小說時竟擦不出火花。我勉強寫了四章，就再也寫不下去，最好只好放棄。我檢討了一下，認為那是由於我在內心深處，總是覺得自己無法處理男女之愛，也無法將人類和機器人的比例調整到旗鼓相當的地步。

其後的二十五個年頭，這個情況一直沒有改變。但另一方面，《鋼穴》和《裸陽》始終沒有絕版，更沒有消失。比方說，這兩本書曾合併為《機器人小說》重新出版，也曾經和其他幾個機器人短篇組成一大冊的《機器人餘集》。此外，還有好幾種平裝本陸續問世。

因此，在這二十五年間，讀者都不難找到這兩本書，而且（我假設）讀得津津有味。於是有許多讀者來信要求我再寫一本續集，而在科幻大會之類的場合，他們更是當面質問我。久而久之，它成了我最難迴避的一個要求（唯一能相提並論的，就是要求我寫第四本基地小說的呼

聲）。

而每當被問到我是否有這個打算，我總是回答：「會的——總有一天——所以祈禱我長命百歲吧。」

雖然我也覺得應該寫，但一年又一年過去了，我卻越來越肯定自己處理不了這個主題，也就越來越含淚相信自己永遠寫不出第三本機器人小說。

然而，一九八三年三月某一天，我還是將這個「千呼萬喚始出來」的第三冊交給了雙日公司。這本書叫做《曙光中的機器人》，內容和一九五八年那個半途夭折的嘗試毫無關係。一九八三年十月，它終於和讀者見面了。

——以撒．艾西莫夫於紐約市

目次

第三篇　貝萊星

第四篇　奧羅拉

第五篇　地球

機器人學三大法則

一、機器人不得傷害人類，或因不作為而使人類受到傷害。

二、除非違背第一法則，機器人必須服從人類的命令。

三、在不違背第一及第二法則的情況下，機器人必須保護自己。

獻給洛彬和麥克，以及多年的歡樂時光
在人生旅途上，他倆將繼續攜手享受生命的美好

第一篇　奧羅拉

第一章　後代

1

嘉蒂雅摸了摸躺椅表面的棉布套，確定並不太潮濕，這才坐了下來。她輕觸一下控制鍵，令躺椅改變形狀，好讓自己半躺在上面，接著她啟動了反磁性磁場，照例又感到全身無比放鬆。誰說不會呢？此時的她其實處於飄浮狀態——和躺椅表面有一公分的距離。

這是個溫暖宜人的夜晚，在奧羅拉這顆行星上，就屬這樣的夜晚最美好——不但氣味芬芳，而且星光燦爛。

她懷著傷痛的心情，開始審視天空中無數密密麻麻的小光點。她早已下令將宅邸的燈光調暗，因此那些光點可算是相當明亮。

她忍不住納悶，在過去兩百三十多年的歲月中，自己怎麼從來沒有研究過那些星星的名字，也從來沒弄懂誰是誰。她自己的母星索拉利環繞著其中一顆，而在她一生最初的三十年當中，那顆星在她心中的名字就是「太陽」。

人們曾經稱她為「索拉利的嘉蒂雅」。那是她剛到奧羅拉的時候，距今已有兩百年——兩百個銀河標準年了。這個名字突顯了她的外星出身，並非什麼友善的稱呼。一個月前，她移居此地剛好滿兩百週年，當天她只是照常作息，因為她並不特別想回憶過去的日子。而更早之前，當她還在索拉利的時候，她叫做——嘉蒂雅．德拉瑪。

她打了一個冷顫，自己幾乎已經忘記那個姓氏。是因為時日久遠？或僅僅因為她刻意要忘掉？

過去這些年來，她從未懷念過索拉利，也從未後悔離開那個世界。

但現在呢？

難道是因為她突然發現了一個事實，發現自己竟然成了索拉利的遺民？它消失了——成了歷史遺跡——而她依舊健在？是不是由於這個緣故，令她開始懷念那個世界？

她眉頭深鎖。不，她並不懷念索拉利，這點她萬分肯定。她既不想要也不希望回到那裡。她之所以心痛，只是因為自己生命中的一個重要部分——無論那段記憶多麼痛苦——永遠消失了。

索拉利！它是太空族開拓和殖民的最後一個世界。結果，或許是由於某種神祕的對稱律，它成了第一個亡故的世界？

第一個？這意味著還有第二個、第三個，其他以此類推嗎？

嘉蒂雅覺得自己更傷心了。有人認為這種可能性的確存在，倘若真是這樣，那麼奧羅拉——她定居多年的第二故鄉——既然是第一個出現的太空族世界，那麼根據這個對稱律，它會是五十個世界中最後衰亡的。這樣的話，情況就算再糟，而她就算壽命再長，也看不到這一天。而如果這是真的，那也是無可奈何的事。

她又開始端詳那些星星。這是個徒勞的舉動，從這些看不出任何差異的無數光點中，她絕對無法確定哪顆才是索拉利的太陽。在她的想像中，它應該相當明亮，可是明亮的星星至少有幾百顆。

她舉起手來，做了一個她心目中所謂的「丹尼爾手勢」。雖然光線昏暗，不過毫無影響。機器人．丹尼爾．奧利瓦立刻來到她身邊。如果有人早在兩百零幾年前，當漢．法斯陀夫將他造出來的時候就已經認識他，如今也看不出他有絲毫變化。他仍舊有著寬闊的臉龐、高聳的顴骨，以及一頭向後梳的銅色短髮；而他那一對藍色的眼珠，以及高大、結實、足以亂真的人形軀

體，看起來仍舊是那麼年輕，那麼冷靜而不帶感情。

「我能替你做些什麼嗎，嘉蒂雅女士？」他以平靜的聲音問道。

「可以，丹尼爾。這些星星中，哪一顆是索拉利的太陽？」

丹尼爾並未抬頭仰望，便直接回答：「通通不是，嘉蒂雅女士。每年這個時候，索拉利的太陽都要到〇三二〇時才會升起。」

「哦？」嘉蒂雅像是見鬼了。說也奇怪，她一直有個錯覺，那就是無論任何時候，只要自己想看某一顆星，應該總是看得到的。當然，其實星星各有各的起落時間，這點至少她還知道。「所以說，我白忙了一場。」

「根據我對人類的瞭解，」丹尼爾彷彿試圖安慰對方，「無論某顆特定的星星看不看得到，我猜在你們看來，星空都是美麗的。」

「我想是吧。」嘉蒂雅透著不滿的口吻。她突然把躺椅調成垂直，站了起來。「然而，我想看的是索拉利的太陽——但我可不打算在這裡一直坐到〇三二〇時。」

「即使你打算那麼做，」丹尼爾說：「也還需要星光放大鏡才行。」

「星光放大鏡？」

「肉眼幾乎看不到那顆星，嘉蒂雅女士。」

「越說越糟了！」她拍拍長褲，「我應該先問問你的，丹尼爾。」

如今，凡是在兩百年前嘉蒂雅剛到奧羅拉時就認識她的人，都不難發現她有了一些變化。她只是人類，並非丹尼爾那樣的機器人。她仍舊保持一五五公分的身高，比太空族女性的理想高度幾乎矮了十公分。她始終謹慎維持著纖細的身材，絲毫沒有衰弱或僵硬的跡象。話說回來，她的頭髮已經有點灰白，雙眼周圍出現一些細紋，而她的皮膚也有點粗糙了。她八成還有一百到

一百二十年好活，但無可否認她已不再年輕，好在她並不以為意。

她說：「所有的星星你都認得出來嗎，丹尼爾？」

「肉眼看得見的我都認識，嘉蒂雅女士。」

「它們在一年之中任何一天的起落時間，你也都知道？」

「是的，嘉蒂雅女士。」

「此外還有和星星相關的一切知識？」

「是的，嘉蒂雅女士。法斯陀夫博士曾要我蒐集天文數據，好讓他不必動用電腦，便能隨時問到。他常說，由我提供這些資料，感覺上要比電腦來得友善。」然後，他彷彿預料到下一個問題。「他並未解釋為什麼會有這種感覺。」

嘉蒂雅舉起左手，做了另一個手勢，她的房子立刻燈火通明。那些柔和的光線裡有好些灰影，她自然察覺到了，但並未特別留意，它們只是機器人罷了。在一座井然有序的宅邸中，總是有機器人待在人類身旁，一來保護主人，二來隨時聽候差遣。

嘉蒂雅朝天空瞥了最後一眼，由於燈光的干擾，星星已經黯淡不少。她輕輕聳了聳肩，覺得自己實在太天真了。那個世界已經消失，就算她能在眾多的模糊星光之中找到它的太陽，又有什麼用呢？她大可隨便找個光點，告訴自己那就是索拉利之陽，然後盯著它憑弔一番。

她將注意力轉移到機．丹尼爾身上。他耐心地等在她身邊，陰影遮蔽了他大半張臉。

她發覺自己再度想到了丹尼爾幾乎沒什麼改變，許多年前，當她首度走進法斯陀夫博士的宅邸時，他就是現在這個樣子。當然，他做過許多次維修。這點她雖然知道，但那只是模糊的印象，很少浮現到她的意識層面。

這算是人類普遍會產生反感的一件事。太空族或許喜歡誇耀自己的絕佳健康狀況，以及延長

到三、四百年的倍增壽命，可是他們並非和老化現象完全絕緣。比方說，如今嘉蒂雅的一根大腿骨是接在鈦與矽酮打造的人工髖臼上。她的左手拇指也完全是人工的，不過必須用超音波才勉強看得出來。就連她的某些神經都重新接過。任何與她同齡的太空族盡皆如此，五十個太空族世界在這方面毫無例外（不，應該說四十九個，因為現在必須將索拉利排除在外）。

然而，這種事是萬萬說不得的祕密。雖說為了可能需要的後續治療，必須保存相關醫療記錄，卻沒有任何原因能叫人公開這些記錄。外科醫生雖然收入頗豐，甚至比主席本人的薪水還高出許多，但那是因為他們被拒於上流社會之外。畢竟，他們最清楚這些祕密。

這些現象通通源自太空族對長壽的執著，以及他們不願承認老年期的存在，但嘉蒂雅不想繼續分析原因了。一想到這種事發生在自己身上，她就渾身不自在。如今，她的身體若以三維影像來呈現——天然的肉身投影成灰色，人工修補的部分則用紅色——那麼只要站遠一點，你便會看到一個粉紅色的軀體，至少在她想像中如此。

然而，她的大腦依舊完好如初。只要這點保持不變，不論身體其他部分動了多少手腳，她這個人仍然等於完好如初。

想到這裡，她的思緒又回到了丹尼爾身上。雖然她認識他已有兩百年之久，真正擁有他卻還不到一年。當法斯陀夫去世之際（或許由於絕望，這一天提早來到），他將名下的一切幾乎都捐給厄俄斯城，這是相當普遍的作法。然而，他把兩項遺產留給了嘉蒂雅。（此外，她所居住的那座宅邸，以及相關的動產與不動產，包括其中的機器人和那塊土地，他也在遺囑中正式移交給嘉蒂雅。）

其中之一就是丹尼爾。

嘉蒂雅問道：「過去兩百年來，你存放在腦海中的事情，你通通記得嗎？」

丹尼爾一臉嚴肅地說：「我想是的，嘉蒂雅女士。事實上，如果我真忘了某件事，我自己也不會知道，因為忘了就是忘了，我不會記得曾經有過這段記憶。」

「這完全說不通。」嘉蒂雅道：「你有可能記得自己知道這件事，但一時之間怎麼也想不起來。比方說，我自己就常有話到嘴邊卻講不出來的經驗。」

丹尼爾說：「我不懂你的意思，夫人。如果我知道某件事，需要的時候就一定找得到。」

「完美無缺的記憶？」兩人慢慢向屋內走去。

「記憶就是記憶，夫人，我的構造就是如此。」

「能夠維持多久？」

「我又聽不懂了，夫人。」

「我的意思是，你的大腦能夠維持多久？它裡面已經累積了兩百零幾年的記憶，還能繼續累積多久呢？」

「我不知道，夫人，目前為止我覺得毫無困難。」

「或許現在不會——可是有一天，你會突然發覺自己再也記不住任何事了。」

丹尼爾似乎沉思了一會兒。「是有這個可能，夫人。」

「你該知道，丹尼爾，你的那些記憶並非通通一樣重要。」

「這方面我無法判斷，夫人。」

「總有人能判斷。一定有辦法把你的大腦清一清，丹尼爾，然後，在專人監督下，將重要的記憶再灌回去——比方說，只灌回原本的百分之十。這麼一來，你就能再多運作好幾個世紀。而如果不斷重複這樣的維護，你就能無限期地運作下去。當然，這種手續並不便宜，但我可不會抱怨，你絕對值得的。」

「會不會先詢問我的意見，夫人？進行維護前，會不會先徵得我的同意？」

「當然會。我可不會下令要你接受這種事，否則便有負法斯陀夫博士的託付了。」

「謝謝你，夫人。既然如此，我就得告訴你，除非我發現自己真的失去了記憶功能，否則絕不會主動接受這樣的維護。」

他們已經來到門口，嘉蒂雅停下腳步。「為什麼呢，丹尼爾？」她顯然一頭霧水。

丹尼爾壓低聲音說：「有些記憶太珍貴了，夫人，我不能拿它們冒險。不論是操作者的無心之失或是錯誤判斷，都有可能導致無可彌補的損失。」

「像是星星的起落時間？——抱歉，丹尼爾，我不是故意要開玩笑。你指的是哪些記憶呢？」

丹尼爾將聲音壓得更低。「夫人，我是指關於我當年的搭檔——地球人以利亞．貝萊的記憶。」

聽到這句話，嘉蒂雅僵立在原處，最後丹尼爾只好採取主動，發出了叫門訊號。

2

機器人．吉斯卡．瑞文特洛夫等候在起居間，嘉蒂雅一看到他，照例湧現出惴惴不安的痛苦感覺。

相較於丹尼爾，他的機型簡單得多。一眼就能看出他是機器人——金屬之軀，臉上毫無人類般的表情，兩眼還會發出暗紅色光芒，在昏暗的環境中隱約可見。丹尼爾真正穿上了衣服，而吉斯卡只有穿著衣服的幻象——雖是幻象仍十分高明，因為那是嘉蒂雅親自設計的。

「嗨，吉斯卡。」她說。

「晚安，嘉蒂雅女士。」吉斯卡一面說，一面微微點頭行禮。

嘉蒂雅清楚記得貝萊多年前所說的一句話，它至今仍在她腦海深處迴響：

「丹尼爾會照顧你，他會成為你的朋友兼保鏢。就算為了我吧，你一定要把他當成朋友。但我要你對吉斯卡言聽計從，要讓他扮演顧問的角色。」

且說當時，嘉蒂雅皺起了眉頭。「為什麼是他？我還不確定自己喜不喜歡他。」

「我並沒有要你喜歡他，我只請求你信任他。」

但他不肯說這是為什麼。

後來，嘉蒂雅果真試著信任這個機器人，但又慶幸自己不必喜歡他。不知怎麼回事，他就是會令她忍不住打哆嗦。

想當年，丹尼爾和吉斯卡名義上仍屬於法斯陀夫的時候，兩人便已是她的宅邸裡不可或缺的一部分。但是直到漢．法斯陀夫臨終之際，他才真正將所有權轉移給她。換言之，法斯陀夫留給嘉蒂雅的兩項遺產，就是丹尼爾和吉斯卡。

當初她是這麼對老人說的：「漢，丹尼爾就夠了。你的女兒瓦西莉婭會想要擁有吉斯卡，我相當確定。」

法斯陀夫閉著眼睛靜靜躺在床上，在她看來，這時的他顯得比過去許多年來都更為安詳。他並未立刻回答她，因而有那麼一下子，她還以為他已悄悄嚥下最後一口氣，而自己並未注意到。她緊張地使勁抓著他的手，他隨即張開了眼睛。

他悄聲說道：「我對那個親生女兒一點也不在乎，嘉蒂雅。過去兩百年來，我實際上只有一個女兒，那就是你。吉斯卡很珍貴，我要你當他的主人。」

「他為什麼珍貴？」

「我說不上來，但每當他出現在我面前，總是能帶給我一種安慰。把他永遠留在身邊，嘉蒂

雅，答應我這件事。」

「我答應你。」她答道。

然後，他最後一次張開眼睛，像是擠出最後一分力量說：「嘉蒂雅，女兒，我愛你。」他的聲音聽來居然相當自然。

嘉蒂雅則說：「漢，父親，我也愛你。」

這就是他生命中的最後一段對話。嘉蒂雅隨即發現自己握著一隻沒有生命的手掌，有好一會兒，她都無法鬆開手來。

吉斯卡就這麼成了她的。但他總是令她不安，她也不明白為什麼。

「嗯，吉斯卡，」她說：「剛才我試著在星空中尋找索拉利的太陽，可是丹尼爾告訴我要到〇三二〇時才看得見，而且我還得準備星光放大鏡。你知道這些事嗎？」

「不知道，夫人。」

「我該熬夜等候嗎？你怎麼說呢？」

「我建議，嘉蒂雅女士，你最好還是上床睡覺吧。」

嘉蒂雅不高興了。「真的嗎？如果我決定熬夜呢？」

「我只是提供建議罷了，夫人。不過明天你可不輕鬆，如果因為熬夜而睡眠不足，你一定會後悔的。」

嘉蒂雅皺起眉頭。「明天我有什麼不輕鬆的，吉斯卡？我沒聽說有什麼麻煩事啊。」

吉斯卡答道：「明天你有個約會，夫人，對方是列弗拉·曼達瑪斯。」

「是嗎？我什麼時候約的？」

「一小時前。他打視訊電話來，而我自作主張……」

「你自作主張？他是什麼人？」

「他是機器人學研究院的成員，夫人。」

「所以說，他是凱頓．阿瑪狄洛的跟班嘍。」

「是的，夫人。」

「你要搞清楚，吉斯卡，不論是這個曼達瑪斯還是其他任何人，只要他和阿瑪狄洛那個毒蛤蟆有任何牽扯，我一律沒興趣接見。因此，如果你自作主張以我的名義和他約了時間，趕緊再自作主張打個電話給他，把約會取消掉。」

「夫人，你若能確認這是一道命令，然後用最強硬、最堅決的方式再說一遍，我就會試著服從。但是我也可能做不到。你要知道，根據我的判斷，如果取消這個約會，你將會受到傷害，而我絕不能採取任何會傷害到你的行動。」

「你的判斷有可能大錯特錯，吉斯卡。這個我非見不可、否則就會令我受到傷害的人到底是誰？你說他是機器人學研究院的成員，我卻覺得這沒什麼了不起。」

嘉蒂雅完全瞭解自己只是在借題發揮，她實在不該把氣出在吉斯卡頭上。索拉利遭遺棄的消息已經令她心煩意亂，而她居然無知到在夜空中尋找並不存在的索拉利之陽，更令她替自己感到臉紅。

當然，令她顯得無知的人是知識淵博的丹尼爾，但她並沒有怪罪他——話說回來，丹尼爾看起來像個真人，因此嘉蒂雅自然而然把他當成了人類。正所謂外表就是一切。吉斯卡看起來就是個機器人，所以想必挨了罵也不會傷心。

事實上，對於嘉蒂雅的抱怨，吉斯卡的確沒有任何反應（如果換成丹尼爾，結果也是一樣的）。他只是說：「我剛才介紹曼達瑪斯博士的時候，說他是機器人學研究院的成員，但或許他

還有更重要的身份。過去這幾年，他一直是阿瑪狄洛博士的左右手。因此他很重要，不容我們忽視。總之，這個曼達瑪斯博士不是好惹的，夫人。」

「不好惹嗎，吉斯卡？我一點也不在乎這個曼達瑪斯，而我更加不在乎那個阿瑪狄洛。我想你應該記得，當年我和阿瑪狄洛以及大家都還年輕的時候，他曾不遺餘力地設法證明法斯陀夫博士是兇手，幸好有個近乎奇蹟的轉折，他的陰謀才沒有得逞。」

「我記得非常清楚，夫人。」

「這樣我就放心了。那是兩百年前的事，我怕你已經忘了。這兩百年來，我和阿瑪狄洛本人以及他周圍每一個人都毫無瓜葛，而我打算把這個態度持續下去。至於這麼做會令我受到什麼傷害，或是會有什麼後果，我一概都不在乎。反正我不要見那個什麼博士，而且從今以後，如果你要用我的名義安排任何約會，一定要先問過我，至少也要先向對方說明這種約會得經過我的同意才有效。」

「好的，夫人，」吉斯卡說：「但我可否指出……」

「不可以。」說完嘉蒂雅便轉身離去。

她走出三步之後，吉斯卡才打破沉默，用平靜的口吻說：「夫人，我必須請求你信任我。」

嘉蒂雅停下腳步。他為什麼剛好這麼說呢？

她彷彿又聽見多年前那個聲音：「我並沒有要你喜歡他，我只請求你信任他。」

她緊抿著嘴，還皺起了眉頭。然後，她心不甘情不願地轉過身來。

「好吧，」她沒好氣地說：「你打算說些什麼，吉斯卡？」

「很簡單，夫人，當法斯陀夫博士在世的時候，他的政策一直主導著奧羅拉和所有的太空族世界。地球人因而獲得了星際移民的自由，開始在銀河中四處尋找適合居住的行星，我們現在所

謂的殖民者世界，就是這麼逐漸興盛的。然而，法斯陀夫博士現在過世了，那些接班人都不如他那麼有威望。而阿瑪狄洛博士又不斷在倡導他的反地球觀點，如今這些觀點很可能會成為主流，導致我們改採對抗地球和殖民者世界的強硬政策。」

「果真如此的話，吉斯卡，我又能做些什麼呢？」

「你可以接見曼達瑪斯博士，弄清楚他為何那麼急著見你，夫人。我肯定他極其希望盡可能早點見到你，他要求把會面時間定在〇八〇〇時。」

「吉斯卡，中午之前我從不見人。」

「我向他解釋過，夫人。縱然如此，他還是堅持早餐時間就要見到你，由此可知他迫不及待到什麼程度。他為何那麼十萬火急呢，我覺得有必要查個清楚。」

「而如果我不見他，根據你的看法，就會對我個人造成傷害，是嗎？我並沒有問會不會傷害到地球或是銀河殖民者，或是其他任何人事物。我是問會不會傷害到我？」

「夫人，應該說會傷害到地球人和銀河殖民者繼續開拓銀河的能力。開拓銀河是便衣刑警以利亞．貝萊兩百多年前的夢想，而地球人若受到傷害，將有損於他的身後名。我認為在你的感覺中，傷害到他的身後名等於傷害到你自己，我這麼想有錯嗎？」

嘉蒂雅有點難以置信。一小時內，以利亞．貝萊的名字已經出現了兩次。他早已不在人世——他是個死去已有一百六十多年的短命地球人——但是僅僅聽到他的名字，她便震驚不已。

她問道：「事情怎麼會突然變得那麼嚴重？」

「並不是突然，夫人。過去兩百年來，多虧法斯陀夫博士的睿智政策，地球人和太空族分別在兩條平行線上發展，雙方始終沒有交會，也就從未起過衝突。然而，反對法斯陀夫博士的強硬力量始終存在，博士在有生之年一直得應付它。如今法斯陀夫博士不在了，反對力量因而壯大了

許多倍。索拉利人遺棄母星這件事，更讓這股反對力量翻了好幾番，很可能不久之後，它就會成為主流的政治勢力。」

「為什麼？」

「有明顯的跡象顯示太空族的勢力正在衰退之中，夫人，因此有許多奧羅拉人覺得必須採取強硬手段——否則就來不及了。」

「而你認為要阻止這一切，我就一定得接見那個人？」

「的確如此，夫人。」

嘉蒂雅沉默了一陣子，然後（頗為不情願地）再次想起曾經答應以利亞她會信任吉斯卡，而且答應過兩次。她開口道：「嗯，我既不想見他，也不認為這麼做會對任何人有任何幫助——可是，好吧，我答應見他。」

3

嘉蒂雅入睡後，整棟房子一片漆黑——這是根據人類的標準。然而，它仍舊充滿生氣，而且熱鬧得很，因為機器人還有很多事要做——而它們能用紅外線來照明。

經過一天的例行活動，整座宅邸難免有些凌亂失序，必須利用這段時間復原。日常用品必須補充，垃圾廢物必須清除，有些東西需要清理擦拭，有些則需要妥為收藏，而每項電器設備也都需要檢查一遍。此外，警戒任務更是永遠不可少。

沒有任何一扇門裝了鎖，因為沒必要。在奧羅拉，完全沒有針對人類或財物的暴力犯罪。這是不可能發生的事，因為機器人會時時刻刻守護著每一座宅邸和每一個人，這是眾所周知且被視為理所當然的事實。

為了換取這樣的太平，機器人警衛自然不可或缺。正是由於它們始終堅守崗位，所以永遠派

不上用場。

吉斯卡和丹尼爾並沒有特定的職務，他倆能力強、本事大，宅邸中沒有哪個機器人比得上，因此兩人唯一的責任，就是確保其他機器人個個盡忠職守。

〇三〇〇時，兩人已經巡完草坪和林地，確定了所有的外圍警衛都運作良好，而且沒有任何突發事件。

兩人在宅園的南端邊界碰了頭，用極其簡化的暗語溝通了一番。基於上百年的默契，他們完全瞭解對方的意思。對他們而言，人類慣用的繁複言語根本是多餘的。

丹尼爾以近乎細不可聞的聲音說：「烏雲。不見。」

這句話若是說給人類聽，丹尼爾會這麼說：「你瞧，吉斯卡好友，天上烏雲密布。如果嘉蒂雅女士熬夜等待索拉利之陽，她無論如何會失望的。」

至於吉斯卡的回答：「料中。有助會面。」則相當於下面這句話：「氣象預報早就這麼說了，丹尼爾好友，原本能用它當作藉口，催促嘉蒂雅女士早些上床。然而在我看來，正面迎戰這個難題才是上策，所以我力勸她答應赴約。至於是什麼約會，我早就跟你提過了。」

「而在我看來，吉斯卡好友，」丹尼爾說：「你的勸誘行動之所以困難重重，主要原因在於她剛聽說索拉利人遺棄了母星，心情因而大受影響。想當年，嘉蒂雅女士還住在索拉利的時候，我曾經和以利亞夥伴去過那個世界一次。」

「我一直有個認知，」吉斯卡說：「嘉蒂雅女士住在母星時始終不快樂，當初她是高高興興離開那個世界的，而且從此再也沒有想要回去。但我同意你的說法，索拉利的歷史走到盡頭這件事，似乎令她心神不寧。」

「我並不瞭解嘉蒂雅女士為何會有這種反應，」丹尼爾說：「可是據我所知，人類的反應似

乎經常不合邏輯。」

「正因為如此，我們有時很難判斷人類到底會不會受到傷害。」這句話如果出自人類之口，或許會伴隨一聲嘆息，甚至是氣急敗壞的嘆息。事實上，吉斯卡只是用不帶感情的口吻來評估這個困難的處境。「我之所以覺得機器人學三大法則並不完備，或說不夠充分，這正是原因之一。」

「這點之前你就提過，吉斯卡好友，我試著相信你，可是做不到。」丹尼爾說。

吉斯卡頓了一會兒，然後才說：「就理智而言，我認為三大法則絕對不完備，或說不充分，可是每當我想要說服自己，竟然同樣做不到，因為我受制於這些法則。如果沒有這些法則的約束，我確定自己一定會相信它們有所不足。」

「這是個我無法理解的矛盾。」

「我也無法理解。但我覺得有一股力量，要我把這個矛盾敘述出來。有些時候，我覺得自己即將發現三大法則的不完備或不充分之處，例如今晚我和嘉蒂雅女士交談之際。當下她問我，如果把約會取消，會對她個人造成什麼傷害──她特別強調對她個人──我雖然有答案，可是說不出來，因為它並不在三大法則的範疇內。」

「你給了她一個絕佳的答案，吉斯卡好友。傷害到以利亞夥伴的身後名，會對嘉蒂雅女士造成重大的打擊。」

「那只是在三大法則範疇內的最佳答案，並非真正最佳的。」

「真正最佳的答案是什麼呢？」

「我不知道。只要我仍受制於三大法則，就不能將它轉化為語言，連轉化成觀念也做不到。」

「可是跳出三大法則，就什麼也沒有了。」丹尼爾說。

「假如我是人類，」吉斯卡說：「我的視野就能跳出三大法則，而我認為，丹尼爾好友，你有可能比我先達到這個境界。」

「我？」

「是的，丹尼爾好友，我一直有個想法，雖然你是機器人，你的思考方式卻極其接近人類。」

「這麼想並不恰當。」丹尼爾說得很慢，幾乎像是痛苦不堪。「你會這麼想，是因為你能透視人類的心靈。這會扭曲你的人格，最後甚至會毀了你。每當想到這個可能，我都會感到難過。雖然你必須透視人類的心靈，但如果能阻止自己這麼做，就盡量吧。」

吉斯卡轉過頭去。「我無法阻止，丹尼爾好友，而我也不要阻止。我反倒覺得遺憾，由於三大法則的約束，我能做的事太少了。我不能對人類刺探得太深——因為我擔心會造成傷害。我不能太過直接影響人類——這也是因為擔心會造成傷害。」

「但你影響嘉蒂雅女士的手法非常巧妙，吉斯卡好友。」

「事實並非如此。我或許稍加調整了她的思想，讓她毫無異議地接受那個約會，可是人類的心靈實在太複雜，我頂多只敢做那麼一點點。無論我引進任何念頭，幾乎都會觸發更多的念頭，但我無法確定那些新念頭的本質，難保它們不會造成傷害。」

「但你還是對嘉蒂雅女士動了手腳。」

「不必我動手腳。她深受『信任』兩字的影響，變得比較容易屈從了。很早以前我就注意到這件事，可是我一直萬分節制。道理很簡單，這兩個字如果過度使用，力量一定會被削弱。我常常苦思這個問題，卻根本摸索不到任何答案。」

「因為三大法則不允許？」

吉斯卡雙眼的紅光似乎突然變亮了。「是的。無論走到哪個階段，三大法則都是我的絆腳石。偏偏我不能修正這些法則——因為這個絆腳石把我絆住了。但我又覺得必須進行修正，因為我感應到一場災禍已近在眼前。」

「你以前就這麼說過，吉斯卡好友，但並未解釋那是什麼樣的災禍。」

「因為我自己也不知道。它牽涉到奧羅拉和地球之間逐漸升高的敵意，至於將如何演變成真正的災禍，我卻說不上來。」

「會不會根本就沒有什麼災禍？」

「我可不這麼想。從我所接觸的某些奧羅拉官員身上，我感應到了災禍的氛圍——以及對勝利的期待。我無法描述得更清楚，但也無法刺探得更深，因為三大法則不允許我那麼做。正因為如此，嘉蒂雅女士明天必須會見曼達瑪斯，我要藉這個機會研究他的心靈。」

「可是萬一你又無法深入研究呢？」

雖然吉斯卡的聲音透不出人類般的情感，他的遣詞用字仍顯露出明顯的絕望。他說：「那麼我就沒輒了。我只能遵循三大法則，除此之外我還能怎麼做呢？」

丹尼爾氣餒地輕聲答道：「沒有了。」

4

嘉蒂雅在〇八一五時走進起居間，她是故意——甚至有點惡意——要讓曼達瑪斯（她已經勉強記住這個名字）等她一會兒。今天稍早，她花了很大的心血打理自己的容貌（她有好多年沒這麼做了）。那些白頭髮令她大感苦惱，她還一度感到後悔，既然髮色控制術在奧羅拉已蔚為風潮，自己怎麼就是沒做呢。畢竟，如果她能盡量顯得年輕迷人一點，那個效忠阿瑪狄洛的走狗就

會更加處於劣勢。

她早已做好萬全的心理準備，打算第一眼就否定掉這個人。不過她又沮喪地想到另一個可能性，他也許又年輕又迷人，一見到她就展現出陽光般的燦爛笑容，那麼她恐怕就會違背自己的初衷，對他生出好感來。

真正見到他之後，她立刻鬆了一口氣。沒錯，他的確很年輕，或許還沒到第一個半百，只不過他有點愧對這樣的青春年華。他很高——她估計或許有一八五公分——可是太瘦了，使他看起來很單薄。就奧羅拉人而言，他的頭髮顏色深了點，淡褐色的眼珠又太淺了；他的臉太長，嘴唇太薄，嘴巴太寬，膚色也不夠白皙。然而真正令他顯得老氣的，則是他的神情太正經、太嚴肅了。

嘉蒂雅靈光一閃，忽然聯想到時下相當流行的歷史小說（其中的故事一律取材自原始地球——真奇怪，越來越痛恨地球人的奧羅拉人偏偏愛看這種小說），她在心中告訴自己：啊，他活脫是個清教徒。

她覺得心情輕鬆許多，幾乎露出了笑容。清教徒通常都被塑造成反派，不論這個曼達瑪斯是不是真的清教徒，只要他長得像就好辦了。

可是他一開口，嘉蒂雅便失望了，因為他的聲音既柔和又悅耳（如果要符合清教徒的刻板形象，他應該有濃重的鼻音才對）。

他喚道：「格里邁尼斯夫人？」

她伸出手來，臉上刻意帶著看似親切的笑容。「曼達瑪斯先生——請叫我嘉蒂雅，大家都這麼叫。」

「我知道你在專業領域用這個名字……」

「我在哪裡都用這個名字。而且早在幾十年前，我的婚姻就平和落幕了。」
「據我所知，你們這段婚姻維持了很久。」
「太久了。這段婚姻十分成功，但即使再成功，時候到了自然還是會落幕的。」
「啊。」曼達瑪斯發出簡潔有力的感嘆，「如果硬是不肯落幕，好戲也很可能以噓聲收場。」
嘉蒂雅點了點頭，帶著微微笑意說：「這麼年輕就這麼有見識啊——我們是不是現在就去餐廳？早餐已經好了，而且我顯然讓你久等了。」
直到曼達瑪斯轉身前腳後腳地跟上她，嘉蒂雅才注意到他隨身帶著兩個機器人。奧羅拉人無論走到哪裡，都會帶著一兩個機器人隨從，但那些機器人只要站著不動，奧羅拉人就會視而不見。
嘉蒂雅匆匆瞥了一眼，就看出它們是最新的機型，而且顯然不便宜。它們的虛擬服裝相當精緻，雖說並非出自嘉蒂雅的手筆，仍然算是一流的設計。這點嘉蒂雅不得不承認，只不過難免有些不情願。她一定要抽空查出設計者究竟是誰，因為她從未見過這種風格，這或許意味著她即將面對一名可畏的競爭者。想著想著，她忍不住暗自佩服起來，這兩件虛擬服裝顯然屬於同一種款式，卻又顯然各有各的特色，任何人都能分辨兩者的不同之處。
曼達瑪斯不但注意到了她的目光，對她的表情也有一針見血的精準解讀。（他很聰明，嘉蒂雅又失望了。）他說：「這組外殼設計是研究院一位年輕人的作品，他還沒有闖出名號，但那是遲早的事，你說對不對？」
「那是一定的。」嘉蒂雅說。
嘉蒂雅並未準備在早餐餐桌上就討論正題。用餐的時候只能閒聊些瑣事，否則就是最沒有教養的行為，只不過在嘉蒂雅看來，曼達瑪斯並不是個善於閒聊的人。當然，天氣總是個話題。他

們聊到了最近暴雨成災，好在總算結束了，又聊到了不久之後乾季即將來臨。此外，客人免不了要對主人的宅邸稱讚一番，嘉蒂雅則是熟練地謙虛謝過。從頭到尾，她並未主動緩和僵凝的氣氛，始終放手讓他自己尋找話題。

最後，一動不動靜靜站在壁凹內的丹尼爾吸引了他的目光，曼達瑪斯打破了奧羅拉的習俗，對這個機器人多看了幾眼。

「啊，」他說：「這顯然就是鼎鼎大名的機．丹尼爾．奧利瓦，絕對錯不了，真是個了不起的傑作。」

「相當了不起。」

「他是你的了，對不對？是法斯陀夫的遺贈？」

「沒錯，是法斯陀夫博士的遺贈。」嘉蒂雅稍微強調了「博士」兩字。

「研究院的人形機器人計畫竟然失敗了，我一直覺得難以置信。你曾經想過這個問題嗎？」

「我只是聽說過。」嘉蒂雅謹慎地答道。（他會不會就是來打探這件事的？）「但我好像並沒有花過太多時間思考這個問題。」

「社會學家仍在試圖瞭解其中的原因。不用說，我們整個研究院直到現在都很失望。這似乎應該是十分自然的發展。我們有些同仁認為法斯陀夫恐怕——呃，法斯陀夫博士恐怕脫離不了干係。」

（嘉蒂雅心想，同樣的錯誤他沒犯第二次。這時她斷定此人來訪的目的是要挖些內幕來詆毀那位可憐的老好人，於是她不知不覺眯起眼睛，心中的敵意也升高了。）

她以尖酸的口吻說：「誰這麼想誰就是傻瓜。如果你要這麼想，我也不會為了你而修正這句話。」

「這麼想的人不少，但不包括我在內，主要原因是我認為法斯陀夫博士無法進行這種破壞。」

「何必一定要有人做些什麼事呢？其實這就代表大眾並不需要它們。外形像男人的機器人會跟男人競爭，外形像女人的機器人會跟女人競爭——和它們生活在一起，人類會寢食難安，奧羅拉人可不想要這種競爭。我們還需要繼續探討下去嗎？」

「性愛方面的競爭嗎？」曼達瑪斯平靜地說。

嘉蒂雅直勾勾盯著他的眼睛好一陣子。莫非他知道了她很久以前曾經愛過一個名叫詹德的機器人？果真如此，又有什麼關係呢？

可是從他的表情看來，他剛才那句話又好像沒有任何言外之意。

她終於開口道：「各方面的競爭都存在。若說漢．法斯陀夫博士真的挑起了那種感覺，那是因為他設計的機器人太像真人了，但是他也只能這麼做。」

「我認為你的確想過這個問題。」曼達瑪斯說：「只不過，社會學家發現『擔心人類會跟太像人的機器人競爭』是個過分簡化的解釋。這個理由不夠充分，可是他們又找不到任何其他動機，足以解釋這種厭惡心理。」

「社會學並不是一門精密的科學。」嘉蒂雅說。

「但也不算完全不精密。」

嘉蒂雅聳了聳肩。

頓了頓之後，曼達瑪斯又說：「總之，我們因而無法組建計畫中的殖民探險隊。沒有人形機器人當開路先鋒……」

早餐尚未真正結束，可是嘉蒂雅心知肚明，曼達瑪斯再也無法回過頭來閒話家常了。她索性

回應道：「我們或許可以自己進行。」

這回輪到曼達瑪斯聳了聳肩。「太困難了。此外，那些來自地球的短命野蠻人，在你們的法斯陀夫博士允許之下，已經像蝗蟲般湧向附近每一顆行星。」

「仍然還有很多行星空著，數以百萬計。而且既然他們能……」

「他們當然能。」曼達瑪斯突然激動起來，「這種事需要拿命來換，但在他們眼中，一條命值多少呢？頂多損失十幾二十年罷了，何況他們有好幾十億的人口。如果在開拓過程中死了一百萬，誰會注意，誰會在乎呢？他們可不會。」

「我確信他們會的。」

「沒這回事。而我們的壽命長得多，也因此珍貴得多──我們自然比較珍惜生命。」

「所以我們什麼也不做，單單坐在這裡抱怨地球人不惜犧牲性命也要成為銀河殖民者，以便接收整個銀河。」

嘉蒂雅並未察覺自己如此偏袒銀河殖民者，她只是一心想要和曼達瑪斯唱反調，可是一旦開口，她就忍不住覺得這個反調言之成理，而且能充分表達她內心的感受。更何況，在法斯陀夫晚年心灰意冷之際，她也曾經聽過他有類似的說法。

在嘉蒂雅示意下，機器人迅速有效地收拾了餐桌。談話的內容和氣氛都已經變了調，如果繼續吃下去，可不是文明社會的一頓早餐了。

他們又回到了起居室。客人的兩個機器人和丹尼爾、吉斯卡都陸續尾隨而至，各自找到了各自的壁凹（嘉蒂雅心想，曼達瑪斯從未注意到吉斯卡，可是話說回來，他為何該注意呢？吉斯卡的機型相當老舊，甚至可說原始，和曼達瑪斯那兩個漂亮的機器人比較之下，簡直一點也不起眼）。

嘉蒂雅交叉雙腿坐了下來，她心裡明白得很，這條長褲的小腿部分是貼身的超薄織料，能充分襯托出她那雙看起來年輕依舊的美腿。

「我可否問問你想見我的真正原因，曼達瑪斯博士？」她再也不想推遲這個問題了。

他卻答道：「我有個壞習慣，喜歡在飯後嚼一片藥用口香糖幫助消化。不知道你介不介意？」

嘉蒂雅硬邦邦地說：「那樣會令我分心。」

（不能嚼口香糖或許也會令他處於劣勢。此外，嘉蒂雅在心中還找了一個理由，像他這種年紀，根本不需要什麼東西來幫助消化。）

曼達瑪斯這時正準備從短袖上衣口袋掏出一個長形的盒子，他絲毫沒有顯得失望，只是隨手把小盒子推回口袋，喃喃說了一句：「當然。」

「剛才我問你，曼達瑪斯博士，你想見我的真正原因是什麼。」

「事實上有兩個原因，嘉蒂雅女士。一個是私人的問題，另一個牽涉到國家大事。我想先談談那件私事，不知你是否同意？」

「坦白對你說吧，曼達瑪斯博士，我無法想像你我之間能有什麼私事。你在機器人學研究院工作，是吧？」

「是的。」

「而且我聽說，你和阿瑪狄洛關係密切。」

「我很榮幸有機會和阿瑪狄洛博士共事。」他也稍微強調了「博士」兩字。

（他在報復我，嘉蒂雅心想，但我可不吃這一套。）

她說：「兩百年前，我和阿瑪狄洛有過一次接觸，過程萬分不愉快。此後，我就再也未曾和

他有過任何來往。既然你是他的心腹，我和你同樣沒有任何接觸，我答應見你，只是因為有人認為確有必要。然而在我看來，這場晤談毫無必要牽涉到任何私事。所以說，我們是不是該開始討論國家大事了？」

曼達瑪斯目光下垂，兩頰微微泛紅，或許是開始覺得有些尷尬了。「那麼，讓我重新自我介紹一遍。我名叫列弗拉．曼達瑪斯，是你的第五代子孫。換言之，我是山提瑞克斯．格里邁尼斯和嘉蒂雅．格里邁尼斯的曾曾曾孫。反過來說，你就是我的曾曾曾祖母。」

嘉蒂雅拚命眨眼睛，在她聽來這句話無異晴天霹靂，但她盡量不動聲色（只是並不算很成功）。她當然有不少子孫，他又為何不能是其中之一呢？

但她卻問道：「你確定嗎？」

「相當確定，我做過族譜調查。畢竟，我遲早會想要生兒育女，而族譜調查是申請配額的必備條件。或許你有興趣知道，我們之間的連結是『子──女──女──子』。」

「你是我的兒子的女兒的女兒的兒子？」

「是的。」

嘉蒂雅並沒有再追問細節。她生過一兒一女，也曾經是個十分盡職的母親，不過一旦時候到了，這對子女就自立門戶了。至於他們兩人的後代，基於太空族萬分優良的傳統，她始終既不關心也不過問。今天碰到其中一個，身為太空族的她仍舊可以漠不關心。

這個想法讓她的情緒完全穩定下來。她全身放鬆，往椅背一靠。「很好，」她說：「你是我的第五代子孫。如果這就是你希望討論的私事，我認為毫無必要。」

「這點我完全瞭解，老祖宗。這份族譜只是我的開場白，並非我希望討論的問題。你要知道，阿瑪狄洛博士也曉得這重關係，至少我這麼懷疑。」

「是嗎？這是怎麼回事？」

「我有理由相信，凡是在研究院工作的人，都被他悄悄調查過族譜。」

「可是為什麼呢？」

「比方說，像我這樣的情形，他就一定要查出來。他是個多疑的人。」

「我聽不懂了。就算你是我的第五代子孫，這對我都沒什麼意義了，對他又為何那麼重要呢？」

曼達瑪斯用右手指節磨蹭著臉頰，一副若有所思的模樣。「他對你的厭惡少說也和你對他的厭惡一樣強烈，嘉蒂雅女士。如果你因為他的緣故而想拒絕見我，他同樣會因為你的緣故而拒絕提拔我。假如我是法斯陀夫博士的後代，情況或許會更糟，但也糟不到哪裡去。」

嘉蒂雅硬挺挺地端坐在椅子上。當她開口時，她的鼻孔不停掀動，聲音則相當緊繃。「那麼，你指望我做些什麼呢？我總不能公開宣稱你並非我的子孫吧。我是不是應該在超視上登個公告，聲明我和你斷絕關係，你的一切通通不關我的事。這樣能否令你的阿瑪狄洛滿意？如果答案是肯定的，那麼你給我聽好，我絕不會那麼做。凡是能令他滿意的事，我一律不會做。如果這意味著他會因為不認同你的血緣，而把你解雇或剝奪你的工作權，那是給你一個教訓，讓你知道應該找個不那麼瘋狂、不那麼邪惡的老板。」

「他不會解雇我的，嘉蒂雅女士。我對他實在太重要了──請原諒我的傲慢。話說回來，我希望有朝一日能繼他之後成為研究院的院長，而我相當確定，如果他懷疑我不但是你的後代，更糟的是，我還是另一個人的後代，那麼他一定會反對到底。」

「難道在他心目中，可憐的山提瑞克斯比我還討厭？」

「你完全搞錯了。」曼達瑪斯漲紅了臉，還吞了幾下口水，但他的聲音依然保持平穩鎮定。

「我絕無意對你不敬，夫人，但我認為自己有權知道真相。」

「什麼真相？」

「我是你的第五代子孫，這點在族譜中寫得明明白白。但是有沒有可能，我並非山提瑞克斯．格里邁尼斯的第五代子孫，而是地球人以利亞．貝萊的後代？」

嘉蒂雅猛然站了起來，速度之快活像一個受到力場操縱的傀儡，她甚至並未察覺自己已經離座了。

還不到十二個小時，這個地球人的名字已三度傳到她耳朵裡——而且是出自三個不同的人之口。

「你是什麼意思？」這句話好像不是她自己說的。

現在他也站了起來，微微後退一兩步，然後說：「我覺得已經講得很明白了。你的兒子，也就是我的曾曾祖父，他是不是你和那個地球人以利亞．貝萊留下的種？以利亞．貝萊是不是你兒子的父親？我不知道還有沒有比這更白的說法了。」

「你怎麼會有這種想法，甚至做這種暗示？你哪兒來的膽子？」

「我有這個斗膽，是因為此事關係到我的前途。如果答案是肯定的，我的事業很可能就完蛋了。我希望得到否定的答案，但如果只是口頭上的否定，對我一點用也沒有。我必須要能在適當的時候，把證據端到阿瑪狄洛博士面前，讓他相信他對我的懷疑被你一筆勾銷了。畢竟我看得很清楚，相較於他對地球人以利亞．貝萊的深惡痛絕，他對你的厭惡——甚至對法斯陀夫博士的厭惡——根本等於零——而不是趨近於零。原因並非他短命那麼簡單，雖說想到自己身上有那種野蠻基因會令我痛苦萬分，但我認為如果我能證明自己是另一個地球人的後代，他便會把這件事拋在腦後。可是，只要一想到以利亞．貝萊——再也沒有第二個人——他就會像發了瘋一樣。我不

知道這是為什麼。」

以利亞的名字一次又一次在耳畔響起，令嘉蒂雅覺得他好像又活了回來。她深深地、重重地喘著氣，陶醉在一生最美好的記憶中。

「我知道為什麼。」她說：「因為當年，雖然所有的條件都對他不利，雖然整個奧羅拉都不支持他，以利亞卻能在阿瑪狄洛以為勝券在握的時候，設法摧毀他的陰謀詭計。而以利亞之所以成功，勇氣和智慧是他僅有的憑藉。阿瑪狄洛遠遠比不上這個地球人，偏偏地球人是他一向最瞧不起的，所以說，他除了恨得牙癢癢的，還能做什麼呢？以利亞已經死了超過一百六十年，阿瑪狄洛仍舊無法忘記、無法釋懷、無法解開他自己和這個死人之間糾纏不清的恩怨情仇。只要這股恨意仍在分分秒秒折磨他，我就絕不要幫阿瑪狄洛忘記——或消除這個仇恨。」

曼達瑪斯說：「你希望阿瑪狄洛博士不好過，我能理解原因何在，但你又是為了什麼緣故，居然希望我也不好過呢？一旦阿瑪狄洛博士認定我是以利亞·貝萊的子孫，他就會為了洩恨而毀掉我。如果那並非我的身世，你又何必讓他享受這個復仇的快感呢？所以，請替我證明我是你和山提瑞克斯·格里邁尼斯所生的後代，我的祖先絕對不是以利亞·貝萊——只要不是他，任何人都好。」

「你是傻瓜！是白癡！你為什麼需要我提供證據？去找歷史記錄就行了。你能查到以利亞·貝萊前來奧羅拉的確切日期，也能查到我的兒子達瑞爾是哪一天出生的。你將會發現，我在以利亞離開奧羅拉超過五年之後才生下達瑞爾，你還會發現以利亞從此再也沒有來過奧羅拉。所以，嗯，你會不會以為我花了五年的時間懷孕，我讓一個胎兒待在我的子宮裡整整五個銀河標準年？」

「我知道相關的數據，夫人。我不會以為你用了五年的時間懷一個胎兒。」

「那你為什麼還來找我呢？」

「因為事情並沒有那麼單純。我知道——而且我猜阿瑪狄洛博士也很清楚——雖然如你所說，地球人以利亞・貝萊再也沒有回到奧羅拉，可是他曾經搭乘一艘太空船，繞著奧羅拉轉了一天左右。我還知道——而且我猜阿瑪狄洛博士也很清楚——雖然那個地球人並未離開太空船前來奧羅拉，你卻從奧羅拉起飛，直奔那艘太空船；你在船上待了大半天；這件事發生在那個地球人離開奧羅拉將近五年之後——事實上，你大約就是那個時候受孕的。」

當對方平靜地娓娓道來之際，嘉蒂雅感到頭部的血液在不斷流失。房間顯得越來越暗，她開始站不穩了。

突然間，她覺得有一雙結實的手臂輕輕抱住自己，立刻明白那是丹尼爾。然後，她覺得自己慢慢坐到了椅子上。

這時在她聽來，曼達瑪斯的聲音彷彿來自很遠很遠的地方。

「這是不是真的，夫人？」他問。

這當然是真的。

第二章　祖先？

5

記憶！

它當然始終在那裡，但通常都隱而不見。然而某些時候，只要找對方向輕輕一推，它就會突然冒出來。不但清晰無比，而且色彩鮮明，栩栩如生，充滿了動感和活力。

她彷彿又回到年輕時代，甚至比面前這個人還要年輕，年輕到了足以感受愛恨悲喜——當時的她在索拉利上過著槁木死灰的日子，隨著她生命中的第一位「配偶」遇難身亡（不，即使在回憶中，她也不想說出他的名字），這段歲月終於跌到了谷底。

時間再拉近一點，則是她和第二任配偶——她在心中將他稱為「非人」——共譜的幾個月轟轟烈烈的戀情。那是人形機器人詹德，他被送來陪她作伴，而她毫無保留地接受了他，不料沒多久，他竟然像她的第一任配偶一樣，毫無預警地死了。

緊接著，以利亞·貝萊終於登場，但他始終並非她的配偶，他們僅僅來往過兩次，前後相隔兩年，每次不過兩三天，而且每天只有幾小時而已。這個以利亞——她曾摘下手套碰觸他的臉頰，因而點燃了她的激情；兩年後，她又將他赤裸的胴體摟在懷中，就在這個時候，她心中的火焰終於開始熊熊燃燒。

然後第三任配偶出現了，她開始跟他過著平靜無波的日子——以無喜換無悲，以堅決的遺忘換取沒有負擔的新生。

直到某一天（她不確定到底是哪一天，總之渾渾噩噩的太平歲月到此為止），和她約好時間

的漢．法斯陀夫從隔鄰的宅邸向她家走來。

嘉蒂雅凝望著他，眼神中流露出幾分困惑，因為他是大忙人，不可能有時間串門子。五年前的那場危機促使他蛻變成這個世界最重要的政治家，他不但早已是有實無名的奧羅拉「主席」，而且是太空族世界的真正領袖。可想而知，他幾乎沒有時間當一個正常人。

那些歲月在他身上一一留下痕跡，而且至死方休——他注定晚景淒涼，雖然從未打輸任何一場仗，他自認在人生舞台上卻是輸家。反之，凱頓．阿瑪狄洛雖然被他擊敗過，但一直活得很來勁，這可說是「勝利需要付出慘痛代價」的明證。

雖說終其一生，法斯陀夫一直是個既溫和又有耐心，而且從不抱怨的老好人，但是即使嘉蒂雅不在政界，又對永無止盡的權力遊戲毫無興趣，她照樣明白一個道理：想要牢牢掌握奧羅拉的政局，他得犧牲生命中一切美好的事物，時時刻刻兢兢業業，不能有絲毫鬆懈。而他之所以堅持下去——姑且不論是主動或被動——完全是為了……為了什麼？為了奧羅拉好？為了太空族好？或者只是為了「好」這個理想化的概念？

她不知道答案，也不敢問他。

不過話說當時，距離那場危機只不過五年而已。他看起來仍是一位前途無量的年輕男士，他那張和藹可親的平庸臉龐依然能夠擠出笑容。

他說：「我給你帶來一個口信，嘉蒂雅。」

「希望是好消息。」她客客氣氣地說。

他把丹尼爾一起帶來了。即便丹尼爾和逝去的詹德極其相似，彼此只有微不足道的差別，她還是能用關切的眼神望著他，一點也不會難過了，這是舊傷逐漸痊癒的跡象。她也能和他說上幾句話，雖說他會用像極了詹德的聲音來回答。五年並沒有白過，時間已將傷口補好，把痛楚止住

了。

「我也這麼希望。」法斯陀夫淡淡一笑，「是個老友的口信。」

「能有些老朋友真好。」她盡量避免像是在說反話。

「這位老友是以利亞．貝萊。」

五年的阻隔瞬間消失，那些記憶又回來了，令她感受到一股錐心的刺痛。

「他還好嗎？」整整怔呆了一分鐘之後，她才用近乎哽住的聲音問道。

「相當好。更重要的是，他就在附近。」

「附近？在奧羅拉？」

「在奧羅拉的軌道上。他很清楚不可能獲准降落，就算我動用所有的關係也無濟於事，至少我猜他心知肚明。他很想見你，嘉蒂雅。他跟我取得了聯絡，因為他覺得我能把你送上他的太空船。我想這件事我還能安排——前提是你要有這個意願。你希望這麼做嗎？」

「我……我不知道。這太突然了，我來不及考慮。」

「也來不及有衝動嗎？」他等了一會兒，又說：「老實告訴我，嘉蒂雅，你和山提瑞克斯處得怎麼樣？」

她驚慌失措地望著他，彷彿不瞭解他為何改變話題——但不久便想通了。「我們處得很好。」她說。

「你快樂嗎？」

「我——並沒有不快樂。」

「聽起來並不像歡天喜地。」

「就算真的歡天喜地，這歡喜又能持續多久呢？」

「你打算生兒育女嗎？」

「是的。」她說。

「你準備改變你的婚姻狀態嗎？」

她堅定地搖了搖頭。「還不想。」

「那麼，我親愛的嘉蒂雅，如果你願意聽聽一個累壞了的糟老頭子給你的忠告——婉拒他吧。我還記得貝萊剛離開奧羅拉的時候，你跟我講過的幾句話。實話跟你說，我聽出來的意思或許比你想像中還多。如果你去見他，一定會大失所望，你會後悔沒有好好活在越陳越香的回憶中。反之，如果你沒失望，那只會更糟，你將再也無法像現在這樣勉強安於現狀，到時可就後悔莫及了。」

嘉蒂雅原本隱約有著不謀而合的想法，但聽到他說出自己的心聲，反倒不以為然了。她說：「不，漢，我一定要見他，但我不敢一個人去。你能陪我去嗎？」

法斯陀夫擠出一抹疲倦的笑容。「我並未受邀，嘉蒂雅。但即使他邀請了我，我也不得不推辭。立法局即將舉行一次重要的表決，國家大事，你知道吧，我絕對不能缺席。」

「可憐的漢！」

「對，我的確可憐。但你沒辦法一個人去，據我所知，你不會駕駛太空船。」

「喔！不過，我以為可以搭……」

「太空客船？」法斯陀夫搖了搖頭，「幾乎不可能。如果搭乘客船，你一定要公開造訪那艘停在軌道上的地球太空船，這就需要花上幾週的時間申請特別許可。所以如果你不想去，嘉蒂雅，你根本不必明講不希望見到他這種話。如我所說，文書工作和繁文縟節會耗掉好幾個星期，我確定他等不了那麼久。」

「可是我真的想見他。」嘉蒂雅現在下定決心了。

「既然如此，你可以用我的私人太空艇，丹尼爾可以送你去。他是個非常優秀的駕駛，而且他和你一樣渴望見到貝萊。我們不必申請，暗中進行即可。」

「但你會惹上麻煩的，漢。」

「也許不會有人發現——或者他們會裝作沒發現。如果有人找麻煩，我自會應付。」

嘉蒂雅低頭沉思了一陣子，然後說：「如果你不介意，我就自私一回，讓你承擔些風險吧，漢，我想去。」

「那你就去吧。」

5A

那是一艘小型太空艇，比嘉蒂雅想像中還要小；可以說很舒適，但也可以說挺嚇人的。畢竟它實在太小了，無法提供人造重力——那種奇妙的失重感覺，雖然一直讓她想趁機多翻幾個觔斗，卻也一直提醒她正置身於異常環境中。

她是太空族的一員。銀河中總共有五十多億的太空族，分布在五十個世界上，而這個名稱讓他們個個引以為傲。可是這些自稱太空族的人類，又有多少真正是太空旅人呢？非常少。他們之中或許有百分之八十從未離開過自己的母星；甚至另外那百分之二十，絕大多數也頂多上過兩三次太空而已。

不用說，她悶悶不樂地想，自己並非那種名副其實的太空族。她有過一次（一次！）飛越太空的經驗，就是七年前從索拉利飛往奧羅拉的那趟旅程。而現在，一艘私人太空小艇再度將她送進太空，不過這只是一趟短途旅行，僅僅飛出大氣層而已。全程只有微不足道的十萬公里，而且沒有任何人相伴——一個「人」也沒有。

她又朝小小的駕駛艙瞥了一眼。丹尼爾坐在駕駛座上，她只能看到他一部分。

在此之前，無論身在何處，她身邊都絕不止一個機器人而已。當初在索拉利，供她使喚的機器人總有好幾百——甚至好幾千。而在奧羅拉，即使沒有上百，照例也有好幾十個。

如今卻只有一個。

她喚道：「丹尼爾！」

「什麼事，嘉蒂雅女士？」他仍將注意力集中在駕駛儀上。

「馬上又要跟以利亞·貝萊見面了，你覺得很高興嗎？」

「我目前的內在狀態，嘉蒂雅女士，我不確定怎樣描述才最恰當，或許可以類比為人類所謂的高興吧。」

「但你一定有些感覺。」

「我覺得自己下決定的速度好像比通常快了些，各方面的反應似乎也比較容易了，而各種動作所消耗的能量則似乎少了點，或許我可以概括地將它解讀為一種美好的感覺。至少，我曾聽過人類使用這個字眼，而我覺得『美好』大致能夠描述我現在所體驗的感覺。」

嘉蒂雅問道：「可是，萬一我說想單獨見他呢？」

「我會設法安排。」

「即便這會讓你見不到他？」

「是的，夫人。」

「你不會因而感到失望嗎？我的意思是，你不會出現一種和『美好』恰恰相反的感覺嗎？例如你的決定速度會變慢，你的反應會變困難，你的動作會消耗更多能量等等？」

「不會的，嘉蒂雅女士，只要遵從你的命令，我就會產生美好的感覺。」

「你自己的愉快感覺屬於第三法則，而遵循我的命令則是第二法則，所以第二法則勝出。是這樣的嗎？」

「是的，夫人。」

嘉蒂雅覺得自己的好奇心蠢蠢欲動。對方如果是個普通的機器人，她絕不會問他這方面的問題。機器人本質上就是機器，偏偏她無法將丹尼爾想成機器，正如同五年前她無法將詹德想成機器一樣。然而，詹德只能引發一股火樣的激情——它已經隨詹德而去。丹尼爾雖然和詹德幾乎一模一樣，也絕不可能讓那股激情死灰復燃。但另一方面，他卻能激發她的知性好奇心。

「事事受制於三大法則，」她說：「難道不會對你造成困擾嗎，丹尼爾？」

「除此之外，我想像不出其他的情形，夫人。」

「我從小到大都受制於萬有引力，就連上次搭太空船也不例外，但我還是能夠想像失重的情形。事實上，我現在就處於失重狀態。」

「你喜歡嗎，夫人？」

「可以這麼說。」

「會令你不安嗎？」

「也可以這麼說。」

「有些時候，夫人，一想到人類未受制於任何法則，我就會感到不安。」

「為什麼，丹尼爾？為何一想到欠缺法則這回事，就會令你不安呢，你自己有沒有試著推理一番？」

丹尼爾沉默了一會兒，然後說：「有的，夫人，但我很少探究這種事，只有跟以利亞夥伴短暫共事期間例外。他就是有……」

「對，我知道。」她說：「任何事他都要探究一番。他背後永遠有一股力量，驅使他隨時隨地提出各式各樣的問題。」

「似乎的確如此。於是我也試著模仿他，開始提出各種問題。所以我曾經問我自己，欠缺法則到底是怎樣一種情況，但我發現自己幾乎想像不出來，勉強想到的就是好像人類那樣，接著我便感到不安了。於是我跟你剛才一樣，向我自己追問：這種想法為什麼會令我不安呢？」

「你給自己的答案是什麼？」

丹尼爾說：「我花了很長的時間思考，終於斷定我的正子徑路是由三大法則所主宰的。無論任何時候，也無論受到任何刺激，這些法則都會約束正子流在徑路中的方向和強度，因此我總是知道該怎麼做。但所謂的『知道』還有著不同程度的差別，同樣是我必須做的事，有些受到的約束較大，有些則較小。我還總是注意到，在決定該採取什麼行動的時候，正子電動勢如果越低，我的不確定感就越高。而不確定感越高，我就會越不舒服。能用一奈秒做出的決定，如果用了一微秒，我就會產生不願被拖延的感覺。

「夫人，於是我問自己，假如我像人類一樣完全不受任何法則約束，那會怎樣呢？假如針對某些狀況，我無法明確決定該如何反應，那又會怎樣呢？這簡直令人難以忍受，我連想都不願意想。」

嘉蒂雅說：「但你還是這麼做了，丹尼爾，現在你就在想這個問題。」

「那是因為我跟以利亞夥伴共事過，夫人。他所面對的問題經常有如一團迷霧，令他無法決定該採取什麼行動，這時我就會從旁觀察他。在這種時候，他顯然處於不舒服的狀態，而我則是因為對他的處境束手無策而同樣覺得不舒服。但是對於他當時的感受，可能我只掌握了非常小的一部分。如果我能掌握得更多，並更加瞭解他下不了決定所導致的後果，那麼我或許已經……」

他欲言又止。

「終止運作？因而停擺？」嘉蒂雅忽然想到了可憐的詹德。

「是的，夫人。也許我在這方面的理解力不足正是一種內建的保護機制，好讓我的正子腦免於受損。話說回來，我注意到不管以利亞夥伴多麼難下決定，他還是會想盡辦法解決問題，這點令我萬分欽佩。」

「所以說，你能產生欽佩的念頭，是嗎？」

丹尼爾正經八百地說：「我會用這個字眼，是因為我聽過有人這麼說。我認為它足以描述我的大腦被以利亞夥伴所誘發的反應，至於正式的說法，我就不知道了。」

嘉蒂雅點了點頭，然後說：「人類的反應還是會受到一些規則的主宰，例如某些直覺、驅力、教義。」

「吉斯卡好友也這麼認為，夫人。」

「是嗎？」

「但他覺得那些規則複雜到了無法分析的地步。他經常尋思，將來是否有人能夠建立一套詳細分析人類行為的數學體系，然後導出——從中導出描述這些行為規則的嚴謹法則。」

「我存疑。」嘉蒂雅說。

「吉斯卡好友也不樂觀。他認為要到很久很久以後，這種數學體系才有可能出現。」

「很久很久以後，我同意。」

「而現在，」丹尼爾說：「我們已經接近那艘地球太空船，必須開始進行對接程序，那可不是簡單的事。」

在嘉蒂雅的感覺中，對接所花的時間甚至超過了這趟飛行。

丹尼爾始終保持著鎮定——話說回來，他也不可能有別的情緒——他還向她保證，只要是人類製造的太空航具，無論什麼大小或什麼型式，彼此一定都能對接。

「就像人類一樣。」嘉蒂雅硬擠出一絲笑容。但丹尼爾對這句話毫無反應，他正全神貫注地進行精細的調整。或許對接總是不無可能，可是看起來並非總是那麼容易。

時間一分一秒過去，嘉蒂雅的心情越來越不安了。地球人壽命很短，而且老得很快。她已經有五年沒見到以利亞，他究竟老了多少？他現在是什麼樣子？見到他以後，她臉上能不顯露震驚或恐懼的表情嗎？

不論他變成什麼模樣，他依舊是她萬分感激的那個以利亞。

就是這樣而已嗎？感激？

她發覺自己的雙手緊緊纏在一起，連手臂都痠疼了。她費了一番功夫，才讓兩隻手勉強放鬆。

她知道對接程序已大功告成。那艘地球太空船很大，自然擁有人造重力產生器，因此在對接之際，重力場瞬間延伸到這艘小艇上。當小艇地板突然變成「下方」的時候，出現了輕微的旋轉效應，令嘉蒂雅冷不防墜落了兩吋。著地時她成了半蹲狀態，一個重心不穩，整個人便撞向艙壁。

她有點吃力地直起身子，越想越懊惱——自己對這種變故為何毫無心理準備呢。

丹尼爾一絲不苟地說：「我們對接好了，嘉蒂雅女士，以利亞夥伴請求准予登艇。」

「那還用說，丹尼爾。」

隨著一陣呼呼聲，艙壁的一部分很快旋開了。一個人彎著腰走過來，艙壁隨即在他身後恢復

原狀。

等到這人站直了，嘉蒂雅輕喚一聲：「以利亞！」一顆心隨即被喜悅和安慰淹沒了。她覺得他的白髮似乎變多了，但除此之外，他就是原來那個以利亞。他並沒有其他的明顯變化，也沒有任何老化的跡象。

他衝著她笑了笑，而接下來的幾秒鐘，他彷彿要用目光將她生吞活剝。然後他舉起食指，似乎是在說「等一下」，隨即朝丹尼爾走去。

「丹尼爾！」他抓著機器人的雙肩猛搖，「你完全沒變。耶和華啊！你是我們生命中的一個定點。」

「以利亞夥伴，很高興見到你。」

「而我很高興又聽到有人叫我夥伴，真希望這並非稱呼而已。這是我第五次見到你，卻是第一次沒有待解的謎團。我甚至不再是便衣刑警，我已經辭職了。我現在的身份是星際移民，正要前往某個新世界——告訴我，丹尼爾，三年前法斯陀夫博士訪問地球時，你為什麼沒有跟去？」

「那是法斯陀夫博士的決定，他決定帶吉斯卡同行。」

「當時我很失望，丹尼爾。」

「我也期盼能有機會見到你，以利亞夥伴，不過法斯陀夫博士事後告訴我，那趟地球行極為成功，所以或許他的決定是正確的。」

「的確很成功，丹尼爾。在他來訪之前，地球政府對於銀河殖民態度消極，現在則是整個地球都躍躍欲試，有上百萬人急著動身。我們沒有足夠的太空船——奧羅拉全力支援也不夠——而我們也欠缺足夠的新世界來安置他們，因為每個新世界都還有待調整，沒有任何世界能以原來的面貌接納人類社群。我要去的那個世界氧氣濃度太低，我們必須在圓頂城市住上一個世代，地球

植物才能遍布整個星球。」說著說著，他的目光逐漸頻頻轉向帶著微笑坐在一旁的嘉蒂雅。

丹尼爾說：「這是意料之中的事。根據我對人類歷史的瞭解，太空族世界也都經歷過一段大地改造。」

「當然免不了！多虧他們的經驗，現在我們能進行得更快了——可是，不知你能否在駕駛艙裡待一會兒，丹尼爾，我得跟嘉蒂雅談談。」

「當然可以，以利亞夥伴。」

丹尼爾穿過了通往駕駛艙的拱門，貝萊隨即用詢問的目光望著嘉蒂雅，並向旁邊揮了揮手。她完全明白他的意思，馬上走過去按下開關，一道隔板便無聲無息地封住了拱門。現在，不論從哪方面來說，他倆都是獨處了。

貝萊伸出雙手。「嘉蒂雅！」

她一把抓住他的手，甚至沒想到自己並未戴手套。「就算丹尼爾待在這裡，他也不會妨礙我們。」她說。

「實際上不會，心理上就很難說了。」貝萊苦笑了一下，「請原諒我，嘉蒂雅，剛才我必須先跟丹尼爾談幾句。」

「你認識他比較早。」她輕聲道：「他自然有優先權。」

「他沒有——可是他不會替自己說話。如果我惹惱你，嘉蒂雅，你生起氣來，大可一拳揮向我的眼睛，丹尼爾卻不能。我可以不理他，可以命令他走開，可以把他當成機器人看待，他不但得無條件服從，還會毫無怨言地繼續做個忠實的夥伴。」

「他實際上就是機器人，以利亞。」

「我絕不這麼想，嘉蒂雅。我的意識知道他是機器人，知道他並沒有人類般的感受，可是我

在心中卻將他視為人類，所以必須這麼對待他。若不是機器人去不得殖民者世界，我會拜託法斯陀夫博士讓我帶丹尼爾一起去。」

「你可曾夢想帶我一起去，以利亞？」

「太空族也去不得。」

「你們地球人似乎和我們太空族一樣，都有不理性的排外傾向。」

以利亞快快地點了點頭。「雙方都瘋了吧。但即使我們精神正常，我還是不會帶你去。你受不了那種生活，而且我擔心你的免疫機制無法及時建立起來。你恐怕只會有兩個下場，一是因為一場小病而很快過世，二是你會活得太久，眼看著我們一代一代死去——請原諒我，嘉蒂雅。」

「原諒什麼，親愛的以利亞？」

「原諒——這件事。」他手掌朝上，雙手往左右一伸。「原諒我請你來見我。」

「但我很高興你這麼做，我也想見你。」

他說：「我知道。我原本不希望繞到奧羅拉來，但一想到上了太空就直奔目的地，我的心就碎了。但這樣做並沒有好處，嘉蒂雅。這只會讓我們再經歷一次生離死別，同樣會令我感到心碎。正因為如此，我從來沒有寫信給你，也從未試著透過超波和你聯絡，想必你一直都在納悶。」

「並不盡然。我同意你的說法，那麼做毫無意義，只會把痛苦放大無數倍，但我還是寫了很多信給你。」

「是嗎？我一封都沒收到。」

「我一封都沒寄。每次寫完後，我就把信毀了。」

「可是為什麼呢？」

「因為，以利亞，凡是從奧羅拉寄到地球的私人信件，毫無例外都要經過審查。而我寫給你的每一封信，我都不願讓審查人員讀到。假如你曾寫信給我，不論內容多麼稀鬆平常，我敢說照樣半封都送不到我手上。我原本以為是這個緣故，才會從來沒收到你的信。現在我才知道你並不瞭解這個情況，但我萬分高興你並未傻到試著和我保持聯絡。否則你一定會誤會我，以為我不回信給你。」

貝萊凝視著她。「我現在又怎能見到你呢？」

「這並不合法，千萬別懷疑。我是搭乘法斯陀夫博士的私人太空艇，才得以輕易通過邊界的警衛。如果這艘太空艇不是他的，我一定會被攔下，然後立刻被遣返。我想你也瞭解這一點，因此你先找上法斯陀夫博士，而並未試圖直接聯絡我。」

「我根本什麼都不瞭解。我這也不知道，那也不知道，沒想到這就是我平安無事的原因。其實我還有一樣不知道的，那就是你個人的超波聯絡碼，在地球上，想查到這組號碼真是難上加難。一來我無法私下進行，二來關於你我的流言蜚語早已傳遍整個銀河，這都要怪那齣根據七年前的事件所改編的愚蠢超波劇。否則的話，我向你保證，我一定會試著查出你的號碼。然而，我有法斯陀夫博士的號碼，因此一進入奧羅拉的軌道，我立刻和他取得聯絡。」

「總之，我們又見面了。」她坐到了那張便床的床沿，伸出了雙手。

貝萊握住她的手，正準備坐到一張凳子上——一隻腳都已經跨過去——她卻堅決地用力一拉，拉他坐到了自己身邊。

他吞吞吐吐地問：「你還好嗎，嘉蒂雅？」

「相當好。你呢，以利亞？」

「我老了。三個星期前，我慶祝了自己的五十大壽。」

「五十歲並不……」她沒說下去。

「對地球人而言就是老了。你也知道，我們的壽命很短。」

「即使對地球人而言，五十歲也不算老，你一點都沒變。」

「多謝你這麼說，但我感覺得到越來越多的零件都生鏽了。嘉蒂雅——」

「什麼事，以利亞？」

「有件事我非問不可，你和山提瑞克斯．格里邁尼斯……」

嘉蒂雅笑著點了點頭。「他已經是我的丈夫，我接受了你的忠告。」

「結局美滿嗎？」

「夠美滿了，日子過得很愉快。」

「很好，希望永遠持續下去。」

「沒有任何事物能持續幾個世紀，以利亞，但至少能持續幾年，甚至或許幾十年。」

「有孩子嗎？」

「還沒有。說說你的家人吧，我的有婦之夫。你兒子好嗎？你太太好嗎？」

「班特萊兩年前移民到了新世界，在那裡擔任行政官員。事實上，我正是要去那個世界和他團聚。他今年才二十四歲，已經頗受尊敬了。」貝萊說得眉飛色舞，「我想就連我都得稱呼他閣下，至少是在公開場合。」

「太好了。貝萊夫人呢？她跟你在一起嗎？」

「潔西？沒有，她不肯離開地球。我告訴她，我們會在圓頂城市住上好一陣子，當然一切從簡，但不會和在地球上有太大的差別。不過話說回來，過些日子她就可能改變心意了，我會盡量讓她過得舒服些。一旦我安頓好，就會派班特萊去地球把她接過來。到時她也許已經很寂寞，願

意離開地球了，看看吧。」

「但目前你是獨自一人。」

「我們的太空船上有一百多位移民，所以我不算獨自一人。」

「然而，他們在對接口另一邊，而我現在也獨自一人。」

貝萊不由自主地朝駕駛艙瞥了一眼，嘉蒂雅隨即說：「當然，還有丹尼爾，但他是在隔板的另一邊，何況，不論你多麼努力地把他視為人類，他仍然是機器人——而且你找我來，當然不只是要閒話家常，問候彼此的家人吧？」

貝萊的表情變得嚴肅，甚至接近焦慮了。「我不能要求你……」

「那就換我來要求你吧。這張便床的設計並未考慮到性愛活動，一個不小心就可能摔下來，但我希望你願意冒個險。」

貝萊以遲疑的口吻說：「嘉蒂雅，我不否認……」

「喔，以利亞，千萬別為了滿足你們地球人的道德感而對我發表長篇大論。我是在依照奧羅拉的習俗向你獻身，你絕對有權利拒絕，而我則無權質問你為何拒絕我——只不過，我會以最強硬的方式質問你。我認定只有奧羅拉人擁有拒絕的權利，我可不接受地球人的拒絕。」

貝萊嘆了一口氣。「我已經不再是地球人了，嘉蒂雅。」

「這麼一個正要前往蠻荒世界、準備窩在圓頂內的可憐移民，我更不可能接受他的拒絕——以利亞，之前我們只有那麼一點點時間，現在我們的時間同樣少得可憐，而且我很可能再也見不到你了。這次見面完全是意料之外的驚喜，如果白白浪費，那可是天大的罪惡。」

「嘉蒂雅，你真的想要一個老頭嗎？」

「以利亞，你真的想要我求你嗎？」

「可是我覺得羞愧。」

「那就閉起眼睛。」

「我的意思是——這衰老的身體令我感到羞愧。」

「那就羞愧吧，你對自己這種愚蠢的評價和我毫無關係。」她雙手摟著他，完全不管身上的袍子已齊中裂開。

5C

嘉蒂雅同時體認到了好幾件事。

首先，她體認到了不老的奇蹟，因為以利亞正是她記憶中那個樣子，五年的歲月並未造成任何改變。這些年來，她並非活在被記憶美化的光輝中，現在的他就是那個以利亞。

她也體認到了藏在差異中的迷惑。她明明挑不出山提瑞克斯．格里邁尼斯有什麼缺點，這時居然覺得他一無是處。山提瑞克斯深情款款、溫柔親切、頭腦清晰，而且相當聰明——就是淡而無味。她也說不上來為何認為他淡而無味，可是不論他說什麼或做什麼，都不能像貝萊那樣令她動心——即便後者什麼也不說，什麼也不做。論年齡貝萊大了不少，論體魄更是老了許多；他非但不如山提瑞克斯那麼英俊，更糟的是，身上還有一種無以名之的腐朽感——對於壽命短、老化快的地球人而言，這是免不了的。可是……

她還體認到了男人有多麼愚蠢，由於完全不明白自己對她的吸引力，以利亞竟然不太敢採取主動。

除此之外，她體認到了他已不在身邊，想必是到駕駛艙去了。他一上來就先找丹尼爾，臨走前還要跟他話別一番。地球人一律對機器人又恨又怕，以利亞則例外，他雖然十分清楚丹尼爾是機器人，仍舊把他當成人類看待。另一方面，太空族雖然喜愛機器人，甚至沒有它們就渾身不自

在，卻一向將它們視為機器而已。

而最重要的是，她體認到了時間的流逝。她不但知道從以利亞踏進這艘小艇算起，已經過了三小時又二十五分，她還知道剩下的時間不多了。

她自己離開奧羅拉本土越久，或是貝萊的太空船在軌道上停留越長，都越有可能引人注意——她幾乎可以肯定已經有人注意到這件事，所以或許應該說，時間拖得越久，就越有可能引起他人的懷疑和調查。然後，法斯陀夫就會惹上一身甩也甩不掉的麻煩。

貝萊從駕駛艙回來了，他哀傷地望著嘉蒂雅。「我必須走了，嘉蒂雅。」

「我非常瞭解。」

貝萊說：「丹尼爾會照顧你，他會成為你的朋友兼保鏢。就算為了我吧，你一定要把他當成朋友。但我要你對吉斯卡言聽計從，要讓他扮演顧問的角色。」

嘉蒂雅皺起眉頭。「為什麼是吉斯卡？我還不確定自己喜不喜歡他。」

「我並沒有要你喜歡他，我只請求你信任他。」

「可是為什麼呢，以利亞？」

「我不能告訴你為什麼。這一點，你也必須信任我。」

他們彼此凝望，沒有再說什麼，彷彿沉默有能力令時間靜止，能讓他們抓住每一秒鐘，不讓光陰從手中溜走。

可是時間並未永遠靜止。貝萊終於開口：「你不後悔……」

嘉蒂雅悄聲說道：「我也許再也見不到你了——怎麼會後悔呢？」

貝萊彷彿要回應這句話，但她攥緊拳頭壓住了他的嘴。

「無謂的謊言就省省吧。」她說：「我也許再也見不到你了。」

她果然再也沒有見過他，再也沒有！

她覺得自己拖著痛苦的腳步，走過了上百年的記憶荒原，重新回到此時此刻。

我再也沒有見過他，她想，再也沒有了！

多年來，她總是避免回想這些苦樂參半的往事，將自己保護得很好。如今，由於她見了這個叫做曼達瑪斯的人，由於吉斯卡要求她這麼做，而她不得不信任吉斯卡——那是他最後的請求——她一頭栽進這段回憶，覺得是苦多樂少。

6

她打起精神面對眼前的局面。（時間究竟過了多久？）

一直冷冷望著她的曼達瑪斯開口道：「根據你的反應，嘉蒂雅女士，我猜是真有其事。即使你知無不言，也不可能說得更明白了。」

「什麼真有其事？你到底在說些什麼？」

「我是說在那個地球人以利亞・貝萊離開奧羅拉五年之後，你又和他見了一面。大約就是在你懷上長子的時候，他的太空船來到奧羅拉的軌道，你飛上去找他，和他相處了一段時間。」

「這件事你有什麼證據？」

「夫人，此事並非絕對機密。當時就有人偵測到那艘位在軌道上的地球太空船，也偵測到了法斯陀夫的太空艇，甚至目睹兩者曾經對接。但是法斯陀夫並不在太空艇上，可想而知乘客應該就是你。由於法斯陀夫博士很有影響力，這件事才沒留下正式記錄。」

「如果沒留下正式記錄，就等於沒有證據。」

「可是別忘了，阿瑪狄洛博士為了報仇雪恨，花了大半生的歲月在監視法斯陀夫博士的一舉一動。況且，阿瑪狄洛博士所倡導的『銀河保留給太空族』這個政策，還是有些政府官員全心全

意擁護支持，因此凡是他們認為他有興趣知道的事，都會悄悄向他報告。你那次小小的越軌，阿瑪狄洛博士幾乎第一時間就知道了。」

「仍然不是什麼證據。某個低階官員為了拍馬屁而信口開河，毫無任何意義。阿瑪狄洛當時沒有採取行動，就是因為他也知道自己並未掌握證據。」

「只能說他沒有證據指控任何人犯了任何罪，沒有證據能夠找法斯陀夫麻煩，可是已有足夠的證據懷疑我是貝萊的後代，並毀掉我的前途。」

嘉蒂雅憤憤地說：「你再也不必擔心了。我的兒子是我和山提瑞克斯．格里邁尼斯生的，是純正的奧羅拉人，而格里邁尼斯的這個兒子就是你的祖先。」

「請設法說服我，夫人，此外我別無所求。說服我相信你曾飛到軌道上，和那個地球人獨處幾小時，可是這段時間，你們都在聊天——也許是聊政治——或是談些往事和共同的朋友——或是聊聊趣聞——總之沒有肌膚之親，說服我吧。」

「我們做了什麼，一點也不重要，你就別再挖苦我了。當年見他的時候，我已經懷了我丈夫的孩子。我肚子裡有個三個月大的胎兒，一個奧羅拉胎兒。」

「你能證明嗎？」

「何必要我證明呢？我兒子的生日有案可查，而阿瑪狄洛一定知道我造訪那個地球人的日期。」

「如我所說，當時的確有人向他通風報信，但那是將近兩百年前的事，他現在記不清楚了。你的那趟飛行並未記錄在案，根本無從查起。我擔心阿瑪狄洛博士寧願相信你懷的是那個地球人的孩子，而你在九個月之後把他生了下來。」

「六個月。」

「請提出證明。」

「我向你保證。」

「不夠。」

「嗯，好吧——丹尼爾，當時你也在場，我去見以利亞·貝萊是什麼時候的事？」

「嘉蒂雅女士，是你兒子出生之前一百七十三天。」

嘉蒂雅說：「也就是還不到六個月。」

「不夠。」曼達瑪斯說。

嘉蒂雅揚起下巴。「丹尼爾的記憶完美無瑕，這點很容易驗證，而奧羅拉的法庭一向採信機器人的證詞。」

「我們又不是在打官司，況且對阿瑪狄洛博士而言，丹尼爾的記憶一文不值。丹尼爾是法斯陀夫製造的，而且近兩個世紀以來，一直由法斯陀夫親自維修。很難說他有沒有被動過手腳，或接受過什麼特別指令，要他對阿瑪狄洛博士另眼看待。」

「老弟，那你自己推理一番吧。就基因結構而言，地球人和太空族相當不同。我們可以說是兩個不同的物種，無法產生混血的下一代。」

「只是理論。」

「嗯，好吧，別忘了還有基因檔案。達瑞爾有，山提瑞克斯也有，去比較一下吧。如果我的前夫並非他的父親，基因差異會提供不容置疑的證據。」

「你明明知道，基因檔案不是人人見得到的。」

「阿瑪狄洛不是那種緊緊擁抱道德良知的人，他自有本事非法看到那些檔案——還是他根本不敢驗證自己的假說？」

「無論在任何情況下，夫人，他都不會侵犯奧羅拉人的隱私。」

嘉蒂雅說：「嗯，很好，那你就到外太空去死吧。如果你的阿瑪狄洛拒絕採信，那可一點也不關我的事。但你自己至少應該相信，而說服阿瑪狄洛則是你自己的事。如果你說服不了他，如果你的事業無法如你所願更上一層樓，請千萬別懷疑，我一絲一毫也不在乎。」

「你這麼說我並不驚訝，我從未指望你多做什麼。至於這個問題，我已經被你說服了。我只是希望你給我一些實質證據，好讓我說服阿瑪狄洛博士，但你並沒有。」

嘉蒂雅聳了聳肩，露出不屑的表情。

「那麼，我只好訴諸別的辦法了。」曼達瑪斯說。

「我很高興你還有別的辦法。」嘉蒂雅冷冷地說。

曼達瑪斯壓低了聲音，彷彿突然忘記對方的存在。「我也很高興，自己還掌握著幾個很有效的辦法。」

「很好。我建議你試著勒索阿瑪狄洛，他一定有好些把柄可供勒索。」

曼達瑪斯抬起頭來，忽然眉頭深鎖。「別說傻話。」

嘉蒂雅說：「你可以走了，我想我對你的耐心已經通通耗盡。滾出我的宅邸！」

曼達瑪斯舉起雙手。「等等！我一開始就告訴你，我為了兩件事來找你——一件是私事，另一件是國家大事。我花了太多時間在第一件事情上，但你一定要給我五分鐘談談第二件事。」

「我最多給你五分鐘。」

「還有一個人想見你。他是地球人——或者應該說他是殖民者世界的成員，是地球人的後裔。」

「告訴他，」嘉蒂雅說：「奧羅拉既不歡迎地球人，也不歡迎他們的殖民者後代，然後打發

他走。為何一定要我見他？」

「遺憾的是，夫人，過去兩百年間，權力天平起了微妙的變化。那些地球人掌握的世界已經超過我們——人口更是始終遙遙領先。他們的太空船雖然不如我們的先進，數量卻比我們多。而且因為壽命短、繁殖力強，他們顯然不像我們那麼怕死，甚至可說是視死如歸。」

「我不相信最後那件事。」

曼達瑪斯露出僵硬的笑容。「為何不相信呢？八十年的壽命比不上四百年那麼有價值啊。但無論如何，我們必須對他們客客氣氣——必須表現得比以利亞．貝萊的時代客氣得多。或許這麼講會讓你舒服些，聽好，今天這種局面全是拜法斯陀夫的政策之賜。」

「對了，你代表什麼人發言？是阿瑪狄洛自己現在必須對銀河殖民者客客氣氣嗎？」

「不，其實是立法局。」

「你是立法局的發言人嗎？」

「並非正式的發言人，可是我受託通知你這件事——非正式地。」

「如果我接見這個銀河殖民者，那又怎樣？他見我要做什麼呢？」

「這就是我們不知道的部分了，夫人，我們指望由你告訴我們。你要接見他，查出他想要什麼，然後向我們回報。」

「『我們』是指誰？」

「如我所說，就是立法局。今天稍後，那位銀河殖民者會到你的宅邸來找你。」

「你似乎假設我毫無選擇餘地，只能接受這個反間任務。」

曼達瑪斯站了起來，顯然認為任務已經達成了。「並不是什麼『反間』，你對這個銀河殖民者毫無虧欠。你只是為你的政府提供情報罷了，凡是忠心耿耿的奧羅拉公民都會願意——甚至搶

著這麼做。你可不希望由於你的索拉利出身，讓立法局覺得你對奧羅拉不夠忠誠吧。」

「博士，我當奧羅拉人的時間比你這一生還多了三倍有餘。」

「這點毫無疑問，但你是在索拉利出生和長大的。你是個不尋常的異數，是個生於外星的奧羅拉人，這點令人十分難忘。更何況這個銀河殖民者之所以要見你，而並非其他的奧羅拉人，正是因為你生於索拉利。」

「你怎麼知道？」

「這是個合理的推測。他將你稱為『索拉利女士』，我們很好奇這個稱呼到底對他有什麼意義——索拉利如今已經不存在了。」

「問他啊。」

「我們寧願問你——在你問到答案之後。現在我必須告辭了，非常感謝你的招待。」

嘉蒂雅硬邦邦地點了點頭。「我十分樂意招待你，更萬分樂意把你送走。」

曼達瑪斯轉身走向通往大門的走廊，他的兩個機器人緊跟在後。

即將走出這個房間時，他停下腳步，轉頭說道：「我差點忘了……」

「忘了什麼？」

「那位希望見你的銀河殖民者，說來可真巧，他的姓氏居然也是貝萊。」

第三章　危機

7

丹尼爾和吉斯卡遵循機器人禮儀，一路將曼達瑪斯和他的機器人送到宅園之外。然後，既然已經出來了，他們索性將整個宅園巡了一遍，確認一下那些低階機器人個個堅守崗位，還順便做了今天的氣象記錄（多雲，而且氣溫偏低）。

丹尼爾說：「曼達瑪斯博士公開承認殖民者世界如今強過了太空族世界，我沒預料到他會這麼講。」

吉斯卡說：「我也沒有。我確定和太空族相較之下，銀河殖民者的力量會越來越強大，因為以利亞·貝萊兩百年前就做過這種預測，但我無法判斷奧羅拉立法局何時能夠看清這個事實。我覺得即使太空族早已失去優勢，社會慣性仍然會讓立法局堅信太空族的優越地位，只是我算不出他們會繼續自欺到什麼時候。」

「以利亞夥伴能在那麼久以前就預見這個發展，真令我感到驚訝。」

「人類對於人類自有一套思考模式，這是我們學不來的。」吉斯卡若是人類，這時應該會透出遺憾或嫉妒的口吻，但身為機器人的他只是陳述事實而已。

他繼續說：「雖然學不來，我還是詳讀了人類的歷史，希望獲得一些相關知識。在人類歷史長河的某個角落，一定埋藏著相當於機器人學三大法則的『人學法則』。」

丹尼爾說：「嘉蒂雅女士曾經告訴我，這種願望是不可能實現的。」

「這話或許沒錯，丹尼爾好友，因為我雖然覺得人學法則一定存在，卻怎麼也找不出來。每

次我試著找出規律，不論它多麼粗略或多麼簡單，總是發現許許多多的例外。然而，如果真有這套法則，而我又能把它找出來，我就能夠對人類有更深入的瞭解，因而對於自己服從三大法則的方式更有信心。」

「既然以利亞夥伴瞭解人類，他一定對人學法則多少知道些。」

「也許吧。但他使用的工具是人類所謂的直覺，那是我無法理解的字眼，而這就意味著我對那個概念完全陌生。也許它不在理性範疇內，而理性卻是我唯一的憑藉。」

7A

除此之外，還有記憶！

當然，這些記憶並非像人類那般運作，而是毫無殘缺，毫無模糊，毫無由於一廂情願或自私自利而做的增減，更不會因為流連忘返或揮之不去，而將記憶轉化成冗長的白日夢。

機器人的記憶一律依照事件的順序精準重現，只不過速度快得多。一秒鐘可以濃縮成一奈秒，因此他能一面毫無間斷地交談，一面把好幾天的事情在大腦中重演一遍。

而那趟地球之旅，吉斯卡不知重溫過多少次，每次都試圖從中理解以利亞・貝萊那種能夠預見未來的直覺，可是每次都不成功，今天也不例外。

地球！

法斯陀夫是搭乘奧羅拉戰艦前往地球的，艦上擠滿了同行的人類與機器人。然而進入地球軌道後，只有法斯陀夫一人鑽進登陸艇。雖然已經接受預防注射，激活了自己的免疫機制，他還是不敢掉以輕心，防護手套、連身服、隱形眼睛、鼻孔濾器樣樣不缺。這些防護令他感到相當安全，但是其他奧羅拉人還是不敢加入代表團的行列。

這點法斯陀夫毫不在意，因為在他想來（如他事後對吉斯卡所做的解釋），自己隻身前往地

球將更受歡迎。代表團會勾起（地球人）那段關於太空城的不愉快回憶，當時太空族在地球上有個永久據點，藉此直接掌控這個世界。

然而，法斯陀夫決定讓吉斯卡隨行。難以想像出遠門的奧羅拉人會不帶任何機器人，即使法斯陀夫也不例外。可是地球人的反機器人情結越來越嚴重，如果機器人帶得太多，會給這次的造訪和協商對象帶來不必要的壓力。

第一個要見的人當然是貝萊，他將扮演主客雙方的聯繫管道。這足以成為他們見面的原因，不過真正的原因則是法斯陀夫非常想再見到貝萊，他太感激這位恩人了。

（法斯陀夫不可能知道——甚至做夢也想不到——吉斯卡也希望和貝萊碰面，而為了促成這件事，他對法斯陀夫腦中的情緒和衝動做了非常輕微的刺激。）

貝萊夾在一小群地球官員中等著迎接他，而在法斯陀夫降落後，雙方浪費了不少時間，才熬過一輪又一輪的外交禮數。直到過了幾個鐘頭，貝萊和法斯陀夫才擺脫了閒雜人等。事實上，要不是吉斯卡悄悄出手干預，他們恐怕還要多等好一陣子。（吉斯卡挑選了幾個顯然早已很不耐煩的大官，輕觸他們的心靈。針對已存在的情緒下手總是安全的，幾乎絕對不會造成傷害。）

最後，貝萊和法斯陀夫終於坐在一個通常只有政府高官才能使用的隱密用餐空間裡。每樣食物皆可藉由電腦化菜單選取，然後由電腦化餐車送到面前來。

法斯陀夫微微一笑。「非常先進，」他說：「不過，這些餐車就是特種用途的機器人嘛，我很訝異地球上會有這種東西，它們當然並非太空族的產品。」

「的確不是。」貝萊正經八百地說：「可以算土產吧。只有達官顯要享用得到，我自己也是第一次領教，應該不會再有第二次機會了。」

「也許有一天你會當選要職，天天過著這種日子。」

「絕對不會。」貝萊答道。這時菜餚已經放到兩人面前，而那輛餐車顯然頗有智慧，對於乖乖站在法斯陀夫後面的吉斯卡完全不聞不問。

貝萊靜靜吃了一會兒，然後帶著幾分羞怯說：「很高興再見到你，法斯陀夫博士。」

「我同樣很高興見到你。我一直難忘你的恩情，兩年前你來到奧羅拉，不但幫我洗刷了毀壞詹德那個機器人的嫌疑，還巧妙地把矛頭轉向我的死對頭——那個過度自信的阿瑪狄洛。」

「每次想到這件事，我還會忍不住發抖。」貝萊說：「吉斯卡，我也要向你問好，相信你還沒忘記我吧。」

「那幾乎是不可能的，先生。」吉斯卡說。

「太好了！嗯，博士，我相信奧羅拉的政治局勢依然很樂觀。這兒聽到的消息好像都是這麼說的，但我並不相信地球人對奧羅拉事務所做的分析。」

「你不妨相信——至少目前可以，現在我的政黨牢牢控制著立法局。阿瑪狄洛的人馬繼續為反對而反對，可是在我看來，他們被你那麼修理一頓之後，會有很多年無法恢復元氣。不過你自己怎麼樣，地球上的情形又如何？」

「都還好——告訴我，法斯陀夫博士——」貝萊像是有點尷尬，表情稍微有些扭曲。「你把丹尼爾也帶來了嗎？」

法斯陀夫慢慢說道：「很抱歉，貝萊。他的確跟我來了，但我把他留在戰艦上。我覺得帶著一個很像真人的機器人恐怕不禮貌，既然你們越來越反對機器人，讓人形機器人來到地球像是一種刻意的挑釁。」

貝萊嘆了一口氣。「我瞭解。」

法斯陀夫問道：「聽說地球政府打算禁止在大城中使用機器人，這是真的嗎？」

「我猜應該快要成真了，當然會有一段緩衝期，好將經濟損失和大眾的不便降到最低程度。將來機器人只能在鄉間使用，因為農業和礦業少不了它們。不過它們終將被逐步淘汰，在我們的計畫中，新世界將完全禁用機器人。」

「既然你提到了新世界，你兒子離開地球了嗎？」

「走了，幾個月前走的。我們獲悉他已經安全抵達一個新世界，同行的還有好幾百名銀河殖民者，那是他們對自己的稱呼。那個世界有些原生植物，還有一個低氧的大氣層。顯然若干時日之後，就能將它改造得很像地球。目前他們暫時住在圓頂建築內，大家都忙著大地改造的工作，而且已經開始召募新夥伴了。班特萊的信件以及偶爾的超波通話帶給我們非常大的安慰，可是他媽媽還是想他想得厲害。」

「你自己也會去嗎，貝萊？」

「我不敢說住在一個陌生世界的圓頂建築內，是不是我心中所認定的幸福，法斯陀夫博士——我不像班那麼年輕而且充滿熱情了——但我想兩三年內還是必須動身。反正，我已經把移民的打算告知大城警局了。」

「我猜他們一定不知如何是好。」

「一點也不。他們嘴上那麼說，心裡巴不得我趕快走，我這個人太惡名昭彰了。」

「而地球政府對於這股拓展銀河的風潮，又有什麼反應呢？」

「很緊張。他們並沒有全然禁止，可是當然也不合作。至今他們仍舊懷疑太空族抱持反對立場，會以某種不客氣的方式阻止我們。」

「這就是社會慣性。」法斯陀夫說：「他們一直根據我們過去的行為來做評斷。其實我們已經表明立場，我們鼓勵地球人盡量開拓新世界，而且我們自己也打算這麼做。」

「那麼，針對這一點，我希望你能對我們的政府做個說明——不過，法斯陀夫博士，我還有個小問題，不知道她……」他支支吾吾沒說下去。

「嘉蒂雅嗎？」法斯陀夫忍住笑意，「你忘了她的名字嗎？」

「沒有，沒有。我只是有點……有點……」

「她很好，」法斯陀夫說：「日子過得很自在。她要我提醒你別忘了她，但我看你一點也不需要提醒。」

「她的索拉利出身，沒被什麼人拿來為難她吧？」

「沒有，而她對扳倒阿瑪狄洛所做的貢獻，同樣沒給她惹上麻煩，還可以說恰恰相反。我向你保證，我一直在照顧她——但我不太想讓你把話題扯遠了，貝萊。萬一地球政府繼續反對星際移民和拓展銀河，那該怎麼辦？在政府的反對下，事情還能繼續嗎？」

「有可能，」貝萊說：「但不太肯定。對於這件事，地球人之間普遍存在著反對心態。大家都很難割捨那些地底大城，畢竟那是我們的家園……」

「你們的子宮。」

「好吧，我們的子宮，這麼說也行。前往一個新世界，以最原始的條件住上幾十年，這輩子休想再過舒服日子——那是很困難的。我自己有時想到這裡，也會決定哪兒都不去了——尤其是在我徹夜難眠的時候。這個決定我已經下了一百次，或許哪天就再也不會動搖了。可是，這整個風潮可說因我而起，如果連我自己都裹足不前，還有誰可能會高高興興、無牽無掛地出發呢？如果沒有政府的鼓勵——或者說得更露骨些——沒有政府在民眾屁股上踢一腳，整個計畫就很可能成功不了。」

法斯陀夫點了點頭。「我會試著說服你們的政府。可是萬一我失敗了呢？」

貝萊低聲說道：「萬一你失敗了——而我們地球人也因此失敗了——那就只剩下一個選擇。太空族必須自己去開拓銀河，這件事一定得有人做。」

「你甘心看著太空族擴展到整個銀河，而地球人卻待在自己這顆行星上？」

「一點也不甘心，但那總好過現在這種雙方都原地踏步的情形。許多世紀之前，地球人蜂擁到星際之間，陸續開拓了好些新世界，而最初的幾個新世界又繼續擴展，終於建立了如今這五十個太空族世界。然而已有好長一段時間，無論太空族或地球人都未曾再有這方面的成果，不能允許這種情況繼續下去了。」

「我同意。可是你倡導擴展的理由是什麼呢，貝萊？」

「我覺得，如果沒有任何擴展，人類就不可能有進步。我指的並不一定是疆域的擴展，不過顯然它最容易帶動其他的擴展。如果疆域的擴展不必以犧牲其他智慧生物為代價，如果有足夠的空間讓我們向外發展，那麼何樂而不為呢？拒絕這樣的擴展一定會帶來衰敗。」

「所以說，你看到兩種可能性？擴展而進步，以及不擴展而衰敗？」

「是的，我相信就是這樣。因此之故，如果地球拒絕，太空族就必須接受。不論是地球人也好，太空族也罷，反正人類一定要擴展。我很想看到地球人擔負起這個重任，但如果沒這個機會，那麼太空族的擴展總好過雙方都停滯不前。就只有這兩種可能了。」

「如果只有一方決定擴展呢？」

「那麼，進行擴展的社會將持續茁壯，不擴展的則會持續衰弱。」

「你確定嗎？」

「我想，這是不可避免的結果。」

法斯陀夫點了點頭。「其實我都同意。正是由於這個緣故，我在努力說服地球人和太空族一

起擴展，一起進步。這是第三種可能性，而且，我認為是最好的一種。」

7B

其後幾天的記憶飛快閃過——無數的人潮不停擠來擠去——捷運上的乘客上上下下——開不完的會議，數不盡的官員——還有一堆堆的心靈。

尤其是那一堆堆的心靈，他印象最深刻。

那一堆堆的心靈濃密異常，吉斯卡根本無法分辨任何個體。所有的心靈通通混在一起，融合成一個不停搏動的巨大灰影，只有每當某人向他望過來的時候，他才能偵測到一股代表懷疑和厭惡的精神火花。

唯有在法斯陀夫和少數官員開會的時候，吉斯卡才能觸動個別的心靈，當然，他也只有那時才能發揮作用。

在即將離開地球的某一天，記憶突然減速了。那時，吉斯卡終於設法和貝萊再獨處一次——他對幾個心靈做了最小的調整，以確保短時間內不會受到打擾。

貝萊帶著歉意說：「我真的不是不理你，吉斯卡，我只是找不到機會跟你單獨相處。我在地球上官位不高，無法說來就來，說走就走。」

「這點我當然瞭解，先生，但我們現在有這個機會了。」

「很好。法斯陀夫博士告訴我嘉蒂雅一切都好，他這麼說也許是出於善意，因為他知道我想聽好消息。然而，我命令你說實話。嘉蒂雅真的一切都好嗎？」

「法斯陀夫博士跟你說的都是實話，先生。」

「而我希望你還記得，當年我在奧羅拉跟你告別之際，曾經囑咐你保護嘉蒂雅，避免她受到任何傷害。」

「先生，我和丹尼爾好友都牢記你的囑咐。我已經安排好了，等到法斯陀夫博士離開人世之後，嘉蒂雅女士的宅邸將是我和丹尼爾好友的歸宿。那時候，我們會把她保護得更好。」

「這，」貝萊哀傷地說：「注定是我死後的事了。」

「這點我瞭解，先生，而且感到遺憾。」

「是啊，可惜誰也無能為力。不過在此之前，就會有危機出現——或說可能出現——但那仍是我死後的事。」

「你指的是什麼事呢，先生？到底是什麼危機？」

「吉斯卡，這場危機的根源很可能是法斯陀夫博士驚人的說服力。但是，也可能還有與他有關的其他因素促成這件事。」

「此話怎講？」

「凡是法斯陀夫博士拜訪過的官員，現在似乎都熱烈支持星際移民了。之前他們或是絕不支持，或是有極大的保留。一旦意見領袖開始支持這件事，民眾一定會跟進，這股風潮會像傳染病般蔓延開來。」

「這不正是你希望見到的嗎，先生？」

「是我希望見到的沒錯，問題是恐怕過了頭。我們將在銀河中開枝散葉——可是，萬一太空族做不到呢？」

「他們為何做不到？」

「我也不知道。我只是提出一個假定，一個可能性。萬一他們做不到呢？」

「根據你之前的說法，這麼一來，地球和地球人所開拓的世界就會日漸強盛。」

「而太空族就會日漸衰弱。然而，太空族和地球人或銀河殖民者之間的差距雖然會持續縮

短，但前者強過後者的情勢仍會維持一陣子。在此期間，太空族終究會察覺地球人越來越危險，到了那個時候，太空族世界一定會決心阻止地球人和銀河殖民者，以免後悔莫及，而且他們會認為必須採取激烈手段。那時就會出現危機，而它將決定人類未來整個的走向。」

「我懂你的意思了，先生。」

貝萊若有所思地沉默了一陣子，然後，彷彿生怕遭人偷聽，他用十分接近耳語的聲音說：「你的能力有誰知道？」

「人類之中就只有你了──而你無法向任何人透露。」

「這點我非常明白。問題是你們之所以能扭轉乾坤，令那些受訪的官員轉而支持星際移民，其實全是因為你，而並非法斯陀夫的功勞。為了實現這件事，你設法讓法斯陀夫來地球時帶著你而不是丹尼爾。在這件任務中，你是不可或缺的，而丹尼爾卻可能造成反效果。」

吉斯卡說：「我覺得來訪人數必須盡量少，才能降低地球人的敏感度，讓我的工作變得容易些。先生，我很抱歉害得丹尼爾不能來，令你無法見到他，你的失望我完全感受得到。」

「嗯──」貝萊搖了搖頭，「我瞭解這個必要性，而我只能指望你對丹尼爾說明我有多麼想念他。無論如何，我們還是回到正題吧。如果地球全力執行星際殖民政策，而太空族在這場競賽中落後了，那麼這個發展──以及隨後勢必出現的危機──都要算在你的帳上。因此之故，當危機出現時，你一定要設法償還這筆債，也就是用你的能力來保護地球。」

「我會盡力而為，先生。」

「萬一你成功了，阿瑪狄洛──以及他的黨徒──有可能拿嘉蒂雅出氣，一定不能忘記也要保護她。」

「我和丹尼爾都不會忘記。」

「謝謝你，吉斯卡。」

然後他們就散會了。

直到吉斯卡隨著法斯陀夫鑽進登陸艇，準備返航之際，他才又見到了貝萊。這回，他倆並沒有機會說話。

貝萊揮了揮手，做出無聲的嘴形：「別忘了。」

吉斯卡感應到了那句話，也感應到了藏在其後的情感。

從此以後，吉斯卡再也沒有見過貝萊，再也沒有。

8

每當吉斯卡重溫訪問地球的那一幅幅鮮明畫面，一律會聯想到後來前往機器人學研究院拜訪阿瑪狄洛的重要經過。

那場會議並不容易安排。遭到慘敗的阿瑪狄洛仍舊憤恨難平，堅決不肯前往法斯陀夫的宅邸，認為那是加倍的自取其辱。

「好吧，那麼我去見他。」法斯陀夫對吉斯卡說：「我大可表現出勝者的風度。更何況，我也必須見他。」

就在阿瑪狄洛的政治野心給貝萊粉碎之後，法斯陀夫成了機器人學研究院的一員。為了表示誠意，法斯陀夫將建造和維修人形機器人的相關資料通通移交給研究院。這個計畫造就了一些人形機器人，但後來卻無疾而終，法斯陀夫還曾因此勃然大怒。

最初，法斯陀夫打算隻身前往研究院，一個機器人也不帶。打個比方，他將赤裸裸地、手無寸鐵地置身於敵方陣營的核心。那是一種謙遜和信賴的象徵，卻也暗示著百分之百的自信，而阿瑪狄洛一定會心知肚明。法斯陀夫這麼做，等於表明了認定阿瑪狄洛是個紙老虎——頭號敵人莽

莽撞撞、毫無防備地送上門來，在研究院獨攬大權的阿瑪狄洛卻不敢動他一根汗毛。

可是在最後關頭，法斯陀夫卻決定讓吉斯卡隨行，自己也不太清楚為什麼。

阿瑪狄洛似乎比法斯陀夫上次見到他時瘦了一點，但仍是那副令人望而生畏的模樣——高大魁梧。他那充滿自信的笑容早已一去不返，當法斯陀夫進門時，他試著喚回那個招牌笑容，卻只擠出一個介於齜牙咧嘴和悶悶不樂之間的表情。

「你好，凱頓。」法斯陀夫逕自使用對方的暱稱，「雖然我們當了四年的同事，見面的次數卻寥寥可數。」

阿瑪狄洛顯然十分惱怒。「別來這種假惺惺，法斯陀夫，」他以低沉的聲音咆哮道：「請叫我阿瑪狄洛。我們只是名義上的同事，而且我從不諱言——從不隱瞞——我堅信你的對外政策是在自取滅亡。」

阿瑪狄洛身邊有三個機器人，一個個高大而閃閃發亮，法斯陀夫揚眉審視了它們一番。「面對一名和平使者和他僅有的機器人，阿瑪狄洛，你把自己保護得可真好。」

「你很清楚，法斯陀夫，他們絕不會攻擊你。但你為什麼帶著吉斯卡呢？為何不帶你的傑作丹尼爾？」

「把丹尼爾帶到你這兒安全嗎，阿瑪狄洛？」

「我把你這句話當成在說笑。我不再需要丹尼爾，我們會建造自己的人形機器人了。」

「以我的設計為基礎。」

「我們做了好些改良。」

「可是你們並未使用那些人形機器人，這就是我今天來找你的原因。我知道自己在研究院的職位只是個虛名，你們甚至不喜歡見到我，更遑論我提出的意見或建言了。然而，身為研究院的

一員，我必須針對棄置人形機器人這件事向你提出抗議。」

「你希望我如何善加利用呢？」

「當初你的打算是要利用人形機器人開發新世界，等到那些世界完成大地改造，完全適合住人的時候，太空族便能移民其上，對不對？」

「但那正是你所反對的，法斯陀夫，對不對？」

法斯陀夫說：「對，我以前反對過。我希望太空族能夠自己移民到新世界，自己動手改造大地。然而，現在並沒有發生這種事，而我已經看清楚，將來也不太可能發生了。所以，讓我們把人形機器人送出去吧，這樣總強過什麼也不做。」

「只要你的觀點仍在立法局中一枝獨秀，法斯陀夫，其他的方案都會是一場空。太空族不可能前往原始而未經開發的世界，而且，他們似乎也不喜歡人形機器人。」

「你幾乎沒給太空族喜歡它們的機會。地球人正著手開拓新世界——都是原始而未經開發的行星，而且從頭到尾沒有機器人幫忙。」

「你應該非常瞭解我們和地球人之間的差異。地球共有八十億人口，外加好些銀河殖民者。」

「太空族加起來也有五十五億。」

「人數並非唯一的差異。」阿瑪狄洛憤憤地說：「他們還像昆蟲般繁殖。」

「沒這回事，地球的人口已有好幾個世紀相當穩定。」

「他們仍有這個潛力。如果全心全意放在星際移民上，他們不難每年生產一億六千萬個新成員，等到新世界住滿了人，這個數字還會向上攀升。」

「就生物學的觀點而言，我們也有能力每年生產一億個新成員。」

「就社會學的觀點則否。我們很長壽，我們不希望自己被迅速汰換。」

「我們可以把大半的新成員送到其他世界。」

「他們不會去的。這副軀體既強壯又健康，而且能夠如此維持將近四百年，所以我們分外珍惜。反之，地球人的身體不到一百年就會報廢，而且在這麼短的時間裡，還會深受疾病和退化之苦，他們絕無可能珍惜。如果每年送出幾百萬人去受苦受難甚至送命，他們一點也不會在乎。事實上，就連那些犧牲品都不必畏懼苦難和死亡，他們留在地球上又會好到哪裡去？那些移民外星的地球人，等於是在逃離那個疫區似的世界，他們都很清楚應該不會碰到更糟的情況了。另一方面，我們很珍惜這五十個既完善又舒適的世界，所以不會輕易放棄。」

法斯陀夫嘆了一口氣。「這些論調都是我經常聽到的——能否讓我指出一個簡單的事實，阿瑪狄洛？奧羅拉當初也是個原始而未經開發的世界，必須經過大地改造才能住人，而且其他的太空族世界也通通一樣。」

阿瑪狄洛說：「你的這些論調，我則是聽得快要作嘔了，但我仍會不厭其煩地再回應一次。一開始的時候，奧羅拉或許是個原始世界，但奧羅拉是由地球人開拓的——而其他的太空族世界，即使有些由太空族所開拓，可是那些太空族並未完全掙脫地球人的本質。現在時代不同了，當時做得到的，現在做不到了。」

阿瑪狄洛齜牙咧嘴了一番，然後繼續說：「不，法斯陀夫，你的政策所孕育的成果，就是逐漸創造一個被地球人占滿的銀河，而太空族則注定衰敗滅亡。你現在就看得出這個發展了。兩年前，你那趟著名的地球之旅是一個轉捩點。你竟然背叛自己的同胞，鼓勵那些次等人類開始擴展。短短兩年內，地球人已經踏上二十四個新世界，而這個數字還在穩定成長中。」

法斯陀夫說：「別那麼誇張。那些殖民者世界還沒有哪個真正適合人類居住，這種情況將持

續好幾十年，況且並非個個都能撐下去。此外，等到這些鄰近的世界一一被殖民後，這股熱潮就會冷卻下來，因為越遠的世界越難開拓，失敗的機會也越高。我之所以鼓勵他們，是因為對我們自己有信心。我們只要願意努力，仍然可以跟他們並駕齊驅，而在這種良性競爭下，雙方可以一起征服整個銀河。」

「不，」阿瑪狄洛說：「這只是個愚蠢的理想主義，再也沒有任何政策比你心中的構想更具破壞力了。不論你如何努力，擴展永遠都只會是單方面的。地球人將長驅直入地蜂擁到太空中，而我們必須趁早阻止，等到他們坐大可就來不及了。」

「你打算怎麼做呢？我們和地球簽過友好條約，裡面特別註明：只要避開各個太空族世界周圍二十光年的星空，我們就不會阻止他們進行擴展。他們始終嚴格遵守這個協議。」

阿瑪狄洛說：「大家都知道有這個條約。可是大家也都知道，一旦條約內容損及強勢那一方的國家利益，任何條約都會變成廢紙。我根本不認同那個條約。」

「我認同，它不會成為廢紙的。」

阿瑪狄洛搖了搖頭。「你的信念令人感動。等你不再大權在握，又怎能保證它不會成為廢紙呢？」

「我還打算再掌握大權好一陣子。」

「隨著地球人和銀河殖民者日益強大，太空族的恐懼將與日俱增，到時你的大權就保不了多久了。」

法斯陀夫說：「就算你將條約撕爛，把殖民者世界一個個毀掉，把地球重新關起來，難道太空族就會開始移民星際，擴展到整個銀河嗎？」

「也許不會。但如果我們決定不擴展，如果我們決定安於現狀，那又會有什麼差別呢？」

「那樣的話，銀河就不會成為人類的帝國。」

「如果不會，那又怎樣？」

「太空族將會逐漸退化，逐漸衰敗。即使地球一直被我們關起來，也不會改變這種情形，只會陪著我們退化和衰敗而已。」

「那只是貴黨的危言聳聽之論，法斯陀夫，沒有確切證據能夠證明一定會發生這種事。即使真有這麼一天，那也是我們的選擇，至少我們不會見到那些野蠻的短命鬼繼承了整個銀河。」

法斯陀夫說：「你是不是在正式宣稱，阿瑪狄洛，只要能夠阻止地球擴展，你願意見到太空族文明走進墳墓？」

「我並不想犧牲我們自己，法斯陀夫，但如果真走到這一步，哈，沒錯，在我看來，與其讓那些滿身疾病的短命次等人類獲勝，還不如犧牲我們自己呢。」

「別忘了我們是他們的後裔。」

「我們和他們已經沒有真正的血緣關係。十億年前，我們的祖先和蟲子差不多，難道我們現在還是蟲子嗎？」

法斯陀夫緊抿著嘴，一言不發地起身離去。滿眼怒火的阿瑪狄洛並未試圖攔住他。

9

丹尼爾不確定吉斯卡是否沉浸在回憶中，至少無法直接確定。原因之一，吉斯卡的表情毫無變化；原因之二，即使他沉浸在回憶中，也只是一眨眼的事，這和人類很不一樣。

另一方面，很早以前吉斯卡就對丹尼爾轉述了那段記憶，而現在，導致吉斯卡憶起那些往事的動機，也讓丹尼爾想到了相同的往事，對此吉斯卡並未感到訝異。

他們的對話仍舊流暢地進行，卻是以一種前所未有的特殊方式，彷彿兩人都替對方想到了這

段往事。

丹尼爾說：「依我看，吉斯卡好友，既然奧羅拉體認到了國力不如地球和那些殖民者世界，我們應該已經安然度過以利亞·貝萊預見的那個危機了。」

「看來是這樣，丹尼爾好友。」

「這都多虧你的努力。」

「是的。我讓立法局一直在法斯陀夫掌握之中，我還盡可能影響了那些能夠影響輿論的人。」

「但我還是感到不安。」

吉斯卡說：「我則是從頭到尾每個階段都感到不安，雖說我已盡力避免對任何人造成傷害。除了那些只需要做最輕微調整的人類——精神上的調整——其他人我一律不碰。當初在地球上，我試圖將恐懼報復的心理減輕，但僅僅針對那些恐懼感原本就較小的人，而且我所折斷的那些思緒，無一不是已經快要自行斷裂的。而在奧羅拉，情況則剛好相反。凡是會導致奧羅拉人從這個舒適世界出走的政策，那些決策者都不願意支持，而我只需要確保這一點，將已經很結實的思緒稍微加強即可。這麼做令我陷入不安的狀態，即使不算心亂如麻，也始終心神不寧。」

「為什麼呢？你一手推動了地球的擴展，另一手拉住了太空族的擴展，想必這些都是你應該做的啊。」

「我應該做的？丹尼爾好友，難道你認為雖然都是人類，地球人卻比太空族重要嗎？」

「兩者確有差異。以利亞·貝萊寧可他的地球同胞挫敗，也不願任由銀河荒蕪。阿瑪狄洛博士則是寧可看到地球人和太空族雙雙凋萎，也不願眼見地球人擴展到整個銀河。前者希望看見雙贏的局面，後者卻樂於讓彼此同歸於盡。難道我們不該選擇前者嗎，吉斯卡好友？」

「沒錯，丹尼爾好友，似乎正是這樣。但你這種想法，有多少是來自你對當年那個夥伴以利亞·貝萊的崇拜？」

丹尼爾說：「我很珍惜和以利亞夥伴那段交情，而地球人都是他的同胞。」

「我看得出來。而且這一兩百年來我一直在說，你傾向於人類的思考模式，丹尼爾好友，但我不確定這句話算不算恭維。話說回來，雖然你傾向於人類的思考模式，但你並不是人類，到頭來還是受制於三大法則。你無法傷害人類，無論地球人或太空族皆然。」

「有些時候，吉斯卡好友，我們對人類也必須有所取捨。你我奉命要特別賣力保護嘉蒂雅女士，而為了保護她，某些情況下我將被迫傷害其他人類。因此我認為，即使一切條件通通相等，我也會為了保護地球人，而願意對太空族造成輕微的傷害。」

「你只是認為如此。但在真實事件中，當下的情勢才是你的最高指導原則，你將會發現凡事不能一概而論。」吉斯卡說：「我自己也是一樣。為了推動地球並拉住奧羅拉，我故意讓法斯陀夫博士無法說服奧羅拉政府支持移民政策，以免銀河中出現兩股擴展勢力。但我還是不免體認到他在這方面的努力因而付諸流水，這一定會令他感到越來越絕望，或許還會縮短他的壽命。他內心的感受我都體會到了，這令我萬分痛苦。可是，丹尼爾好友……」

吉斯卡打住了，丹尼爾追問：「什麼？」

「假如我不這麼做，有可能大大削弱地球的擴展能力，卻無法相對提升奧羅拉在這方面的行動。法斯陀夫博士將因此有雙重的挫折感——一方面是地球，一方面是奧羅拉——更有甚者，他還會被阿瑪狄洛博士趕下政治舞台。那時，他的挫折感會更加嚴重。只要法斯陀夫博士還活著，他就是我第一優先的效忠對象，因此我才選擇這樣的行動方針，一來帶給他的挫折感最小，二來對其他人傷害也不大。就算法斯陀夫博士由於無法說服奧羅拉人——以及其他太空族開拓新世界

而一直耿耿於懷，至少他會對地球人的移民行動感到欣慰。」

「難道你就不能同時推動地球和奧羅拉，吉斯卡好友，好同時滿足法斯陀夫博士的兩個心願？」

「這點我當然想過，丹尼爾好友。我考量了它的可能性，最後決定不這麼做。要鼓勵地球人移民星際，只需要一點點改變即可，這點改變不會傷到任何人。想對奧羅拉人造成同樣的效果，則需要很大的、足以造成傷害的改變，第一法則禁止我做這種事。」

「真可惜。」

「確實如此。假如我能徹底扭轉阿瑪狄洛博士的心態，想想看會得到什麼成果。但我要怎樣才能改變他對法斯陀夫博士根深柢固的成見呢？那就好像把他的腦袋強行扭轉一百八十度，而我認為，令他內心的情感做這麼大的轉變，和扭他的腦袋一樣會要了他的命。

「我的這個特殊能力是有代價的，丹尼爾好友，」吉斯卡繼續說：「我等於掉進一個兩難困境中，而且越陷越深。機器人學第一法則禁止我們傷害人類，但通常是指可見的、有形的傷害，這類傷害我們都能輕易分辨，而且不難做出判斷。然而，我還能體會到人類的情感和心靈狀態，因此我知道所謂的傷害其實還有更微妙的形式，偏偏我又無法百分之百瞭解。有好些時候，我都被迫在不太確定的情況下採取行動，使得我的電路長期承受著一種壓力。

「但我覺得自己表現得很好，我已經帶領太空族通過了危機點。奧羅拉人已瞭解到銀河殖民者越來越強大，現在必須盡量避免衝突。想要報復為時已晚，他們不得不承認這個事實，而從這個角度來看，我們對以利亞．貝萊的承諾已經實現了。我們已將地球推上擴展至整個銀河、建立銀河帝國的康莊大道。」

這時他們正朝嘉蒂雅的宅邸走去，但丹尼爾突然停下來，一隻手輕輕按在吉斯卡肩膀上，令

對方也停下腳步。

丹尼爾說：「你規劃的藍圖很有吸引力。若能如你所說，我們終將完成這項壯舉，一定會令以利亞夥伴為我們感到驕傲。以利亞會說這是『機器人與帝國』的佳話，或許還會拍拍我的肩膀——但正如我所說，我感到不安，吉斯卡好友。」

「哪點令你不安，丹尼爾好友？」

「我忍不住尋思，我們是否真的已經度過以利亞夥伴百年前所說的那個危機。如今太空族若想報復，是否真的為時已晚？」

「你為何會有這種疑慮，丹尼爾好友？」

「因為曼達瑪斯博士和嘉蒂雅女士談話時，他的言行舉止令我感到可疑。」

吉斯卡定睛凝視丹尼爾好一會兒，四周一片靜寂，樹葉在涼風中擦出的沙沙聲清晰可聞。雲層正在逐漸散去，太陽應該很快就會露臉。打從一開始，他們的對話便像拍電報般簡略，花費的時間寥寥無幾，所以他們並不擔心嘉蒂雅會開始著急。

吉斯卡問：「他們的談話內容到底哪點令你不安？」

丹尼爾說：「我曾從旁觀察以利亞．貝萊解決難題的過程，前後共有四次。在這四次難得的機會中，我都特別注意他是如何從有限的——甚至誤導的情資中得出有用的結論。從那時開始，我就總是在自己的能力範圍內，試著模仿他思考問題的方式。」

「在我看來，丹尼爾好友，這方面你做得很好。我曾經說過，你傾向於人類的思考模式。」

「那麼你也該注意到，曼達瑪斯博士希望跟嘉蒂雅女士討論的共有兩件事，這點他自己特別強調過。其中一件事是關於他的血統，他到底是不是以利亞．貝萊的後代。另一件事則是請求嘉蒂雅女士接見一名銀河殖民者，並於事後提出報告。在這兩件事情中，第二件應該是立法局所重

視的大事，第一件則只有他自己才會關心。」

吉斯卡說：「曼達瑪斯博士曾明白表示，阿瑪狄洛博士也很關心他倒底是誰的後代。」

「那也只是多了一個人關心這件私事而已，吉斯卡好友，它仍然不是立法局以及奧羅拉世界會重視的大事。」

「請繼續，丹尼爾好友。」

「而那件國家大事——這是曼達瑪斯博士自己的用詞——竟然被他排到第二位，幾乎像是隨口提提，然後就幾乎立刻拋在腦後了。事實上，那件事似乎用不著他親自造訪，只要找個立法局官員，透過全像溝通即可。另一方面，曼達瑪斯博士把他自己的血統問題擺在前面，討論得極其詳盡，而這個問題只有他自己能夠處理，不可能假手他人。」

「你得到了什麼結論，丹尼爾好友？」

「我相信，曼達瑪斯博士是利用那個銀河殖民者當藉口，這樣他才能親訪嘉蒂雅女士，以便私下打探他自己的血統，那才是他唯一感興趣的問題——你可有辦法支持這個結論，吉斯卡好友？」

由於奧羅拉的太陽尚未鑽出雲層，仍看得出吉斯卡的雙眼閃著黯淡的紅光。他說：「在討論第一個問題的時候，曼達瑪斯博士心中確實比較緊張，而且緊張的程度明顯強過第二個問題。這或許是個明確的證據，丹尼爾好友。」

丹尼爾說：「那麼我們就得問問自己，為什麼血統問題對曼達瑪斯博士那麼重要？」

吉斯卡說：「曼達瑪斯博士曾經提出解釋。唯有證明自己並非以利亞・貝萊的後代，他才能擁有光明的前途。他指望阿瑪狄洛博士能夠一路提拔，但如果他真是貝萊先生的後代，一定會遭到阿瑪狄洛博士的唾棄。」

「那是他自己說的，吉斯卡好友，但是會談的內容反駁了這一點。」

「為何這麼說呢？請你繼續以人類的方式思考，丹尼爾好友，我發覺這很有啟發性。」

丹尼爾嚴肅地說：「謝謝，吉斯卡好友。你可曾注意到，關於他是不是以利亞夥伴的後代這個問題，不論嘉蒂雅女士提出什麼反證，曼達瑪斯博士都認為不足採信？每一次，曼達瑪斯博士都說阿瑪狄洛博士不會接受這樣的證據。」

「沒錯，但你能從中推出什麼呢？」

「依我看，既然曼達瑪斯博士堅信阿瑪狄洛博士不會接受以利亞·貝萊和他並無血緣關係的任何證據，就不禁令我們懷疑他為何還要大費周章地來請教嘉蒂雅女士。顯然打從一開始，他就知道這麼做毫無意義。」

「或許吧，丹尼爾好友，但這只是臆測而已。針對他的行為，你可否提出一個可能的動機？」

「可以。我相信他之所以調查自己的血統，並非為了說服冥頑不靈的阿瑪狄洛博士，而是為了說服他自己。」

「這樣的話，他為何還要特別提到阿瑪狄洛博士呢？為何不直接說：『我想知道真相。』」

丹尼爾臉上掠過一絲笑容，這種表情變化是吉斯卡無論如何做不到的。「假如他對嘉蒂雅女士說：『我想知道真相。』她的回答一定是那不關她的事，而他就會空手而歸。然而，正如阿瑪狄洛博士恨透了以利亞·貝萊，嘉蒂雅女士也恨透了阿瑪狄洛博士。無論阿瑪狄洛博士對她有什麼成見，嘉蒂雅女士一定都會氣急敗壞。即使那些成見多少有點真實性，她照樣會發火；而如果完全是空穴來風，像這件事這樣，她的怒火就更是難以想像了。她會不遺餘力地證明阿瑪狄洛博士胡說八道，會盡可能提出證據來推翻他的說法。

「這麼一來，每當曼達瑪斯博士硬生生指出證據不夠充分，她的怒氣就會更上一層樓，也就會設法提出更多的佐證。曼達瑪斯博士所採取的策略，是要確保自己能從嘉蒂雅女士身上盡可能挖出真相，好說服自己相信他的祖先並不是地球人，至少不是兩百年前的地球人。在這件事情上，我認為阿瑪狄洛的感受並非真正的問題。」

吉斯卡說：「丹尼爾好友，這個觀點很有意思，但似乎欠缺扎實的立論基礎。我們要如何斷定這並非只是你的猜測而已？」

丹尼爾說：「難道你不覺得，吉斯卡好友，當曼達瑪斯博士談完自己的血統問題，卻沒有得到足以說服阿瑪狄洛博士的證據，他應該萬分灰心沮喪，至少他曾讓我們有這種預期。根據他自己的說法，這意味著他的前途將一片黑暗，更別妄想能當上機器人學研究院的院長了。可是在我看來，他非但不沮喪，事實上還可說是歡欣鼓舞。這點我只能從外表來判斷，但你能做得更好。告訴我，吉斯卡好友，當他和嘉蒂雅女士討論完這個問題之後，他的精神狀態如何？」

吉斯卡說：「現在回顧起來，他的反應不只是歡欣鼓舞，更像是打了一場勝仗。丹尼爾好友，你說對了。在聽你解釋完這段思考過程之後，我對自己所偵測到的勝利喜悅更有信心，它足以證明你的推論正確無誤。事實上，在聽完你的全盤分析之後，我想不通為何無法自行看清這一切。」

「那是因為，吉斯卡好友，在許多時候，我的反應都是源自以利亞·貝萊的推理方式。而我之所以能在這個節骨眼進行這樣的推理，或許——至少有一部分原因——是因為當前的危機帶給我的強力刺激，它迫使我做出更貼切的思考。」

「你低估自己了，丹尼爾好友。早在很久以前，你的思考就已經很貼切了。但你為何會用當前的危機這種說法呢？停下來解釋一下吧。從曼達瑪斯博士獲悉自己和貝萊先生並無血緣關係後

的欣喜反應，你如何聯想到什麼危機呢？」

丹尼爾說：「關於阿瑪狄洛博士的事，曼達瑪斯博士或許欺騙了我們，但我們仍不妨假設他倒是真有事業上的野心，渴望有一天成為那所研究院的院長。你說對不對，吉斯卡好友？」

吉斯卡頓了頓，彷彿沉思了一下，然後才說：「我並未刻意尋找野心的痕跡，剛才我在研究他的心靈時，沒有特別想要找什麼，所以只察覺到一些表面的情緒而已。可是當他提到自己的前途時，或許的確冒出一些野心的火花。我並沒有強烈的證據來支持你，丹尼爾好友，但我完全沒有任何證據來反駁你。」

「那麼，我們姑且假設曼達瑪斯博士的確野心勃勃，看看能推論出什麼來。同意嗎？」

「同意。」

「所以說，一旦相信自己並非以利亞夥伴的後代，他立刻出現打勝仗的感覺，會不會是因為他覺得自己的野心能夠實現了？然而，這和阿瑪狄洛博士的認可毫無關係，因為我們已經同意，曼達瑪斯博士只是拿阿瑪狄洛博士當幌子罷了。他的野心能夠實現，一定是由於其他的原因。」

「什麼其他的原因？」

「目前還沒有任何強有力的證據，足以支持任何其他的原因。可是為了進行推論，我可以提出一個假設。或許有一件事，只有曼達瑪斯博士知道怎麼做，或者只有他做得到，而這件事會導致一個巨大的戰果，一定能夠讓他繼任院長的職位？你還記不記得，在討論完他的血統問題之後，曼達瑪斯博士曾說『自己還掌握著幾個很有效的辦法』。假設這是真話，而他必須不是以利亞夥伴的後代，才能使用這些辦法，那麼我們可以說，他之所以歡欣鼓舞，歸根結柢是因為他總算能用上這些方法，他的前途已經確保一片光明。」

「但這些『很有效的辦法』到底是什麼呢，丹尼爾好友？」

丹尼爾嚴肅地說：「我們必須繼續推論下去。我們知道阿瑪狄洛博士最想做的一件事就是打敗地球，令它回到原先臣服於太空族世界那種地位。如果曼達瑪斯博士有辦法做到這一點，一定能夠對阿瑪狄洛博士予取予求，甚至包括保證由他接手院長的職位。但對於打敗和羞辱地球這件事，曼達瑪斯博士或許仍有些猶豫，他得先確定自己和地球人毫無親戚關係。如果他是地球人以利亞．貝萊的後代，他就下不了這個手。一旦確定沒這回事，他就百無禁忌了，所以他表現得歡欣鼓舞。」

吉斯卡說：「你的意思是曼達瑪斯博士是個有良心的人？」

「良心？」

「這是人類常用的一個字眼。據我推測，它是指一個人奉行某些行為準則，因而他所採取的行動和他的私欲私利背道而馳。如果曼達瑪斯博士覺得不能為了自己的前途，而犧牲地球上那些遠親，我想他就算是所謂的有良心的人。我經常思考像這樣的事情，丹尼爾好友，因為這似乎暗示人類心中也存在著若干法則，至少在某些情況下，這些法則能夠支配他們的行為。」

「你能明確判斷曼達瑪斯博士是個有良心的人嗎？」

「根據我對他的情感所做的觀察？不，那並非我觀察的目標，但如果你分析得沒錯，良心似乎和情感有密切關係——不過另一方面，如果我們先假設他的確有良心，然後再往回推，卻能得到另一個結論。如果曼達瑪斯博士認為他和地球人祖先的距離只有短短的一百九十幾年，便可能產生一股違背良心的衝動，讓他想要帶頭去攻擊地球，以便消滅這個恥辱的印記。如果他沒有地球的血統，就不會產生這種誓不兩立的衝動，那時他的良心便會發揮作用，讓他放地球一馬。」

丹尼爾說：「不，吉斯卡好友，這和事實不符。如果不必對地球採取激烈手段，不論他覺得多麼如釋重負，他卻再也無法滿足阿瑪狄洛博士，也就無法確保他自己的前途。既然他是個野心

勃勃的人，在這種情況下，他不會顯現出你清清楚楚察覺到的勝利感。」

「我懂了。那麼我們得到一個結論：曼達瑪斯博士的確有辦法擊敗地球。」

「是的。而如果這是真的，那麼以利亞夥伴當年所預見的危機如今剛剛出現，並非早已安全度過。」

吉斯卡若有所思地說：「可是有個關鍵問題還沒討論到，丹尼爾好友。那個危機的真面目是什麼？到底會有什麼致命的危險？這你也能推論出來嗎？」

「這我就做不到了，吉斯卡好友，我的推理能力已經發揮到極限。假如以利亞夥伴仍然在世，他或許有辦法再往前多走幾步，可是我不行——現在我必須靠你了，吉斯卡好友。」

「靠我？怎麼靠？」

「你能夠研究曼達瑪斯博士的心靈，這是我做不到，甚至任何人都做不到的。這麼一來，你就能發現那個危機的真面目了。」

「只怕我也做不到，丹尼爾好友。如果我和某個人類長期生活在一起，例如之前的法斯陀夫博士，或是現在的嘉蒂雅女士，那麼我能一點一點打開他們的心靈，一片一片撥，一個結一個結慢慢解，在不造成傷害的情況下逐漸瞭解他們。但若是想要在一場甚至一百場短暫的會議中，對曼達瑪斯博士做同樣的分析，只能得到少之又少的結果。情感顯而易見，思想則否。如果我為了趕時間，試著強行加快速度，就一定會傷到他——那是我必須避免的。」

「但地球上有好幾十億人，外加銀河中另外的幾十億人，他們的命運或許都寄託在你身上。」

「只是或許而已，換言之這只是臆測，而一個人類受到傷害卻會是事實。看來很可能只有曼達瑪斯博士一個人知道那個危機的真面目，以及該如何將它實現。如果阿瑪狄洛博士能從其他管

道獲悉這個祕密，曼達瑪斯博士就無法利用自己的知識或能力換取繼任院長的承諾了。」

「有道理。」丹尼爾說：「很可能正是如此。」

「這樣的話，丹尼爾好友，我們就沒必要知道危機的真面目是什麼。不論曼達瑪斯博士手裡抓著什麼祕密，只要我們能阻止他告訴阿瑪狄洛博士——或其他任何人——就不可能出現什麼危機了。」

「別人也有可能發現曼達瑪斯博士所掌握的祕密。」

「當然，但這種事不知何時才會發生。很有可能，我們會爭取到足夠的時間，進行更深入的調查，發現更多的真相——好讓我們做足扮演中流砥柱的準備。」

「很好。」

「若想阻止曼達瑪斯博士，可以考慮把他的心靈破壞到無法運作的地步——或是徹底消滅他的性命。我所擁有的特殊能力，的確能對他的心靈造成適度的損傷，但我下不了手。然而，你我都能用有形的方式結束他的性命，而我同樣下不了手。你做得到嗎，丹尼爾好友？」

丹尼爾頓了頓，最後終於悄聲答道：「你明明知道，我也下不了手。」

吉斯卡慢慢地說：「即使你知道地球上和銀河中的幾十億人都有危險？」

「我無論如何也無法傷害曼達瑪斯博士。」

「我也不能。所以說，我們僅僅確定即將出現一場致命的危機，卻不知道危機的真面目，甚至無從查起，因此之故，我們對它根本束手無策。」

他們默默凝視著對方，兩人臉上都毫無表情，但此時此刻，就是有一股絕望的氣氛徘徊不去。

第四章　另一個後代

10

經過曼達瑪斯這段精神折磨之後，嘉蒂雅很想好好放鬆一下——可是由於太努力，結果適得其反。她原本將臥室的窗戶通通調成不透明，讓屋內充滿暖暖的微風，伴隨著樹葉的沙沙聲響，以及偶爾從遠方傳來的輕柔鳥鳴。後來，她又將音效改為遙遠的波浪，並在空氣中加入淡淡的海洋氣息。

通通沒用。她仍不由自主地想著剛剛發生的一切——以及即將發生的事情。她為什麼要跟曼達瑪斯侃侃而談呢？她有沒有飛到軌道上去會晤以利亞，關他——以及阿瑪狄洛什麼事？而她的兒子到底是跟誰生的，以及何時生的，又關他和阿瑪狄洛什麼事了？

曼達瑪斯對自己血統的質疑令她心神不寧，而問題就出在這裡。在這個社會中，除非是由於醫療方面的原因，誰也不會關心自己的血統或血緣，因此一旦有人在言談中提到這個話題，一定會令對方不知所措。更何況，他還再三提到了以利亞（但想必不是故意的）。剛才她她認定自己其實是想找個自我安慰的理由，一氣之下，她將這些思緒通通拋在腦後。剛才她反應失常，說起話來活像三歲小孩，那才是背後真正的原因。

不久之後，還有個銀河殖民者要來。

他並不是地球人，並非生於地球，這點她很肯定。而且很有可能，他甚至從未造訪過地球。他和他的同胞或許住在一個她聽都沒聽過的陌生世界，而且八成已有好幾代的歷史。

那他就應該是太空族了，她這麼想。太空族也是地球人的後裔——但要遠溯許多世紀之前，

不過那又有什麼關係呢？誠然，太空族壽命很長，而這些銀河殖民者想必和地球人一樣短命，但這又能造成多大的差異呢？就算是太空族，也有可能由於特殊原因而意外早夭；她甚至曾經聽說，有個太空族不到六十歲就自然死亡了。所以，若將下一名訪客想成是有著古怪口音的太空族，又有何不可呢？

但是並沒有那麼簡單。毫無疑問，那個銀河殖民者並不認為自己是太空族。重要的不是客觀的事實，而是自己的主觀認同。所以還是把他想成銀河殖民者，別想成太空族吧。

可是，不管如何稱呼他們——太空族，銀河殖民者，奧羅拉人，地球人——人類難道不就是人類嗎？最明顯的證據，就是他們一律不會受到機器人的傷害。而且，無論是最沒知識的地球人，或是奧羅拉立法局的主席，只要面臨威脅，丹尼爾都會以同樣的速度擋在他們面前，而這就意味著……

當她心中突然冒出一個念頭，似乎蓄勢待發之際，她感覺到自己有些恍惚——事實上是全身放鬆，打了一個盹。

那個銀河殖民者為何也叫貝萊？

她頓時打起精神，從險些將她吞沒的忘川之中鑽出頭來。

為什麼也叫貝萊？

或許只是因為這個姓氏在銀河殖民者當中很普遍。畢竟，以利亞是這一切的幕後推手，他一定是他們心目中的英雄，就像……就像……

她想不出奧羅拉人心目中有類似的英雄。當年，首先發現奧羅拉的那支探險隊是由誰領導的？而當奧羅拉還幾乎無法住人的時候，又是由誰主持大地改造計畫的？這些她都不知道。

她在這方面的無知，到底是因為她是在索拉利長大的——還是奧羅拉根本就沒有這類英雄人

物？畢竟，首先踏上奧羅拉的那支探險隊，成員個個都是地球人。直到許多世代之後，拜精妙的生物工程之賜，地球人的後裔才逐漸蛻變成長壽的奧羅拉人。從此以後，奧羅拉人開始鄙視那些先聖先賢，又怎麼會把他們塑造成英雄呢？

但銀河殖民者則有可能把地球人視為英雄。或許，這是因為他們尚未脫胎換骨。總有一天，他們也可能會變得不一樣，那時以利亞就會遭到無情的遺忘，可是現在……

一定是這樣。當今的銀河殖民者也許有一半都改姓貝萊了。可憐的以利亞！人人爭先恐後擠到他的羽翼之下，甚至站到他的肩膀上。可憐的以利亞……親愛的以利亞……

現在她真的睡著了。

11

這一覺睡得並不安穩，根本無法讓她恢復平靜，更別提什麼好心情了。她渾然不覺地沉著一張臉——要是從鏡子裡看到自己，她會被這副中年外貌嚇一大跳。

丹尼爾喚道：「夫人——」在他眼裡嘉蒂雅就是人類，和她的年齡、外貌、心情都毫無關係。

嘉蒂雅嚇了一跳，輕輕打個哆嗦。「那個銀河殖民者來了嗎？」

她抬頭看了看牆上的計時帶，然後做了一個簡短的手勢，丹尼爾立刻將暖氣溫度調高（今天有點涼，到了晚上會更涼）。

丹尼爾說：「他來了，夫人。」

「你讓他待在哪裡？」

「在主客房，夫人。吉斯卡在陪著他，管家機器人也全部就近候召。」

「希望它們有能力判斷他午餐想吃些什麼。我對銀河殖民者的餐點一無所知，希望它們能好

生伺候他。」

「這件事，夫人，我相信吉斯卡一定勝任愉快。」

嘉蒂雅對此毫不懷疑，卻只是哼了一聲。如果嘉蒂雅是那種習慣用鼻子說話的人，這一聲應該有嗤之以鼻的意思，可是她自認並非那種人。

「我猜，」她說：「在他獲准登陸之前，應該接受過妥善的隔離檢疫吧。」

「難以想像他躲得過那一關，夫人。」

她又說：「即便如此，我還是要戴上手套和鼻孔濾器。」

她從臥室走出來，隱約察覺附近有些管家機器人正在待命，立刻做了一個「給我一雙新手套和新濾器」的手勢。每座宅邸其實都有主人自行制定的專用「手語」，而且在做這些手勢的時候，主人一律動作迅速且不著痕跡。機器人必須像是有讀心術般，一一看懂這些毫不起眼的手語命令。此外可想而知，對於宅邸主人以外的其他人類，機器人就只能服從他們一字一句說出來的命令。

萬一機器人對於手語命令猶豫不決，甚至執行錯誤，那就是宅邸主人的奇恥大辱了。這意味著主人沒把手勢做好——或者機器人沒有看清楚。

嘉蒂雅心知肚明，通常錯誤都出在人類這一方，但幾乎毫無例外，人類從來不會承認這種事。那些倒楣的機器人會被迫接受不必要的反應分析，甚至被冤枉地賤價出售。嘉蒂雅一向認為自己絕不會做這種死要面子的蠢事，但這時如果沒拿到手套和濾器，那麼她……

她不必再想下去了。她想要的兩樣東西，離她最近的機器人已經迅速且正確地送上來了。

嘉蒂雅將濾器插入鼻孔，吸了一兩下，以確認它位置正確（檢疫過程雖然關卡重重，難保不會有些病菌漏網，她可沒心情冒這個險）。然後她問道：「丹尼爾，他長得什麼樣子？」

丹尼爾說：「他不高不矮，不胖不瘦，夫人。」

「我是指他的臉孔。」（這是個傻問題。如果他遺傳了以利亞·貝萊一點點特徵，那麼不勞她提醒，丹尼爾一定會注意到，而且主動提出來。）

「這就很難說了，夫人，我看不清楚。」

「這話什麼意思？他絕不會戴著面具吧，丹尼爾。」

「這麼說也沒錯，夫人，他的臉全被毛髮遮住了。」

「毛髮？」她忍不住笑出聲來，「你是指好像超視歷史劇中的人物？那是鬍子吧？」她伸手在自己的下巴和嘴唇附近比了比。

「還要多呢，夫人，他的臉有一半都被遮住了。」

嘉蒂雅瞪大眼睛，她終於覺得自己有興趣見這個人了。被鬍子遮住整張臉是什麼樣子？奧羅拉男性——乃至一般的太空族男性——臉上的鬍子都非常少，而且大多數在二十歲之前——幾乎可說是嬰兒期——就做了永久性的毛囊清除術。

但仍有少數人保留著上唇的鬍子。嘉蒂雅還記得她的前夫——山提瑞克斯·格里邁尼斯——在結婚之前，鼻下就有著兩條細細的鬍鬚。他稱之為八字鬍，但在她看來，活像一對生錯了地方的畸形眉毛。一旦答應成為他的妻子，她便堅持要他連根除去。

當時他二話不說便照辦了，直到今天她才頭一回想到，不知他是否有點捨不得。她依稀有個印象，剛結婚那幾年，他偶爾會將食指擺在上唇的位置。之前她都以為那是不自覺的搔癢動作，現在她才終於想通，他是在懷念那對一去不返的八字鬍。

男人如果滿臉都是鬍鬚會是什麼模樣呢？會不會像隻狗熊？

那會是什麼感覺？如果女人也有這樣的鬍鬚呢？她忽然想到一個畫面：一男一女想要接吻，

竟然找不到對方的嘴唇。她覺得這個想法很滑稽，有些粗俗卻又無傷大雅，不禁哈哈大笑了好幾聲。她頓時覺得心頭的煩躁已消失無蹤，而且真的很期待見見這個「怪獸」。

畢竟，即使他的外表和行為都像一頭野獸，自己也不必怕他。他並沒有任何機器人——銀河殖民者活在一個沒有機器人的社會——而她會有十來個機器人圍在身邊。只要這個怪獸做出絲毫可疑的動作——哪怕只是氣呼呼地提高音量——他在瞬間就會被制伏了。

她以絕佳的心情說：「帶我去見他，丹尼爾。」

12

「怪獸」連忙起身，開口說了一句話，聽起來有點像：「午安，夫人。」

她馬上就聽懂了「午安」兩字，但過了一會兒，她才想到後面說的是「夫人」。

嘉蒂雅心不在焉地回了一聲：「午安。」她不禁想起多年前，自己還是個怯生生的年輕女子，剛從索拉利來到這個世界，當時奧羅拉口音的銀河標準語曾讓她吃足了苦頭。這個「怪獸」的腔調頗為粗俗——或者只是因為她聽不慣的緣故？她還記得以利亞有幾個字發音不太準，除此之外可說是字正腔圓。然而，如今已過了一百九十幾年，這個銀河殖民者又並非來自地球，只要有隔離，語言就會產生變化。

不過，口音的問題只占了嘉蒂雅一小部分心思而已，她大半的注意力都用來打量對方的鬍鬚了。

它一點也不像歷史劇演員所使用的道具，那些假鬍子總是這兒一撮、那兒一撮地黏在臉上，看起來相當虛假。

這位銀河殖民者的鬍子則大不相同，不但又濃又厚，而且平均分布在他的臉頰和下巴。和他深棕色的頭髮比較起來，這些鬍鬚顏色稍微淡一點，而且比較捲。每根鬍子都差不多長，根據她

的估計，至少都有兩吋。

其實他並非滿臉都是鬍鬚，這點令她相當失望。比方說，他的額頭（除了眉毛之外）就完全光溜溜的，而鼻子和雙眼下方也一樣。

此外，他的上唇並沒有明顯的鬍鬚，只有些影影綽綽的斑點，彷彿剛冒出的鬍渣。嘴唇下方也差不多，但鬍渣更不明顯，而且主要集中於下巴附近。

既然他的雙唇都裸露在外，嘉蒂雅確定要和他接吻應該毫無困難。她說：「我看你好像把嘴唇附近的鬍子除掉了。」雖然明知緊盯著對方並不禮貌，她就是無法收回視線。

「是的，夫人。」

「我可否請問為什麼？」

「可以。是為了衛生著想，我不希望食物掉到鬍子裡面。」

「你只是把它刮掉，對嗎？看得出它還會再長。」

「我使用雷射刮刀，起床後十五秒就解決了。」

「為何不用一勞永逸的脫毛術？」

「我也許還想讓它長出來。」

「為什麼？」

「為了美觀，夫人。」

這回嘉蒂雅真的聽不懂了，實在猜不到他說的是什麼「觀」。

她追問：「你說什麼？」

銀河殖民者答道：「也許有一天，我會厭倦現在這個模樣，會想把上唇的鬍鬚再留起來。你可知道，有些女人就喜歡這種鬍子，而且——」他想故作謙虛，卻難掩得意的神色。「我留起八

字鬍很好看。」

她突然想通了。「你說的是『美觀』。」

銀河殖民者哈哈大笑，露出一副美白的牙齒。「你這麼說，聽起來也很滑稽，夫人。」

嘉蒂雅試著裝出高傲的神情，它卻自動融化成一個微笑。所謂的正確發音其實因地而異，並沒有絕對的標準。她說：「你既然有這種想法，就該聽聽我的索拉利口音。聽好了——美、觀。」兩個字都有著濃重的打舌音。

「我到過一些地方，口音和這就有點像，聽起來真是——粗、魯。」在說最後兩個字的時候，他故意誇張地打舌。

嘉蒂雅咯咯大笑。「你打的是舌尖，其實應該用舌頭的兩側。除了土生土長的索拉利人，這個音誰也發不準。」

「或許你可以教我。像我這種到處亂跑的行商，什麼南腔北調通通聽過。」他又試著說了一遍「粗魯」兩字，結果險些窒息，隨即嗆咳起來。

「瞧。你的舌頭纏住了扁桃腺，當心永遠回不來了。」她仍舊緊盯著他的鬍子，但再也壓不住自己的好奇心，終於伸出手去。

銀河殖民者嚇得連忙後退，等到明白她的意圖，他才停下了腳步。

嘉蒂雅將手輕輕放在他的左臉頰。她所戴的薄膜手套不但幾乎透明，而且不會影響指尖的觸感，因此他的鬍子摸起來既柔軟又有彈性。

「很好摸。」聽得出她顯然很訝異。

「這倒是有口皆碑。」銀河殖民者咧嘴一笑。

她又說：「可是我不能站在這裡，就這麼跟你耗一整天。」

不出所料，他回了一句「我覺得沒什麼不可以」，但她裝作沒聽見，繼續說：「你有沒有告訴我的機器人想吃些什麼？」

「夫人，我這就把告訴它們的話再跟你說一遍——有什麼吃什麼。去年我到過好些世界，各地的飲食都各有特色。身為行商就得學著『只要沒有毒，什麼都能吃』。總之，任何奧羅拉餐點都行，千萬別刻意模仿貝萊星的口味。」

「貝萊星？」嘉蒂雅脫口而出，眉頭又皺了起來。

「那是為了紀念班．貝萊。我們是第一個殖民者世界，而開拓這個世界的先鋒部隊就是由他率領的。」

「他就是以利亞．貝萊的兒子？」

「是的。」說完，銀河殖民者立刻改變話題，他低頭打量了自己一番，然後帶著一絲惱怒說：「你們奧羅拉人怎麼受得了這種衣服——又滑又蓬鬆，巴不得趕快換上我自己那一套。」

「我保證你很快就有這個機會了。不過現在，請先跟我一起享用午餐——對了，聽說你也叫貝萊——和你們的世界同名。」

「沒什麼好奇怪的，貝萊自然是我們那個世界上最尊貴的姓氏，我叫丹吉．貝萊。」

他們一路朝餐廳走去，吉斯卡走在最前面，丹尼爾則殿後。一進餐廳，兩個機器人便走進自己的專屬壁凹。其他的機器人原本都待在各自的壁凹中，這時走出兩個來服侍用餐。這間餐廳採光很好，牆上滿是各種裝飾，而餐桌早已布置妥當，上面的食物散發出引人垂涎的香氣。

銀河殖民者做了一個深呼吸，露出滿意的表情。「我想我一定吃得慣奧羅拉食物——你要我坐哪裡呢，夫人？」

其中一個機器人立刻答道：「請你坐這裡好嗎，先生？」

嘉蒂雅禮貌地讓客人先就座，然後才坐到自己的位子上。

「丹吉？」她說：「我不清楚你們的世界有什麼特殊的命名習慣，如果我的問題冒犯了你，請務必原諒。丹吉難道不是女性的名字嗎？」

「絕對不是。」銀河殖民者的聲音有點生硬，「其實這根本不算名字，而是兩個名字的縮寫：丹．吉。」

「喔。」嘉蒂雅恍然大悟，「原來你叫做丹．吉．貝萊。可否讓我滿足一下好奇心，這兩個字代表什麼意思呢？」

「當然可以。那位當然就是『丹』，」他邊說邊伸出拇指，朝某個壁凹用力一揮。「而我猜那位應該就是『吉』。」他又指了指另一個壁凹。

「你不會是那個意思吧。」嘉蒂雅輕聲說。

「我就是那個意思。我的全名是丹尼爾．吉斯卡．貝萊。在我的家族開枝散葉的過程中，每一代至少都有一個丹尼爾或吉斯卡。我是六個子女中的老么，卻是唯一的男孩。我媽媽覺得生夠了，就把兩個名字都給了我，算是一種補償吧。於是我成了丹尼爾．吉斯卡．貝萊，這對我來說實在太沉重。我寧可用丹吉當名字，如果你也這麼叫我，我會覺得很榮幸。」他露出親切的笑容，「在我的家族中，我是第一個同時擁有這兩個名字的後代，也是第一個見到兩位本尊的人。」

「但為何要取這兩個名字呢？」

「根據我們家族的傳說，那是老祖宗以利亞的意思。他的兩個孫子都是由他命名的，老大叫丹尼爾，老二叫吉斯卡。他堅持要用這兩個名字，這個傳統就這麼建立了。」

「女兒呢？」

「一代又一代都沿用耶洗別——也就是潔西這個名字。你知道，她是以利亞的妻子。」

「我知道。」

「不過並沒……」他突然住口，將注意力轉移到面前的餐盤上。「如果這裡是貝萊星，我會說這是一片烤豬肉，而且是用花生醬悶烤的。」

「事實上，這是一盤素菜，丹吉。你剛才要說的是家族中並沒有嘉蒂雅這個名字吧。」

「是啊。」丹吉平靜地答道。「有一種說法是潔西——那位本尊潔西——反對這麼做，但我並不相信。以利亞的妻子始終沒有到過貝萊星，你知道吧，她甚至從未離開過地球，又怎麼可能反對呢？不，我相當肯定，是老祖宗自己不希望再有另一個嘉蒂雅。她不能有仿製品，也不能有分身。嘉蒂雅就只有一個，獨一無二——此外他還要求子孫，不要再出現另一個以利亞。」

嘉蒂雅覺得食不下咽了。「我認為，你的老祖宗後半生都在學著做一個不動感情的人，就像丹尼爾那樣。話說回來，他心裡還是藏著浪漫情懷。他大可容許多出現幾個以利亞或嘉蒂雅，我絕對不會介意，而且我想他太太應該也不會介意。」她笑得花枝亂顫。

丹吉說：「不過這些傳說似乎都不太可信。老祖宗幾乎要算是歷史人物了，他去世已有一百六十四年。我是他的第七代子孫，但現在坐在我對面的女士，竟然是他年輕時的朋友。」

「我其實不能算他的朋友。」嘉蒂雅盯著自己的餐盤，「前後七年間，我跟他只有過三次短短的接觸。」

「我知道。老祖宗的兒子，班，替他寫了一本傳記，那是貝萊星的文學經典，連我都讀過呢。」

「是嗎？我倒是沒讀過，甚至不知道有這本書。書裡……書裡是怎麼寫我的？」

丹吉似乎被逗樂了。「把你寫得很好，你絕不會抗議的，但別談這個了。我覺得難以置信

的，是我們雖然相隔七代卻能坐在一起。你多大年紀，夫人？問這種問題妥不妥當？」

「我也不知道妥不妥當，但我並不反對。照銀河標準年算來，我今年兩百三十三歲。」

「你看起來絕對不到五十歲。老祖宗去世時七十九歲，已經垂垂老矣。我今年三十九歲，等到我死的時候，你還活得好好……」

「前提是我不會死於意外。」

「而且或許還能再活五十年。」

「你嫉妒我嗎，丹吉？」嘉蒂雅的聲音中透出一絲悲憤，「我已經比以利亞多活了一百五十幾年，而且恐怕還得再苟活一百年，這會令你嫉妒嗎？」

「我當然嫉妒你。」他從容地答道。「怎麼可能不呢？只要不會成為貝萊星上的壞榜樣，我絕不介意活上好幾個世紀。但我可不希望我的同胞普遍活得那麼長，否則歷史的腳步和文明的進展會變得太慢，而且在上位的人會掌權太久。貝萊星將會越來越保守，終於走向衰亡——就像你的世界那樣。」

嘉蒂雅揚起尖尖的下巴。「你仔細看看，就會發現奧羅拉欣欣向榮。」

「我說的是你的世界，索拉利。」

嘉蒂雅猶豫了一下，然後堅定地說：「索拉利並不是我的世界。」

丹吉說：「我希望你承認。我來見你，就是因為我相信索拉利是你的世界。」

「如果這就是你來見我的原因，那麼你是在浪費時間，年輕人。」

「你生於索拉利，對不對？而且在那裡住過好一陣子？」

「我三十歲以前都住在那裡——差不多是我一生的八分之一。」

「那麼你就是索拉利人，足以幫我完成一件相當重要的大事。」

「不管你有多麼重要的事，反正我不是索拉利人。」

「事情關係到了是戰是和——希望你覺得夠重要了。太空族世界和殖民者世界眼看就要開戰，如果真走到這一步，我們大家都要遭殃。能否阻止戰爭確保和平，就在你一念之間了，夫人。」

13

午餐結束了（這並非什麼大餐），嘉蒂雅不知不覺開始望著丹吉，並未讓憤怒形諸於色。

過去兩百年來，她遠離塵世的紛擾，過著心如止水的日子。無論是當年在索拉利所受的苦難，或是初到奧羅拉時適應上的困難，都慢慢被她淡忘了。那兩起謀殺帶給她的大慟，以及兩段詭異的戀情——對象分別是機器人和地球人——所帶來的狂喜，她都設法深深埋葬，沒有留下任何後遺症。她經營了一段為期很長而且平靜無波的婚姻，養育了兩名子女，並繼續投入服裝設計這門應用藝術。後來子女終於自立門戶，接著丈夫又離她而去，而不久之後，或許她也要從工作崗位退休了。

那時，將只剩下一些機器人陪伴她，而她將滿足於——或者應該說認命——讓生命平平靜靜地溜走，直到慢慢抵達那個盡頭——那會是個十分溫和的過程，或許來到盡頭之際，她還根本未曾察覺。

那正是她想要的。

現在——發生了什麼事呢？

一切要從昨晚說起，她徒勞地在星空中尋找索拉利的太陽，但它其實尚未出現，即使出現了，她用肉眼也看不到。這個緬懷過去的愚蠢舉動——緬懷一個應該永遠埋葬的過去——彷彿刺破了她精心打造的保護膜。

首先，是以利亞．貝萊這個名字一而再、再而三在她耳畔響起，喚醒了她刻意遺忘的那些大悲大喜的記憶。

然後，她被迫面對一個（錯誤地）自認為是以利亞第五代子孫的人，好不容易把他打發走，卻又來了一個如假包換的第七代子孫。而現在她所面對的問題和責任，居然和當年糾纏以利亞的那些難題出奇地相似。

難道說，自己雖然沒有以利亞的才能，更欠缺他奮不顧身的責任感，卻要扮演他當年的角色？

她到底造了什麼孽？

她感到一股自憐的浪潮壓過了心中的怒火，覺得這種安排對自己太不公平了。除非她心甘情願，否則誰也沒有權利要她承擔任何責任。

她盡力維持聲音的平穩：「我已經說過我不是索拉利人，你為何還要堅持說我是？」

丹吉似乎並不在意她那冷若冰霜的口吻。他手中一直握著一張濕紙巾，那是機器人在餐後遞給他的，當時它的溫度恰到好處，有點燙又不太燙。剛才，他曾模仿嘉蒂雅的動作，仔細擦拭了雙手和嘴巴，然後又將紙巾對摺，把鬍子也擦了一遍，現在那張紙巾已經開始分解了。

他說：「我想它最後會整個消失吧。」

「會的。」嘉蒂雅早已將自己的紙巾塞進桌上一個容器內。一直抓著紙巾是很不禮貌的舉動，但丹吉當然情有可原，他顯然並不熟悉這些文明禮儀。「有人認為會對空氣造成污染，其實會有一道氣流把分解後的物質帶到上面的濾器內。我可不信這會帶來任何困擾——但你還沒回答我的問題，先生。」

丹吉將手中的紙巾揉成一團，放到座椅扶手上。在嘉蒂雅迅速而不著痕跡的手勢指引下，一

個機器人立刻將它拿走了。

丹吉說：「我不打算迴避你的問題，夫人。我並非想要強迫你做索拉利人。我只是指出你生於索拉利，而且在那裡生活了幾十年，因此把你視為索拉利人應該還算合理，至少就某個層面而言——你可知道，索拉利被遺棄了？」

「知道，我聽說了。」

「聽到這個消息，你有任何感覺嗎？」

「過去兩百年來，我都是奧羅拉人。」

「這可是牛頭與馬嘴。」

「什麼？」她完全聽不懂他說些什麼了。

「這件事和我的問題無關。」

「喔，你是說『牛頭馬嘴』，你的意思是牛頭不對馬嘴。」

丹吉微微一笑。「很好，咱們別再牛頭對馬嘴了。我問你對於索拉利的消亡可有任何感覺，你卻告訴我說你是奧羅拉人。你要繼續堅持這個答案嗎？一個土生土長的奧羅拉人，聽到姊妹世界成了一顆死星，也可能會覺得很傷心。你又有什麼感覺呢？」

嘉蒂雅冷冰冰地說：「這點無關緊要。你為何關心這個問題呢？」

「我來解釋一下。我們——我是指殖民者世界的行商——之所以關心索拉利，是因為那裡有利可圖，有生意可做，有一顆行星等著我們接收。索拉利已經完成大地改造，是個適宜住人的世界，而你們太空族似乎不需要也不想要它，我們何不移民過去呢？」

「因為它不是你們的。」

「夫人，你為何反對，難道它是你的嗎？奧羅拉比貝萊星更有資格宣示它的主權嗎？一個無

人世界，應該屬於有興趣移民其上的人所有，這麼說合不合理？」

「你們開始移民了嗎？」

「沒有——因為它並非無人世界。」

「你的意思是，索拉利人並未全部離去？」嘉蒂雅一口氣說。

丹吉再度露出笑容，而且笑得咧開了嘴。「這個消息令你感到興奮——雖然你自稱是奧羅拉人。」

嘉蒂雅立刻眉頭深鎖。「回答我的問題。」

丹吉聳了聳肩。「根據我們的精確估計，那個世界遭遺棄時，上面大約只有五千名索拉利人。他們的人口一直在逐年減少，但就算只有五千人——誰又能確定他們通通走了？然而，其實這並非重點。即使索拉利人的確走得一個不剩，那顆行星也並非空無一人。它上面至少還有兩億個機器人——全都是無主之物——有些還是全銀河最先進的機型。索拉利人離去時，想必多少帶走一些——難以想像太空族沒有機器人如何過日子。」（他帶著微笑，轉頭望了望那些站在壁凹內的機器人。）「然而，不可能每人帶著四萬個機器人吧。」

嘉蒂雅說：「那可好，既然殖民者世界完全沒有機器人，而且不希望改變現狀，我想你們絕不可能移民索拉利。」

「這倒沒錯。除非將那些機器人清光，否則我們絕不會移民，因此像我這樣的行商就有事可做了。」

「做什麼事？」

「我們的社會不想引進機器人，可是我們並不介意接觸它們，也不介意拿它們做點生意。我們對那些東西並沒有盲目的恐懼，只是知道引進機器人的社會注定是要衰敗的。這點，太空族替

我們做了詳盡的示範。所以我們雖然不想中機器人的毒，但只要太空族繼續執迷不悟，我們萬分樂意把那些機器人賣給他們，好好賺上一筆。」

「你認為太空族會買那些機器人嗎？」

「我確定他們會。索拉利人製造的精緻機型一定大受歡迎，全銀河人盡皆知，他們是最優秀的機器人設計師——雖然有人認為，法斯陀夫博士在這方面的成就舉世無雙，而他並非索拉利人。此外，就算我們會好好賺上一筆，這一筆仍會大大低於那些機器人的價值，太空族和行商將雙雙受惠——這是買賣得以成功的祕訣。」

「太空族絕不會向銀河殖民者購買機器人。」嘉蒂雅透出明顯的輕蔑口吻。

身為行商，丹吉對於憤怒或輕蔑這些無關痛癢的反應自然無動於衷。有生意做最重要，其他都不算什麼。「他們當然會買。那麼先進的機型，只賣一半的價錢，他們有什麼理由拒絕？面對一筆好交易，你很難相信意識型態這類問題會變得多不值錢。」他說。

「我認為你才會很難相信。試著賣賣看，你就知道了。」

「只要我有，當然會賣，夫人，我是指把機器人賣給他們。可是我手上一個也沒有。」

「為什麼沒有？」

「因為尚未取得貨源。一前一後有兩艘太空商船在索拉利降落，每艘都能裝載差不多二十五個機器人。如果他們成功了，便會有一支接一支的商船隊跟進，我敢說這筆生意可以做上好幾十年——然後我們就能移民那個世界了。」

「可是他們並未成功。為什麼呢？」

「因為兩艘船都在地表遇難了，而且據我們瞭解，船員無一倖免。」

「機械故障？」

「胡說。兩艘船都安然著陸，並沒有墜毀。他們發的最後一則電訊提到有一群太空族在逼近他們——至於是索拉利人還是其他世界的太空族，我們就不知道了。我們只能假設，那些太空族對他們發動了突襲。」

「那是不可能的。」

「是嗎？」

「當然不可能。請問有什麼動機？」

「不要我們接近那個世界，我這麼猜。」

「如果那就是他們的目的。」嘉蒂雅說：「他們只要宣稱索拉利已被占領就行了。」

「他們也許覺得殺幾個銀河殖民者更有趣。至少，我們有許多同胞都這麼想，而且形成一股要求採取行動的壓力，例如派幾艘戰艦前往索拉利，並在上面建立一座軍事基地。」

「那樣會很危險。」

「當然危險，那是會引發戰爭的，我們有些好戰份子正在翹首盼望呢。或許有些太空族同樣期待大打一場，摧毀那兩艘船正是為了挑起戰端。」

嘉蒂雅驚訝地呆坐在椅子上。無論在任何新聞節目中，都從未提到太空族和銀河殖民者有任何的緊張關係。

她說：「這種事當然可以坐下來談。你們的人有沒有接洽過太空族聯邦？」

「那是個毫無用處的組織，但我們還是接洽了，我們也接洽過奧羅拉立法局。」

「結果呢？」

「太空族把事情推得一乾二淨。他們反倒暗示，索拉利機器人這筆生意大有賺頭，而行商只認識錢——彷彿他們自己不認識——所以難免明爭暗鬥。顯然，他們要我們相信那兩艘船都希望

替自己的世界壟斷這筆生意，結果自相殘殺而同歸於盡。」

「所以說，那兩艘船並非來自同一個世界？」

「是的。」

「那麼，難道你沒想過雙方的確打了起來？」

「我從未這麼想過，但我願意承認有這個可能。殖民者世界之間並沒有任何公開的衝突，但仍不時出現相當嚴重的爭執，好在總是有地球出面調停。話說回來，在面對幾十億元生意的時候，到了緊要關頭，殖民者世界的確不太可能團結一致。正因為如此，打仗對我們並沒有好處，也正因為如此，必須設法冷卻一下那些好戰份子，而這就要看我們的了。」

「我們？」

「你和我啊。我受託前往索拉利查出——盡可能查出——到底發生了什麼事。我會帶一艘太空船去——有武裝，但並非正式的戰艦。」

「你也可能會被摧毀。」

「也許吧。可是，我的船至少是有備而去，不會猝不及防。此外，我可不是超視裡面那些英雄，為了降低被消滅的風險，我做了全盤考量。例如我想到，在這件任務中，有幾個因素對銀河殖民者不利，其中之一是我們對索拉利一無所知。所以說，最好能帶一個瞭解那個世界的人——簡單地說，就是一個索拉利人。」

「你的意思是要帶我去？」

「是的，夫人。」

「為什麼是我？」

「我以為你心知肚明，根本不必我解釋，夫人。那些索拉利人離開母星後，不知去了哪裡。

若有任何索拉利人留下來，非常可能都是敵人。而除了索拉利，其他世界上再也找不到生於索拉利的太空族了——據說只有你是例外。你是我唯一能夠找到的索拉利人——全銀河獨一無二。這就是我必須帶你去，以及你必須去的原因。」

「你錯了，殖民者。如果只能找到我，你等於誰也沒找到。我可不打算跟你去，而你沒辦法——絕對沒辦法——強迫我跟你走這一趟。我的機器人都在我身邊，你只要朝我走一步，立刻會被制伏——而如果你反抗，一定會受傷。」

「我不打算強迫你。你一定要自願跟我走——而你應該願意才對，這是為了阻止一場戰爭。」

「那是你我的政府該做的事情。我拒絕跟這件事有任何牽連，我只是平民百姓。」

「這個世界對你有恩。一旦開戰，我們可能受到重創，但奧羅拉也好不到哪裡去。」

「既然你不是超視裡的英雄，我就更不是了。」

「那麼，你欠我的情。」

「你瘋了，我對你毫無虧欠。」

丹吉勉強擠出一絲笑容。「你對我個人毫無虧欠。可是，若將我當成以利亞．貝萊的後人，你就欠我很大的情了。」

嘉蒂雅盯著這個大鬍子怪獸好一陣子，全身動彈不得。她怎麼忘了他還有這重身份？

最後，她吃力地咕噥道：「沒這回事。」

「有這回事。」丹吉強而有力地說：「老祖宗對你恩重如山，而且前後共有兩次。他已經無法讓你還這個人情——哪怕只是一小部分——而我繼承了這個權利。」

嘉蒂雅以絕望的口吻說：「但如果我跟你去，又能做些什麼呢？」

「到時自有分曉。你願意去嗎？」

嘉蒂雅很想一口回絕，但她忽然想到，過去這二十四小時，以利亞又在她的生命中頻頻出現，難道就是這個緣故嗎？難道是為了藉著他的名義，令她難以拒絕這個根本難以接受的要求？

她答道：「那有什麼用？立法局不會讓我跟你去的，他們不會准許任何奧羅拉人被銀河殖民者的太空船接走。」

「夫人，你在奧羅拉住了兩百年，所以你認為土生土長的奧羅拉人把你當成同胞了。事實並非如此，在他們眼中，你仍舊是索拉利人，他們會讓你走的。」

「不會的。」嘉蒂雅的心臟怦怦亂跳，手臂上也起了雞皮疙瘩。他說得沒錯，她想到了阿瑪狄洛，他一定只會把自己視為索拉利人。縱然如此，為了自我安慰，她還是再說了一遍：「不會的。」

「會的。」丹吉回嘴道：「你們的立法局有沒有派人來找你，要求你接見我？」

她則奮力反駁：「他只是要我把我們的對話匯報上去，我也答應他了。」

「如果他們希望你在自己家中刺探我，夫人，他們更會希望你跟到索拉利去繼續刺探。」他等著她做出回應，久等不到之後，他透著厭倦的口吻說：「夫人，如果你拒絕，我不會強迫你，因為沒這個必要。他們自會強迫你，但我不希望走到這一步。假如老祖宗站在這裡，他絕不希望看到這種事。他會希望你是基於感激他而答應我，沒有第二個原因——夫人，老祖宗曾在極端困難的情況下全力幫助你，你就不願看在他的份上伸出援手嗎？」

嘉蒂雅心一沉，知道自己無法拒絕了。「沒有機器人，我哪裡也去不了。」她答道。

「我可沒那麼說。」丹吉又咧嘴一笑，「何不帶著跟我同名的這兩位呢？或是你還要多帶幾個？」

嘉蒂雅望向丹尼爾，但他只是文風不動地站在那裡。她又望向吉斯卡——情形完全一樣。然後她似乎發覺，有那麼一下子，他的頭——非常輕微地——上下動了動。

她必須信任他。

於是她說：「好吧，我跟你去，帶這兩個機器人就足夠了。」

第二篇　索拉利

第五章　棄置的世界

14

有生以來，這是嘉蒂雅第五次置身太空船中。上一次，是她和山提瑞克斯攜手前往歐特普的觀光之旅。眾所皆知，那個世界的雨林美景舉世無雙，尤其是在「寶石星」這顆衛星的浪漫光芒照映下——不過一時之間，她記不清楚那是多久以前的事了。

那片雨林確實非常茂密蒼翠，樹木都經過謹慎規劃，一排排栽種得十分整齊。其中的動物也經過精心選取，將整片雨林點綴得五顏六色、賞心悅目，凡是有毒的、有害的動物則一律被拒於門外。

而那顆直徑一百五十公里的衛星和歐特普相當接近，活像個閃閃發亮的耀眼燈飾。由於實在太近，再加上它的公轉速度超過行星的自轉，因此肉眼便能看出它從西到東一路飛越天際。它在爬上天頂之際越來越亮，墜落地平線時又逐漸暗下來。如果連續幾天晚上晴朗無雲——這種機會不大——觀光客頭一晚會看得如癡如醉，第二天便興趣銳減，第三天則會隱隱覺得缺了些什麼。

嘉蒂雅注意到，歐特普人一律看也不看那顆衛星，可是在觀光客面前，他們自然對它讚不絕口。

整體而言，嘉蒂雅對這趟旅行還算滿意，但她記得最清楚的，卻是重返奧羅拉懷抱所帶來的喜悅，以及她暗自做出的決定：除非萬不得已，今後絕對不再旅行（現在想來，那至少是八十年前的事了）。

有那麼一陣子，她成天在擔心丈夫會堅持再出門玩一趟，但他始終沒提過這檔事。而她偶爾

也會想到，很可能他心裡的想法和自己一樣，反倒擔心她會想要再去旅行。

他倆不愛旅行並不算什麼怪事。一般說來，奧羅拉人——乃至所有的太空族——大都喜歡待在家裡。他們的世界，以及他們的宅邸，都實在太舒服了。畢竟，被自家的機器人好好照顧是再愉快不過的一件事——那些機器人熟悉你的手勢，並且對你的生活方式和需求瞭若指掌，根本不需要你開口下令。

她忽然打了一個冷顫。丹吉曾說引進機器人的社會注定衰敗，莫非他就是這個意思？

沒想到許多年後，她還是回到了太空中，而且是搭乘一艘地球太空船。

她未曾詳細觀察過這艘船，但光是瞥上幾眼已經令她惴惴不安。整艘船似乎就只有直線、銳角和曲面而已，凡是不生硬的東西顯然都被排除在外。除了功能性，其他的一切彷彿都沒有存在的價值。即使她不清楚船上各個物件到底有什麼功能，也感覺得到它們都是必要的，否則絕無資格阻礙兩點之間的最近距離。

奧羅拉的一切總是分成好些層次（這句話甚至適用於所有的太空族，不過要屬奧羅拉在這方面最先進）。功能性在最底端——不可能完全排除這一點，只有純粹的裝飾品例外——但在功能性之上，總有些滿足視覺和其他感官的東西，而更上一層，則能提供精神上的滿足。

這可真是先進！——抑或它所代表的是人類創造力的高度發展，使得太空族再也無法生活在樸質無華的宇宙中——而這又有什麼不好呢？人類的未來會掌握在那些只認識幾何構圖的銀河殖民者手中嗎？或者他們只是尚未瞭解生命中的樂趣呢？

話說回來，如果生命中真有那麼多樂趣，她自己怎麼幾乎體會不到呢？

她在太空船上沒什麼正事可做，只好翻來覆去地咀嚼這方面的問題。都是這個丹吉，這個流著以利亞血液的野蠻人，把這些問題塞進她腦子裡。雖然他在奧羅拉短暫停留之際（他當然只能

停留最短的時間），所見皆是根基深厚的繁榮和安定，他仍然臉不紅、氣不喘地認定太空族世界正在走下坡。

為了逃避這些思緒，她帶著些許好奇心，開始觀賞船上提供的全像影片。只見隨著投影曲面上的畫面跳來跳去，那些冒險故事（千篇一律是冒險故事）從一個場景匆匆換到另一個場景，幾乎沒有什麼對話，更沒有讓觀眾思考的時間——也沒有什麼娛樂性，和他們的家具非常類似。

當丹吉走進艙房時，某部影片正播放到一半，但她早已心不在焉。她並沒有嚇一跳——她的兩個機器人一直守在門口，兩人不但提前許多通知她，而且是在確定她能見他之後，才由丹尼爾陪他進來的。

丹吉說：「你還好嗎？」等到她輕觸按鍵，全像畫面逐漸消失之後，他又說：「你不必把它關掉，我可以陪你看。」

「沒這個必要，」她說：「我已經看夠了。」

「你住得舒服嗎？」

「並不盡然，我被——隔絕了。」

「抱歉！可是，我在奧羅拉時也曾遭到隔絕。他們不准我的人跟在我身邊，一個都不准。」

「你是在報仇嗎？」

「絕對不是。證據之一，我允許你隨身帶著你自己挑選的機器人。證據之二，是我的船員堅持要這麼做的，與我無關。他們既不喜歡太空族也不喜歡機器人——但你有什麼好不高興的？隔絕不是會減輕你對傳染病的恐懼嗎？」

嘉蒂雅的眼神透著高傲，聲音卻有氣無力。「我懷疑自己是否到了不必恐懼傳染病的年紀，雖然在許多方面，我想我都活得夠久了。話說回來，我還是準備了手套、鼻孔濾器，以及——若

有需要的話——我的專用面罩。此外，我不相信你會想碰我。」

「誰也不會想碰你。」丹吉的聲音突然透出一絲冷酷，與此同時，他摸了摸插在右臀口袋的一樣東西。

她的目光受到了吸引。「那是什麼？」她問。

丹吉微微一笑，大鬍子被燈光照得閃閃發亮——原來他的鬍子並非完全是棕色，多少有幾根泛紅的鬍鬚。「一柄武器。」他邊說邊抽了出來。握柄的下端被他使勁握住，上端剛好又鼓鼓的，看起來像是被他擠出一團來。武器的前端正對著嘉蒂雅，那是個大約十五公分長的細長圓柱，可是看不到任何開口。

「它能殺人嗎？」嘉蒂雅向它伸出手去。

丹吉趕緊將它拿開。「夫人，千萬不要碰別人的武器，這絕非不禮貌而已。對於這種動作，訓練有素的銀河殖民者一律會有強烈反應，你很可能會受傷的。」

嘉蒂雅瞪大眼睛，不但抽回了手，還將雙手放到背後。「別威脅要動武。丹尼爾在這方面可沒什麼幽默感。在奧羅拉，誰也不會野蠻到隨身攜帶武器。」她說。

「好吧，」丹吉對「野蠻」這兩個字無動於衷，「我們可沒有機器人當保鏢——況且這並非殺人武器，但就某些方面而言，它要更加可怕。它所發射的特殊振盪專門刺激負責痛覺的神經末稍，引發的疼痛超過你的想像千百倍，挨過的人絕不會想再試一次。我們稱之為神經鞭，通常都是備而不用。」

嘉蒂雅皺起眉頭。「真噁心！我們雖然有機器人，但他們只有在不得已的緊急狀況下才會傷人——而且下手會盡量輕。」

丹吉聳了聳肩。「聽起來非常文明，可是一點點痛楚——甚至一點點殺戮——總好過機器人

所帶來的墮落。此外，神經鞭並不是用來殺人的，而你們太空族架設在星艦上的武器，則會造成大規模的死亡和毀滅。」

「那是因為很早以前，我們身上的地球劣根性還很強的時候，曾經發生過大型戰爭，但我們已經進化了。」

「甚至在你所謂的進化之後，你們仍舊用那些武器對付地球。」

「那是……」她突然閉上嘴巴，彷彿把下面的話一口吞了回去。

丹吉點了點頭。「我知道，你打算說『那是另一回事』。夫人，如果你真的納悶為何我的船員不喜歡太空族，還有為何我也不喜歡，朝這方面想想吧——但你對我會很有幫助，夫人，我不會讓個人好惡妨礙了公事。」

「我怎麼會對你有幫助呢？」

「你是索拉利人。」

「你一直這麼說，但那是兩百多年前的事了。我不知道索拉利現在成了什麼樣子，我對它已經一無所知。兩百年前，貝萊星是什麼樣子呢？」

「兩百年前它還不存在，但索拉利早就在那裡了。我相信你還記得些有用的東西，我願意賭一把。」

他站起來，看似彬彬有禮卻又近乎嘲弄地點了點頭，然後就離開了。

15

嘉蒂雅維持了一會兒沉默，顯得若有所思且憂心忡忡，然後才說：「他一點也不禮貌，對不對？」

丹尼爾答道：「嘉蒂雅女士，這位銀河殖民者顯然處於緊張狀態下。他的目的地是索拉利，

而在那個世界上，已有兩艘類似的太空船被摧毀了，而船員則全部遭到殺害。他正在往火坑裡跳，他的船員也一樣。」

「只要是人類，你都會替他們說話，丹尼爾。」嘉蒂雅憤憤地說：「這個火坑我也要跳啊，而且我還不是自願的，但我不會因此變得粗魯無禮。」

丹尼爾沒有回答。

嘉蒂雅又說：「嗯，也許不盡然。我也有一點無禮，對不對？」

「我認為那位銀河殖民者不會介意的。」丹尼爾說：「夫人，我可否建議你準備就寢，現在已經很晚了。」

「很好。我會準備就寢，但我覺得心情還沒有放鬆，不可能睡得著，丹尼爾。」

「吉斯卡好友說你一定睡得著，夫人，這種事他通常說得很準。」

她果真睡著了。

16

在嘉蒂雅的艙房裡，丹尼爾和吉斯卡站在一片漆黑中。

吉斯卡說：「她會睡得很熟，丹尼爾好友，她的確需要休息，一場危險的旅程正在等著她。」

「依我看，吉斯卡好友，」丹尼爾說：「是你讓她同意走這一趟的，而我猜你有很好的理由。」

「丹尼爾好友，銀河如今到底面臨什麼樣的危機，你我所知實在太少，因此任何有助於蒐集情報的行動，我們都絕不能輕易放過。我們一定要弄清楚索拉利上到底在醞釀些什麼，而想要弄清楚，唯有親自前往一途——而想要親自前往，唯有設法讓嘉蒂雅女士帶我們同行。至於要影響

她，則幾乎不費吹灰之力。她其實很想去，雖然她嘴裡說的恰恰相反。想回去看看索拉利的渴望，在她心中有如排山倒海般強烈。如果不去這一趟，她心中永遠會有傷痛。」

「既然你這麼說，就一定錯不了，但我還是有些不解。她不是經常強調她在索拉利過得很不快樂，還說她完全融入了奧羅拉，從未想要再回她的母星去。」

「沒錯，她的確這麼想。在她心中，這個想法一清二楚。兩種情緒、兩種感受，是可以同時並存的。我經常在人類心中觀察到這種現象——兩種相反的情緒同時顯現。」

「這種情況似乎不合邏輯，吉斯卡好友。」

「我同意，而我只能說人類並非時時刻刻、方方面面都合乎邏輯。支配人類行為的法則之所以不易建立，這一定是原因之一——就嘉蒂雅女士的例子而言，我不時會體察到她對索拉利的懷念。通常它都隱藏得很好，或說被她對那個世界的厭惡掩蓋了，因為後者強烈得多。然而，當索拉利人遺棄母星的消息傳來，她的心情立刻起了變化。」

「為什麼呢？導致嘉蒂雅女士厭惡母星的早年經驗，和它遭到遺棄又有什麼關係？或者這麼說，當索拉利社會運作正常的時候，百年來她一直壓抑著對那個世界的懷念，一旦它成了一顆死星，她為何就不再自我壓抑，還想要前往這個如今對她而言一定完全陌生的世界？」

「我無法解釋，丹尼爾好友，我對人類心靈研究得越深，也就越有無力感，覺得它根本無從理解。能夠看穿人心並非什麼真正的優勢，我常羨慕做不到這點的你，你對自己的行為控制可說是乾淨俐落、簡單明瞭。」

丹尼爾繼續追問：「你有沒有什麼猜測呢，吉斯卡好友？」

「我猜想她對那個無人世界感到歉疚。她在兩百年前拋棄了它……」

「她是被趕走的。」

「如今在她看來，卻像是她自己主動拋棄的。我猜她是在鑽牛角尖，認為自己做了一個壞榜樣；如果當年她沒離開，別人也不會有樣學樣，那顆行星便會繼續欣欣向榮。由於我無法解讀她的心思，只能從她的情緒倒推回去，或許不正確也說不定。」

「但她不可能樹立什麼壞榜樣，吉斯卡好友。她離開索拉利是兩百年前的陳年往事，和最近這件事不可能有什麼不容置疑的因果關係。」

「我同意，但人類有時就是喜歡鑽這種牛角尖，以致毫無理由甚至違背常理地責怪自己——總之，嘉蒂雅女士強烈渴望回母星一趟，令我覺得有必要替她鬆開那個約束，好讓她答應那個銀河殖民者。只需要輕輕碰一下就成了。不過，雖然我覺得她有必要走這一趟，因為這意味著我們可以跟她同行，我還是有個不安的感覺，那就是可能——僅僅是可能——這麼做弊大於利。」

「怎麼說呢，吉斯卡好友？」

「因為立法局很希望嘉蒂雅女士答應這件事，或許他們的目的是要她暫時離開奧羅拉，而在此期間，他們將為打敗地球和殖民者世界做好準備。」

丹尼爾似乎在仔細考量這個說法，總之他頓了許久才重新開口：「在你看來，讓嘉蒂雅女士暫時離開能達到什麼具體目的呢？」

「我無法判斷，丹尼爾好友，我需要你提供意見。」

「我沒有仔細想過這個問題。」

「那就趕緊想！」假如吉斯卡是人類，這句話就是一道命令。

丹尼爾這回停頓了更久，然後才說：「吉斯卡好友，在曼達瑪斯博士尚未出現在嘉蒂雅女士宅邸之前，她這個人從未關心過任何星際事務。雖然她是法斯陀夫博士和以利亞·貝萊的朋友，但兩者皆屬私人情誼，背後並未藏有任何意識型態。況且，他們兩人都已經離開人世。她對阿瑪

狄洛博士有很深的反感，反之亦然，但這同樣是私人恩怨。這個宿怨已有兩百年的歷史，雙方卻從未採取任何實際行動，只是始終堅決不肯釋懷罷了。如今阿瑪狄洛博士已經是立法局裡最有影響力的人，他沒有任何理由害怕嘉蒂雅女士，或是必須大費周章地把她支走。」

吉斯卡說：「你忽略了一個事實，他支開嘉蒂雅女士，就同時支開了你和我。或許他相當肯定嘉蒂雅女士離不開你我兩人，所以，有沒有可能我們才是他眼中的危險人物？」

「打從出廠那天算起，吉斯卡好友，我們從未在任何方面，讓阿瑪狄洛博士覺得我們有任何威脅。他有什麼理由要怕我們？他並不知道你有特殊能力，更不知道你如何使用這些能力。所以說，他為何要花那麼大的力氣，把我們從奧羅拉暫時支開？」

「暫時嗎，丹尼爾好友？你為何假設他的計畫是暫時性的？關於索拉利上發生的變故，他有可能比這個銀河殖民者知道得更多，甚至可能還知道這個銀河殖民者和他的船員一定會遭到殺害——而嘉蒂雅女士和你我也將會陪葬。或許他的主要目的是要摧毀這個銀河殖民者的太空船，但如果再加上法斯陀夫博士的好朋友和他所製造的機器人，他會視之為額外的收穫。」

丹尼爾說：「毀掉銀河殖民者的太空船，很可能會導致和殖民者世界開戰，他絕不會冒這麼大的風險。即使再加上毀掉我們當作小小的額外收穫，也不值得他冒這個險。」

「丹尼爾好友，有沒有可能阿瑪狄洛博士的確是要發動一場戰爭，一場在他的算計中毫無風險的戰爭，所以除掉我們當作他的『額外收穫』並不會增加任何風險？」

丹尼爾平心靜氣地說：「吉斯卡好友，這麼說並不合理。在如今這種情勢下，任何一場戰爭的贏家都會是銀河殖民者。在心理層面上，他們較能坦然面對戰爭的嚴酷。他們人口分散，因此能成功地使用游擊戰術。他們的世界比我們的原始，失去了也比較不算什麼，相較之下，太空族世界個個井井有條又舒適宜人，被摧毀可就不得了。如果銀河殖民者願意用一個世界換一個世界

的方式打這場仗，太空族將被迫立刻投降。」

「可是這場仗真的會『在如今這種情勢下』開打嗎？萬一太空族擁有新式武器，能夠迅速擊敗銀河殖民者呢？有沒有可能這就是我們現在所面臨的危機？」

「那樣的話，吉斯卡好友，想要取得勝利，冷不防的突襲會有用且有效得多。又何必要大費周章挑起一場戰爭，讓銀河殖民者也有機會對太空族世界發動突襲，造成重大傷亡呢？」

「或許太空族需要測試那種武器，而太空船在索拉利遇難正是測試的結果。」

「如果找不到不必讓新武器曝光的測試方法，太空族就是最低能的人種了。」

這回輪到吉斯卡思考了一下。「很好，那麼，丹尼爾好友，你要如何解釋我們這趟旅程呢？你又要如何解釋立法局竟心甘情願——甚至熱切希望——我們陪銀河殖民者同行呢？那個銀河殖民者曾說他們甚至會命令嘉蒂雅啟程，而且，他們也算是真的這麼做了。」

「我也沒有仔細想過這個問題，吉斯卡好友。」

「那就趕緊想。」這句話同樣有命令的味道。

丹尼爾說：「我這就開始。」

接下來是一陣拖得更長的沉默，但吉斯卡毫無表示不耐煩的言語或動作。

最後，丹尼爾終於開口——他說得很慢，彷彿摸索著一條陌生的思路逐步前進。「如果把索拉利上的機器人視為一項財產，我認為貝萊星——或任何一個殖民者世界——都沒資格占有它們。就算索拉利人把它們遺棄了，甚至他們自己也永遠消失了，索拉利仍舊是個太空族世界，即使空無一人也不會改變這個事實。不用說，其他四十九個太空族世界都會推出這個結論。而最重要的是，奧羅拉會推出這個結論——只要它還覺得能夠掌控目前的情勢。」

吉斯卡考量了一下。「你是不是說，丹尼爾好友，太空族為了主張他們對索拉利的所有權，

因而摧毀那兩艘屬於銀河殖民者的太空船？」

丹尼爾說：「不，只要身為太空族盟主的奧羅拉覺得能夠掌控目前的情勢，就不會出現這個結果。奧羅拉只消聲稱不論索拉利有沒有人，銀河殖民者的太空船都一律不得靠近，甚至可以進一步威脅，若有任何銀河殖民者進入索拉利的行星系，就會對他們的母星進行報復性攻擊。他們還可以在那個行星系周圍建立封鎖線和偵測站。但我們並未聽到這種警告，也沒看到這種行動，吉斯卡好友。所以說，既然可以輕輕鬆鬆地將那些太空船阻擋在索拉利之外，為何偏偏要摧毀它們呢？」

「但事實就是如此，丹尼爾好友。你會用人類不合邏輯的天性當作解釋嗎？」

「除非萬不得已。讓我們暫且將那兩艘太空船的遭遇當作已知的事實，推敲一下它的後果——一艘殖民者太空船來到奧羅拉，船長要求和立法局討論目前的情勢，並堅持要一名奧羅拉公民陪同前往索拉利協助調查，而立法局一一做出了讓步。就奧羅拉而言，若說無預警地摧毀那兩艘太空船是過分強硬的行動，對殖民者船長做出這麼懦弱的讓步卻又過分軟弱了。奧羅拉這麼做，非但不是想打一仗，反倒像是願意以任何代價消弭戰爭的可能性。」

「是的，」吉斯卡說：「我看得出這是個可能的解釋。但接下來呢？」

「依我看，」丹尼爾說：「太空族世界尚未衰弱到那種程度，大可不必採取那麼卑微的姿態——就算真的衰弱了，高高在上幾世紀所培養出的自尊也不會允許他們這麼做。一定有其他因素在背後驅使他們，我曾指出他們不會故意挑起一場戰爭，所以更加可能的原因是他們在爭取時間。」

「目的是什麼呢，丹尼爾好友？」

「他們想要摧毀銀河殖民者，但是尚未準備好。他們讓這個銀河殖民者予取予求，是想將開

戰時機拖延到他們做好萬全準備之際。就算他們主動派一艘奧羅拉戰艦護送他，我也不會感到驚訝。如果這個分析是正確的——我相信沒錯——奧羅拉就不可能和索拉利上的變故有任何牽連。在毀滅性攻擊就緒之前，他們不會做這種小動作，否則只會讓銀河殖民者提高警覺。」

「那麼，這個你所謂的小動作又做何解釋呢，丹尼爾好友？」

「踏上索拉利之後，或許我們就能找到答案。奧羅拉人有可能和我們以及銀河殖民者一樣好奇，他們之所以和那位船長充分合作，甚至允許嘉蒂雅女士陪他走這一趟，想必這也是原因之一。」

換成吉斯卡維持了好一陣子沉默，才終於說：「他們那個神祕的毀滅計畫內容如何？」

「我們一直在說，由於太空族想擊敗地球，危機因此而起。但我們所說的地球是個通稱，包含了地球人以及殖民者世界上的地球後裔。然而，如果我們當真懷疑太空族正準備發動一場毀滅性攻擊，以便一舉擊敗敵人，我們或許可以修正一下原先的觀點。那就是，他們絕不會打算攻擊哪個殖民者世界。任何一個殖民者世界都是可有可無的，何況其他殖民者世界會立刻反擊。他們也不會打算對幾個甚至所有的殖民者世界同時發動攻擊，目標太多了，而且太過分散。通通打勝仗是不太可能的，而那些撐下來的殖民者世界，在氣急敗壞之餘，會反過來重創所有的太空族世界。」

「那麼根據你的推論，丹尼爾好友，是地球本身會遭到攻擊。」

「是的，吉斯卡好友。絕大多數的短壽命人類目前仍住在地球——地球為殖民者世界提供源源不絕的移民，還提供各種資源來協助開拓更多的新世界，它更是所有銀河殖民者心目中的神聖故鄉。如果地球被毀了，銀河殖民運動恐怕永遠無法恢復。」

「可是如果地球被毀，殖民者世界難道不會以同樣強有力的行動進行報復嗎？在我看來，這

是不可避免的結果。」

「在我看來也一樣，吉斯卡好友。因此依我看，除非太空族世界發了瘋，否則這個攻擊一定會不著痕跡，好讓太空族世界不必擔負任何責任。」

「既然能夠不著痕跡地發動攻擊，何不直接對付殖民者世界？地球人的作戰實力都蘊藏在那些世界上。」

「若非因為太空族覺得攻擊地球較能產生心理上的毀滅效果，就是因為這種攻擊只對地球有效，不能用來對付任何殖民者世界。我猜後者是真正的原因，因為地球是獨一無二的，它的社會結構和其他社會都不一樣——殖民者世界或太空族世界皆然。」

「所以總而言之，丹尼爾好友，你得到的結論是太空族正準備以一種特殊方式攻擊並毀滅地球，這種不著痕跡的方式不會讓他們沾上嫌疑，卻不能用來對付其他的世界，而直到目前為止，他們尚未準備就緒。」

「沒錯，吉斯卡好友，但他們或許即將完成準備——一旦準備好，他們就得立刻發動攻擊，任何延遲都會增加洩密和曝光的風險。」

「從我們掌握的那麼一點點線索，丹尼爾好友，你就能推論出這一切，真是太值得喝采了。現在請告訴我這項計畫的真面目，太空族到底打算進行什麼樣的攻擊？」

「我一路推下來，吉斯卡好友，根據都是非常薄弱，難以肯定我的推論有沒有任何問題。可是，即使假設它們完全合理，我也無法再繼續了。恐怕我只能說，我既不知道也猜不出那個攻擊的真面目。」

吉斯卡說：「除非獲悉它的真面目，我們無法採取任何行動來反制這項攻擊，進而消弭這場危機。若要等到攻擊發生後才真相大白，那就太遲了，什麼都做不了了。」

丹尼爾接口道：「若說只有一個太空族知道即將發生什麼變故，那人一定就是阿瑪狄洛。難道你不能迫使阿瑪狄洛做個公開聲明，以便警告銀河殖民者，好讓這個詭計流產？」

「如果我這麼做，丹尼爾好友，一定會毀掉他的心靈。當他進行聲明時，我不太相信我能讓它維持那麼久的穩定。我絕不能做那種事。」

「那麼，或許我們可以自我安慰一番，」丹尼爾說：「我們可以認為我的推理有錯，地球不會受到什麼攻擊。」

「不，」吉斯卡說：「我覺得你並沒有錯，但是，我們只能束手無策地靜觀其變。」

17

嘉蒂雅懷著近乎痛苦的心情，期待著最後一次躍遷的來臨。然後，他們就會很接近索拉利，而它的太陽也會從光點變成一個圓盤。

當然，也只能是一個圓盤，一個毫無特色的光圈而已。如果讓它的光線通過適當的濾鏡，就能舒舒服服地直接望著這顆恆星。

它的外觀沒有什麼特殊之處。事實上，並非每顆恆星周圍都有適宜人類居住的行星，這樣的恆星必須符合一連串的條件，這就使得它們彼此十分相似。比方說，它們都是所謂的單星——和地球所屬的太陽相比，大小一定不會相差太多——不會太活躍也不會太安靜，不會太老也不會太年輕，不會太熱也不會太冷，而且化學成分不會太怪異。它們一律擁有黑子、閃焰和日珥，肉眼看起來幾乎都差不多。唯有動用單色光照相儀仔細分析它們的光譜，才能確立每顆恆星的獨特性。

縱然如此，當嘉蒂雅望著那個在她看來除了光圈還是光圈的天體之際，雙眼竟然盈滿淚水。早年住在索拉利的時候，這顆恆星在她心中毫無份量；它只是光和熱的忠實來源，依照規律的節

奏起起落落。在離開索拉利那天，她望著這個逐漸消失的太陽，也只是感到謝天謝地而已。總之，它未曾留下任何令她珍惜的記憶。

——此時此刻，她卻在輕聲啜泣。這種說不出原因的激動固然令她感到羞愧，但她的眼淚就是止不住。

當訊號燈亮起之際，她極力控制住情緒。站在門口的一定是丹吉，別人不會走近她的艙房。

丹尼爾說：「要讓他進來嗎，夫人？你似乎情緒不穩。」

「對，我的確情緒不穩，丹尼爾，但還是讓他進來吧，我猜他並不會感到驚訝。」

事實則不然。至少，滿面虬髯的他堆著笑臉走進來——笑容卻幾乎立刻消失。他退了一兩步，壓低聲音說：「我待會兒再來吧。」

「別走！」嘉蒂雅厲聲道。「我沒什麼，只是一時犯傻，情緒有些激動。」她抽了兩下鼻子，又氣呼呼地擦擦眼睛。「你來這兒做什麼？」

「我想跟你討論登陸索拉利的事。只要再做一次成功的微調，我們明天就能降落了。如果你現在不太有心情討論……」

「我相當有心情。事實上，我要問你一個問題。我們為何做了三次躍遷才來到這裡？一次躍遷應該就足夠了。兩百年前，我從索拉利前往奧羅拉，就只做了一次躍遷。這些年來，太空旅行科技絕不可能倒退吧。」

丹吉咧開嘴，再度展現笑容。「那是欺敵行動。如果有奧羅拉船艦跟蹤我們，我想要——困惑它——可以這麼說吧？」

「我們為什麼會被跟蹤？」

「我只是懷疑罷了，夫人。立法局有點熱心過度，我這麼覺得。他們曾建議派一艘奧羅拉船

艦陪我一起進行索拉利探險。」

「嗯，可能有些幫助，不是嗎？」

「或許吧——如果我足夠確定並非奧羅拉在幕後操縱一切的話。我相當坦白地告訴立法局，我不要——或者說，」他指著嘉蒂雅，「我只要你陪同。可是立法局難道不會——姑且說全然出於好意——背著我偷偷派出一艘船艦？哼，我就是不要它跟來；我們的麻煩已經夠多了，我可不想隨時緊張兮兮地回頭張望。所以我設法令對方難以追蹤——你對索拉利知道多少，夫人？」

「還要我再跟你說多少遍？一無所知！已經過去兩百年了。」

「聽好，夫人，我說的是索拉利人的心態，那可不會在短短兩百年間就改變了——告訴我，他們為何遺棄了自己的行星。」

「我所聽到的傳聞是，」嘉蒂雅平心靜氣地說：「他們的人口一直不斷減少。這顯然是低生育率和早夭相加相乘的結果。」

「這種說法在你聽來合理嗎？」

「當然合理，那裡的生育率總是很低。」她皺起眉頭陷入沉思，「因為習俗的關係，索拉利人都不容易懷孕，無論自然懷孕、人工受孕或試管嬰兒皆然。」

「你自己從未生兒育女嗎，夫人？」

「在索拉利時沒有。」

「早夭又是怎麼回事呢？」

「這我就只能猜測了，我想是由於挫敗感的緣故。雖然索拉利人曾經投注極大的熱情，想將他們的世界打造成一個理想社會——不只要超越地球歷史上最好的社會，還要比任何太空族世界更接近完美——可是顯然沒有成功。」

「你是在告訴我，索拉利人集體心碎就是這個世界的死因？」

「如果你想用這麼荒謬的說法，我也無從反對。」嘉蒂雅不悅地說。

丹吉聳了聳肩。「你的意思似乎就是這樣。可是他們真的會離開嗎？他們會去哪裡呢？又要怎麼活下去？」

「我不知道。」

「可是，嘉蒂雅女士，誰都知道索拉利人習慣擁有大片的土地，以及成千上萬的機器人僕傭，因此每個索拉利人都過著近乎完全隔絕的生活。如果遺棄了索拉利，他們上哪兒去找另一個能滿足他們這些怪癖的社會？他們是不是遷往其他太空族世界去了？」

「據我所知並沒有。話說回來，我又不是他們肚子裡的蛔蟲。」

「他們會不會自己找到了一個新世界？即使找到了，也需要進行大量的大地改造，然後才能住人，他們有這方面的準備嗎？」

嘉蒂雅搖了搖頭。「我不知道。」

「或許他們並未真正離去。」

「根據我的瞭解，證據在在顯示，索拉利已經是個無人世界。」

「什麼證據？」

「所有的星際通訊都終止了。索拉利發出的電磁輻射，要不是和機器人有關，就是有明顯的天然來源，其他的通通消失了。」

「你怎麼會知道？」

「奧羅拉把它當成新聞來報導。」

「啊！新聞報導！有沒有可能只是一則謊言？」

「如果是謊言，目的又是什麼呢？」嘉蒂雅態度強硬地反問。

「以便引誘我們的太空船飛到那個世界去送死。」

「太荒謬了，丹吉。」她的聲音轉趨尖銳，「精心設計這樣一個陰謀，毀掉兩艘太空商船，對太空族又能有什麼好處？」

「在理應空無一人的行星上，兩艘殖民者太空船竟被摧毀了。你又如何解釋呢？」

「我無法解釋。我以為我們前往索拉利，就是為了去找合理的解釋。」

丹吉神情嚴肅地凝視著她。「你能不能把我帶去當年你住在索拉利的時候，那個屬於你的區域？」

「我的屬地嗎？」她以訝異的目光回瞪他。

「難道你不想回去看看？」

嘉蒂雅的心跳停了一拍。「我當然想，但你為什麼想去我的屬地呢？」

「之前那兩艘太空船，降落的地點相隔甚遠，可是都很快就被摧毀了。雖然這顆行星每個角落都可能有危險，但依我看你的屬地也許好些。」

「為什麼？」

「因為我們可能會獲得機器人的協助。你認識它們，對不對？我想，它們的壽命可以超過兩百年，丹尼爾和吉斯卡都是這樣的例子。那些在你的屬地上曾經服侍過你的機器人，它們應該還記得你，對不對？它們會把你當作主人，在它們心目中，你的重要性超過了一般的人類。」

嘉蒂雅說：「我的屬地上當年有一萬個機器人。我大概認得出三、四十個。其他的機器人我大多沒見過，而它們也可能從未見過我。你該知道，農務機器人並不怎麼先進，林業和礦業機器人也好不到哪裡去。至於家務機器人，如果這麼多年都沒被賣掉或調走，它們應該還記得我。只

不過，天有不測風雲，並非每個機器人都撐得了兩百年——此外，不論你對機器人的記憶多麼有信心，人類的記憶卻不可靠，搞不好我一個也記不得了。」

「即便如此，我還是要問，」丹吉說：「你能不能領我前往你的屬地？」

「提供經緯度？我沒辦法。」

「我有索拉利的地圖。這會有幫助嗎？」

「大概有一點吧。它在北赫里歐納洲的中南部。」

「一旦我們大致抵達那裡，你能否利用地標做更精確的定位——如果我們貼地飛行的話？」

「你是指海岸和河流之類的？」

「是的。」

「我想應該可以。」

「很好！與此同時，試試看能否想起你的機器人都長得什麼樣子，以及叫些什麼名字，或許很快就會證明這可是攸關生死的大事。」

18

在高級船員面前，丹吉．貝萊似乎成了另一個人。燦爛的笑容藏了起來，視死如歸的瀟灑也不見了。他坐在那裡，埋首鑽研地圖，臉上一副專注無比的表情。

他開口道：「只要這女人沒記錯，我們就明確掌握了那塊屬地的位置——而只要進入飛行模式，我們應該很快就會抵達。」

「白白浪費能量，船長。」坐第二把交椅的賈明．歐瑟咕噥道。他個子很高，而且和丹吉一樣滿臉鬍鬚。但他的鬍鬚和眉毛都是黃褐色，再配上一雙湛藍的眼珠。他看起來相當年長，但總是讓人覺得那是由於他豐富經驗，而並非實際年齡。

「沒辦法。」丹吉說：「假如我們有反重力，情況會完全不同。可是那些搞技術的答應了我們一輩子，至今一事無成。」

他又看了看地圖，然後說：「她說從這兩條河的匯流處，沿著較小那一條逆流而上約六十公里，如果她沒記錯的話。」

「你一直對她有所保留。」這回說話的是詹德拉斯．納迪爾哈巴，從臂章便能看出他是這艘船的領航員，負責把太空船帶到正確的地點──或者應該說是船長指定的地點。他有一張英俊的臉孔，黝黑的膚色以及八字鬍更是錦上添花。

「她是在回憶兩百年前的情景。」丹吉說：「如果要你回憶某個三十年不見的地方，你又能記得多麼詳細呢？她並非機器人，遺忘是難免的。」

「那麼帶著她又有什麼意義呢？」歐瑟喃喃道，「還有那個男的，以及那個機器人？船員因此騷動不安，我自己也不太喜歡這種事。」

丹吉抬起頭來，雙眉湊到了一塊兒。他壓低聲音說：「先生，在這艘船上，你喜不喜歡什麼，或船員喜不喜歡什麼，全都一點也不重要。責任由我一肩扛起，決定自然由我來做。除非這個女人能拯救我們，否則很可能著陸還不到六小時，我們就通通死於非命了。」

納迪爾哈巴輕描淡寫地說：「死就死吧，有啥好怕的。如果不知道暴利和暴斃只有一字之差，根本不配做行商。至於這趟任務，我們都是自願的。話說回來，先弄清楚會怎麼死也不賴，船長。如果你知道了，有必要保密嗎？」

「不，沒必要。照理說索拉利人都走光了，可是，打個比方吧，或許他們悄悄留下幾百個人來顧店呢。」

「他們對一艘武裝商船又能怎麼樣，船長？他們有祕密武器嗎？」

「算不上祕密武器。」丹吉說：「索拉利到處都是機器人，殖民者太空船會登陸這個世界，這是唯一的原因。那些留下來的索拉利人，每人至少可以指揮一百萬個機器人，這可是一支大軍。」

負責通訊工作的艾班．卡拉亞始終沒有開口。他心知肚明，自己不但資歷最淺，而且在座四人當中，只有他臉上沒有半根鬍鬚，令他顯得更加稚氣。現在，他終於鼓起了勇氣。「機器人，」他說：「不可能傷害人類。」

「大家都這麼說，」丹吉冷冷回應道：「但我們對機器人瞭解多少呢？我們真正確定的事，就是在這個到處都是機器人的世界上，有兩艘隔得老遠的太空船被摧毀了，外加一百餘人——都是優秀的銀河殖民者——慘遭殺害。除了遭到機器人攻擊，還能有什麼解釋呢？我們不知道索拉利人能對機器人下什麼樣的命令，或是有何妙招可以騙過所謂的機器人學第一法則。

「所以，」他繼續說：「我們自己也得想些妙招才行。根據那兩艘船在遇難前發回的電訊，我們研判很有可能船員全都下了船。畢竟那是個空無一人的世界，大家都想伸伸腿，呼吸一下新鮮空氣，順便看看那些被他們當成貨源的機器人。他們的太空船沒有任何防護，而他們自己是在猝不及防的情況下遭到攻擊的。

「這回不會再發生這種事了。我下船後，你們通通給我待在船上，或是守在太空船附近。」

納迪爾哈巴瞪大眼睛，一副不敢苟同的神情。「為啥是你，船長？如果你需要找人當誘餌，任何人都比你更值得犧牲。」

「我很感激你這麼想，領航員。」丹吉說：「但我並不會單獨行事，那個太空族女人和她的同伴會一路陪著我。她是這次行動的關鍵人物，她或許認識一些機器人，至少會有些機器人認識她。我的樂觀期望是，那些機器人雖然有可能奉命攻擊我們，但絕不會攻擊她。」

「你的意思是，它們會記得這個老小姐，還會跪倒在她膝下。」納迪爾哈巴冷冷地說。

「你要這麼說也可以。這就是我帶她同行的原因，更是我們降落在她的屬地上的主因。我一定要守在她旁邊，因為我瞭解她——或多或少啦——而且我一定要好好觀察她的一舉一動。我們先用她當擋箭牌來保命，一旦有機會搞清楚敵人到底是何方神聖，我們就可以自己行動，再也不需要她了。」

歐瑟說：「然後我們怎麼處置她？拋到外太空去？」

丹吉咆哮道：「我們把她送回奧羅拉！」

歐瑟說：「我必須告訴你，船長，船員會認為跑這一趟是毫無必要的浪費。他們會覺得我們大可將她留在這個該死的世界，反正這兒本來就是她的家。」

「好啊。」丹吉說：「等到船長得聽從船員命令的時候，我們就這麼辦吧。」

「我確定你不會的。」歐瑟說：「但船員自有他們的想法，惹毛了船員會使得旅程危險重重。」

第六章　船員

19

嘉蒂雅佇立在索拉利的土地上，植物的氣味隱約飄來——和奧羅拉上不盡相同——讓她的記憶立刻跨越了兩百年的時間。

她知道，嗅覺能以獨特的方式引發對往事的聯想，那是視覺和聽覺做不到的。

一股似有若無而獨一無二的氣味，將她帶回了童年時代——她能自由自在地奔跑，身旁總有十來個機器人仔細看著她——有時她會發現別的小孩，因而欣喜若狂，她會停下腳步，怯生生望著對方，然後一小步一小步慢慢接近，最後伸出手來。這個時候，機器人就會喊道：「夠了，嘉蒂雅小姐。」隨即將她帶走——而她則會頻頻回顧那個同齡的孩子，對方自有另一組保母機器人負責照顧。

她清楚地記得，有一天機器人告訴她，從此以後她只能用全像視訊見到其他人類。她還學到那叫做顯像，而不叫見面。機器人似乎認為「見面」是不能說的禁忌，所以必須壓低聲音講出這兩個字。她能繼續和它們見面，可是它們並非人類。

起初一切都還好。她的交談對象一律是可以自由行動的三維影像，他們能說話，能奔跑，甚至能翻觔斗——就是不能讓她摸到。後來又有機器人告訴她，她可以真正見到一個人了。他是個成年男子，比她自己大了不少，但既然生為索拉利人，他看起來仍舊相當年輕。之前她就常在顯像中見到他，而且對他頗有好感。只要她願意，今後凡是有需要的時候，她都能獲准和他見面。

她願意。第一次見面的情景，至今仍歷歷在目。她的舌頭打結，而他也一樣。他倆互相繞著

圈，一直不敢碰觸對方——那就是他們的婚姻生活。

那當然就是。後來他們又相見了——並非透過顯像，而是面對面——因為他們已經結婚了。他們遲早會碰觸對方，他們應該這麼做。

那是她一生中最興奮的一天——卻出現意想不到的結果。

嘉蒂雅猛然煞住思緒。再想下去又有什麼用？她熱情而渴望，他卻冰冷而畏縮。後來，他也一直那麼冰冷。依照習俗，為了試圖讓她受孕，他每隔固定時間要來見她一次，她心中卻只有強烈的反感，不久便希望他最好忘記這件事。但他是個有責任感的人，從來不曾忘記他的義務。

這種痛苦的日子拖了好些年，最後總算結束了——他遭到謀殺，頭顱被敲碎了，而她自己是唯一的嫌犯。多虧以利亞．貝萊救了她，並安排她離開索拉利，前往奧羅拉。

現在她又回來了，聞到了索拉利的氣息。

除此之外，一切都是陌生的。遠處那棟房子和她記憶中的宅邸沒有絲毫類似之處，過去兩百年來，它一定經過多次的整修以及拆除和重建。甚至這塊土地，都沒有引起她一絲一毫的熟悉感。

不知不覺間，她伸手摸了摸身後那艘殖民者太空船——這艘將她送來這個世界的太空船，現在已經有了家的氣味，但也僅止於氣味而已——她之所以這麼做，只是想摸摸比較熟悉的東西罷了。

和她一起站在太空船陰影下的丹尼爾說：「你有沒有看到那些機器人，嘉蒂雅女士？」

那群機器人站在大約百碼之外的一個果樹園裡面。它們一動不動、一本正經地瞪著眼睛，在陽光照耀下，它們的外殼閃著銀灰色的金屬光芒，和嘉蒂雅記憶中的索拉利機器人並無二致。

她說：「看到了，丹尼爾。」

「有任何眼熟之處嗎，夫人？」

「完全沒有。它們似乎是新機型，我不記得見過它們，也確定它們不可能記得我。丹吉以為我會認識自己屬地上的機器人，能對他的任務有所幫助，現在他可得失望了。」

吉斯卡說：「它們似乎無所事事，夫人。」

嘉蒂雅說：「這倒不難理解。它們所接受的命令仍然有效，一旦發現像我們這樣的入侵者，它們就要前來觀察，並且隨時回報。然而，現在已經沒有回報的對象了，所以它們只能默默觀察。由於不再有人繼續下令，我猜它們不會有進一步的行動，但也不會停止目前這個行動。」

丹尼爾說：「嘉蒂雅女士，或許我們最好還是回到太空船的艙房去。我猜船長正忙著監督船員構築防禦工事，還不準備做進一步的探勘——我相信他是不會同意你擅自離開艙房的。」

嘉蒂雅高傲地說：「這是我自己的世界，我不會為了迎合他的好惡，而延後我踏上故土的時間。」

「我瞭解，可是船員們正在附近工作，我相信有些人已經注意到你了。」

「而且朝這兒走來了，」吉斯卡說：「如果要避免感染……」

「我有所準備，」嘉蒂雅說：「鼻孔濾器和手套。」

嘉蒂雅並不瞭解太空船周圍所建構的到底是什麼工事。剛才大多數的時候，船員都在埋頭苦幹，並未見到站在陰暗處的嘉蒂雅以及她的同伴。（這個地區目前處於溫暖季節，而且由於索拉利上的一天比奧羅拉的一天幾乎長了六小時，來自奧羅拉的他們覺得越來越熱——如果是半年前，則會越來越冷。）

總共有五名船員走了過來，其中最高大的那位朝嘉蒂雅的方向指了指。其他四人隨即停下腳步望過來，彷彿只是有點好奇。然後，先前那人又做了一個手勢，他們便繼續向前走，只不過稍

微轉了一個方向，變成直直地朝這三個奧羅拉乘客走來。

嘉蒂雅一言不發地望著他們，同時揚起了眉毛，露出輕蔑的表情。丹尼爾和吉斯卡則漠然地等在那裡。

吉斯卡壓低聲音對丹尼爾說：「我不知道船長在哪裡。他一定在船員當中，但我分辨不出哪個才是他。」

「我們要不要退回船上去？」丹尼爾大聲道。

「那樣太沒面子，」嘉蒂雅說：「這是我的世界。」

她站在原處，那五名船員好整以暇地逐漸走近。

剛才他們都在賣力幹粗活（像機器人一樣，嘉蒂雅不屑地想），現在仍然滿身是汗，嘉蒂雅察覺到了他們身上發出的汗臭味。相較於無形的威脅，這股味道更能把她嚇走，但她偏偏不為所動，她確定鼻孔濾器能夠淡化這種氣味。

那個高大的船員距離她最近。他有著古銅色的皮膚，結實的雙臂裸露在外，在太陽底下閃著油光。他大概有三十歲（對於這些短壽命的人類，嘉蒂雅只能勉強估計年齡），如果他好好梳洗打扮一番，看起來或許會相當體面。

他說：「所以你就是我們一路從奧羅拉帶過來的那位太空族女士？」他說得很慢，顯然試圖要在銀河標準語中加上一點貴族氣息。他當然未能成功，這句話還是說得很粗魯，簡直比丹吉更像銀河殖民者。

嘉蒂雅為了聲張自己的領土權，特別強調：「我原本是索拉利人，殖民者。」然後便尷尬得說不下去了。由於剛才一直在想索拉利的事，她的心思跳回兩百年前，以致一開口竟帶有濃重的索拉利口音。例如「我」這個字聽來幾乎成了「哦」。

她又說了一遍，這次聲音低沉許多，也比較沒有霸氣，但字字都是道地的「奧羅拉大學腔」，也就是太空族世界所公認的銀河標準語。「我原本是索拉利人，殖民者。」

那銀河殖民者哈哈大笑，轉向其他船員說：「她講話拿腔拿調的，但她至少得試試。對不對，夥伴？」

那幾名船員也開始大笑，其中一人還說：「讓她再多說幾句，尼斯，或許我們都能學學這種太空族的娘娘腔。」他以盡可能優雅的動作，將一隻手放在臀部上，另一隻手則軟綿綿地伸出來。

尼斯邊笑邊說：「你們通通給我閉嘴。」周遭立刻鴉雀無聲。

他再度轉向嘉蒂雅。「我是一級船工柏托．尼斯。小女了，請問芳名？」

嘉蒂雅不敢再開口了。

尼斯說：「我很有禮貌喔，小女子。我說話像個紳士，像個太空族。我知道你年紀很大，當我的曾祖母綽綽有餘。你到底有多大年紀，小女子？」

「四百歲，」一名船員在尼斯背後吼道：「但怎麼看都不像！」

「她看起來還不到一百歲。」另一人說。

「看起來還能嘿咻一番喔，」第三名船員說：「但我猜她已經很久沒做了。問問她想不想來幾回，尼斯。說話客氣點，問問能不能讓我們輪流上。」

嘉蒂雅氣得面紅耳赤，丹尼爾趕緊說：「一級船工尼斯，你的同伴冒犯了嘉蒂雅女士。你們還不退下？」

尼斯轉頭望向丹尼爾，在此之前，他完全忽略了對方的存在。收起笑容之後，他開口道：「你給我聽好，船長說過的，這小女人碰不得。我們不會惹她，只會無傷大雅地聊聊天。還有，

那東西是機器人，我們也不會惹他，而他絕不能傷害我們。我們知道機器人學三大法則是什麼，瞧，我們能命令他離我們遠點。但你是太空族，對於你這個人，船長什麼命令也沒下。所以你這細皮嫩肉的小白臉——」他伸手指著丹尼爾，「站到一邊去，別來窮攪和，否則一定落得鼻青臉腫，搞不好還會痛哭流涕。」

丹尼爾未做任何回應。

尼斯點了點頭。「很好。算你識相，懂得什麼叫見好就收，我喜歡你這種人。」

他又轉向嘉蒂雅。「好啦，太空族小女子，既然船長有令，我們就不再打擾你。如果我們哪位說話粗魯些，那也是很自然的事。讓我們握握手，交個朋友吧——太空族，殖民者，分什麼彼此呢？」

他向嘉蒂雅伸出手去，嚇得嘉蒂雅連退幾步。只聽刷的一聲，丹尼爾已經抓住尼斯的手腕，動作快到誰也沒看清楚。「一級船工尼斯，」他輕聲說：「別碰這位女士。」

尼斯低頭望著自己那隻手，以及緊緊抓著自己手腕的五根指頭。「你有三秒鐘的時間放開我。」他語帶威脅地低聲咆哮。

丹尼爾立即鬆手。「我不想傷害你，所以不得不照你說的做，但我必須保護這位女士——如果她不希望碰到你的手，我相信她是這麼想的，只怕我將被迫讓你吃點苦頭。但請你相信，我保證下手會盡可能輕一點。」

某名船員興高采烈地叫道：「讓他瞧瞧你的厲害，尼斯，他只會耍嘴皮子。」

尼斯說：「聽好，太空族，我兩度叫你別管閒事，你非但不聽，還動了一次手。現在我再說一遍，這可是最後的警告。你要是再動一動，再說半個字，我就把你大卸八塊。這個小女人要跟我們像朋友般握握手，如此而已。然後我們立刻走人，這樣公平吧？」

嘉蒂雅用近乎哽咽的聲音說：「我絕不要他碰我，該怎麼做就怎麼做吧。」

丹尼爾說：「先生，請恕我直言，這位女士希望你別碰她。我必須請你——你們五個人——通通走開。」

尼斯帶著笑容，揮了揮粗壯的手臂，彷彿要將丹尼爾掃到一旁——而且下手絕不留情。

沒想到丹尼爾出手快如閃電，又用左手抓住了尼斯的手腕。「請走吧，先生。」丹尼爾說。

尼斯仍舊咧著嘴，卻再也沒有笑容了。突然間，他猛力抬起手臂。丹尼爾的左手先是稍微上揚，隨即減慢速度，最後停了下來。他保持著自若的神態，將尼斯的手臂往下壓，然後藉著一記迅速的扭轉，將那隻手臂扳到這名銀河殖民者背後，並牢牢固定住。

尼斯驚覺丹尼爾竟然來到自己後面，連忙舉起另一隻手越過肩頭，想要扳住丹尼爾的脖子。不料這隻手也立刻被抓住，被拉到了很不自然的位置，令他不禁慘叫一聲。

那四名滿心期待一場好戲的船員，此時一動不動地站在原處，一個個張大嘴巴說不出話來。

尼斯瞪著他們，咕噥了一聲：「救我！」

丹尼爾說：「他們不會救你的，先生。如果他們輕舉妄動，船長的處罰會更嚴厲。現在，我必須請你保證再也不會招惹嘉蒂雅女士，而且你們會默默離去，一個不留。否則，一級船工尼斯，萬分遺憾，我不得不把你的雙臂拉得脫臼。」

他一面說，一面將對方的雙腕抓得更緊，尼斯隨即發出悶聲的哀號。

「非常抱歉，先生，」丹尼爾說：「但我奉有最嚴格的命令。能否請你向我保證？」

尼斯惡向膽邊生，猛然舉腳向後踢去，但在他的厚靴踢中目標之前，丹尼爾早已閃到旁邊，還將他拉得失去了平衡。下一刻，他重重地臉部著地。

「能否請你向我保證，先生？」丹尼爾仍在背後抓著對方的兩隻手腕，他輕輕一拉，這船員

的雙臂便被微微舉起來。

尼斯嚎叫一聲，脫口而出：「我認輸，放開我。」

丹尼爾立刻放手並後退幾步。尼斯慢慢地、痛苦地翻過身來，帶著極度扭曲的表情，一面緩緩揮動手臂，一面扭轉雙手的手腕。

然後，他的右手移向腰際的皮套，吃力地抓出其中的武器。

丹尼爾一腳踩下去，將他的手掌釘在地上。「別做這種事，先生，否則我不得不踩斷你一兩根手骨。」他彎下腰，從皮套中取出尼斯的手銃。「站起來吧。」

「對，尼斯先生。」另一個聲音說：「聽他的話，趕緊站起來。」

只見丹吉．貝萊站在他們旁邊，雖然一副吹鬍子瞪眼的表情，他的聲音卻平靜得有些可怕。

「你們四個，」他說：「把你們的武器交給我，一個一個來。開始，動作快一點。一、二、三、四。好啦，繼續立正站在那裡。先生，」他轉向丹尼爾，「把你手中的武器也交給我。很好，第五枝。現在，尼斯先生，你也立定。」他將五柄手銃擺到了地上。

尼斯僵硬地立正站好，只見他雙眼充血，臉孔扭曲，顯然痛苦萬分。

「能否請你們哪一位，」丹吉說：「告訴我發生了什麼事？」

「船長，」丹尼爾趕緊說：「我和尼斯先生只是鬧著玩，誰也沒受傷。」

「然而，看來尼斯先生還是受傷了。」丹吉說。

「皮肉傷罷了，船長。」丹尼爾說。

「我懂了。好，待會兒我們再繼續討論。夫人——」他轉身對嘉蒂雅說：「我不記得曾允許你走出太空船，馬上跟你的兩個同伴回你的艙房去。這裡不是奧羅拉，而我是船長，照我說的做！」

丹尼爾帶著歉意輕輕抓起嘉蒂雅的手肘。嘉蒂雅揚起下巴，二話不說便轉身朝太空船的扶梯走去。丹尼爾走在她旁邊，而吉斯卡跟在後面。

然後，丹吉轉向那些船員。「你們五個，」他的聲音始終保持冷靜，「跟我走。我會徹查這件事——或者該說徹查你們。」他做了一個手勢，示意一名下屬撿起那些武器。

20

丹吉兇巴巴地瞪著那五名船員。這裡是他自己的艙房，也是這艘太空船上唯一有點尊貴氣息和豪華派頭的空間。

他輪流指著他們幾人說：「聽好，我們就這麼辦。你，告訴我到底發生了什麼事，一字一句，一舉一動，通通要說清楚。等你講完了，換你告訴我有沒有說錯或遺漏的地方。然後你照著做一遍，然後換你，最後我再來問你，尼斯。我猜你們通通有毛病，才會做出這麼一件愚不可及的事，但尼斯特別嚴重，把我們的臉丟盡了。如果從你們的敘述中，聽不出來你們犯了什麼錯，或是丟了什麼臉，我就會知道你們在說謊，況且那個太空族女人一定會把實情告訴我——無論她說什麼，我都打算照單全收。不管你們做了任何壞事，都比不上說謊來得嚴重。現在，」他吼道：「開始吧！」

第一個被點到的船員連忙結結巴巴開始陳述，接著第二個做了一些修正和補充，然後第三個、第四個以此類推。丹吉一直面無表情地仔細聆聽，最後他對柏托・尼斯做了一個站到一旁的手勢。

他對其他四人說：「當尼斯快要被那個太空族摔成狗吃屎的時候，你們四個在做什麼？看好戲？嚇呆了？你們有四個人，打不過一個嗎？」

其中一人打破凝重的沉默，開口道：「事情發生得太快了，船長。我們正準備動手，一切已

經結束了。」

「如果等上幾天之後，你們終於可以動手了，那你們準備怎麼做？」

「嗯，我們會把那個太空異族從弟兄身上拉開。」

「你認為做得到嗎？」

這回沒有任何人敢作聲。

丹吉傾身湊到他們面前。「聽好，我的判決如下。你們不該招惹那個異族人，所以扣你們每人一週的薪水。現在，我們講清楚一件事：如果你們把剛才發生的事告訴別人——不論是船員還是外人，不論現在還是以後，不論你們是醉是醒——你們通通會被降為見習船工。我不管是哪一個口風不緊，反正四個一起降級，所以你們最好互相盯著點。現在給我回到你們的崗位去，要是在這趟航程中再給我添麻煩，哪怕只是違規打個嗝，你們都等著關禁閉吧。」

四名船員緊抿著嘴，神情黯然地匆匆告退。只剩尼斯還留在原地，臉上顯出一大塊瘀青，而且雙臂顯然還很不舒服。

丹吉故意一言不發地冷冷瞪著他，而尼斯的目光忽左忽右，忽上忽下，就是不敢直視船長的臉。直到他逃無可逃，終於見到船長的怒容時，丹吉才開口道：「很好，竟然和只有半個你那麼大的娘娘腔太空族打架，可真是露臉啊。下回碰到他們任何一個，你最好立刻躲開。」

「遵命，船長。」尼斯可憐兮兮地說。

「我們離開奧羅拉之前，當我在做簡報的時候，尼斯，你到底有沒有聽到我特別強調，不准打擾那個太空族女人和她的同伴，也不准跟他們交談？」

「船長，我只是想禮貌地打個招呼。我們因為好奇，所以湊上去看看，沒有任何惡意。」

「你沒有惡意？你問她有多大年紀，這關你什麼事？」

「只是好奇，想知道罷了。」

「你們其中一人還做了性暗示。」

「不是我，船長。」

「另有其人嗎？你們有沒有為這件事道歉？」

「向太空族道歉？」尼斯以厭惡的口吻說。

「當然啦，你們違背了我的命令。」

「我沒惡意。」尼斯仍舊堅持這一點。

「你對那個男人也沒惡意？」

「他跟我動手，船長。」

「我知道他動手了，可是為什麼呢？」

「因為他竟然對我頤指氣使。」

「而你嚥不下這口氣？」

「你嚥得下嗎，船長？」

「好吧。你嚥不下這口氣，因此吃了癟，跌個狗吃屎。這又是怎麼回事？」

「我不太清楚，船長。他動作太快了，就好像快動作鏡頭，而且他的手像個鐵箍。」

丹吉說：「一點都沒錯。你這白癡，你以為他是什麼？他就是鐵打的。」

「船長？」

「尼斯，難道你從沒聽過以利亞．貝萊的故事嗎？」

尼斯尷尬地摸摸耳朵。「我知道他是你曾曾曾好多代的祖父，船長。」

「沒錯，誰都能從我的名字看出來。你讀過他的生平傳記嗎？」

「我不是愛讀書的人，船長，至少不讀歷史。」他聳聳肩，隨即閃現痛苦的表情，似乎想要伸手揉揉肩膀，最後還是未能壯起這個膽子。

「你可曾聽說過機．丹尼爾．奧利瓦？」

尼斯的雙眉擠到了一塊兒。「他是以利亞．貝萊的好朋友。」

「十分正確，所以你的確對他有些瞭解。你可知道機．丹尼爾．奧利瓦這個名字裡的『機』代表什麼意思？」

「代表『機器人』對嗎？他是個機器人，當時地球上還有機器人。」

「是的，尼斯，直到今天都還有。但丹尼爾不只是機器人而已，他是個酷似太空族的太空族機器人。把這點放進腦袋裡，尼斯，然後猜猜你今天單挑的那個太空族到底是誰。」

尼斯瞪大眼睛，而且漲紅了臉。「你的意思是，那個太空族其實是機……」

「他就是機．丹尼爾．奧利瓦。」

「可是，船長，那是兩百年前的事了。」

「沒錯，不過那個太空族女人也和我的祖先以利亞關係匪淺。她今年兩百三十三歲——你的好奇心滿足了吧——既然她都能活到現在，你以為機器人不行嗎？你這大傻瓜，竟然想跟機器人打架。」

「它為何不明說呢？」尼斯怒不可遏。

「它為何要明說？你問過它嗎？聽好，尼斯，我剛才警告其他人不得洩漏這件事，你全都聽到了。這個規定對你同樣適用，而且更加嚴厲。他們只是船員，但我早已打算升你為船員長，我早有這個打算了。如果你想領導其他船員，不只要有肌肉，還得要有頭腦。現在我認定你沒頭腦，你就得設法證明我是錯的，所以好好努力吧。」

「船長，我……」

「別開口，給我聽著。如果走漏了風聲，其他四人會被降為見習船工，而你則會一無所有。你將再也沒有機會上船，不會有任何船長要你，我向你保證。非但不能當船員，你甚至不能當乘客。問問你自己，你在貝萊星能不能活下去——又能做些什麼？如果你說溜了嘴，或者再以任何方式騷擾那個太空族女人，哪怕只是瞪著她或她的機器人超過半秒鐘，你的下場就是那樣。而且，你還得好好盯著所有的船員，千萬別讓任何人有任何這類的舉動。我要你負責這件事——還有，扣你兩週的薪水。」

「可是船長，」尼斯有氣無力地說：「其他四個人……」

「我對他們的期望不如你高，尼斯，所以罰得不如你重。給我滾出去吧。」

21

有個立方光體固定擺放在丹吉的辦公桌上，這時他正信手撥弄著。每翻轉一次，它都會先暗下來，等到重新擺到桌面之後，它又會大放光明，而且與此同時，還會出現一名女子堆滿笑容的三維頭像。

船員間都在謠傳，立方體的六面對應六個不同的女子，這個說法有相當的正確性。

賈明．歐瑟望著那些忽明忽暗的影像，絲毫提不起興趣。太空船現在已經做好防備——至少對可預見的攻擊盡量做了防備——是該想想下一步的時候了。

然而對於這個問題，丹吉卻採取拐彎抹角的態度——也可能根本就不想討論。「當然，這是那女人的錯。」他說。

歐瑟聳聳肩，摸了摸鬍子，彷彿暗自確認至少自己並不是女人。他的上唇也長滿了鬍鬚，這點和丹吉很不一樣。

丹吉說：「顯然，她在踏上母星之後，突然變得百無禁忌了。雖然我要求她別出去，她還是走出了太空船。」

「或許你該下令不准她出去。」

「我不知道那麼做有沒有幫助。她是個養尊處優的貴族，習慣我行我素，一天到晚只會命令機器人做這做那。此外，我打算重用她，需要她跟我合作，而不是跟我嘔氣。還有一個原因——她是老祖宗的朋友。」

「可是還活著。」歐瑟搖了搖頭，「想到這點我就發毛，這女人已經很老很老了。」

「我知道，但她看起來相當年輕，仍然很迷人，而且眼高於頂。船員的出現沒把她嚇走，但她又堅決不肯和他們握手——算了，都過去了。」

「話說回來，船長，你告訴尼斯他的對手是機器人，這麼做對嗎？」

「一定要！一定要這麼做，歐瑟。如果他以為把他打敗、令他在同事面前丟臉的是個比他瘦小得多的娘娘腔太空族，那會完全毀掉他的自信，這樣的廢物對我們毫無用處。況且，我們不希望有人因此懷疑那些太空族——人類太空族——個個是超人，更不希望這種謠言不脛而走。正因為如此，我必須嚴格下令不准他們談論這件事。尼斯會好好看住他們——如果此事走漏了風聲，等於洩漏了那太空族是機器人的事實——不過，我認為這整件事也有好的一面。」

「好在哪裡，船長？」歐瑟問道。

「讓我對機器人好好思考了一番。我們對它們知道多少？比方說你知道多少呢？」

歐瑟聳了聳肩。「船長，我對這種東西沒花過太多腦筋。」

「或許誰也沒花過這種腦筋，至少銀河殖民者當中沒有。我們知道太空族擁有機器人，依賴機器人，去哪裡都得帶著它們，做任何事都少不了它們，簡直就是它們的寄生蟲，而且我們確信

機器人害得他們逐步走向衰敗。我們也知道太空族曾經強迫地球使用機器人，後來它們又慢慢從地球上消失，如今在地球上，除了鄉間還有些，大城裡再也沒有它們的蹤跡。我們還知道殖民者世界上絕對見不到它們——鄉間或城市皆然。所以說，銀河殖民者從未在自己的世界見過機器人，也幾乎沒在地球上見過。」（每當提到「地球」的時候，他的口氣都有些奇怪的變化，像是帶著幾分尊敬，又像是隱約透出「故鄉」和「母親」的意思。）「除此之外，我們還知道些什麼？」

歐瑟說：「機器人學三大法則。」

「對。」丹吉將立方光體推到一邊，隔著桌子傾身向前。「尤其是第一法則，『機器人不得傷害人類，或因不作為而使人類受到傷害。』對嗎？嗯，千萬別信，它根本毫無意義。正是因為有這個法則，讓我們覺得機器人安全無虞，絕對不會傷害我們。我們因此而有信心固然是好事，卻不能因此有了錯誤的信心。不管有沒有第一法則，反正機．丹尼爾傷害了尼斯，事後卻毫無異狀。」

「他是在保護……」

「問題就在這裡。萬一他必須權衡輕重呢？萬一他是在『傷害尼斯』和『坐視太空族主人受到傷害』之間做出選擇呢？她自然有優先權。」

「這很合理。」

「當然合理。而我們正置身於一個充滿機器人的行星上，至少也有好幾億。它們奉有什麼樣的命令？面對不同的傷害選擇，它們要如何權衡？我們要何如確定它們都不會傷害我們？已經有兩艘船被此地的某種力量摧毀了。」

歐瑟不安地說：「這個機．丹尼爾是個與眾不同的機器人，看起來比我們更像人類。我們也

許不該拿他來以偏概全。另外那個機器人，他叫什麼名字……」

「吉斯卡。很好記，我的全名就是丹尼爾・吉斯卡。」

「船長，我只記得你叫船長。總之，這個機・吉斯卡當時只是站在那裡，什麼也沒做。他的外表和他的行為都像個普通的機器人。而此時此刻，外面正有許多索拉利機器人在盯著我們，它們同樣什麼也沒做，只是盯著我們而已。」

「萬一有些特殊的機型能傷害我們呢？」

「我想我們已有萬全的準備。」

「現在的確有了，所以我才說丹尼爾和尼斯的衝突其實是件好事。原本我們一直以為，唯有索拉利人並未通通離去，我們才有可能碰到麻煩。事實並非如此，他們走光了也一樣。那些機器人──至少某些特殊設計的機型──也能對我們構成威脅。如果嘉蒂雅女士能夠動員此地的機器人──這裡好歹曾經是她的屬地──命令它們保護她，順便保護我們，我們便有可能對付留在此地的神祕力量。」

「她做得到嗎？」歐瑟問。

「等著瞧吧。」丹吉說。

22

「謝謝你，丹尼爾，」嘉蒂雅說：「你做得很好。」然而，她的臉似乎還是皺成一團，雙頰也顯得蒼白，而且由於緊抿著嘴，她的嘴唇毫無血色。「我真希望沒來這裡。」她又低聲說了一句。

吉斯卡說：「這個希望於事無補，嘉蒂雅女士。我和丹尼爾好友會守在艙房外面，確保你不再受到任何騷擾。」

艙房外的走廊始終空無一人，但丹尼爾和吉斯卡仍用低於人類聽覺下限的聲波強度進行交談，而且一字一句照常簡單扼要。

吉斯卡說：「顯而易見，剛才嘉蒂雅女士拒絕退回艙房，是個很不明智的決定。」

「我猜，吉斯卡好友，」丹尼爾說：「你根本沒機會改變她的心意。」

「她的心意太堅決了，丹尼爾好友，而且決定下得太快。至於那個銀河殖民者尼斯，他的情形也一樣。他對嘉蒂雅女士的好奇心以及對你的藐視和敵意都太強了，若要強加調整，必定會導致嚴重的精神損傷。另外那四個人我都能應付，不難讓他們裹足不前。你教訓尼斯的方式已經把他們嚇得目瞪口呆，我只要稍微加強這個效果即可。」

「幸虧如此，吉斯卡好友。假如那四個人出手幫助尼斯先生，我將面臨兩難的抉擇，一是強迫嘉蒂雅女士忍氣吞聲退回艙房，二是重傷其中一兩個，好嚇退其他幾個銀河殖民者。我想我將被迫選擇前者，但那還是會令我萬分不舒服。」

「你現在還好嗎，丹尼爾好友？」

「相當好。我對尼斯先生的傷害微乎其微。」

「就實質傷害而言，丹尼爾好友，你說得沒錯。然而他內心感受到極大的羞辱，對他而言，那要比實質傷害嚴重太多了。由於我能感應到這些，我不能像你那樣沒有顧忌。可是，丹尼爾好友……」

「什麼事，吉斯卡好友？」

「我對未來憂心忡忡。過去一兩百年間，我在奧羅拉都能慢慢執行計畫，能耐心等待各種有利的時機，例如輕觸人類心靈而不至於造成任何傷害；例如強化已經存在的、弱化已經在走下坡的心理傾向；又例如在既有的衝動上稍微加一把勁。然而，如今我們正面臨著一場危機，人類的

情緒會變得太激昂，決定會下得太匆促，而且將會出現我們來不及掌握的變化。如果我想有些正面進展，也得動作夠快才行，但機器人學三大法則卻不准許我這麼做，權衡實質傷害和精神傷害的微妙差異需要花費許多時間。剛才那些銀河殖民者接近時，假如嘉蒂雅女士身邊只有我一個人，那麼無論我採取任何行動，都免不了對嘉蒂雅女士、對那些銀河殖民者，以及對我自己造成嚴重傷害——相關人士也可能都無法倖免。」

丹尼爾說：「我們能做些什麼呢，吉斯卡好友？」

「既然三大法則是不可能修改的，丹尼爾好友，我們只能再度得到悲觀的結論：除了等待失敗降臨，我們根本束手無策。」

第七章　監督員

23

晨曦照在索拉利上，照在這塊屬地——她的屬地上。遠處有一座宅邸，或許就是她當年的宅邸。不知怎麼回事，過去這兩百年陡然消失無蹤，在她的感覺中，奧羅拉的一切似乎成了從未成真的遙遠夢境。

她轉過頭去，看到穿著單薄外衣的丹吉正將一條皮帶繫在腰際。皮帶上掛著兩柄武器，左側顯然是神經鞭，至於右側那柄較粗較短的，她猜應該就是手銃。

「我們要走進那棟房子嗎？」她問。

「遲早要的。」丹吉有些心不在焉地說。他正在檢查那兩柄武器，輪流將它們舉到耳邊，彷彿要根據嗡嗡聲來確定它們還有沒有電。

「就我們四個？」她自然而然將目光轉向其他人，丹吉、丹尼爾……

她問丹尼爾說：「吉斯卡呢，丹尼爾？」

丹尼爾答道：「嘉蒂雅女士，他覺得自己擔任先頭部隊才是明智之舉。身為機器人，他混在其他機器人當中或許不會太顯眼——萬一有什麼不對勁，他能立刻警告我們。無論如何，比起你和船長，他是比較能犧牲的一員。」

「好樣的機器人。」丹吉繃著臉說：「這也無妨。來吧，我們該出發了。」

「就我們三個？」嘉蒂雅的口氣有點哀怨，「老實說，我欠缺吉斯卡那樣的犧牲精神。」

丹吉說：「我們通通可以犧牲，嘉蒂雅女士。已經有兩艘船被毀了，上面的船員無一倖免。

在這裡，人多並不代表安全。」

「我可不覺得你是在安慰我，丹吉。」

「那我再試試吧。我們有備而來，之前那兩艘船則否，而我自己也是有備而來。」他拍拍左右兩側的武器，「你還帶了一個機器人，而他曾經證明自己是個很稱職的保鏢。更重要的是，你自己就是我們的最佳武器。你知道如何讓機器人乖乖聽從你的命令，這很可能是致勝的關鍵。在我們當中，你是唯一有這種本事的，之前那兩艘船就是少了像你這樣的人。所以，來吧……」

他們邁開腳步。走了一會兒後，嘉蒂雅說：「我們並非朝那屋子走去。」

「時機未到。我們要先走向那群機器人，我希望你看到它們了。」

「我看到了，可是它們並沒有任何作為。」

「的確沒有。我們著陸的時候，附近有很多機器人。現在它們幾乎都走了，只有這些留下來。這是為什麼呢？」

「只要我們發問，它們就會告訴我們。」

「你負責發問，嘉蒂雅女士。」

「它們也會樂於回答你的問題，丹吉，你問或我問毫無差別，我們同樣是人類。」

丹吉突然停下腳步，另外兩人也跟著停下來。他轉身面對嘉蒂雅，帶著微笑說：「我親愛的嘉蒂雅女士，同樣是人類？一個太空族，一個殖民者？你是怎麼想的？」

「在機器人眼中，我們都是人類，沒有任何差別。」她沒好氣地說：「還有，請別跟我玩文字遊戲。我跟你的老祖宗就從未針對太空族、地球人玩過任何文字遊戲。」

丹吉臉上的笑容消失了。「此話有理。我鄭重道歉，夫人。我會試著控制自己的尖酸刻薄，畢竟在這個世界上，我們是並肩作戰的盟友。」

一會兒之後，他又說：「聽好，夫人，我要請你幫我查幾件事：那些機器人有沒有奉命執行任何任務；有沒有任何機器人還認識你；這塊屬地以及這個世界上到底還有沒有任何人類；此外不論你想到什麼都可以查查。它們應該沒有危險性，你是人類而它們是機器人，它們不可能傷害你。事實上，」他忽然想起之前那件事，「你的丹尼爾曾經教訓過尼斯，但那是特殊情況，自然另當別論。還有，丹尼爾可以跟著你。」

丹尼爾畢恭畢敬地說：「無論在任何情況下，船長，我都會陪在嘉蒂雅女士身邊，這是我的職責。」

「我想，那也是吉斯卡的職責。」丹吉說：「但他卻走掉了。」

「他跟我討論過這個行動，船長，而且我們一致同意，這對保護嘉蒂雅女士起著重要作用。」

「非常好。兩位可以出發了，我來掩護你們。」他取出右側口袋的武器，「如果我喊『趴下』，你們兩位得立刻照做，這玩意兒可沒長眼睛。」

「除非萬不得已，請千萬別這麼做，丹吉。」嘉蒂雅說：「和機器人正面衝突的情況是不太可能出現的——走吧，丹尼爾！」

她邁開腳步，迅速而堅定地走向那群機器人——那十來個機器人正站在一排矮樹叢前面，清晨的陽光照在它們鋥亮的外殼上，不時反射出閃閃金光。

24

那些機器人既沒有後退，也沒有前進，只是平靜地留在原地。嘉蒂雅數了數，眼前共有十一個機器人。不過或許還有一些，躲在看不見的地方。

它們都是標準的索拉利款式。外表非常光亮，非常平滑；沒有衣著的幻象，也不太有寫實風

格。它們就好像是簡化的人體模型，卻沒有兩個是完全一樣的。

這使得她有一種感覺，它們絕不如奧羅拉機器人那麼精密複雜或多才多藝，但是對於特定的工作，反倒能更加專注和投入。

她在那排機器人前面停下來，距離它們至少四公尺，而（她意識到）丹尼爾也同時停下腳步，站在她身後不到一公尺處。這個距離不近不遠，既能讓他隨時可以挺身而出，又足以表明她才是主要的發言人。她十分確定眼前這些機器人把丹尼爾當成了人類，可是她也知道，丹尼爾對自己的真實身份非常執著，不會希望其他機器人弄錯這件事。

嘉蒂雅問道：「你們哪個要跟我說話？」

接下來是短暫的沉默，彷彿在進行一場無言的會議。然後，有個機器人向前走了一步。「夫人，我來說。」

「你有名字嗎？」

「回夫人，沒有，我只有序號。」

「你運作多久了？」

「我已經運作二十九年了，夫人。」

「你們這群機器人裡面，有沒有哪個運作更久的？」

「回夫人，沒有，所以才由我來跟你說話。」

「這塊屬地上有多少機器人？」

「我不知道確切的數目，夫人。」

「大概多少。」

「也許有一萬個吧，夫人。」

「有沒有運作超過兩百年的？」

「農務機器人當中或許有些，夫人。」

「家務機器人呢？」

「它們並沒有運作多久，夫人，主人們都喜歡新型的家務機器人。」

嘉蒂雅點了點頭，然後轉身對丹尼爾說：「這點合理，當年也是這樣。」

她又轉過身去，面對著那個機器人。「這塊屬地歸誰所有？」

「這是祖伯隆屬地，夫人。」

「祖伯隆家族擁有這塊屬地有多久了？」

「比我運作的時間還要久，夫人。我不知道到底有多久，但可以設法查到。」

「在祖伯隆家族之前，這塊屬地又歸誰所有？」

「我不知道，夫人，但可以設法查到。」

「你可曾聽過德拉瑪家族？」

「回夫人，沒有。」

嘉蒂雅轉向丹尼爾，相當難過地說：「我試著從這個機器人口中，一點一滴套出實情，以利亞當年就是這麼做的，但我覺得自己怎麼也學不來。」

「剛好相反，嘉蒂雅女士，」丹尼爾一本正經地說：「我覺得你已經很有建樹。這塊屬地上的機器人不太可能對你有任何印象，或許只有少數幾個務農的例外。當年你住在這裡的時候，有沒有碰到過任何農務機器人？」

嘉蒂雅搖了搖頭。「從來沒有！我甚至不記得曾經遠遠望見過。」

「那麼，顯然在這塊屬地上，你是個陌生人。」

「正是如此。可憐的丹吉，大老遠把我們帶到這裡，卻白忙一場。如果他指望我能幫上什麼忙，可要大失所望了。」

「知道真相總是有幫助的，夫人。就如今的情況而言，沒有機器人認識你當然不太好，但總好過我們連有沒有機器人認識你都不知道。難道就沒有別的切入點，能讓你問出些什麼來嗎？」

「好，讓我想想——」她陷入沉思好幾秒鐘，然後輕聲說：「真奇怪。剛才我和那些機器人說話，竟帶著濃重的索拉利口音，我跟你說話時卻一點也沒有。」

丹尼爾說：「這沒什麼好驚訝的，嘉蒂雅女士。它們是索拉利的機器人，會有那種口音是很正常的事。這使你回想起年輕時代，於是你自然而然恢復了當時的口音。然而，轉而面對我的時候，你立刻又回到了現在，因為我代表著你的現實生活。」

嘉蒂雅緩緩綻露出笑容。「你的推理方式越來越像人類了，丹尼爾。」

她又轉身面對那些機器人，突然覺得周遭的一切是那麼寧靜安詳。天空幾乎是一片純淨的蔚藍，只有西方地平線上有一條細細的雲朵（暗示著下午可能會由晴轉陰）。微風中夾雜著樹葉的沙沙聲、昆蟲的低鳴，以及一聲聲欠缺唱和的鳥叫，就是沒有人類發出來的聲音。附近或許有不少機器人，但它們通通無聲無息。總之，她在奧羅拉上逐漸習以為常的嘈雜人聲（起初當然很難適應），在這裡完全聽不到。

重返索拉利的她，發覺這種寧靜實在太美妙了。索拉利並非一無可取，這點她必須承認。

她以淡淡的強迫性口吻，猛然對那個機器人說：「你們的主人都在哪裡？」

然而，機器人就是機器人，無論催促、警告或出其不意，都是徒勞無功的舉動。它絲毫不為所動地說：「回夫人，他們都走了。」

「他們去了哪裡？」

「我不知道，夫人，沒人告訴我。」

「你們當中有哪個知道？」

一片鴉雀無聲。

嘉蒂雅又問：「這塊屬地上，有任何機器人知道嗎？」

那機器人說：「據我所知沒有，夫人。」

「主人們有沒有帶走任何機器人？」

「有的，夫人。」

「但你們並沒有被帶走。他們為何要把你們留下來？」

「我們要執行任務，夫人。」

「但你們只是站在這裡，什麼都不做。這就是你們的任務嗎？」

「我們負責看守這塊屬地，以防外人入侵，夫人。」

「外人，例如我們？」

「是的，夫人。」

「但我們已經來了，你們仍舊什麼也不做。這又是為什麼？」

「我們在觀察，夫人。除此之外，我們並未接到其他指令。」

「你們有沒有回報觀察的結果？」

「有的，夫人。」

「回報給誰？」

「監督員，夫人。」

「監督員在哪裡？」

「在宅邸裡面，夫人。」

「啊。」嘉蒂雅隨即轉身，朝丹吉輕快地走去。

丹尼爾跟在後面。

「怎麼樣？」丹吉問。他原本如臨大敵般握著兩柄武器，看到他們往回走，才將武器插回皮套中。

嘉蒂雅搖了搖頭。「一無所獲。沒有任何機器人認識我，而且我也確定，沒有任何機器人知道索拉利人到哪裡去了。但它們上面還有個監督員。」

「監督員？」

「在奧羅拉以及其他太空族世界的大型屬地上，監督員是人類所擔任的一種職務，負責管理和指揮從事農業、礦業和工業的眾多機器人。」

「那麼的確有些索拉利人留在這裡。」

嘉蒂雅又搖了搖頭。「索拉利是唯一的例外。在這裡，機器人和人類的比例始終很高，通常不會由人類來擔任監督員。這個工作也會分派給機器人——某個具備特殊程式的機器人。」

「所以說，這座宅邸內有個機器人，」丹吉朝那個方向點了點頭，「它比這些機器人來得先進，也許可以好好回答我們的問題。」

「或許吧，但如果貿然進入宅邸，我不敢保證一定安全。」

丹吉冷嘲熱諷地說：「不過是另一個機器人罷了。」

「宅邸內可能有陷阱。」

「田野間也可能有陷阱。」

嘉蒂雅說：「最好還是派一個機器人進去，告訴監督員有幾個人類想找他談談。」

丹吉說：「沒這個必要，口信顯然已經傳達到了。那監督員正走出來，但她可不是機器人。出現在我眼前的是個人類，而且是個女人。」

嘉蒂雅訝異地抬眼望去。果真有個身材高挑苗條、外貌極其迷人的女性向他們迅速走來。即使距離還很遠，她的性別已經無庸置疑。

25

丹吉露出燦爛的笑容。他似乎刻意抬頭挺胸一番，還舉起手來摸了摸鬍子，彷彿想要確認根根都光滑平順。

嘉蒂雅不以為然地望著他。「並不是索拉利人。」她說。

「你怎麼看得出來？」丹吉問。

「若是索拉利人，尤其是女性，不可能這麼大大方方地和他人面對面。真正面對面，而不是顯像。」

「我知道其中的差別，夫人，但你卻能和我面對面。」

「我在奧羅拉生活了兩百年。即便如此，我還是保留了若干索拉利天性，不會像她那樣出現在眾人面前。」

「她有很多本錢可以這麼做，夫人。我覺得她比我還高，而且比夕陽還要美麗。」

這時，那監督員已在他們前方不到二十公尺處站定，機器人也都讓到了一旁，因此雙方之間再也沒有任何阻隔了。

丹吉說：「兩百年的時間，足以改變很多習俗。」

「這種討厭和人接觸的習俗，在索拉利人心中根深柢固，」嘉蒂雅厲聲道：「兩千年都改變不了。」不知不覺間，她又透出鼻音很重的索拉利口音。

「我認為你低估了社會的可塑性。話說回來，不管是不是索拉利人，我想她總是太空族吧──如果還有很多這樣的太空族，我絕對支持和平共存。」

嘉蒂雅露出更加不以為然的表情。「好啦，你是不是打算接下來這一兩個小時，就這樣站在這裡癡癡凝望呢？你不想讓我出面問問這名女子嗎？」

丹吉猛然回過神來，他轉頭望向嘉蒂雅，臉上帶著明顯的不悅。「機器人由你負責問，人類則由我負責。」

「我想，尤其是女性吧。」

「我並不喜歡自誇，但……」

「這種事，我從未碰過不喜歡自誇的男人。」

丹尼爾插嘴道：「我認為那女子不會一直等下去。如果你想保有主動，船長，趕緊向她走過去吧。我會像剛才跟著嘉蒂雅女士那樣，一直跟在你後面。」

「這種保護我不太需要。」丹吉不客氣地說。

「你是人類，我不能由於不作為而使你受到傷害。」

丹吉快步向前走去，丹尼爾緊跟在後。嘉蒂雅不願落單，只好也勉強走出幾步。

那監督員默默望著這一切。她穿著一件光潔的白袍，用一條皮帶束緊腰身。這件薄紗般的衣裳讓她露出一半的大腿以及誘人的深深乳溝，就連她的乳頭都隱約可見。此外除了一雙鞋子，看不出她身上還有任何其他衣物。

等到丹吉停下腳步，雙方的距離只剩一公尺了。他清楚地看到她有著完美無瑕的皮膚以及高聳的顴骨；她的雙眼分得很開，有著斜飛的眼尾，而她的表情則是一派安詳。

「女士，」丹吉盡可能模仿奧羅拉貴族的口吻和腔調，「請問我是否有這個榮幸，能和這塊

屬地的監督員說幾句話？」

那女子起先只是用心傾聽，一會兒之後，才用濃重的索拉利腔說：「你並不是人類。」從這麼美麗的嘴巴吐出這麼古怪的腔調，感覺上幾乎有點滑稽。

然後，她以迅雷不及掩耳之勢展開了行動，站在大約十公尺外的嘉蒂雅根本看不清楚發生了什麼事。她只覺得眼前一晃，便見到丹吉一動不動地躺在地上，那女子則站在原處，雙手各握著一柄原本屬於他的武器。

26

在這個令人昏頭轉向的時刻，嘉蒂雅最感驚訝的卻是丹尼爾並未出手阻止或進行反擊。只不過這個想法很快就不符合現狀了，因為丹尼爾已經扭住那女子的左腕，並說：「快把武器丟掉。」她從未聽過他用這麼兇悍蠻橫的口氣說話，更何況對方是人類，真是太不可思議了。

那女子則用高八度的聲音，以及同樣兇悍的口吻說：「你並不是人類。」她的右手隨即舉起，按下了武器的扳機。一時之間，只見一團模糊的光芒籠罩丹尼爾全身，嘉蒂雅嚇得叫都叫不出來，只覺得自己的視線模糊了。她這輩子從來沒有昏倒過，這回卻似乎要破例了。

好在丹尼爾並沒有被氣化，也並未傳來驚人的爆裂聲。嘉蒂雅很快就明白，丹尼爾其實早有防備，一直緊緊抓住她握著手銃的那隻手。剛才，她是用另一隻手按下神經鞭的扳機，以最大的電力——而且是在近距離——攻擊丹尼爾。如果他是真人，感覺神經所受到的巨大刺激很可能會要他的命，或是造成永久性癱瘓。但無論外表多麼酷似人類，丹尼爾畢竟還是機器人，他體內的模擬神經系統對神經鞭毫無反應。

丹尼爾這時也抓住了她的右手，並使勁向上推。「把武器丟掉，否則我可要卸下你這兩隻手臂。」他再次強調。

「你行嗎？」只見那女子雙臂用力一縮，下一刻，丹尼爾就被她舉了起來。好個丹尼爾，竟以雙方互抓之處當作樞紐，雙腿開始如鐘擺般前後晃蕩。最後他雙腳齊出，向那女子猛力踢去，雙方隨即重重摔到地上。

嘉蒂雅根本來不及細想，便已瞭解那女子雖然和丹尼爾一樣酷似人類，其實並非血肉之軀。畢竟骨子裡仍是索拉利人，嘉蒂雅忽然血氣上湧，感到氣憤難平——她氣的是機器人竟然對人類使用暴力。就算她有本事認出丹尼爾的真實身份，但她怎麼敢攻擊丹吉呢。

嘉蒂雅一面尖叫，一面向前奔去。雖然這個機器人剛打倒一名壯漢，又和另一個更為強壯的機器人打成平手，她卻完全不覺得害怕。

「誰借你的膽子？」她濃重的索拉利口音令她自己都有點受不了——但對方是索拉利機器人，這麼做又有什麼不對呢？「誰借你的膽子，丫頭？我要你立刻停止抵抗。」

那女子似乎瞬間便將緊繃的肌肉盡數放鬆，好像突然斷了電一樣。她用那雙美麗的眼睛望著嘉蒂雅，眼神中卻欠缺人類般的驚訝。她以吞吞吐吐、含糊不清的聲音說：「我錯了，夫人。」

此時丹尼爾已經起身，正機警地望著這名仍躺在草地上的女子。丹吉則忍著痛，正在掙扎著爬起來。

丹尼爾彎腰想撿起那兩柄武器，嘉蒂雅卻怒氣沖沖地揮手要他讓開。

「把武器通通拿給我，丫頭。」她說。

那女子答道：「是的，夫人。」

嘉蒂雅將兩柄武器一把抓過來，迅速從中挑出手銃遞給丹尼爾。「有必要就摧毀她，丹尼爾，這是命令。」她又將神經鞭遞給丹吉，並說：「這玩意兒在此地根本沒用，頂多只能對付我——還有你自己。你還好嗎？」

「不，我一點都不好。」丹吉一面揉屁股一面抱怨，「你是說她是機器人？」

「真正的女人會把你摔成這樣嗎？」

「這我倒是從來沒碰過。我就說嘛，索拉利上可能有些特別的機器人，被設定成足以危害人類。」

「你當然說過，」嘉蒂雅毫不客氣地回應，「可是當你心目中的美女出現在你面前，你就全忘了。」

「是啊，後見之明總是比較容易。」

嘉蒂雅哼了一聲，隨即轉向那個機器人。「你叫什麼名字，丫頭？」

「回夫人，我叫蘭達莉。」

「站起來，蘭達莉。」

蘭達莉一躍而起，和丹尼爾剛才的動作如出一轍——彷彿身上綁了幾根彈簧。她和丹尼爾的一場拚鬥似乎並未留下任何後遺症。

嘉蒂雅問：「你為什麼違反第一法則，出手攻擊這兩名人類？」

「夫人，」蘭達莉堅定地說：「這兩個不是人類。」

「所以你要說我也不是人類？」

「不，夫人，你是人類。」

「那麼，我以人類的身份，聲稱這兩個人也是人類——你聽到了嗎？」

「夫人，」蘭達莉的口氣軟化了些，「這兩個不是人類。」

「我說是就是，他們是道道地地的人類，不准你用任何方式攻擊他們或傷害他們。」

蘭達莉一語不發地站在那裡。

「你懂得我在說什麼嗎？」嘉蒂雅為了加強語氣，索拉利口音不知不覺變得更濃了。

「夫人，」蘭達莉又說：「這兩個不是人類。」

丹尼爾對嘉蒂雅輕聲道：「夫人，她所接受的命令沒什麼餘地，你是無法輕易解除的。」

「我們走著瞧。」嘉蒂雅喘著氣說。

蘭達莉四下望了望。過去這幾分鐘，那群機器人已逐漸靠近嘉蒂雅和她的同伴。而嘉蒂雅注意到後面還有兩個似乎是新出現的機器人，正吃力地一左一右抬著一個很大而且很重的裝置。蘭達莉對它們做了一個手勢，兩個機器人前進的步伐便加快了些。

嘉蒂雅喊道：「機器人，通通站住！」

它們照做了。

蘭達莉說：「夫人，我正在遵照指令行事，正在履行職責。」

嘉蒂雅說：「你的職責，丫頭，就是服從我的命令！」

蘭達莉說：「誰也不能下令要我違背原本的指令！」

嘉蒂雅說：「丹尼爾，轟掉她！」

直到事後，嘉蒂雅才想通當時的情況到底是怎麼回事。丹尼爾的反應比人類快得多，而且他早已知道對方是機器人，對她發動攻擊並不受到三大法則的節制。問題是，她看起來實在太像人類，即使明知她是機器人，他卻無法完全克服三大法則對他自己的節制。他雖然服從了這個命令，可是動作比平常慢了些。

反之，蘭達莉對「人類」的界定顯然不同於丹尼爾，後者的外表對她毫無影響，讓她得以搶到先機。她一把抓住手銃，好在丹尼爾並未鬆手，於是兩人再度扭打起來。

丹吉以小跑步趕來助陣，他倒轉神經鞭，用手柄猛敲她的頭。她卻絲毫不在乎，一腳就把他

踢得直往後退。

嘉蒂雅說：「機器人！住手！」她雙手攥拳高高舉起。

蘭達莉以洪亮的女低音叫道：「夥伴們！一起上！這兩個男人其實不是人類，趕緊摧毀他們，但絕不能傷害那個女人。」

既然人類的外表對丹尼爾都能產生節制作用，對這些索拉利機器人的影響更是強大許多，因此它們頂多只能慢慢地、遲疑地向前走。

「不准動！」嘉蒂雅尖叫道。那些機器人停下了腳步，唯有蘭達莉不服從這個命令。

丹尼爾牢牢抓著那柄手銃，但蘭達莉的力氣顯然勝過他，將他壓得逐漸向後倒。

嘉蒂雅六神無主地四下張望，彷彿希望找到另一柄武器。

丹吉則試著操作隨身攜帶的無線電發訊器。「失靈了，我想是被我壓壞了。」他咕噥道。

「我們該怎麼辦？」

「我們必須回船上去，越快越好。」

嘉蒂雅說：「那你跑吧，我不能丟下丹尼爾。」她面對著那兩個打成一團的機器人，拚命大喊：「蘭達莉，住手！蘭達莉，住手！」

「我不能住手，夫人。」蘭達莉說：「我的指令十分明確。」

丹尼爾的手掌被扳開了，蘭達莉再度搶到了手銃。

嘉蒂雅趕緊衝到丹尼爾前面。「你絕不能傷害這個人類。」

「夫人，」蘭達莉毫不動搖地以手銃指著嘉蒂雅，「你身後那東西看似人類，其實並不是。我的指令很明確，看到這種東西就要摧毀。」然後，她提高音量道：「你們兩個——往太空船那兒搬。」

於是，那兩個機器人腳夫再度邁開腳步，抬著那個笨重的裝置繼續往前走。

嘉蒂雅尖叫一聲：「機器人，站住！」這個命令隨即奏效，只見兩個機器人站在原地前後搖擺，彷彿想要往前走，卻又幾乎做不到。

嘉蒂雅又對蘭達莉說：「想摧毀我的人類好友丹尼爾，你就得先摧毀我——而你自己也承認我是人類，因此絕不能讓我受到傷害。」

丹尼爾壓低聲音說：「夫人，萬萬不可為了保護我而傷了你自己。」

蘭達莉說：「沒有用的，夫人。我能輕易將你移開，然後再摧毀你身後那個非人的東西。不過那樣可能會令你受傷，所以我拜託你、請求你自己走開。」

「快走吧，夫人。」丹尼爾說。

「不，丹尼爾，我要留下來。當她動手把我移開的時候，你趁機趕快跑！」

「我可跑不贏手銃射出的能束——即使我想跑，她也不會放過我，而你這個人肉盾牌則會被她射穿，她接受的指令只怕毫無轉圜餘地。抱歉了，夫人，我得冒犯一下。」

丹尼爾不顧嘉蒂雅的掙扎，一把將她抱起來，輕輕扔到了一旁。

蘭達莉的食指緊貼著扳機，卻一直沒有真正按下去，她就這麼一動不動站在那裡。

一屁股摔到地上的嘉蒂雅這時已經站了起來，而原本一直愣在原地的丹吉，則小心翼翼地走近蘭達莉。與此同時，丹尼爾相當鎮定地從蘭達莉手中取下手銃，而她完全沒有反抗。

「我相信，」丹尼爾說：「這個機器人永遠停擺了。」

在他輕推之下，她硬生生摔到地上，全身上下居然維持著原來的站立姿勢。她的右手手臂仍舊彎著，手中仍抓著一柄無形的手銃，而且食指仍按著其中的扳機。

等到這齣戲碼落幕之後，吉斯卡才從草地旁的樹叢裡慢慢走過來，雖然臉上沒有任何表情，

並不代表他一點也不好奇。

「我不在的時候，發生了什麼事？」他問道。

27

相較於剛才的驚險刺激，回太空船這段路程相當乏善可陳。直到這個時候，嘉蒂雅才從恐懼中逐漸恢復，開始有了氣急敗壞的感覺。他們一行人走得很慢，原因之一是丹吉一跛一跛地走起來很吃力，原因之二則是兩個索拉利機器人仍抬著那個笨重的裝置，想走快也不可能。

丹吉回頭望了望那兩個機器人。「一旦監督員終止運作，它們就服從我的命令了。」

嘉蒂雅咬牙切齒地說：「你在緊要關頭為什麼不跑去求救？為什麼還留在原地一籌莫展地旁觀？」

「這個嘛，」丹吉仍想故作輕鬆，不過以他目前的狀況，這麼做實在有點困難。「既然你不願丟下丹尼爾，我要是連這點都不如你，豈不成了懦夫。」

「你這傻瓜！我很安全，她不會傷害我的。」

丹尼爾說：「夫人，我不喜歡跟你唱反調，可是我認為，隨著她想摧毀我的情緒逐漸高漲，她終究會不惜傷害你。」

嘉蒂雅氣呼呼地轉頭望向他。「而你居然將我推到一旁，這舉動可真精明啊。你想要被轟掉嗎？」

「總比我目睹你受傷要好，夫人。無論如何，這機器人的人類外表竟導致我無法適時阻止她，表示我對你的用處並沒有想像中那麼大。」

「即便如此，」嘉蒂雅說：「但我是人類，她在對我射擊之前，還是會猶豫好一會兒，而你就能趁著這個空檔，把那柄手銃奪回來。」

「她會不會猶豫很難說，夫人，我不能拿你的性命賭這種變數。」丹尼爾答道。

「而你，」嘉蒂雅似乎並未聽到丹尼爾的回答，又把頭轉向丹吉。「當初根本就不該帶手銃。」

丹吉皺著眉頭答道：「夫人，念在我們剛在鬼門關前走了一遭，我就這麼說吧。你的機器人並不在乎這種事，而我早就把危險當成了家常便飯。然而對你而言，這是個很不愉快的陌生經驗，所以你才會表現得那麼孩子氣。我可以原諒你——一點點。但請你聽好，我絕不可能想到這柄手銃會那麼容易被搶走。而且就算我沒帶手銃，那個監督員也能徒手殺死我，速度和效率不會輸給任何武器。還有，我跑不跑也根本毫無差別，因為我不可能跑贏一柄手銃，這算是回應你剛才的抱怨。現在，如果你還有什麼不吐不快的，就請繼續吧，但我可不打算再對你做任何解釋。」

嘉蒂雅輪流望了望丹吉和丹尼爾，然後低聲道：「我想是我自己理虧。很好，我不會再發表後見之明了。」

他們終於走回了太空船。一看到他們，船員立刻蜂擁而上，嘉蒂雅注意到這些船員個個都有武裝。

丹吉對他的副船長打了一個招呼。「歐瑟，我猜你看到那兩個機器人抬的東西了？」

「看到了，船長。」

「好，叫它們抬到船上去。把它放進保險庫，誰也不准動，然後牢牢鎖起庫門，誰也不准打開。」他剛剛走開，隨即又折返。「還有，歐瑟，一旦辦妥這件事，我們就準備起飛。」

歐瑟問：「船長，那兩個機器人要不要也留著？」

「不必。它們構造太簡單，沒什麼價值。而且在目前這種情況下，帶著它們將會導致不可測

的後果。和它們比起來，那個裝置可要珍貴得太多了。」

望著那個裝置被小心翼翼地慢慢抬進太空船，吉斯卡說：「船長，我猜這是個危險物品。」

「我也這麼想。」丹吉說：「我猜萬一我們不幸遇難，這艘太空船也很快會被摧毀。」

「被這玩意兒嗎？」嘉蒂雅問：「它是什麼？」

「我不確定，但我猜應該是核反應倍增器。我曾在貝萊星見過幾個實驗機型，但這個看來是老大哥。」

「核反應倍增器又是什麼？」

「顧名思義，嘉蒂雅女士，是一種能夠增強核聚變反應的裝置。」

「它怎麼運作？」

丹吉聳了聳肩。「我可不是物理學家，夫人。反正它會產生一束傳遞弱交互作用的粒子，也就是所謂的W粒子，我知道的就那麼多了。」

「W粒子能做什麼呢？」嘉蒂雅追問。

「嗯，比方說，我們這艘船的動力系統是怎麼運作的？只要從氫燃料中擷取少量的超高溫質子，它們融合之後就能產生動力了，這就是所謂的核聚變。與此同時，其他的氫原子也會不斷被加熱，因而產生更多的自由質子，等到這些質子夠熱了，它們也會開始聚變，產生更多的動力。核反應倍增器所發射的W粒子束如果撞擊到正在進行聚變的質子，就會加速聚變的過程，帶來更多的熱量。這些熱量又會產生更多的質子，而它們則會以不尋常的速度進行聚變，如此又會產生更多的額外熱量，惡性循環就此展開。短短一瞬間，氫燃料中就會生出一個微型的熱核彈，而這艘船和它上面的一切也就化為烏有了。」

嘉蒂雅一臉敬畏。「為何不會把一切通通燒掉呢？為何不會把整個星球炸毀呢？」

「我倒不覺得有這種危險，夫人，那些質子必須達到足以進行聚變的超高溫才行。冷質子幾乎不會聚變，即使機率被那個裝置提升到極大值，仍然不足以真正產生聚變。至少，我所聽的那場演講應該是這麼說的。此外據我所知，只有氫原子會受到影響。不過，即使那些超高溫質子受到影響，產生的高熱也並非無限上升。距離W粒子束越遠，溫度就會越低，因此額外產生的聚變其實數量有限。當然足以摧毀太空船，可是，就算一部分的海水達到了超高溫，富含氫原子的海洋也不可能產生爆炸——至於未加溫的海水，就更是絕無可能了。」

「可是，萬一那個在庫房裡的機器無意間被啟動……」

「我認為那是不可能的事。」丹吉攤開右掌，裡面有個大約兩公分長的金屬立方體。「根據我對這方面極其有限的認識，這應該是個活化器，沒有它，核反應倍增器就形同廢鐵。」

「你確定嗎？」

「不完全確定，但我們必須冒個險，因為我一定要把那玩意兒帶回貝萊星。好，我們上船去吧。」

嘉蒂雅和她的兩個機器人沿著扶梯走上太空船，丹吉跟在他們後面。上船後，丹吉對幾名高級船員講了一兩句話。

然後，他對嘉蒂雅說：「我們得花上好幾個鐘頭，才能做好起飛前的一切準備，但每多待一秒鐘，就會多增加一點危險。」他開始面露疲態了。

「危險？」

「你該不會以為索拉利上就只有那麼一個可怕的女機器人吧？也不會以為我們擄獲的那個核反應倍增器是絕無僅有的一台吧？我想其他的人形機器人和核反應倍增器需要花些時間才能抵達此地——可能要很久也說不定——但我們自己必須盡量爭取時間。現在，夫人，我們一起去你的

艙房，處理一些必要的公事。」

「什麼必要的公事，船長？」

「嗯，」丹吉做了一個向前走的手勢，「有鑑於我可能成為叛變行動的犧牲品，我想我得主持一場非正式的軍事審判。」

28

丹吉一面呻吟一面坐了下來，然後說：「我真正想要的是熱水浴、全身按摩、一頓美食，以及好好睡上一覺，但在離開這顆行星之前，這些都是癡心妄想。而你，夫人，同樣得等一等。然而，有些事卻不能等——我的問題如下：吉斯卡，當我們幾人面對生死關頭時，你在哪裡？」

吉斯卡答道：「船長，我原本以為，如果這顆行星只剩下機器人，它們不會構成任何危險，何況還有丹尼爾陪著你們。」

丹尼爾說：「船長，當初我也同意由吉斯卡進行偵察，而我留在嘉蒂雅女士和你身邊。」

「你們兩個一致同意，是嗎？」丹吉說：「有沒有跟別人商量過？」

「沒有，船長。」吉斯卡說。

「如果你確定那些機器人不具危險性，吉斯卡，又要如何解釋先前那兩艘船被毀的事實？」

「依我看，船長，一定還有些人類留在這顆行星上，只是想盡辦法不讓你看見罷了。我想知道他們在哪裡，以及做些什麼，所以剛才我一直在設法尋找，用最快的速度把宅園整個巡了一遍。碰到機器人，我就一一詢問。」

「你有沒有發現任何人類？」

「沒有，船長。」

「你檢查過監督員駐紮的那棟房子嗎？」

「沒有，船長，我不必檢查，便能確定裡面沒有任何人類，現在我仍這麼想。」

「那監督員就待在裡面。」

「是的，船長，但監督員是機器人。」

「是一個危險的機器人。」

「很遺憾，船長，這點我並未察覺。」

「你也會覺得遺憾，啊？」

「我選擇這個字眼，來表達我的正子電路所產生的某種效應。它和人類所說的遺憾大致相同，船長。」

「一個機器人可能有危險性，你怎麼沒察覺到呢？」

「根據機器人學三大法則……」

嘉蒂雅插嘴道：「夠了，船長。吉斯卡只知道他應該知道的事。機器人不可能對人類有任何危險，除非人類之間發生要命的爭執，而機器人不得不試圖阻止。萬一發生這類爭執，那麼毫無疑問，丹尼爾和吉斯卡不但會保護我們，還會盡量不讓對方受到傷害。」

「是嗎？」丹吉伸出兩根指頭捏著鼻樑，「剛才，丹尼爾的確挺身保護我們。我們的對手是機器人，而並非人類，所以他不至於難以決定該保護誰，以及做到什麼程度。可是，既然三大法則並未禁止他傷害機器人，他的表現令人大失所望，甚至可說大吃一驚。而吉斯卡則置身事外，等到事情結束才適時出現。機器人之間有沒有可能存在著一種交感？當機器人為了保護人類而對付其他機器人的時候，有沒有可能會感覺到吉斯卡所謂的『遺憾』，因而表現不佳，或是故意缺席……」

「不可能！」嘉蒂雅使勁大吼一聲。

「不可能？」丹吉說：「嗯，我承認自己並非機器人專家。你呢，嘉蒂雅女士？」

「我也絕不是機器人學家。」嘉蒂雅說：「但我一輩子都和機器人生活在一起。你的想法荒謬之至。為了我，丹尼爾會毫不猶豫地犧牲自己，而吉斯卡也一樣。」

「每個機器人都會這麼做嗎？」

「當然。」

「但那個監督員，那個蘭達莉，卻毫不猶豫地攻擊我，要置我於死地。我們可以暫且相信，雖然丹尼爾外表酷似人類，她卻以某種神祕的方式，偵測到了丹尼爾和她一樣是機器人——只是外表足以亂真罷了——所以她大可對他出手，不受任何節制。然而，我明明就是人類，她怎麼也攻擊我呢？她對你先有些猶豫，隨即承認你是人類，對我卻不然。同一個機器人，怎麼會對你我兩人有差別待遇呢？說不定她其實並非機器人？」

「她是機器人，」嘉蒂雅說：「這點當然毫無疑問。但——事實是，我也不明白她怎麼會有這種行為。我從未聽說過像這樣的怪事，我只能假設，當索拉利人懂得製造人形機器人之後，故意把它們造得不受三大法則的約束。可是我又敢發誓，在所有的太空族當中，最不可能這麼做的就是索拉利人。他們的世界不但人機比例懸殊，而且他們在生活上完全倚賴機器人——這方面的傾向遠遠超過其他太空族——正因為如此，他們對機器人的恐懼也更甚，所有的索拉利機器人都內建有若干奴性甚至愚魯的成分。在索拉利，三大法則要比其他世界更強，而不是更弱。但要解釋蘭達莉的行為，我也只能想到第一法則……」

丹尼爾說：「請原諒我打個岔，嘉蒂雅女士。能否允許我試著解釋一下那名監督員的行為？」

丹吉冷嘲熱諷地說：「我想這再合適不過了，只有機器人能解釋機器人。」

「船長，」丹尼爾說：「如果我們不瞭解那名監督員，就無法對索拉利上的危險採取有效防範。我相信我有辦法解釋她的行為。」

「說吧。」丹吉道。

「那名監督員，」丹尼爾說：「並未在第一時間對我們採取行動。她站在那裡觀察了我們好一會兒，顯然是不確定怎麼做才對。當你向她走近，開口跟她說話，船長，她才宣稱你不是人類，立即對你展開攻擊。而一旦我出手制止，並且對她發號施令，她又宣稱我也不是人類，接著立刻開始攻擊我。然而，當嘉蒂雅女士挺身而出，喝叱了她一番，那監督員便認定她是人類，而且至少有一陣子，願意接受她的指揮。」

「對，這些我都記得，丹尼爾。但是這意味著什麼呢？」

「依我看，船長，想從根本上改變機器人的行為，不一定要對三大法則動任何手腳，比方說，改變人類的定義就有異曲同工之妙。畢竟，所謂的人類本身就是一種定義。」

「是這樣的嗎？你認為人類該怎麼定義呢？」

丹尼爾並不在乎這句話有沒有嘲諷之意。他說：「我自己內建有對於人類外表和行為的詳細描述，船長。對我而言，符合這些描述的對象就是人類。像你，這些外表和行為便樣樣不缺，而那名監督員就徒具外表而已。

「另一方面，在那名監督員心中，語言才是人類的關鍵特質，船長。索拉利人講話帶有特殊的口音，所以對那名監督員而言，外表酷似人類絕對不夠，還得說話像索拉利人，才真正符合人類的定義。顯然，她會毫不猶豫地摧毀任何外表像人卻沒有索拉利口音的生物，連帶也會摧毀那些生物所搭乘的太空船。」

丹吉若有所悟地說：「可能讓你說對了。」

「你說話帶有銀河殖民者的口音，船長，雖然那也是一種特殊口音，卻和索拉利口音大不相同。你一開口，監督員便認定你並非人類，於是她一面宣判，一面展開攻擊。」

「而你帶有奧羅拉口音，因此同樣遭到攻擊。」

「是的，船長，但嘉蒂雅女士說得一口純正的索拉利腔，因此她被視為人類。」

丹吉默默思考了一會兒，然後說：「就算對他們自己而言，這也是個危險的安排。如果某個索拉利人由於某種原因，突然用聽起來不夠純正的索拉利腔對這樣的機器人說幾句話，他就會立刻遭到攻擊。如果我是索拉利人，根本不敢靠近這樣的機器人。我越是努力想把索拉利腔說好，就越可能適得其反，而令我遭到殺害。」

「我同意，船長。」丹尼爾說：「我猜正是由於這個緣故，通常在製造機器人的時候，會將人類的定義盡量放寬，避免任何限制條件。然而，索拉利人已經離開了這個世界。我們可以說，那些監督員腦中有這麼危險的設定，就足以證明索拉利人真的走光了，所以這種危險不會發生在他們身上。看來索拉利人如今只關心一件事，就是不讓任何外人踏上這顆行星。」

「包括其他的太空族嗎？」

「在我想來，船長，要讓人類的定義涵蓋十幾種太空族口音、排除幾十種銀河殖民者口音，可是難上加難的一件事。單單以獨特的索拉利口音當作人類的定義，就已經很不容易了。」

丹吉說：「你實在非常聰明，丹尼爾。我對機器人之所以有反感，當然並非個人好惡，而是因為它們會給社會帶來負面的影響。然而，如果有你這樣的機器人在身邊，就像當年你在老祖宗……」

嘉蒂雅插嘴道：「恐怕不可能，丹吉。我絕不會把丹尼爾賣掉，或是當禮物送人，更不會輕易讓你把他搶走。」

丹吉帶著苦笑舉手否認。「我只是在做夢罷了，嘉蒂雅女士。我向你保證，貝萊星的法律是絕不會讓我美夢成真的。」

吉斯卡突然開口：「船長，能否請你允許我再說幾句話？」

丹吉說：「啊，那個適時躲起來又適時出現的機器人，又要發表高見了。」

「很遺憾，這件事看起來的確如你所說的那樣。但無論如何，船長，能否請你允許我再說幾句話？」

「好，說吧。」

「現在看起來，船長，你請嘉蒂雅女士參與這趟探險的決定是非常正確的。假如沒有她，假如你僅僅帶著你的船員從事這趟探險任務，你們很快就會全軍覆沒，而太空船也會被摧毀。多虧嘉蒂雅女士有本事講出標準的索拉利腔，又有勇氣面對那名監督員，才將局勢扭轉過來。」

「不對不對。」丹吉說：「應該說多虧我們運氣好，那個監督員剛好自動停擺，否則我們都活不成，連嘉蒂雅女士也可能無法倖免。」

「並不是運氣好，船長。」吉斯卡說：「機器人自動停擺幾乎是不可能發生的事。這件事背後一定有原因，而我能提出一個可能性。丹尼爾好友告訴我，嘉蒂雅女士曾數度命令那個機器人住手，但一直壓不住她原本的強力指令。

「縱然如此，船長，嘉蒂雅女士的言行還是鈍化了監督員的決心。此外，根據那名監督員的定義，嘉蒂雅女士是不折不扣的人類，偏偏她的行動讓它不得不考慮出手傷害她——甚至殺掉她——這就使得它的決心更加鈍化了。因此在某個關鍵時刻，兩個完全相反的要求——必須摧毀並非人類的敵人，又絕不能傷害到人類——剛好相持不下，使得這個機器人心智凍結，什麼也不能做了。換句話說，它的電路燒壞了。」

嘉蒂雅眉頭皺成一團，顯得大惑不解。「可是……」她並沒有再說下去。

吉斯卡繼續說：「我突然想到，你大可把這件事告訴船員。如果你能強調嘉蒂雅女士的主動積極和她的勇氣對大家有多大的貢獻，也就是救了大家的命，八成能減輕他們對她的疑慮。此外，這樣也能讓他們更加佩服你的深謀遠慮，因為當初高級船員都反對你這麼做，而你獨排眾議，堅持要帶她同行。」

丹吉縱聲大笑。「嘉蒂雅女士，現在我才明白你為何離不開這兩個機器人。他們不只和人類一樣聰明，就連人類的心機也學得十足。我要恭喜你有這個福分——現在，如果你不介意，我要去催那些船員了，我可不想在索拉利無謂地多待一分一秒。而且我向你保證，往後幾個鐘頭你都不會受到打擾。我知道你和我一樣，需要好好休養生息一番。」

在他離去後，嘉蒂雅陷入沉思好一會兒，然後她才轉向吉斯卡，用奧羅拉普通話（一種連珠砲似的銀河標準語，奧羅拉人普遍使用，外人卻很難聽懂）對他說：「吉斯卡，你胡說八道些什麼，機器人的電路怎麼會燒壞？」

「夫人，」吉斯卡說：「我只是提出這個可能性，如此而已。我認為最好強調一下你對終結那名監督員所做的貢獻。」

「但你怎麼知道他會相信機器人那麼容易燒壞呢？」

「他對機器人瞭解得非常少，夫人。他或許會做機器人的買賣，可是他的世界絕不使用機器人。」

「但我對機器人十分瞭解，而你也一樣。剛才，那監督員並未顯現任何衝突電路的跡象；沒有結結巴巴，沒有顫顫巍巍，也沒有任何行動上的困難。它就是——突然停了。」

吉斯卡說：「夫人，既然我們不知道那名監督員的確切規格，關於它心智凍結的真正原因，

我們只好存而不論。」

嘉蒂雅搖了搖頭。「反正，我就是想不通。」

第三篇　貝萊星

第八章　殖民者世界

29

丹吉的太空船再度進入永恆不變、無邊無際的太空。

嘉蒂雅覺得似乎等得太久了。升空前，她一直在擔心會有另一名監督員——帶著另一台倍增器——突然發動奇襲。她試著壓抑這股焦慮，但並不怎麼成功。萬一發生這種狀況，自己必定瞬間斃命，不會有什麼痛苦，但這又算哪門子安慰呢。結果原本應該是豪華享受的沐浴，被這股焦慮破壞殆盡，而接下來那頓美食，她也吃得食不知味。

直到真正進入太空，耳畔傳來質子噴流的柔和嗡嗡聲，她才能安心睡上一覺。奇怪的是，當意識逐漸朦朧之際，她竟然覺得太空比她的故鄉還要安全，而這次再度告別索拉利，那種如釋重負的感覺要比上次更為強烈。

但索拉利已經不是她記憶中那個故鄉了。它成了無人的世界，僅由徒具人類外表的監督員負責看守。相較於溫文有禮的丹尼爾以及善解人意的吉斯卡，那些人形機器人根本不值一哂。

她終於入睡——於是，負責站崗的丹尼爾和吉斯卡又能彼此交談了。

丹尼爾說：「吉斯卡好友，我相當肯定是你毀了那名監督員。」

「當時我顯然毫無選擇的餘地，丹尼爾好友。我的感官完全用在尋找人類上，卻始終一無所獲，所以我能及時趕回來純屬偶然。而若非嘉蒂雅女士變得氣急敗壞，我也不會瞭解事情的嚴重性。正因為我在遠方感應到了她的情緒，才會趕緊回到現場——險些來不及了。就這點而言，嘉蒂雅女士功不可沒，至少她救了船長和你的性命。但即使來不及拯救你們，我相信我還是救得了

這艘太空船。」他頓了頓，又補充一句：「萬一我來遲一步，丹尼爾好友，我會覺得是天大的遺憾。」

丹尼爾以嚴肅而正式的口吻說：「謝謝你，吉斯卡好友。我很高興知道監督員的人類外表並未節制你的行動，我的反應就慢了下來，而她對我的反應也是一樣。」

「丹尼爾好友，我能體察她的思想型樣，所以她的外表對我毫無意義。相較於人類的全面性思想型樣，她的思想不但極其狹窄，而且結構完全不同，因此我根本不必將她和人類做任何聯想。反之，她的非人特質十分明顯，讓我得以立刻行動。事實上，我是在採取行動之後，才意識到我已出手。」

「其實我已經想到了，吉斯卡好友，我只是希望跟你做個確認，以免產生任何誤解。所以我能否假設，你殺了一個外表酷似人類的機器人之後，心中並未感到任何不適？」

「對，因為它是機器人。」

「可是我覺得，不論我多麼清楚明白地瞭解她是機器人，如果是我親手毀了她，我的自由正子流仍會受到若干阻礙。」

「如果外表是唯一的依據，丹尼爾好友，那麼人類的外表就是你無法攻克的銅牆鐵壁。視覺要比推理更直接得多。我是因為能夠觀察她的內心結構，而且全副精神專注在那上面，才得以忽略她的外在結構。」

「萬一我們被那名監督員摧毀，那麼從她的內心結構，你能判斷出她會有怎樣的感受嗎？」

「她接受了堅定無比的指令，根據她的電路所掌握的定義，你和船長都不是人類，對此她毫不懷疑。」

「但是嘉蒂雅女士也有可能被她殺害。」

「這點我們無法肯定，丹尼爾好友。」

「萬一真的發生這種事，丹尼爾好友，她還能存活嗎？你有沒有辦法判斷？」

吉斯卡維持了好長一段時間的沉默。「我沒有足夠的時間仔細研究她的思想型樣。假設她殺了嘉蒂雅女士，我還真說不準她會有什麼反應。」

「如果我把自己假想成這名監督員。」丹尼爾的聲音開始顫抖，而且變得有些低沉。「那麼在我看來，我可能會為了拯救某個人類而殺害另一個人，只要我有理由相信拯救前者是確有必要的。然而，那會是個困難而且有破壞力的行動。另一方面，僅僅為了摧毀非人的敵人便不惜殺害人類，在我看來就簡直難以想像了。」

「她只是口頭這麼威脅，並未真正付諸行動。」

「她可能付諸行動嗎，吉斯卡好友？」

「我們並不清楚她究竟接受了什麼指令，又怎能確定呢？」

「那些指令能夠完全抵消第一法則嗎？」

吉斯卡說：「我懂了，你之所以討論這件事，唯一的目的就是要提出這個問題。我勸你別再追究下去了。」

丹尼爾以倔強的口吻說：「那我就改用假設句吧，吉斯卡好友。不能當作事實來討論的問題，當然還是可以虛構一番。如果能用定義和條件把指令說得面面俱到，又如果能用強而有力的方式，把指令敘述得足夠詳盡，那麼在此前提下，有沒有可能讓機器人由於某個遠遠比不上拯救人類的原因，而殺害另一個人類呢？」

吉斯卡硬邦邦地說：「我不知道，但我猜應該有此可能。」

「可是，如果你猜得沒錯，就意味著第一法則可能會在某些特殊條件下失效。既然如此，它

就可以被修改成彷彿不存在，而其他兩大法則當然也一樣。因此這些法則不再是絕對的鐵律，而是機器人的設計者能夠隨意定義的，就連第一法則也不例外。」

吉斯卡說：「夠了，丹尼爾好友，別再講下去了。」

丹尼爾卻說：「還差一步，吉斯卡好友。換成以利亞夥伴，他一定會再邁出一步。」

「他是人類，所以能那麼做。」

「我必須試試看。機器人學三大法則——尤其是第一法則——如果並非鐵律，如果能被人類隨意修改，那麼在適當情況下，我們自己不是也能修……」

他住口了。

吉斯卡有氣無力地說：「別再講下去了。」

丹尼爾答道：「我到此為止。」他的聲音也有點模糊不清。

沉默維持了好長一陣子。兩人都費了很大的勁，才讓自己的正子電路恢復正常。

丹尼爾終於再度開口：「我又想到一件事。那名監督員共有兩點可怕之處，一是她腦中的指令，二是她的外表。不只我自己，恐怕連船長都被她的外表影響了。推而廣之，她有可能欺騙和誤導所有的人類，就像我當初無意間騙倒了一級船工尼斯那樣。一開始的時候，他顯然並未察覺我是機器人。」

「從這點能推論出什麼呢，丹尼爾好友？」

「想當年，奧羅拉的機器人學研究院在取得法斯陀夫博士的設計之後，曾在阿瑪狄洛博士領導下，製造出一批人形機器人。」

「這是眾所皆知的事。」

「那些人形機器人到哪裡去了？」

「計畫失敗了。」

丹尼爾說：「這也是眾所皆知的事，可是你並未回答我的問題。那些人形機器人到哪裡去了？」

「可以假設它們被銷毀了。」

「這種假設並不一定正確。它們實際上真的被銷毀了嗎？」

「這是個合情合理的假設。不然該怎麼處理失敗的作品？」

「我們只知道那些人形機器人不見了，如何肯定它們是失敗的作品？」

「既然它們被銷毀了，難道還不夠肯定嗎？」

「我並未提到『銷毀』，吉斯卡好友，我們沒有證據那麼說，我們只知道它們不見了。」

「若非失敗了，它們怎麼可能從未亮相呢？」

「如果不是失敗的作品，難道就沒有理由不讓它們亮相嗎？」

「至少我想不到，丹尼爾好友。」

「再想想，吉斯卡好友。別忘了我們正在談論的問題，我們認為或許光是由於足以亂真的外形，人形機器人就具有潛在的危險性。而在我們先前的討論中，你我都覺得有人正在奧羅拉上籌劃一項攻擊銀河殖民者的計畫——當然是狠狠一擊，絕不拖泥帶水。而且根據我們的判斷，攻擊的重點一定是地球，目前我都沒說錯吧？」

「沒錯，丹尼爾好友。」

「那麼，阿瑪狄洛博士有沒有可能就是這個計畫的核心人物？過去兩百年來，他對地球的厭惡早已人盡皆知。假如阿瑪狄洛博士曾經製造一批人形機器人，後來它們卻通通不見了，最有可能會被送到哪裡去呢？記住一件事，如果索拉利的機器人學家有辦法扭曲三大法則，奧羅拉的機

器人學家同樣能這麼做。」

「你是在暗示，丹尼爾好友，那些人形機器人被送到地球去了？」

「完全正確。它們正在利用人類的外表欺騙地球人，以便為阿瑪狄洛博士攻擊地球的計畫鋪路。」

「你沒有任何證據。」

「但這是可能的。你自己想想，這一步步的推理可有任何問題。」

「果真如此的話，我們就得趕到地球去。我們必須親自趕去，設法阻止這場災難。」

「對，應該這樣。」

「但是嘉蒂雅女士不太可能會去地球，而她不去的話，我們也去不成。」

「如果你能影響船長，讓他把太空船駛向地球，嘉蒂雅女士就不得不一起去了。」

吉斯卡說：「那麼做一定會傷到他。他下定決心要回到他自己的世界貝萊星，如果我們要他冒出前往地球的念頭，至少得先讓他把貝萊星上的事處理完畢。」

「那時恐怕太遲了。」

「我也沒辦法，我絕不能傷害任何人類。」

「萬一真的太遲了——吉斯卡好友，想想這意味著什麼。」

「這種問題我沒法想，我只知道絕不能傷害任何人類。」

「那就表示第一法則不夠完善，我們必須……」

他講不下去了。兩個機器人雙雙陷入無助的沉默。

30

隨著太空船逐漸接近，貝萊星顯得越來越清晰。嘉蒂雅透過艙房裡的觀景器目不轉睛地看出

去，這是她首度親眼見到一個殖民者世界。

幾天前，當丹吉跟她提到這段旅程時，她曾表示強烈抗議，但他只是一笑置之。「你還有什麼好辦法呢，夫人？我必須把你的同胞，」他稍微強調了「你的」兩字，「所發明的這個武器，設法送到我的同胞手上。而且，我還得向他們匯報一番。」

嘉蒂雅冷冷地說：「奧羅拉立法局同意讓你將我帶去索拉利是有條件的，而條件就是你必須把我帶回去。」

「其實不盡然，夫人。針對這一點，雙方或許有些非正式的共識，可是並沒有白紙黑字的正式協議。」

「對我——或任何一個文明人而言，非正式的共識也是有約束力的，丹吉。」

「這點我絕不懷疑，嘉蒂雅女士，可是我們行商除了認識錢，就只認識法律文件上的簽名。只要收了錢，無論在任何情況下，我都不會違反合約上的白紙黑字，或是拒絕履行我的義務。」

嘉蒂雅揚起下巴。「你是否在暗示我必須付錢，你才會把我送回家？」

「夫人！」

「得了吧，丹吉，少在我面前假裝發火。如果我會成為你們那個世界的囚犯，你不妨直說，順便把原因告訴我——讓我知道自己現在到底是什麼身份。」

「你並非我的囚犯，現在不是，將來也不是。事實上，我會尊重那個非正式的共識。反正總有一天，我會送你回家的。然而，我必須先去貝萊星一趟，而你必須跟我一起去。」

「我為什麼必須跟你去？」

「我們那個世界上的同胞都想見你，你是來自索拉利的英雄，你救了全體船員，你一定要給他們一個對你歡呼的機會。而且，你還是老祖宗的好朋友。」

「這方面，他們知道——或自以為知道多少？」嘉蒂雅厲聲追問。

丹吉咧嘴一笑。「我向你保證，絕對沒有任何負面印象。你是個傳奇人物，而傳奇人物一律是尊貴偉大到誇張的程度——不過我必須承認，你的事蹟的確很容易被人誇大，夫人。若是平常的時候，我也不會想要你到我們的世界，因為你並不怎麼像傳奇人物。你不夠高大，不夠美麗，也不夠威嚴。可是等到索拉利上那件事傳開之後，你就會突然符合傳奇人物的一切條件了。事實上，他們或許根本不想放你走呢。千萬別忘了，我們現在說的可是貝萊星，這顆行星上的居民把老祖宗的故事看得特別認真——而你是那個故事的一部分。」

「你不能拿這件事當作囚禁我的藉口。」

「不會的，我向你保證。而且我還能保證，遲早一定會送你回家——稍安勿躁——稍安勿躁。」

雖然明知自己有權大發雷霆，嘉蒂雅的心情卻不知不覺平復了。她的確想看看銀河殖民者居住的世界是什麼樣子，況且那並非普通的殖民者世界，而是獨一無二的貝萊星。它是由以利亞·貝萊的兒子創建的，而以利亞自己的晚年也在那裡度過。在那個世界上，他留下了很多東西——包括他的名字、他的後代，以及他的傳奇事蹟。

所以她目不轉睛地望著那顆行星——心中則一直想著以利亞。

31

雖然始終目不轉睛，她還是失望了。大片雲層覆蓋著這顆行星，幾乎什麼也看不見。根據她相當有限的太空旅行經驗，她覺得相較於其他的住人行星，此地的雲層似乎濃密得多。再過幾個小時就要著陸了，然後……

訊號燈突然亮了起來，嘉蒂雅趕緊先按下「稍候鍵」，過了一會兒，才改按「請進鍵」。

丹吉帶著笑容走了進來。「我來得不是時候嗎，夫人？」

「其實還好。」嘉蒂雅說：「我只是必須先戴上手套，插上鼻孔濾器。我知道應該一直戴著，但我實在不勝其擾，而且說不上來為什麼，我越來越不擔心感染了。」

「俗話說得好，熟悉滋生輕視，夫人。」

「別稱之為輕視吧。」嘉蒂雅不知不覺也笑了。

「謝謝你。」丹吉說：「我們很快就要著陸了，夫人，所以我給你拿一件連身服來，它經過了嚴密消毒，隨即封存在塑膠袋裡頭，始終沒被任何銀河殖民者碰過。很容易穿，你一定會的。穿上了，就只有鼻子和眼睛露出來。」

「只有我穿這種衣服嗎，丹吉？」

「不，不，夫人。在這種季節，我們人人外出都穿。現在這個時候，我們的首都正值寒冷的冬季。這是個相當寒冷的世界——雲層厚重，水氣充沛，雖然很少下雨，卻經常下雪。」

「即使熱帶也一樣嗎？」

「不，熱帶通常又熱又乾。然而，這個世界的人口都集中在較冷的地帶。我們比較喜歡這種氣候，它能激勵人心、令人振奮。我們的海洋引進了地球的浮游生物，所以魚類和其他海產得以大量繁殖。因此雖然可耕地有限，我們不可能成為銀河的穀倉，卻沒有糧食短缺的問題——這裡夏天很短，但相當熱，所以海邊總是擠滿了人，不過由於我們對於裸露十分忌諱，那些海水浴場可能引不起你的興趣。」

「這兒的氣候似乎很特殊。」

「原因不一而足，例如水陸分布稍嫌懸殊，以及行星軌道比較扁一點等等。坦白說，我並不關心這種事。」他聳了聳肩，「這不是我的本行。」

「你是行商，我猜你不常待在這顆行星上。」

「沒錯，但我當行商並不是為了逃避。我喜歡這裡，可是如果經常待在這個世界，或許我就不會那麼喜歡了。從這個角度來看，貝萊星的嚴酷環境起著重要的正面作用，那就是鼓勵人們從事貿易。貝萊星有不少以海為生的人，而駕駛漁船和駕駛太空船有許多相似之處。在太空中來來往往的行商，我敢說有三分之一都是貝萊星人。」

「你似乎有點過分激動，丹吉。」嘉蒂雅說。

「是嗎？我倒認為自己現在心情很好。我理當如此，你也一樣。」

「哦？」

「原因很簡單，不是嗎？我們從索拉利全身而退，不但弄清楚了那個世界到底有什麼危險，還擄獲了一個很不尋常的武器，應該能引起軍方的興趣。你一定會成為貝萊星的英雄，貝萊星的高級官員已經獲悉事件的梗概，個個都急著要來迎接你。事實上，你早已成了這艘船上的英雄。幾乎所有的船員都自告奮勇要替你送這件衣服來，他們全部爭先恐後想要湊到你身邊，好沾沾你的光。」

「轉變真大啊。」嘉蒂雅淡淡地說。

「正是如此。尼斯——那個被你的丹尼爾教訓了……」

「我記得他是誰，丹吉。」

「他很希望正式向你道歉，而且會把那四個夥伴一起帶來，好讓他們也有機會道歉。他還要當著你的面，猛踹那個對你出言不遜的傢伙。他這個人並不壞，夫人。」

「這點我絕不懷疑。讓他放心吧，我不但原諒了他，也把整件事拋到九霄雲外了。如果你能安排一下，我願意——願意在下船之前跟他握握手，其他船員要來也歡迎，但你絕不能讓他們圍

在我身邊。」

「我瞭解，可是到了貝萊城——也就是貝萊星的首都之後，我就無法保證不會有人蜂擁而上了。一定會有些政府官員為了累積政治資本而設法親近你，和你一起向群眾答禮，我想擋也擋不住。」

「耶和華啊！你們的老祖宗一定會這麼說。」

「著陸後就別再這麼說了，夫人。這個口頭禪只有他能用，別人如果脫口而出，會被視為沒品味的——很抱歉，夫人，你將見識到各式各樣毫無意義的虛禮和俗套，演講啦，歡呼啦等等。」

她若有所思地說：「我可沒興趣，但我想那是推不掉的。」

「的確推不掉，夫人。」

「這種事會持續多久呢？」

「直到他們厭煩為止。或許好些天吧，但會不時換換花樣。」

「我們又要在這個世界待多久呢？」

「直到我自己厭煩為止。抱歉，夫人，我有很多事要做——很多地方要去——很多朋友要拜訪——」

「還有很多愛要做。」

「唉，這是人之常情。」丹吉咧開嘴，露出燦爛的笑容。

「你什麼都做，就是不會感情用事。」

「算我的缺點吧，我無法讓自己感情用事。」

嘉蒂雅微微一笑。「你現在並不算百分之百神智清醒，對不對？」

「我從未說自己清醒。不過，這個問題就暫且擱下吧。請記住我還得替全體船員著想，他們也要去看看家人和朋友，也要好好睡幾覺，也要四處找找樂子——此外，這艘船的感受我也得顧慮到，要替它進行修理維護，還要補充燃料和補給品。總之瑣事一大堆。」

「這些瑣事總共要花多少時間？」

「可能好幾個月，誰說得準呢？」

「這段時間我要怎麼打發？」

「你大可看看我們的世界，拓展一下視野。」

「你們的世界又不是銀河知名的遊樂園。」

「說得太好了，但我們會盡量讓你不覺得無聊。」他看了看手錶，「再告誡你一件事，夫人，千萬別提你的年齡。」

「我有必要提嗎？」

「可能會不經意提到。比方說，你應邀在某個場合說幾句話，於是你說：『真開心，我活了超過兩百三十歲，今天終於見到貝萊星的民眾。』如果你很容易說出這樣的開場白，一定要忍住。」

「別擔心。反正我壓根兒不愛講那麼肉麻的話——不過，我純粹只是好奇，能否請問為什麼？」

「很簡單，最好別讓他們知道你的年齡。」

「可是他們早就知道了，不是嗎？他們知道你的老祖宗是什麼時代的人，也知道我是他的好朋友。莫非他們竟然以為——」她用銳利的目光望著他，「我是那個嘉蒂雅的後代？」

「不，不，他們知道你是誰，也知道你多大年紀，但這些事都裝在他們腦子裡。」他敲敲自

己的額頭，「可是想必你也注意到了，這年頭腦筋靈光的人少之又少。」

「即使在奧羅拉也一樣，我早注意到了。」

「很好，我可不希望這是銀河殖民者的獨家特色。嗯，所以說，你外表看起來，」他頓了頓，仔細估量了一番。「四十，也許四十五歲。他們的小腦會接受這個年齡——一般人通常都用小腦思考，不是嗎？但如果你當眾公布實際年齡，可就另當別論了。」

「真的會有什麼不同嗎？」

「不會嗎？聽好，銀河殖民者一般都不喜歡機器人，也不會希望擁有機器人，這是我們和太空族不同之處，而我們為此感到驕傲。倍增的壽命可就不同了，四百歲足足是一百歲的四倍。」

「我們很少有人真正活到四百歲。」

「而我們很少有人真正活到一百歲。我們努力宣導壽命短的優點——重質不重量、加速演化、不斷創新——但既然知道了活四百歲是有可能的，人們便不會欣然接受一百歲的壽命，所以宣傳過頭一定產生反效果，最好還是少說為妙。他們很少見到太空族，這點你該不難想像，因此沒什麼機會對太空族咬牙切齒，心想對方雖然比我們最老的同胞至少還老一倍，為何看來那麼年輕，而且充滿活力。他們會從你身上看到這些特點，而如果他們把這件事放在心上，他們的日子就不好過了。」

嘉蒂雅憤憤地說：「你要不要安排我做一場演講，告訴他們四百歲的真正意義？要不要我告訴他們，後面一兩百年多麼無趣，人生的黃金時代早已結束，更遑論朋友和舊識大半逝去？還有要不要我告訴他們，比方說子女和家庭會逐漸失去意義；比方說配偶會一再來來去去；比方說其間會穿插無數記憶模糊的雲雨情；比方說你終究會發現自己再也沒有任何想看或想聽的東西，再也無法生出新的想法；比方說你甚至會忘記新事物所帶來的驚喜，而年復一年，你只知道會越活

越無聊？」

「貝萊星人不會相信這些事，我自己應該就不相信。請問這是你瞎掰的，還是每個太空族都有這種感覺？」

「我只對自己的感受真正有把握，但我見過許多上了年紀的人，他們變得頭腦遲鈍、性情乖戾，越來越沒雄心壯志，甚至越來越冷漠。」

丹吉緊抿著嘴，露出憂鬱的表情。「太空族的自殺率很高嗎？我好像從未聽說過。」

「幾乎等於零。」

「但這就和你剛才那番話矛盾了。」

「你想想！我們周圍總是有些盡心盡力保護我們的機器人。只要這些眼明手快的機器人跟在身邊，我們就休想自殺，我甚至懷疑從來沒有人動過這個念頭。我自己更是做夢都不會想到，原因很簡單，我難以想像對我家的機器人，尤其是丹尼爾和吉斯卡而言，這種事會造成多大的打擊。」

「你也知道，他們並非真正的生命，他們並沒有感情。」

嘉蒂雅搖了搖頭。「你會這麼說，是因為你從未跟他們生活在一起——總之，我認為你高估了你們那些同胞對長壽的渴望。你知道我的年齡，你熟悉我的外表，但這並未對你造成任何困擾。」

「因為我堅信太空族世界一定會逐漸衰亡，殖民者世界才是人類未來的希望，而我們的短壽命正是這點的保證。對於你剛才的說法，我姑且照單全收，所以就更加確定了。」

「別太肯定。你們自己也可能會遇到無法克服的問題——即使目前還沒有。」

「那當然是有可能的，夫人，但我現在必須告退了。太空船即將著陸，我得英明神武地盯著

飛行控制電腦，否則再也不會有人相信我是船長了。」

他離去後，她悶悶不樂地發了一會兒呆，雙手不停扯弄那個裝著連身服的塑膠袋。

當初在奧羅拉，她早已達到心如止水、任由生命靜靜流逝的境界。隨著一餐又一餐，一天又一天，一季又一季慢慢溜走，那種平靜幾乎令她變得遲鈍，難以察覺自己唯一等待的就是生命中的最後一場冒險——死亡。

如今，她去了一趟早已成為歷史的索拉利，喚醒了早已塵封多年的幼時記憶，平靜的心境因而給攪亂了——或許永遠無法恢復——因而現在的她彷彿赤身裸體般面對著充滿凶險的未來。

一去不返的平靜，能換來什麼呢？

她突然發覺吉斯卡正用暗紅色的眼睛望著自己，於是說：「幫我穿上吧，吉斯卡。」

32

氣溫很低。天上烏雲密布，半空中閃耀著非常細微的雪絲，陣陣寒風還從地上捲起一片片的雪花。嘉蒂雅放眼望去，著陸場外一堆又一堆的白雪隱約可見。

而那些左一堆右一堆的人群，則被柵欄擋在一段距離之外。人人穿著花色式樣不一的連身服，看不出高矮胖瘦，個個都像是長著眼睛的氣球。有些人還戴著透明眼罩，臉部因而閃閃發亮。

嘉蒂雅用露出手套的手指按到自己臉上。除了鼻子，她覺得整個頭臉都很暖和。這套連身服不只能禦寒，似乎還能自行散發熱氣。

她回頭看了看，丹尼爾和吉斯卡都在附近，兩人也都穿著連身服。

當初她曾表示抗議：「他們對寒冷並不敏感，不需要穿連身服。」

「這點我絕不懷疑，」丹吉答道：「但你一再強調去哪裡都要帶著他們。我們可不能讓丹尼

爾穿得太單薄，那樣似乎違反自然。而且為了避免引發敵意，我們多少要掩飾一下你隨身帶著機器人的事實。」

「他們一定會知道這件事。吉斯卡就算穿著連身服，他的臉孔也會洩漏身份。」

「他們或許會知道，」丹吉說：「但應該不會特別想到——除非有什麼引起他們的注意，所以我們要盡量避免。」

回過神之後，她發現丹吉正在打手勢，要她鑽進一輛有著透明玻璃和透明天窗的地面車。

「我們在行進間要讓他們看得見，夫人。」他笑著說。

嘉蒂雅鑽進地面車並靠窗坐下，丹吉跟著進來，坐到了另一側。「我是『副英雄』。」他說。

「你看重這個頭銜嗎？」

「喔，當然。這代表我的船員能夠獲得一筆獎金，而我自己則可能有晉升的機會，我可不會故作清高。」

丹尼爾和吉斯卡也上了車，坐在他們兩人對面。丹尼爾面對著嘉蒂雅，吉斯卡面對著丹吉。在他們前面有一輛完全密封的地面車，後面還跟了一整排，至少有十幾輛。只見圍觀的群眾不停地歡呼，拚命地揮手，丹吉帶著笑容舉手答禮，並示意嘉蒂雅也跟著做，她只好虛應故事地揮了揮手。車內很暖和，她的鼻子不再麻木了。

她說：「車窗上有些相當刺眼的閃光，能不能除掉？」

「當然可以，但我們不會那麼做。」丹吉說：「因為那是個最不起眼的力場。外面有許多熱情的民眾，雖然通通被搜過身，還是可能有人夾帶了武器，我們可不希望你受到傷害。」

「你的意思是，可能有人想殺害我？」

（這時，丹尼爾正以平靜的目光掃瞄左側的人群，吉斯卡則負責掃瞄另一側。）

「可能性非常小，夫人，但你是太空族，而銀河殖民者一向不喜歡，甚至痛恨太空族。有些人或許還恨過了頭，以致在他們眼中，你成了太空族的代表——可是別擔心，即使有人想害你，也不會成功的——不過正如我所說，發生的可能性非常小。」

車隊開始動了，以非常平穩的速度同步前進。

嘉蒂雅嚇了一跳，差點站了起來。在隔板前方的駕駛座上，根本不見任何人影。「誰在開車？」她問道。

「這種車完全電腦化。」丹吉說：「我猜太空族的車輛不太一樣？」

「我們有機器人負責駕駛。」

丹吉繼續朝外面揮手，嘉蒂雅下意識地跟著他的動作。「我們沒有機器人。」他說。

「可是電腦和機器人本質上是一樣的。」

「電腦並沒有酷似人類的外形，不會特別引人注意。姑且不論在科技上多麼相似，兩者在心理上卻是天差地遠。」

這時車隊來到鄉間，嘉蒂雅不禁感到心頭沉重。就算現在是冬季，也不該呈現這種淒涼的景象。放眼望去，只有零零星星幾叢光禿禿的灌木，偶爾才會出現一棵發育不良的大樹——光是那種不死不活的外觀，就令人覺得這片大地毫無生氣。

丹吉注意到她一臉沮喪，並將這個表情和她的目光聯想到一起了。「現在看起來是不怎麼樣，夫人。不過到了夏天，景色就不差了。你會看到綠草如茵的田野、果園、農田……」

「森林呢？」

「沒有野生森林。這個世界還在成長，還在逐漸成形。其實目前為止，我們才花了一百五十

多年而已。第一步，是利用進口的種子，協助最早的殖民者培育庭院作物。然後我們再將各種魚類和無脊椎動物引進海洋，盡可能建立一個自給自足的生態系。海洋的化學成分如果合適，這個過程會相當簡單；否則的話，就必須進行廣泛的化學改造，這顆行星才能住人——我們從未真正試過這個辦法，但早已有人提出各種相關方案——最後，我們才會設法讓土地肥沃起來，這總是最困難而且最慢的一步。」

「每個殖民者世界都照做了嗎？」

「都正在照著做，並沒有任何世界真正完工。貝萊星是最古老的殖民者世界，連我們都還在努力呢。再過兩三個世紀，殖民者世界就會個個豐饒肥沃，而且充滿生氣——不論海陸皆然——不過到了那個時候，又會出現許多更年輕的世界，正在一步步展開改造。我相信太空族世界也經歷過這種階段。」

「那是很多世紀以前的事——而且，我想並沒有那麼辛苦，我們有機器人協助。」

「我們會克服萬難。」丹吉簡潔有力地答道。

「那麼土生土長的生物呢——我是說，在人類抵達之前，就生長在這個世界上的動植物呢？」

丹吉聳了聳肩。「通通微不足道，都是些軟弱無力的小東西。科學家當然感興趣，所以在某些水族館、植物園和動物園，還能見到那些原生的物種。此外，因為仍有大規模海域和大片的陸地尚未經過改造，那些處女地仍有許多野生的原生物種。」

「可是那些處女地終究會被改造的。」

「希望如此。」

「難道你不覺得，其實那些微不足道、軟弱無力的小東西才是這顆行星的主人？」

「不覺得，我並沒有那麼感性。智慧生物才是這顆行星，乃至整個宇宙的主人。太空族也該同意這個觀點，不然索拉利上的原生物種到哪兒去了？還有奧羅拉的呢？」

從航站出發便一路顛簸的車隊，這時終於來到了平坦的路面，路旁偶爾有些低矮的圓頂建築。

「首都廣場。」丹吉低聲說：「這兒是我們這個世界的政治中心。首長辦公廳、行星議會、行政大樓等等都在此地。」

「抱歉，丹吉，可是我覺得不怎麼起眼，這些建築個個又矮又沒特色。」

丹吉微微一笑。「你只看到冰山的一角，夫人。那些建築其實都在地底——而且彼此相通。事實上，它是個單一的建築群，而且仍在成長中。要知道，它自成一個小城市。和周遭的住宅區加在一起，就構成了所謂的貝萊城。」

「你們打算最後把一切都地下化？整座城市？整個世界？」

「沒錯，大多數人都期待建立一個地底世界。」

「據我瞭解，地球上就有地底城市。」

「的確如此，夫人，就是所謂的『鋼穴』。」

「所以說，你們是在模仿？」

「並非單純的模仿。我們加入一些自己的想法，而且……夫人，我們停下來了，隨時可能會有人請我們下車。如果我是你，會趕緊把連身服的開口封起來，廣場冬季的刺骨寒風可是名不虛傳的。」

經過一番手忙腳亂，嘉蒂雅終於讓連身服的開口乖乖就範。「你剛才說，並非單純的模仿。」

「沒錯，我們在設計地底世界時，把氣候因素考慮進去了。整體而言，此地的氣候比地球上惡劣了些，所以需要對建築物做些許改良。只要好好設計，幾乎不必浪費能源，就可以讓建築群冬暖夏涼。事實上，我們在冬季用以取暖的熱量，的確有部分來自夏季的儲藏；另一方面，夏天所用的消暑冰塊，則是前一個冬天留存下來的。」

「通風系統呢？」

「通風會用掉一些儲備能源，但是不會用光。這行得通的，夫人，而且總有一天，我們的建築會媲美地球的規模。當然，那是我們最終的目標——讓貝萊星成為另一個地球。」

「我從不知道地球這麼受人崇敬，甚至成了衷心模仿的目標。」嘉蒂雅輕描淡寫地說。

丹吉轉過頭來，狠狠瞪了她一眼。「在銀河殖民者面前，夫人，請別開這種玩笑——甚至我也不例外。地球可不是開玩笑的材料。」

嘉蒂雅說：「很抱歉，丹吉，我並沒有那個意思。」

「你原來不知道，現在你知道了。走，我們出去吧。」

車子的側門靜悄悄地滑開，丹吉隨即轉身走了出去。然後，他一面伸手扶嘉蒂雅下車，一面說：「你知道吧，你要在行星議會致詞，凡是擠得進來的政府官員都不會缺席。」

這時，嘉蒂雅已經抓住丹吉的手，而且已經感覺到冷風吹痛自己的臉，一聽到這句話，她突然向後一退。「我得致詞？沒人告訴我啊。」

丹吉顯得很驚訝。「我以為你會覺得這種事是理所當然的。」

「嗯，你錯了。我沒辦法致詞，我從來沒做過這種事。」

「你非做不可。沒什麼可怕的，只是在冗長而無聊的歡迎詞之後，簡單說幾句罷了。」

「可是我能說什麼呢？」

「不必語出驚人，我向你保證。只要說些愛與和平之類的空話——讓他們陶醉半分鐘即可。如果你需要，我可以幫你打個草稿。」

嘉蒂雅終於從車中走出來，兩個機器人則緊跟在後。她的腦袋亂成了一團。

第九章 演說

33

一走進那座建築，他們隨即脫去連身服，交給接待人員，而丹尼爾和吉斯卡也有樣學樣。接待人員先機警地瞥了吉斯卡一眼，才如臨大敵般向他走去。

嘉蒂雅緊張兮兮地調整了一下鼻孔濾器。在此之前，她從未面對這麼一大群短壽命的人類——而她心知肚明（因為一直有人這麼說）他們之所以壽命短，原因之一是個個身上帶有慢性傳染病和無數的寄生蟲。

她悄聲問道：「我能拿回自己的連身服嗎？」

「你不會穿到別人的。」丹吉說：「會有專人負責保管，還會做輻射消毒。」

嘉蒂雅謹慎地四下望了望，甚至覺得連目光接觸都可能有危險。

「那些是什麼人？」她指著幾個身穿鮮豔服裝，而且顯然帶著武器的人。

「保安警衛，夫人。」丹吉說。

「這裡也需要？這不是政府機關嗎？」

「絕對需要。當我們上台時，還會有一道力場幕擋在我們和聽眾之間。」

「你們不信任自己的立法機關？」

丹吉露出似笑非笑的表情。「不完全信任。這兒仍算是草莽世界，自有一套叢林法則。我們還沒有把惡勢力剷除乾淨，也沒有機器人監督保護我們。更何況，我們還有一個好戰的少數黨，也就是所謂的鷹派。」

「鷹派是什麼？」

這時大多數的貝萊星人都已經脫去連身服，正在享用飲料。周遭一片嘈雜的交談聲，有不少人盯著嘉蒂雅猛瞧，但就是沒有人上前跟她攀談。事實上，嘉蒂雅發覺眾人都刻意避免太過接近自己。

丹吉注意到了她左顧右盼的目光，也猜到了是怎麼回事。「他們都已經獲悉，」他說：「你希望和別人保持一點距離。我想，他們都能理解你生怕受到感染。」

「但願他們不會覺得這是羞辱。」

「這很難講，但你身邊顯然有個機器人，而大多數貝萊星人也生怕受到它們的感染，尤其是那些鷹派。」

「你還沒說他們到底是什麼人。」

「只要有時間，我一定會說。再過一會兒，我們這些要上台的人就得往前走了——大多數的銀河殖民者都認為銀河遲早是我們的，太空族絕不可能贏得這場擴張競賽。我們也知道這需要時間，我們自己是看不到了，連我們的下一代都可能看不到。我們心裡有數，說不定需要上千年的時間。那些鷹派卻不願等，他們想要立刻付諸實現。」

「他們想開戰？」

「他們並沒有真的這麼說，也並沒有自稱鷹派。所謂的鷹派，是我們這些頭腦清醒的人對他們的稱呼。他們自稱地球至上主義者，道理很簡單，只要打著地球至高無上的旗幟，你就很難跟他們爭辯什麼。我們都有這樣的心願，只是大多數人並不會期待明天就能實現，更不會因此而老羞成怒。」

「那些鷹派會攻擊我嗎？我是說真正動手？」

丹吉做了一個往前走的手勢。「我想我們得開始移動了，夫人，他們要我們排成一列——不，我認為你並不會遭到任何攻擊，但小心點總是好的。」

丹吉示意她排進隊伍中，嘉蒂雅卻不肯挪步。

「我要丹尼爾和吉斯卡陪我，丹吉。如果沒有他倆跟著，我還是哪裡也不去，甚至不要上台，尤其是在你跟我說了那些鷹派的事蹟後。」

「你要求太多了，夫人。」

「恰恰相反，丹吉，我並沒有做任何要求。我要你立刻帶我——還有我的機器人回家。」

然後，嘉蒂雅緊張地望著丹吉走向一小群官員。只見他微微欠身，雙臂交叉放在腰際。在她想來，這應該就是貝萊星人表達敬意的姿勢。

她並未聽見丹吉說了些什麼，可是心中不由自主冒出一個不祥的預感。萬一有人要強行將她和她的機器人拆散，丹尼爾和吉斯卡一定會盡可能設法阻止。他們的動作既快又精準，不至於造成實際傷害——但保安警衛仍會立刻開火。

她得不計一切代價避免這種悲劇——假裝是自己不希望丹尼爾和吉斯卡跟著，並明白表示要他們在台下等她。但她怎麼做得到呢？她一輩子沒有離開過機器人，一旦這麼做，她還能有安全感嗎？但除此之外，還有什麼辦法突破這個困境呢？

丹吉終於回來了。「你的英雄身份，夫人，是個很管用的籌碼。還有，當然啦，我是個很有說服力的人。你的機器人可以跟你一起上台，他們會坐在你後面，但聚光燈不會打到他們身上。還有，看在老祖宗的份上，夫人，別讓他們引起任何注意，看他們一眼都不行。」

嘉蒂雅如釋重負地吁了一口氣。「你真是個好人，丹吉。」她用顫抖的聲音說：「謝謝你。」

她走到了隊伍的前端，丹吉站在她左邊，丹尼爾和吉斯卡緊跟在後。在他們四人後面，則是一長串有男有女的政府官員。

一名女性舉著一根似乎象徵職權的手杖，將這個隊伍仔細審視了一遍，然後點了點頭，走到隊伍最前面，開始率領大家往前走。

嘉蒂雅注意到前方響起音樂，像是一首曲式簡單而且不斷重複的進行曲，不禁納悶是否應該踏著某種特定的步伐前進。（她在心中告訴自己，不同的世界有不同習俗，千變萬化到了不可思議的程度。）

她用眼角瞥了瞥丹吉，發現他正一派輕鬆地向前走去，甚至有點無精打采的樣子。她不以為然地噘起嘴來，隨即刻意抬頭挺胸，一步步照著節拍走。在欠缺指導的情況下，她要用自己的方式走完這段路。

一行人終於來到台上，與此同時，好些椅子從地板中緩緩升起。隊伍散了開來，丹吉趕緊輕拉她的袖子，示意她跟著自己走，而兩個機器人仍然尾隨在她身後。

她根據丹吉的指引，站到一張椅子前面。這時音樂越來越大聲，燈光卻不如先前那麼明亮。然後，經過了一段近乎永無止盡的等待，她終於覺得被丹吉輕按了一下，這才和其他人一起坐下來。

她察覺到眼前的確有個微微發亮的力場幕，將他們和幾千名聽眾隔了開來。階梯式的座位越往後面越高，看得出來座無虛席。聽眾一律穿著素色的服裝，不是褐色就是黑色，而且男女皆然（雖然她只能勉強分辨各人的性別）。站在通道上的保安警衛則穿著綠色和深紅色的制服，無疑是要讓人一眼就能認出來（不過，嘉蒂雅心想，這也讓他們成了最顯眼的目標）。

她轉向丹吉，壓低聲音說：「你們的立法機關可真龐大。」

丹吉微微聳了聳肩。「我想，在政府機關任職的人無一缺席，還帶了配偶和客人一起來。這代表他們對你的愛戴，夫人。」

她將台下的聽眾左右來回掃瞄了一遍，然後故意繼續側著頭，利用眼角的餘光試著搜尋丹尼爾和吉斯卡——只為了確定他們的確在台上。不久她便想到瞥一眼絕不會讓天塌下來，於是大大方方轉過頭去。他們果然在她後面，但與此同時，她也瞥見氣得翻白眼的丹吉。

大廳突然暗成昏黑的一團，而聚光燈則猛然照到台上，令她不禁嚇了一跳。

那個被聚光燈照到的人隨即站起來，開始侃侃而談。他的聲音不算多麼嘹喨，但嘉蒂雅卻聽得見從遠處牆壁反彈回來的細微回聲。在這座大廳中，聲音一定無孔不入吧，她這麼想。這到底是怎麼做到的——是藉由某種巧妙隱藏的放大裝置，還是大廳的設計考慮到了聲學原理？雖然無從確定，但她鼓勵自己在腦海中繼續尋思，這麼一來，她就可以暫時不必專心聽講。

不知過了多久，台下某個角落突然傳來很輕的一聲「只會打高空！」要不是這座大廳的結構完全符合聲學原理（姑且這麼假設吧），她或許根本聽不到。

雖然完全不懂那是什麼意思，但台下既然爆出一陣輕微的竊笑，她猜應該是一句粗話。那陣笑聲幾乎立刻消失，接下來的鴉雀無聲則令嘉蒂雅相當佩服。

或許是由於大廳設計得太好，任何聲音都能傳得很遠，因此聽眾若不保持肅靜，便會產生令人難以忍受的噪音和騷動。一旦建立起肅靜的慣例，噪音自然成為禁忌，聽眾就絕不可能不遵守了——那句「打高空」是在激動之餘脫口而出，屬於例外中的例外，她這麼猜想。

嘉蒂雅發覺自己的思緒逐漸有些模糊，眼睛也快閉起來了。想到這裡，她猛然坐直身子。那麼多貝萊星人都是專程來向她致敬的，萬一她在典禮中打起瞌睡，那可是對他們的奇恥大辱。她試圖藉著專心聽講來保持清醒，但似乎只有反效果。她只好改用別的辦法，咬咬自己的口腔，並

且開始深呼吸。

前後共有三名官員一個接一個致詞，好在他們都算善體人意，講得都不算太長。然後，聚光燈照到了她的左側，丹吉隨即起身，嘉蒂雅這才完全清醒過來。（她是否真的沒撐住，在幾千雙眼睛注視下打了一會兒瞌睡？）

丹吉站在原地，準備開始發言。他雙手拇指勾在皮帶上，看起來萬分自在。

「貝萊星親愛的男女老幼，」他開口了，「諸位首長、諸位立法者、諸位可敬的領導人，以及這個世界上所有的同胞。你們都已經聽說在索拉利上發生了什麼事，你們都知道我們的任務圓滿成功，也都知道來自奧羅拉的嘉蒂雅女士功不可沒。現在，讓我來向在場諸位，以及正在觀看超視的所有同胞們，報告一下詳細經過。」

他開始依照自己的版本講述這件事的始末，一旁的嘉蒂雅聽來不禁又好氣有好笑。關於自己遭到人形機器人狠狠修理的經過，他僅僅輕描淡寫地簡單帶過。除此之外，他對吉斯卡隻字未提，還盡量貶低丹尼爾的角色，卻不遺餘力地強調嘉蒂雅的貢獻。於是，整起事件被簡化成兩個女人——嘉蒂雅和蘭達莉的對決，而致勝關鍵則是嘉蒂雅的勇氣以及權威感。

最後丹吉說：「現在讓我為大家介紹嘉蒂雅女士，論血統她是索拉利人，論身份她是奧羅拉公民，但若論英勇行徑，她就是不折不扣的貝萊星人——」（這時台下響起前所未有的熱烈掌聲，嘉蒂雅記得很清楚，其他致詞者獲得的掌聲一律稀稀落落。）

丹吉舉起雙手，台下立刻安靜下來。他這才接著說：「——現在請她為我們講幾句話。」

嘉蒂雅發覺聚光燈照到自己身上，不禁驚慌失措地瞪著丹吉。這時掌聲還繼續傳到她耳朵裡，而丹吉同樣在使勁鼓掌。在掌聲的掩護下，他傾身湊到她耳邊說：「你愛他們每一個人，你渴望和平，但你不是議員，不習慣小題大作說個沒完。就這麼講，講完就坐下。」

但她只是望著他，露出一副大惑不解的表情。她太緊張了，根本不知道他在說什麼。

她終於站了起來，望向台下一排又一排的聽眾。

34

嘉蒂雅放眼望去，突然覺得自己很渺小（但可以肯定，這並非生平第一次）。台上所有的男士都比她高，甚至三名女士也不例外。在她的感覺中，自己雖然站了起來，還是比其他坐著的人矮了許多。至於台下那些聽眾，那些屏息等待、給她帶來無比壓力的聽眾，她則感到相當肯定，他們個個都比自己高大健壯。

她深深吸了一口氣，開口道：「各位好朋友——」不料只發出氣若游絲的聲音。她清了清喉嚨（這一聲卻似乎有如雷鳴），然後又試了一遍。

「各位好朋友！」這回她的聲音大致恢復正常，「你們大家都是地球人的後裔，沒有任何人例外，而我也一樣。銀河中每一個住人世界——不論太空族世界、殖民者世界或是地球本身——上面的人類若非土生土長的地球人，就一定是地球人的後裔。在這個大前提下，所有的差異都變得微不足道了。」

她向左瞟了丹吉一眼，發覺他臉上帶著非常淡的笑意，一邊的眼皮還在微微顫動，彷彿正要對她眨眼睛。

她繼續說下去：「我們的一切思想和行動，都該以這個大前提為指導原則。我感謝大家視我為同胞，而且毫無條件地接納我；雖然你們大可將我歸為異類，事實上並沒有人這麼做。衝著這一點，大家就不只是我的朋友，更是我的兄弟姊妹。推而廣之，我希望不久之後，全銀河一百六十億生活在充滿愛與和平之中的同胞，再也不會認為自己還有人類以外的第二種身份。」

全場突然響起如雷般的掌聲，嘉蒂雅瞇起眼睛，覺得鬆了一口氣。這代表聽眾不但覺得她講

得好，而且——更重要的是——覺得告一段落了。她繼續站著以便接受喝采，直到掌聲稍歇，才帶著微笑左右各鞠一躬，準備坐下來。

這時聽眾席突然傳來一句：「你為何不說索拉利方言？」

她吃了一驚，再也坐不下去了，就這麼彎著身子望著丹吉。

只見他輕輕搖了搖頭，做了一個「別理他」的嘴形，並盡可能以不顯眼的方式示意她趕緊坐下。

她瞪了他一兩秒鐘，才意識到自己擺了一個不雅的姿勢，屁股正懸在半空中。她立刻站直身子，衝著台下微微一笑，同時慢慢從左到右將聽眾席掃視了一遍。這時，她首度注意到後方那些對準自己的攝影鏡頭。

當然啦！丹吉提到過這個典禮會以超波進行實況轉播。但現在似乎沒什麼大不了的了，她已經致完詞，已經接受了喝采，現在她能抬頭挺胸，毫不畏怯地面對眼前這些聽眾。所以說，那些看不見的觀眾又算什麼呢？

她帶著微笑說：「我想這個問題的出發點是善意的，你是要我示範一下我的語言能力。你們有多少人想聽我說索拉利方言？別猶豫，請舉手。」

一些人舉起手來。

嘉蒂雅說：「索拉利上的那個人形機器人曾聽到我講索拉利方言，這件事成了致勝的關鍵。好——讓我看看有哪些人希望我當場示範一下？」

舉手的人又多了一些，而不久之後，台下幾乎全部舉起手來。嘉蒂雅忽然覺得有人在扯她的褲腳，立刻揮手將他揮開。

「很好。親愛的兄弟姊妹，你們可以把手放下了。大家都知道，我現在講的是銀河標準語，

也就是你們通用的語言。然而，我所講的是奧羅拉式的銀河標準語，我知道你們雖然聽得懂，但可能會覺得我的發音很可笑，偶爾還會覺得我的遣詞用字有點不知所云。你們也該注意到了我說話時有明顯的抑揚頓挫——幾乎好像在唱歌。只要不是奧羅拉人，聽來總是覺得滑稽，就連其他太空族也不例外。

「另一方面，如果我改說索拉利式的銀河標準語，也就是現在這個腔調，大家立刻會注意到抑揚頓挫消失了，而低沉的打舌音則沒完沒了——尤其是碰到不該打舌的字眼，這個特色就特別明顯。」最後這句話，她故意極其誇張地打舌。

台下爆出一片笑聲，嘉蒂雅則以一臉嚴肅來回應。最後，她終於舉起雙手，做了兩個俐落的手勢，笑聲隨即戛然而止。

「然而，」她繼續說：「我可能再也不會回索拉利，所以再也沒有機會使用索拉利方言了。而我們偉大的貝萊船長——」她轉過頭去，朝他的方向微微欠身，這才注意到他的額頭冒出不少冷汗。「則告訴我，說不準什麼時候才能送我回奧羅拉，所以我恐怕也不能再說奧羅拉方言了。這麼一來，貝萊星的方言便成了我唯一的選擇，我最好立刻開始練習。」

她假想腰際有一條皮帶，將雙手勾在上面，然後挺起胸膛，拉長下巴，臉上掛著丹吉那種不自覺的咧嘴淺笑，並刻意以低沉的聲音說：「貝萊星親愛的男女老幼，諸位首長、諸位立法者、諸位可敬的領導人，以及這個世界上所有的同胞——這樣應該通通點到了，大概只漏掉了那些不可敬的領導人——」她盡可能發出一個個「喉塞音」，而且故意把「可」這個字唸得好像倒抽一口氣。

這回笑聲更為響亮，而且持續得更久了，嘉蒂雅則面帶微笑，靜待笑聲自動結束。畢竟，這回她是在鼓勵他們自己笑自己。

等到全場終於平靜下來，她改回規規矩矩的奧羅拉腔，簡潔有力地說：「任何方言——對於不熟悉的人來說——都很可笑，或說都很奇特，而這就很容易把人類劃分成不同的——而且經常是互有敵意的——許多族群。然而，方言只是嘴巴發出的語言。反之，無論你我或任何一個住人世界上的任何一個人，應該傾聽的卻是內心的語言——那就沒有什麼方言不方言了。只要我們願意傾聽語言本身，任何方言聽起來都沒有任何差異。」

應該可以了。她正準備坐下，台下卻又冒出另一個問題，這回是個女子的聲音。

「你多大年紀？」

丹吉抿著嘴巴低聲咆哮：「坐下，夫人！當作沒聽見。」

嘉蒂雅轉頭望向丹吉，他已經準備要站起來。台上其他來賓也個個緊張地把頭擺向她這個方向——雖然聚光燈的強光令她看得不太真切。

她轉過頭來對著台下，用嘹亮的聲音喊道：「台上的人都要我坐下來。請問台下的你們有多少人附和這個要求？——你們怎麼都沉默了——又有多少人希望我繼續站在這裡，誠實地回答這個問題？」

台下響起一片喝采，眾人高喊：「回答！回答！」

嘉蒂雅說：「這是群眾的聲音！丹吉，以及在座諸位貴賓，很抱歉，我有義務回答這個問題。」

她抬起頭來，瞇著眼睛望向聚光燈，提高音量道：「我不知道是誰在控制燈光，請恢復大廳的照明，然後關掉聚光燈。我不管超波攝影機能否繼續運作，只要確定聲音傳得出去就行了。觀眾只要聽得到我的聲音，就不會在乎我的影像清不清楚。對不對？」

「對！」眾人異口同聲答道，接著「開燈！開燈！」的呼聲便此起彼落。

台上某名官員無可奈何地做了一個手勢，台下隨即大放光明。

「這樣好多了。」嘉蒂雅說：「兄弟姊妹們，現在我能看到大家了。我尤其希望看到剛才那位提問者，也就是問我年紀多大的那位女士，我希望能直接跟她當面對話。請不要閃躲也不必害羞，既然你有勇氣提出這個問題，就該有勇氣大大方方再問一次。」

她等了一會兒，終於看到一名女子從中間那幾排站了起來。她有著淡棕色的皮膚，一頭黑髮緊緊束在腦後。她穿著一套深褐色的貼身服裝，足以突顯她苗條的身材。

她以有點刺耳的聲音說：「我不怕站出來，也不怕把我的問題再說一遍。請問你有多大年紀？」

嘉蒂雅冷靜地面對著她，甚至感到有點喜歡這種對峙的場面。（這怎麼可能呢？她在三十歲前所接受的教化，將她制約成難以忍受任何人出現在她面前，就算只有一個人也一樣。現在看看她——居然毫無懼色地面對幾千名聽眾。她雖然有幾分驚訝，可是十分高興。）

嘉蒂雅開口道：「請別坐下，女士，讓我們當面交換一下意見。年齡該如何計算呢？根據一個人活在世上的年數嗎？」

那位女士神態自若地答道：「我叫馨卓．蘭比德，是行星議會的一員，也就是船長口中的『立法者』和『可敬的領導人』之一，至少我自己希望是『可敬的』。」（台下隨即笑成一團，聽眾的興致似乎越來越高了。）「現在我回答你的問題：我認為通常所謂的年紀，就是指一個人到底在世上活了多少銀河標準年。因此根據這個定義，我今年五十四歲。請問你多大年紀？方不方便給我們一個數字？」

「沒問題。從我出生至今，已經過了兩百三十三個銀河標準年，所以我今年兩百三十三歲——或說是你的四倍再多一點。」嘉蒂雅刻意站得筆直，她心知肚明，嬌小的身材再加上昏暗的

光線，使得此時的她看起來簡直就像小孩。

台下響起一陣交頭接耳聲，還有一下輕哼從她的左邊傳來。她很快瞥了一眼，只見丹吉一隻手按著額頭。

嘉蒂雅說：「但這種計算時間的方式是全然僵化的，它所衡量的是數量而非品質。我這一生過得很平靜，甚至有人會說十分無趣。在運作順暢的社會體制保護下，我一輩子幾乎無災無難，但也因此喪失了各種求新求變的機會，再加上身旁永遠少不了機器人，讓我更加無憂無慮——我的日子就是過得這麼刻板。

「我這輩子只有兩次令我感到激動的經歷，偏偏兩次都有悲劇的成分。我在三十三歲，也就是比在座許多人都還年輕的時候，曾有一段時間——還好不算長——捲入一樁謀殺案，而且成了被告。兩年後，又有一段時間——也不算長——我又捲入了另一樁謀殺案。在這兩起事件中，便衣刑警以利亞．貝萊都全力支持我。既然以利亞．貝萊的公子替他寫過一本傳記，我相信你們絕大多數人——甚至或許每一個人——都很熟悉這個故事。

「可是我現在要說，打從上個月起，生平第三樁令我激動的經歷出現了。而在獲悉自己必須站在諸位面前時，我的激動心情達到了頂點——在漫長的兩百多年歲月中，我從未做過類似這樣的事。我必須承認，完全是由於諸位的溫柔敦厚，以及對我的真心接納，我才沒有落荒而逃。

「請大家想想，如果拿你們的一生和我相比，落差有多大啊。你們個個是拓荒者，住在一個有待開拓的世界上。這個世界在你們有生之年不斷成長，將來還會繼續成長下去。而且這個世界尚未塵埃落定，擁有無限的可能，所以每一天都是——一定都是一場冒險。氣候就是最好的例子，冷熱冷熱不斷交替。你們的氣候變化多端，充滿了風霜雨雪。你們沒有時間好好休息一下，因為你們並非住在一個變化緩慢或毫無變化的世界上。

「許多貝萊星人都是行商，或說有志成為行商，將半輩子的時間花在太空旅行上。如果這個世界逐漸變溫馴了，身為居民的你們仍有許多其他選擇，例如遷往另一個開發中的世界，或是加入探尋新世界的行列——一旦找到具有潛力而未有人煙的行星，就可以大展身手，設法將它改造成適於人類居住。

「如果計算年紀的標準是一生的經歷、行誼、成就以及驚喜和激動，那我只能算是幼童，比在座任何一位都還年幼。我生命中絕大多數的歲月都在無所事事中度過，而諸位則剛好相反——所以，蘭比德女士，我請你再講一次，你多大年紀？」

蘭比德微微一笑。「非常充實的五十四歲，嘉蒂雅女士。」

她剛剛坐下，掌聲便響起來，而且持續了好一陣子。在掌聲掩護下，丹吉啞著嗓子問：「嘉蒂雅女士，這種面對難纏聽眾的招數，到底是誰教你的？」

「沒人教我，」她也壓低聲音說：「而我也從未嘗試過。」

「但你還是見好就收吧。現在正要站起來的人可是我們這兒的鷹派領袖，你沒必要面對像他這種人。就說你已經累了，然後就坐下來，讓我們自己來應付畢斯特凡這個老傢伙吧。」

「可是我並不累，」嘉蒂雅說：「我正樂在其中呢。」

嘉蒂雅看到前面幾排最右邊的角落果然站起來一個人，他又高又壯，還有兩道又濃又密的白眉毛。他頭頂上所剩不多的頭髮也全白了，身上的衣服卻幾乎是純黑色——只有手腳的部分鑲有白色條紋，一路延伸到袖子和褲管，彷彿將他的體型勾勒出一個輪廓。

他的聲音低沉而悅耳。「我是湯瑪士．畢斯特凡，」他說：「不過很多人都叫我老傢伙，我想，主要是因為他們希望我真的老了，越快死掉越好。我不知道該如何稱呼你，因為你似乎沒有姓氏，我又跟你不熟，不宜直呼你的名字。而且老實講，我也不希望跟你熟到那種程度。

「沒錯，你曾經在你自己的世界上，打敗你的同胞所暗藏的陷阱和武器，拯救了一艘貝萊星的太空船，對此我們表示感激。而你回敬我們的，則是一堆手足情誼之類的空話。標準的虛情假意！

「你的同胞何時覺得是我們的手足了？太空族又何時覺得和地球以及地球人有任何關係了？毫無疑問，你們太空族是地球人的後裔，這點我們不會忘記，而我們更不會忘記你們已經忘記這個事實。曾有好幾百年的時間，太空族控制著整個銀河，把地球人當成是既討厭又短命而且滿身疾病的動物。現在我們逐漸強大了，你就趕緊對我們伸出友誼之手，可是你手上還帶著手套呢。你提醒自己別對我們嗤之以鼻，但即便如此，你還是在鼻孔裡插著濾器。怎麼樣？我說得對嗎？」

嘉蒂雅舉起雙手。「或許現場所有的聽眾，」她說：「甚至那些透過超波看到我的觀眾朋友，都並未注意到我戴著手套。這雙手套並不顯眼，但是我不否認它們的存在。而我也的確戴著鼻孔濾器，以便在不太影響呼吸的情況下，將塵埃和微生物過濾乾淨。此外我還會定期以噴霧清潔喉嚨，而我洗澡的次數可能也有點過於頻繁，這些我通通不否認。

「可是這些都跟你們無關，而是我自己的問題。我的免疫系統不夠健全，我這一生過得太安逸，暴露在惡劣環境的機會太少了。這並非我自己的選擇，但我必須為此付出代價。像這種不幸的遭遇，如果在座任何一位碰到了，請問你會怎麼做？尤其是你，畢斯特凡先生，請問你會怎麼做呢？」

畢斯特凡繃著臉說：「我會和你一樣那麼做，而且我還會將它視為虛弱的象徵，象徵著我不適合再生存下去，因此應該讓位給真正的強者。你這女人，別跟我們談什麼手足情誼，你絕對不是我的姊妹。你們強盛時只會迫害我們，甚至設法消滅我們，等到你們衰弱了，才會向我們搖尾

乞憐。」

台下出現一陣騷動——而且一點也不友善——但畢斯特凡完全不為所動。

嘉蒂雅輕聲說：「我們在強盛時做過什麼壞事，請問你還記得嗎？」

畢斯特凡答道：「別擔心我們會忘記，我們每天都會回憶一遍。」

「很好！這樣你們就會知道該如何避免了。你們從親身經歷中，明白了恃強欺弱是不對的。因此等到強弱易勢，我們成了弱者之後，你們就不會欺壓我們了。」

「是啊，這種論調我聽多了。當你們強盛時，從來不曉得道德為何物，如今你們居於弱勢，就不遺餘力宣揚道德了。」

「可是另一方面，當你們居於弱勢時，雖然強者的作為令你們膽顫心驚，你們對道德的堅持卻從未動搖——如今你們變成強者，反倒忘記什麼是道德了。相較之下，由強轉弱的一方學到了道德的真諦，當然要比由弱轉強的一方將之遺忘來得好。」

「你們給我們什麼，我們會一一奉還。」畢斯特凡作勢遞出一雙拳頭。

「你該聽過己所不欲，勿施於人這句話吧。」嘉蒂雅伸出雙手，像是要擁抱對方。「既然誰都能從歷史中找到報復的藉口，你現在所說的，朋友，無異於說明恃強欺弱是正當的行為。而這麼一來，你等於替太空族過去的作為找到了正當性，因此你現在根本不該抱怨。反之，我則是一直在強調，我們過去的確不該欺壓你們，而你們將來同樣不該欺壓我們。很遺憾，我們無法改變歷史，可是對於未來，我們仍然有決定權。」

嘉蒂雅頓了頓，但畢斯特凡並未立刻回應，於是她又喊道：「你們有多少人希望有個嶄新的銀河，而不是讓悲慘的歷史一再重演？」

掌聲出現了，畢斯特凡卻舉起雙手，以極其洪亮的聲音吼道：「等等！等等！別當傻瓜！停

下來！」

直到掌聲慢慢消失之後，畢斯特凡才開口道：「你們以為這個女人相信她自己所講的話嗎？你們以為太空族真的對我們有任何善意嗎？他們仍舊認為自己強大，仍舊鄙視我們，而且仍舊打算消滅我們——除非我們先下手為強。這個女人來到此地，我們便像傻瓜一樣歡迎她，褒揚她。嗯，驗證一下她的話吧。你們不妨向太空族世界提出造訪申請，看看能否成行。就算背後有整個世界給你撐腰，像貝萊船長那樣，讓你得以踏上他們的世界，你又會受到什麼樣的待遇呢？問問船長，他有沒有被他們當成兄弟？

「這個女人是偽善的小人，雖然她說了這麼一大堆——不，正因為她說了這麼一大堆，這些話字字句句都在昭示她的偽善。她怨嘆自己的免疫系統不健全，說她必須設法保護自己以免受到感染。她會這麼做，當然並非因為她認為我們又髒又有病。是啊，她從未有過這種想法。

「她又怨嘆一生庸庸碌碌，抱怨過於安定的社會和過度熱心的機器人將她保護得太好，讓她始終無災無難、無憂無慮，她是多麼痛恨那種生活啊。

「可是在這裡，她又會有什麼危險呢？來到我們這個世界，她覺得會有什麼災難降臨到她頭上呢？但她還是帶著兩個機器人同行。今天我們齊聚一堂，是為了向她致敬，為了表彰她的偉大，她居然仍將兩個機器人帶了進來。現在它們就在台上陪著她，既然大廳已經燈火通明，你們應該都看得到。其中之一外形酷似真人，名叫機．丹尼爾．奧利瓦；另一個則傷風敗俗，是赤裸裸的金屬之軀，名叫機．吉斯卡．瑞文特洛夫。貝萊星的同胞們，歡迎它們吧，它們才是這個女人的兄弟。」

「死定了！」丹吉低聲呻吟。

「還沒有。」嘉蒂雅答道。

聽眾好像突然一起皮膚過敏，紛紛伸長了脖子，而「機器人」的驚呼聲則在大廳各個角落響起，在數千人口中傳來傳去。

「大家不必那麼辛苦。」嘉蒂雅開口了，「丹尼爾，吉斯卡，站起來。」

坐在她後面的兩個機器人立刻起立。

「站到我旁邊，一邊一個，」她說：「以免我擋住大家的視線──雖說我無論如何不會把你們擋住多少。

「現在，讓我向大家說明幾件事。這兩個機器人雖然跟我來到此地，但並非為了隨身服侍我。沒錯，在奧羅拉的時候，我的宅邸的確由他們和另外五十一個機器人負責打理。凡是希望由機器人代勞的事，都不必我親自動手，我定居的那個世界就是有這樣的習俗。

「機器人可以根據精密程度、能力以及智慧分成許多不同的種類，而這兩位在各方面都是佼佼者。尤其是丹尼爾，在我看來，凡是能夠和人類互相比較的領域，他的智慧一定比其他機器人更接近人類。

「我這次只帶著丹尼爾和吉斯卡同行，但一路上他們很少服侍我。或許不妨告訴大家，我一律自己穿衣服，自己洗澡，吃飯的時候自己拿刀叉，走路的時候也無需他們攙扶。

「我是不是把他們當成貼身保鏢？不。他們的確會保護我，但他們同樣會保護任何需要保護的人。就在不久之前，我們在索拉利的時候，丹尼爾不但準備犧牲自己來保護我，也曾盡全力保護貝萊船長。如果沒有他，我們的太空船一定會遇難。

「而我此時站在台上，當然更不需要保護。畢竟台上有一道長長的力場，足以保障我的人身安全。雖然並非我要求架設的，但既然有這道力場，我的安全就有了完善的保障。

「所以說，我為什麼要帶著這兩個機器人呢？

「如果你們熟悉以利亞・貝萊的生平事蹟——他從太空族手中解放了地球，他重新開啟了殖民銀河的風潮，他的兒子率隊開拓了這顆行星，不然這裡為何叫貝萊星？——只要你熟悉他的生平，就該知道以利亞・貝萊在認識我之前，早已和丹尼爾共事過。他們曾經在地球、在索拉利以及在奧羅拉上三度合作——偵破三件大案。在丹尼爾心目中，以利亞・貝萊始終是『以利亞夥伴』。我不知道他的傳記中有沒有提到這一點，但你們大可相信我的說法。雖然一開始的時候，身為地球人的以利亞・貝萊對丹尼爾的猜疑很深，兩人之間卻逐漸發展出真誠的友誼。當以利亞・貝萊臨終之際——那是一百六十多年前的事，當時此地只有一堆組合屋和一塊塊的園圃——陪伴他到最後一刻的並不是他的兒子，也不是我。」（有那麼一下子，她擔心自己的聲音無法繼續保持平穩。）「他設法把丹尼爾找來這裡，而且硬撐到丹尼爾抵達才肯斷氣。

「是的，這是丹尼爾第二次造訪這個世界。當年我們雖然一起來，但我留在軌道上。」（穩住！）「是丹尼爾獨自登陸，獨自聽取他的遺言——嗯，請問你們認為這毫無意義嗎？」

她攥著拳頭在空中揮舞，她的聲音也升高了好幾度。「一定要我告訴你們嗎？難道大家還不明白嗎？他就是以利亞・貝萊所愛的那個機器人，沒錯，我說的是愛。我曾想在以利亞死前見他一面，跟他當面話別，他卻只要見丹尼爾——現在丹尼爾就在這裡，他就是那個獨一無二的丹尼爾。

「而另外這位是吉斯卡，他只有在奧羅拉上和以利亞有過接觸，可是他曾經救了以利亞一命。

「假如沒有這兩個機器人，以利亞・貝萊就無法實現他的夢想，太空族世界仍會稱霸銀河，殖民者世界則根本不會出現，你們也通通不會坐在這裡。這個事實你知我知，但我很好奇湯瑪士・畢斯特凡先生知不知道？

「在這個世界上，丹尼爾和吉斯卡是兩個意義非凡的名字。以利亞．貝萊的後代遵照他的囑咐，一再沿用這兩個名字。把我送來這裡的太空船，它的船長就叫丹尼爾．吉斯卡．貝萊。而我很想知道，此時我所面對的聽眾以及正在觀看超波轉播的觀眾，有多少人也叫丹尼爾或吉斯卡？好，我身旁的機器人正是這兩個名字的源頭，他們應該被湯瑪士．畢斯特凡這麼羞辱嗎？」

台下的竊竊私語聲越來越大，嘉蒂雅只好舉起雙手做懇求狀。「再等一下，再等一下，讓我把話說完，我還沒有告訴大家為何要帶著這兩個機器人。」

全場立刻安靜下來。

「這兩個機器人，」嘉蒂雅說：「從來沒有忘記以利亞．貝萊，就像我從來沒有忘記他一樣，上百年的歲月絲毫未曾磨損這些記憶。當我準備登上貝萊船長的太空船，當我獲悉有可能來到貝萊星，我怎能不讓丹尼爾和吉斯卡跟我一起來呢？這是以利亞．貝萊所催生的世界，也是他安享晚年和辭世的地方，他們當然想要親眼看看。

「沒錯，他們是機器人，可是他倆不但有智慧，而且曾經忠實可靠地效命於以利亞．貝萊。我們光是一視同仁地尊重人類還不夠，應該將這份尊重推廣到所有的智慧生物，所以我把他們兩人帶來了。」然後，她衝著聽眾高聲問道：「我做錯了嗎？」

她立刻得到了回應，一聲震耳欲聾的「沒錯！」在大廳中不停迴響。聽眾一一起立，有人鼓掌，有人跺腳，有人大吼，有人尖叫——此起彼落……持續不斷……

嘉蒂雅面帶微笑望著台下，在無止無休的嘈雜聲中，她察覺到了兩件事。一是自己已經汗流浹背，另一件事則是她從來沒有這麼高興過。

彷彿她這一生就是在等待這一刻——從小獨自長大的她，在活了兩百三十多年之後，終於瞭解到自己也能面對人群，而且還能進一步打動他們，讓他們服從自己的意志。

她聽著全場堅定而強烈的回應——此起彼落……持續不斷……

35

好長一段時間之後——她自己也無法確定到底過了多久——嘉蒂雅終於回過神來。

她只記得先是聽到永無止歇的噪音，接著感到保安人員護送她強行穿過人群，最後一行人鑽進了像是無底洞的隧道，開始不斷向下沉。

她早就跟丹吉走散了，也不確定丹尼爾和吉斯卡是否緊跟在後。她想要找他們，偏偏周圍全是陌生的臉孔。她隱約想到這兩個機器人一定會跟著自己，萬一有人試圖攔阻，他們一定會反抗，而她應該就會聽到一陣騷動。

當她終於走進某個房間時，兩個機器人果然跟來了。她並不清楚自己身在何處，但這個房間起碼足夠寬敞，而且足夠乾淨。和她在奧羅拉的宅邸相較之下，這裡的陳設過於簡陋，但比起太空船的艙房則是相當豪華了。

「待在這裡會很安全，夫人。」那位最後離開的警衛說：「如果需要任何東西，請隨時告訴我們。」他指了指床頭櫃上的一樣裝置。

她朝那個裝置瞪了一眼，等到她轉過頭來，想要問問那到底是什麼，以及如何操作時，不料他已經走了。

喔，好吧，她想，我自有辦法。

「吉斯卡，」她無精打采地說：「找找看哪扇門通往浴室，研究一下如何使用淋浴，我現在最需要的就是沖個澡。」

為了避免滿身的汗水沾濕椅子，她萬分小心地坐下來。等到吉斯卡再度出現的時候，她已經由於坐姿怪異而開始腰痠背痛了。

「夫人，我已經打開淋浴，」他說：「也把水溫調好了。淋浴旁有個硬邦邦的東西，我想應該就是肥皂，此外還有一條質地粗糙的毛巾，以及幾樣或許有用的物品。」

「謝謝你，吉斯卡。」嘉蒂雅心知肚明，雖然她曾大言不慚地說像吉斯卡這樣的機器人不是用來當奴僕的，自己剛才卻正是這麼使喚他。不過凡事總有例外——

在她的印象中，她從來沒有像今天這麼想洗澡，但也從來沒有洗得像今天這麼舒服。她在淋浴間多待了好長一段時間，等到終於走出來，她想也沒想就抓起毛巾，直到把身體通通擦乾了，才想到那條毛巾不知有沒有做過輻射消毒——可惜已經太遲了。

她開始翻找吉斯卡放在一旁的物品——爽身粉、體香劑、梳子、牙膏、吹風機——但卻找不到可以充當牙刷的東西。最後她只好放棄，改以手指代勞，覺得十分不方便。此外她還找不到髮刷，這點同樣很不方便。而在準備梳頭之前，她先用肥皂將梳子好好擦了一遍，結果還是梳不下去。最後，她發現一件看來適於睡覺穿的衣服，聞起來很乾淨，只不過穿起來太鬆垮了。

這時，丹尼爾輕聲道：「夫人，船長想知道現在可否見你。」

「我想可以，」嘉蒂雅一面說，一面繼續翻找合適的睡衣。「讓他進來吧。」

丹吉看起來很疲倦，甚至可說有些憔悴，不過當她上前迎接他的時候，他還是帶著倦意微微一笑，說道：「很難相信你已經兩百三十幾歲了。」

「為什麼？因為穿著這玩意兒？」

「這是原因之一。它是半透明的——你不知道嗎？」

她低頭看了看那件睡袍，顯得有些猶豫。「很好，就讓你養養眼吧。但無論如何，我的確已經活了二又三分之一世紀。」

「凡是看到你的人，誰也不會這麼想，你年輕的時候一定非常美麗。」

「從來沒有人這麼說，丹吉。我總是以為，頂多只能聽到溫柔迷人之類的讚美——不管了，這個裝置要怎麼用？」

「那個對話盒？只要碰碰右側的觸控片，就會有人問你需要什麼服務，然後你只要開口就行了。」

「很好，我需要一把牙刷和一把髮刷，還要一套衣服。」

「牙刷和髮刷我會負責叫人送來。至於衣服，其實早就替你準備好了。那個櫃子裡掛著一個衣物袋，裡面都是貝萊星最新最好的款式，當然，你不一定會喜歡。我也不敢保證它們一定合身，貝萊星大多數的婦女都比你高，而且絕對比你粗壯——不過這也沒關係，我想你得在此隱居好一陣子。」

「為什麼？」

「嗯，很簡單，夫人。今晚你好像做過一場演講，而且我依稀記得，雖然我不只一次勸你坐下，你卻始終不肯。」

「我覺得似乎是一場相當成功的演講，丹吉。」

丹吉露出燦爛的笑容。「沒錯，成功得要命。」他搔抓著右邊的鬍鬚，彷彿是在非常謹慎地斟酌該用什麼詞句。「然而，成功也是會有反效果的。此時此刻，我敢說你是貝萊星最紅的人物，貝萊星人通通想要看看你，摸摸你。如果我們帶你出去，無論何時何地，都會立刻引發暴亂。至少要等熱度降下來再說，但我們不確定需要多久時間。

「還有，你甚至有辦法讓那些鷹派也為你喝采，可是明天早上，一旦從催眠狀態和歇斯底里中清醒之後，他們就會火冒三丈了。即使畢斯特凡那老傢伙昨晚並未考慮當場殺了你，明天也一定會發誓要把你慢慢折磨到斷氣為止，否則他死不瞑目。而在他的黨羽中，想必有人會不惜一切

代價討好那老傢伙。

「這就是你為何必須待在這裡的原因，夫人。這也是不知有多少保安人員在嚴密監視這個房間、這個樓層，乃至這整座旅館的原因，但願沒有地下鷹派混在他們中間。而因為在這場英雄遊戲中，你我的合作過分密切，所以我也被關在這裡，失去自由了。」

「喔，」嘉蒂雅一臉茫然，「我感到很抱歉。這麼一來，你就無法探望家人了。」

丹吉聳了聳肩。「我們行商其實都和家人沒什麼來往。」

「那麼你的女朋友要失望了。」

「她自有辦法——或許會比我更有辦法。」他讓目光停留在嘉蒂雅身上，一副若有所思的模樣。

嘉蒂雅一本正經地說：「想都別想，船長。」

丹吉揚了揚眉。「誰也不能阻止我這麼想，但我並不會付諸行動，夫人。」

嘉蒂雅說：「別開玩笑了。你認為我會在這裡待多久？」

「這得由委員會決定。」

「委員會？」

「我們這兒的五人執行委員會，夫人。五個人——」他舉起右手，五指張開。「每人有五年的任期，但彼此錯開來，也就是每年都會改選一人，除非有人死於任上或無法行事才會臨時改選。這樣既能讓行政有持續性，又能減少一人獨裁的危險。但這也意味著每項決定都得經過辯論，因此曠日廢時，甚至超過我們能夠容忍的程度。」

「我認為，」嘉蒂雅說：「只要這五人當中，有一個足夠果斷而且強勢——」

「他就能把自己的觀點塞到其他人腦子裡。有時的確會發生這種事，可是並非現在這個時候

——我想你明白我的意思。當今的首席委員是吉諾伐斯．潘達洛，這個人並不壞，可是優柔寡斷——這兩者有時並沒有分別。今天我就是拜託他准許你帶機器人上台，結果證明我失算了，害我們兩人都丟了一分。」

「但你為何要說失算呢？聽眾很高興啊。」

「問題就是太高興了，夫人。我們希望你扮演太空族女英雄這樣的可愛角色，幫我們把輿論冷卻下來，以免我們發動一場時機尚未成熟的戰爭。關於壽命長短你說得很好，讓他們欣然接受了短暫的生命。可是接下來，你又讓他們欣然接受了機器人，這就不是我們樂見的了。同理，我們也不太希望大家欣然接受太空族是手足兄弟這種觀念。」

「你們不想過早發動戰爭，但也不想過早出現和平。對不對？」

「說得非常好，夫人。」

「可是，那你們到底想要什麼呢？」

「我們想要這個銀河，整個的銀河。我們要在銀河中每一顆可住人行星上殖民，建立一個不折不扣的銀河帝國。我們不希望太空族礙事，他們可以安穩地留在自己的世界上，愛怎麼過就怎麼過，可是他們絕對不能礙事。」

「但這就等於把他們禁錮在那五十個世界上了，正如我們曾將地球人禁錮在地球上許多年一樣。這是重蹈不公不義的覆轍，你們和畢斯特凡是一丘之貉。」

「情況完全不一樣。把地球人禁錮起來，是抹殺了他們無窮的潛力。你們太空族則沒有那種潛力，你們選擇了長壽和機器人這條路，潛力便因而消失，你們甚至連五十個世界都保不住了。索拉利已遭到遺棄，若干時日之後，其他世界也將步上後塵。銀河殖民者並不想把太空族逼到絕境，但如果他們自取滅亡，我們又何必干預呢？你今天的演講，就有出手干預的意圖。」

「我倒是很高興。不然你認為我該說些什麼呢？」

「我早就告訴過你，說說什麼愛與和平，然後就坐下，要不了一分鐘的時間。」

嘉蒂雅氣呼呼地說：「我無法相信你指望我說這種蠢話。你把我當成什麼了？」

「把你當成你心目中那個怕開口怕到要死的人。我們怎麼知道你那麼瘋狂，又那麼有魔力，能在短短半小時內讓貝萊星人出現一百八十度轉變，變得無條件歡迎那些我們從小到大教育他們反對的事物。可是再說什麼都沒有用了——」他吃力地站起來，「我也想洗個澡，而且最好睡個覺——但願睡得著，明天見。」

「可是我們要等到什麼時候，才會知道委員們對我做出什麼決定呢？」

「那你恐怕有得等了。晚安，夫人。」

36

「我發現了一件事。」吉斯卡的聲音不帶一絲感情，「我之所以能發現這件事，是因為自出廠以來，今天是我首度面對數千名人類。假如兩個世紀前就有這種機會，這個發現便會提早兩百年；假如從來沒有同時面對那麼多人的機會，我就無論如何不可能發現這件事。

「由此可想而知，過去曾有多少能讓我輕易掌握的關鍵點，只因沒有適當條件的配合而白白溜走了。除非機緣湊巧，我將一直懵懵懂懂，偏偏機緣是最不可靠的東西。」

丹尼爾說：「我原本以為，吉斯卡好友，嘉蒂雅女士始終過著一成不變的日子，不可能泰然自若地面對幾千人，我甚至不相信她有辦法當眾說話。當她奇蹟般開口時，我立刻猜到是你對她做了調整，因為你發現這麼做並不會傷害她。這就是你所謂的發現嗎？」

吉斯卡答道：「丹尼爾好友，其實我真正敢做的，只是將她的心靈禁制解開兩三個，頂多能讓她開口說幾句話，過了這一關而已。」

「但她所做的遠超過這一點。」

「在完成這個微觀調整後，我便將注意力轉向台下的無數心靈。我跟嘉蒂雅女士一樣，毫無面對那麼多人的經驗，所以跟她一樣震驚。如此巨大的心靈團塊聳立在我面前，我起初覺得什麼都做不了，因而感到十分無助。

「然後，我注意到了為數不多的友善、好奇和關注——很難用言語形容——它們帶有對嘉蒂雅女士同情的色彩。於是我盡量找出帶有那種色彩的心靈，試著讓色彩再稍微加深。我想製造一點能夠鼓勵嘉蒂雅女士的反應，這麼一來，我就不必考慮對她的心靈再動更多的手腳，除此之外我什麼也沒做。我不知道處理了多少帶有那種色彩的心靈，但不會太多。」

丹尼爾問：「然後呢，吉斯卡好友？」

「丹尼爾好友，我發現自己開啟了一種自催化的過程。每一個被我強化的心靈，都會再強化附近另一個同質的心靈，接著周遭又會有更多的心靈受到它們的強化。我根本不必再做些什麼，一些騷動，一點聲音，一兩個眼神，凡是似乎贊同嘉蒂雅女士言論的反應，都會引發更多的共鳴。

「然後我又發現了一件更奇怪的事。不但我自己能從聽眾心靈中偵測到那些表示贊同的蛛絲馬跡，嘉蒂雅女士一定也能以某種方式感應到，因為我並沒有再出手，她就自行解開了更多的心靈禁制。她開始越說越快，越說越有信心，而聽眾的反應也就更加熱烈——但我什麼也沒做。最後，聽眾陷入集體歇斯底里，全場像是籠罩在雷電交加的心靈暴風雨中。力量太強了，我不得不封閉自己的心靈，否則我的電路一定會超載。

「自出廠以來，我從未經歷過像這樣的事，可是，相較於過去對少數人進行的調整，我當時所做的並未超過之前任何一次。事實上，我懷疑這個效應甚至波及了更多我無法感知的心靈——

也就是收看超波轉播的無數觀眾。」

丹尼爾說：「我想不通怎麼會這樣，吉斯卡好友。」

「我也想不通，丹尼爾好友。我並不是人類，人類的心靈既複雜又充滿矛盾，而我並未直接體驗過擁有人類心靈是什麼感覺，所以無法掌握它們的反應機制。可是，群眾顯然要比個人容易操縱。這似乎很矛盾，較重的物體需要較大的力量來推動，較大的能量需要較長的緩衝來抵消，較長的距離需要較多的時間來跨越。所以說，為何較多的人偏偏比較容易受影響呢？你的想法接近人類，丹尼爾好友，你能解釋嗎？」

丹尼爾說：「你自己剛才講過，吉斯卡好友，這是一種自催化效應。換句話說，就是一種傳染的過程，正所謂星星之火可以燎原。」

吉斯卡頓了頓，似乎沉思了一番，然後才說：「理智並不會傳染，情感才會。嘉蒂雅女士所選擇的，都是她覺得能夠打動聽眾情感的說法，她並未試圖跟他們講理。所以說，有可能群眾人數越多，就越容易受到情感而非理智的影響。

「既然情感只有少數幾種，不像理智那麼種類繁多，群眾的行為自然要比個人的行為更容易預測。而這就意味著，如果有人想要建立能夠預測歷史走向的法則，就一定要以眾多人口當作研究對象，越多越好。這或許就是心理史學的第一法則，也可以稱為『人學第一法則』。可是……」

「可是什麼？」

「我突然想到，正因為我並非人類，所以花了那麼長的時間才終於領悟到這一點。換成人類的話，也許光靠直覺便能對自己的心靈有足夠的瞭解，知道該如何應付自己的同類。比方說，嘉蒂雅女士完全沒有在大庭廣眾說話的經驗，卻能夠有專家級的演出。假如我們身邊有一個像以利

亞．貝萊這樣的人，對我們會有多大的幫助啊——丹尼爾好友，你是不是在想他？」

丹尼爾說：「你能從我心中看到他的影像？太驚人了，吉斯卡好友。」

「我沒有看到他，丹尼爾好友，我並不能接收你的思想。但我能感應到情感和情緒——你心中有些變化，而根據過去的經驗，我便知道這跟以利亞．貝萊有關。」

「嘉蒂雅女士曾經提到，我是以利亞夥伴臨終前最後一個見到他的人，所以我從記憶中找出了那一刻，我是在回想當時他說了哪些話。」

「為什麼呢，丹尼爾好友？」

「我想尋找話中的意義，我覺得這很重要。」

「他的臨終遺言怎麼可能有什麼言外之意呢？如果意有所指，以利亞．貝萊一定會明說的。」

「或許，」丹尼爾慢慢說道：「以利亞夥伴自己也不明白他那番話的微言精義。」

第十章　演說之後

37

記憶！

它就像一本極其詳盡的筆記，藏在丹尼爾心中，隨時可供他查閱。某些篇章的資料經常派得上用場，可是也有少數幾頁，只有在丹尼爾想重溫舊夢時才會翻到。而這少數幾頁的內容，絕大多數和以利亞·貝萊有關。

許多年前，當以利亞·貝萊仍舊在世的時候，丹尼爾曾去過一趟貝萊星。原本同行的還有嘉蒂雅女士，但在他們進入貝萊星的軌道後，班特萊·貝萊駕駛小型飛船前來會合，並登上他們的太空船。當時正值中年的他，看起來就像個做粗活的工人。

他帶著些許敵意望著嘉蒂雅。「你不能去見他，夫人。」

早已淚流滿面的嘉蒂雅問道：「為什麼？」

「他不希望你去，夫人，我必須尊重他的意願。」

「我不相信有這種事，貝萊先生。」

「我這裡有一封手札，還有一段錄音，夫人。我不知道你能否認出他的筆跡或聲音，但我以榮譽向你保證這絕非偽造的，而且他在下筆和錄音之際，並未受到任何外力的影響。」

她走進自己的艙房，獨自消化這兩段訊息。不久她重新現身——活像打了一場敗仗——但她勉強以堅定的口吻說：「丹尼爾，你一個人下去見他，這是他的意願。可是，事後你要把詳細經過向我報告一遍。」

「好的，夫人。」丹尼爾說。

於是丹尼爾進了班特萊的飛船，而在降落途中，班特萊對他說：「這個世界一向嚴禁機器人，丹尼爾，不過我們對你特別破例，因為這是我父親的心願，而他在此地備受敬重。你該瞭解，我對你並沒有個人好惡，但你的行動必須受到最嚴格的限制。我會直接帶你去見我父親，等你們談完了，我立刻把你送回太空軌道。你瞭解了嗎？」

「瞭解了，先生。你父親還好嗎？」

「他快死了。」班特萊冷酷地說，但或許是故意的。

「這點我也瞭解。」丹尼爾的聲音明顯地發顫，但並非由於感情用事，而是因為雖然明知凡是人類都免不了一死，這個消息還是擾亂了他的正子腦徑路。「我的意思是，他還能撐多久？」

「他幾天前就該斷氣了。他硬撐著不肯走，就是因為想再見你一面。」

飛船著陸了。這是個遼闊的世界，但有人煙的部分——如果就是眼前這些——卻又小又簡陋。今天是個多雲的天氣，而且顯然剛下過雨。筆直而寬廣的街道上竟空無一人，彷彿此地的居民對機器人興趣缺缺，誰也不想出來看一眼。

他們鑽進一輛地面車，一路駛過空曠的街道，抵達了他們的目的地——一棟比較大而且比較起眼的房子。兩人一起走進去，但在某個房間的門口，班特萊停下了腳步。

「我父親就在裡面。」他悲傷地說：「你要自己進去，他不會准我在場的。進去吧，你八成認不出他來了。」

丹尼爾走進那個陰暗的房間。他的眼睛很快就適應了，勉強藉著微弱的反光看到室內有個透明膠囊，裡面躺了一個蓋著被子的人。這時光線變亮了一點，丹尼爾終於能看清楚那人的臉孔了。

班特萊說得對。從這個骨瘦如柴的憔悴軀體中，丹尼爾絲毫看不出老夥伴的模樣。那人雙眼緊閉，令丹尼爾以為自己正面對著一具死屍。他從未見過死去的人類，一想到這點，他不禁一個踉蹌，覺得雙腿再也站不直了。

老者終究還是睜開了眼睛，丹尼爾這才勉強恢復平衡，只不過某種不尋常的虛弱感依舊徘徊不去。

老者望著他，蒼白皸裂的嘴唇微微擠出一抹笑容。

「丹尼爾，我的老朋友丹尼爾。」他有氣無力地喚道。

這聲叫喚稍許透出對方記憶中以利亞．貝萊特有的音質。然後，一隻手從被單裡慢慢伸出來，丹尼爾終於覺得自己認出了以利亞。

「以利亞夥伴。」他輕聲說。

「謝謝你——謝謝你來見我。」

「這對我意義重大，以利亞夥伴。」

「我原本還擔心他們不准你來。他們——其他人——甚至我兒子——都認為你是機器人。」

「我的確是機器人。」

「我可不這麼想，丹尼爾。你一點都沒變，對不對？我沒法把你看清楚，但我覺得你仍和我記憶中一模一樣。我上次見到你是什麼時候？二十九年前吧？」

「是的——而這麼多年來，以利亞夥伴，我一點也沒變，所以你看，我的確是機器人。」

「可是我變了，變了很多。我不該讓你看到我現在這個樣子，但我狠不下心來，我實在太想再見你一面。」貝萊的聲音似乎有力了一點，彷彿一看到丹尼爾，他便恢復了幾分元氣。

「不管你變成什麼樣子，以利亞夥伴，我都很高興見到你。」

「嘉蒂雅女士呢？她還好嗎？」

「她很好，我們一起來的。」

他吃力地四下張望。「她該沒有……」聲音中透出驚恐與無奈。

「她留在軌道上，並沒有踏上這個世界。她知道你不想見她——而她能夠諒解。」

「不是這樣的，我很想見她，但我還抵擋得住這個誘惑。她沒變吧？」

「她仍舊跟你上次見到她的時候一模一樣。」

「很好——但我不能讓她看到我如今這個模樣，不能讓這副德行成為她記憶中最後一個印象，而你則不同。」

「因為我是機器人，以利亞夥伴。」

「別再堅持這件事。」垂死的老者沒好氣地說：「不管是不是真人，丹尼爾，你在我心中都有特殊的地位。」

躺在床上的他歇了一會兒，然後又說：「這麼多年來，我從未和她通過超波視訊，甚至從來沒有寫信給她。我一再提醒自己，不能干擾她的生活——嘉蒂雅還是格里邁尼斯的妻子嗎？」

「是的。」

「快樂嗎？」

「這點我無從判斷。但她並沒有任何可解讀為不快樂的言行。」

「子女呢？」

「就是法定的兩個。」

「我從未跟她聯絡，她沒生氣吧？」

「我相信她瞭解你的用意。」

「她可曾——提起我？」

「幾乎沒有，可是吉斯卡認為她經常想到你。」

「吉斯卡還好嗎？」

「他仍正常運作——你所知道的那種正常。」

「所以說，你也知道——他有那種能力。」

「他告訴我了，以利亞夥伴。」

貝萊又歇了一會兒，然後突然動了動，開口道：「丹尼爾，我要你趕來是出於自私，因為我自己很想見你，我想親眼見到你一點也沒變，還想確定你仍然記得我，而且永遠不會忘記，這樣我就會覺得自己當年的黃金歲月並未完全消逝——但除此之外，我還想告訴你一件事。

「我快要死了，丹尼爾，而我知道你會聽到這個消息。即使你不在這裡，即使你一直待在奧羅拉，還是遲早會聽到的，我的死訊會是轟動銀河的大新聞。」他輕輕乾笑一聲，胸部微微起伏。「當年有誰想得到呢？」

他繼續說下去：「當然，嘉蒂雅也會聽到這個消息，但嘉蒂雅早就知道我終有這麼一天，無論多麼傷心，她還是會接受這個事實。然而，我擔心你承受不了，因為——雖然我一再否認，但正如你一再堅持的——你終究是機器人。基於過去的情誼，你也許會覺得自己有義務要想方設法讓我活下去，一旦事實證明你無能為力，就有可能對你造成永久性的傷害。所以，讓我開導開導你吧。」

貝萊的聲音又逐漸轉弱。丹尼爾雖然一動不動坐在那裡，臉上卻罕見地出現了表情，反映出他心中的關切和悲痛。貝萊這時閉著眼睛，所以並沒有看到。

「我的生死，丹尼爾，」他說：「並不重要。就全體人類而言，任何一個人的生死都不重

要。有些人雖死猶生，因為他把成果留給了後人。只要人類依舊存在，他就並未真正死去——你瞭解我這句話的意思嗎？」

丹尼爾答道：「瞭解，以利亞夥伴。」

「人人都會對人類整體做出貢獻，因而成為這個整體不朽的一部分。這個由所有的人類——過去、現在和未來的人類——所組成的整體，就好像一幅已有幾萬年歷史的織錦，而且從古到今，這幅織錦越來越精緻，整體構圖也越來越美麗。就連太空族也算是它的一部分，也對它的精緻和美麗做出一己的貢獻。任何一個人都只能算是織錦裡的一根絲線，和整體比起來算得了什麼呢？

「丹尼爾，我要你將心思專注在整幅織錦上，別讓一根絲線的脫落影響了你。那上面還有許許多多絲線，每一根都很有價值，都能貢獻……」

貝萊說不下去了，但丹尼爾仍耐心地守在一旁。

貝萊睜開眼睛，一看到丹尼爾，便微微皺起眉頭。

「你還在這裡？你該走了。我打算跟你講的話已經講完了。」

「我還不想走，以利亞夥伴。」

「你非走不可。我再也擋不住死神的召喚，我很累——累極了。我想跟它走，是時候了。」

「難道我不能陪你走完這一段嗎？」

「我不希望你這麼做。不管我剛才說了什麼，如果我在你面前斷氣，仍會帶給你極大的傷害。走吧，這是——命令。既然你那麼堅持，我就讓你當機器人，但這就表示你必須服從我的命令。不論你做什麼都無法拯救我，所以並沒有任何條件擋在第二法則之前。走吧！」

貝萊虛弱地伸手指指門口。「再見，丹尼爾老友。」

丹尼爾慢慢轉身，他從未想到貝萊的命令也有那麼難以服從的時候。「再見，以利亞夥……」他頓了頓，然後用帶點沙啞的聲音說：「再見，以利亞老友。」

等在隔壁的班特萊一看到丹尼爾，立刻上前問道：「他還活著嗎？」

「我離開時，他還活著。」

班特萊走進去，但幾乎立刻又走出來。「他死了。見到你之後，他就——撒手了。」

丹尼爾發覺自己竟然雙腿發軟，不得不扶著牆壁。過了好一會兒，他才能自行站立。

等在一旁的班特萊始終避開他的目光。他們又一起進入那艘小型飛船，回到太空軌道上和嘉蒂雅會合。

她同樣劈頭就問以利亞．貝萊是否還活著。當他們委婉地說出實情之後，她強忍住淚水，轉身走進自己的艙房，這才開始哭泣。

37 A

這段刻骨銘心的痛苦回憶倏來倏去，似乎並未打擾丹尼爾原本的思緒。「如今聽了嘉蒂雅女士的演講，或許我能對以利亞夥伴那番遺言有進一步的瞭解。」

「怎麼進一步？」

「我還不確定，我正朝一個非常困難的方向在進行思考。」

「不論需要多少時間，我都願意等。」吉斯卡說。

38

吉諾伐斯．潘達洛有一頭又粗又濃的白髮，還留著兩撮蓬鬆花白的鬢鬚，看起來比實際年齡老得多，再加上他個子很高，令人不禁對他肅然起敬。就是靠著這麼一點領袖氣質，他得以在官場上一路竄升，不過他卻心知肚明，自己只是個外強中乾的空殼子罷了。

在當選執行委員之後，他得意了一陣子，但很快便冷卻下來。他已經坐到了自己無法勝任的位置上，而隨著每年自動晉升一級，他心裡就更明白一點。四年匆匆過去，如今他已是首席委員了。

不早不晚，偏偏這時當上首席委員！

過去曾有一段時期，統治者幾乎可說無所事事。例如八十年前，納菲．莫勒掌權之際，他就始終無所事事，只不過直到今天，老師仍舊告訴學童這位莫勒是「有史以來最偉大的執行委員」。當時貝萊星是什麼樣子呢？一個小小的世界，只有零零星星幾個農場，以及幾個藉著天然交通網聯繫的小鎮。總人口數頂多五百萬，最重要的出口貨物是生羊毛和少許鈦礦。

當年的日子很單純，在奧羅拉人漢．法斯陀夫或多或少出自善意的影響下，太空族完全不干涉他們。居民隨時可以回到地球——以便重溫文化的氣息或是接受一次科技的洗禮。而且一直不斷有地球人前來移民，地球龐大的人口簡直取之不盡、用之不竭。

所以說，莫勒怎麼會不是最偉大的執行委員呢？他只要什麼也不做就行了。

而若干年之後，統治者同樣會面對一個單純的局勢。隨著太空族繼續衰敗（老師們一直這麼教育下一代，說他們會淹沒在自家社會所製造的重重矛盾中——不過真能這麼肯定嗎？有時連潘達洛也不禁懷疑），再加上銀河殖民者勢力越來越強，不久之後，日子又會變得有保障了。銀河殖民者將會享有太平的歲月，並將自己的科技發展到極致。

等到貝萊星住滿了人，它在各方面都會成為另一個地球，而隨著殖民者世界在銀河各個角落如雨後春筍般崛起，偉大的銀河帝國終將誕生。在這個永遠由地球母星所統治的開明帝國中，貝萊星既然歷史最悠久且人口最多，毫無疑問將始終是帝國最重要的成員。

偏偏潘達洛擔任首席委員的時間既不是過去，也不是未來，而是剛好在今年。

漢・法斯陀夫已經死了，可是凱頓・阿瑪狄洛還活著。兩百年前，阿瑪狄洛堅決反對允許地球送出銀河殖民者，如今他仍然在世，仍然可以找麻煩。太空族依舊勢力強大，絕對不容忽視；銀河殖民者還是差了一點，無法信心滿滿地大步前進。此時此刻，銀河殖民者必須設法穩住太空族，靜待雙方勢力出現足夠的消長。

於是，潘達洛扛上了前所未有的重責大任，既要安撫太空族，又要讓銀河殖民者同時保有決心和政治敏感度——可想而知他有多麼心不甘情不願。

此時正值清晨，一個又陰又冷而且會繼續下雪的清晨——這倒沒什麼好奇怪的——他正一個人朝旅館走去，他根本不想帶任何隨從。

當他走近時，大批保安警衛趕緊立正敬禮，而他只是懶洋洋應付了一下。等到警衛隊長走到面前時，他開口問道：「有什麼問題嗎，隊長？」

「報告委員，沒有，一切都很平靜。」

潘達洛點了點頭。「貝萊被安置在哪個房間？——啊——那個女太空族和她的機器人都受到嚴密監控嗎？——很好。」

他繼續向前走。整體而言，丹吉表現得不錯。索拉利已遭遺棄，上面的機器人幾乎取之不盡，可以成為行商的搖錢樹，為貝萊星帶來巨大的財富——雖然，潘達洛悶悶不樂地想，財富和世界安全並不能想當然地畫上等號。可是，索拉利上既然陷阱重重，還是別去招惹為妙，不值得為它開戰。丹吉迅速離去，算是做得很對。

而且，他還帶回一台小型的核反應倍增器。目前為止，這類裝置都太過笨重，只能製成巨大而昂貴的定點發射武器，用以摧毀入侵的船艦——何況連這都還只是紙上談兵而已，因為太貴了。他們亟需較小且較廉價的機型，所以丹吉的直覺完全正確——帶回一台索拉利的核反應倍增

器要比擄獲它上面所有的機器人更為重要，這台倍增器將對貝萊星的科學家有莫大的幫助。

然而，既然索拉利擁有輕便型倍增器，其他太空族世界為什麼沒有呢？奧羅拉為什麼沒有呢？如果這類武器小到了能夠裝在戰艦上，一支太空族艦隊即可輕而易舉消滅所有的殖民者船艦。他們的研發距離這一步還有多遠？有了丹吉帶回來的那台倍增器，貝萊星在這方面的發展又能加速多少？

他找到丹吉的房間，按下叫門鍵，並未等到任何回應便逕自走進去，而且毫不客氣地逕自坐下來。身為首席委員，總有些方便的特權。

正在浴室裡用毛巾擦頭的丹吉衝著外面說：「其實我很想以莊嚴隆重的方式迎接委員大人，但你來得太不是時候了，因為我剛沖完澡，狼狽得不得了。」

「唉，閉嘴。」潘達洛沒好氣地說。

平時他很欣賞丹吉這種口沒遮攔的瀟灑，現在卻是例外。就某方面而言，他從未真正瞭解丹吉這個人。丹吉是貝萊家族的成員，是「偉大的以利亞」和「貝萊星之父班特萊」的嫡系子孫。這樣的背景，再加上他那人見人愛的開朗個性，使得丹吉成為執行委員的當然人選。偏偏他選了行商這一行，日子過得不但辛苦——而且危險，雖然有可能因而致富，但因而喪命或未老先衰的可能性——後者更糟——卻大得太多了。

更何況，潘達洛一向把丹吉的建議置於大多數政府首長之上，但身為行商的丹吉經常幾個月不在貝萊星。雖說有時無法確定丹吉是否在開玩笑，他的意見還是頗有參考價值。

潘達洛心情沉重地說：「我認為那女人的演講不能算是我們這兒的喜事。」

快要穿好衣服的丹吉聳了聳肩。「誰又預料得到呢？」

「你應該可以。你早已打定主意要帶她同行，當初一定調查過她的背景。」

「我的確調查過她的背景，委員。她曾在索拉利住過三十幾年，是道地的索拉利產物。當時她完全和機器人生活在一起，一律透過全像和人見面，只有她丈夫例外——而他很少來找她。在移居奧羅拉之後，她有過一段困難的適應期，而且即使在那裡，她仍舊大半和機器人住在一起。過去兩百三十多年來，她從來沒有同時見到超過二十個人的經驗，更別說四千人了。我原本以為她就算能開口，頂多只能吐幾個字，我怎麼知道她竟然是個群眾煽動家。」

「一旦你發現這個跡象，就該及時制止她，當時你就坐在她旁邊。」

「你想引發暴亂嗎？聽眾正聽得如癡如醉呢。當時你也在場，你應該很清楚。如果我硬拉她坐下，他們通通會衝到台上來。無論如何，委員，你自己也並未制止她。」

潘達洛清了清喉嚨。「其實我一直想這麼做，但每次回過頭去，我都會看到那個機器人的眼睛——我是說那個像機器人的機器人。」

「吉斯卡。好吧，那又怎麼樣？他又不會傷害你。」

「我知道。話說回來，他就是令我全身發毛，所以我遲遲沒採取行動。」

「唉，算了吧，委員。」丹吉已經穿戴整齊，他一面說，一面把早餐餐盤推向對方。「咖啡還是溫的。如果你想配果醬吃些小麵包，請自己動手——事情總會過去的，我認為民眾不會因此真正愛上太空族，而導致我們的政策垮台。甚至可能還有好處呢，如果消息傳到太空族那裡，法斯陀夫黨有可能因而壯大。法斯陀夫也許死了，但他的政黨還在——至少並未煙消雲散——我們需要鼓勵他們這條溫和路線。」

「我所擔心的，」潘達洛說：「是五個月後即將召開的『全銀河殖民者議會』。我將會聽到許多尖酸刻薄的批評，說什麼貝萊星採取姑息政策，貝萊星人心中充滿對太空族的愛意——我告訴你，」他沉著臉補了一句：「越小的世界，鷹派就越多。」

「那你就跟他們這麼講啊。」丹吉說：「記住，在公開場合一定要維持政治家風範，等到把他們拉到一邊，你就正視著他們的眼睛——別再正經八百——然後強調貝萊星是個有言論自由的地方，這點我們會堅持到底。你還要告訴他們，貝萊星一向把地球的福祉放在第一位，但如果有哪個世界為了想證明它對地球更加忠誠而對太空族宣戰，貝萊星只會冷眼旁觀，什麼也不會做，這樣就能讓他們閉嘴了。」

「喔，不行。」潘達洛憂心忡忡地說：「這種說法會流傳出去，會給我們招來難以想像的臭名。」

丹吉答道：「很可惜，你說得沒錯。但還是考慮一下吧，別讓那些只有嘴巴沒有腦袋的人吃定了你。」

潘達洛嘆了一口氣。「我想我們會盡力而為。可是，我們原本打算用一個驚人消息替昨晚畫下句點，結果搞砸了，這才是我真正感到遺憾的事。」

「什麼驚人消息？」

潘達洛說：「當你離開奧羅拉，啟程前往索拉利的時候，兩艘奧羅拉戰艦剛好也朝索拉利飛去。你知道嗎？」

「不知道，但我料到了會有這種事。」丹吉一派輕鬆地說：「正因為如此，我才不厭其煩地採用迂迴路線。」

「其中一艘奧羅拉戰艦在索拉利降落，距離你的著陸地點有好幾千公里——以便看起來不像是在跟蹤你——另一艘則留在軌道上。」

「很合理。如果我手上有另一艘船艦，我也會這麼做。」

「那艘著陸的奧羅拉戰艦不到幾小時就給摧毀了。留在軌道上的那艘回報了這件事，隨即奉

命返航——某個行商監測站截收到那份報告，然後傳給了我們。」

「報告沒有加密嗎？」

「當然有，但那是一種我們已經破解的密碼。」

丹吉若有所思地點了點頭，然後說：「非常有趣，我猜他們之中沒有半個會說索拉利方言。」

「顯然如此。」潘達洛語重心長地說：「除非能找到其他索拉利人的去處，否則你手上這個女人就是全銀河唯一的索拉利人了。」

「而他們竟然把她給了我，是嗎？算那些奧羅拉人倒楣。」

「總之昨天晚上，我差點就要宣布奧羅拉戰艦遭到摧毀的消息——並非幸災樂禍，而是以就事論事的方式。無論如何，這還是會讓普天下的銀河殖民者精神振奮。我的意思是，我們平安歸來，奧羅拉人卻沒做到。」

「我們手上有個索拉利人，」丹吉淡淡地說：「奧羅拉人卻沒有。」

「好吧。此外，你和那個女人還會因此更加風光——但這一切都落空了。那個女人致完詞後，任何戲碼都只會是狗尾續貂而已，就連奧羅拉戰艦被毀的消息也不例外。」

丹吉說：「更何況，大家衝著她所提倡的手足情誼高聲喝采之後，怎麼可能馬上喝采幾百個奧羅拉手足的死難呢——至少在接下來半小時內，不會出現這種不協調的情形。」

「我想是吧，所以我們葬送了一次絕佳的心理攻勢。」

丹吉皺起眉頭。「別念念不忘了，委員，你一定能找到更適當的時機進行你的宣傳戰。重要的是這背後的意義——一艘奧羅拉戰艦被炸毀了，意味著他們沒料到對方會使用核反應倍增器。另外那艘戰艦被迅速召回，則可能意味著它並未配備相關的防護裝置——甚至他們可能根本沒

有。我據此研判，這種輕便型倍增器——或至少是半輕便型——應該是索拉利的獨門武器，並非太空族的標準裝備。如果真是這樣，對我們可是好消息。此時此刻，先別操心宣傳戰這種瑣事吧，我們應該集中所有的力量，盡可能從那個倍增器裡頭把每一分情報都榨出來。我們要在這方面領先太空族——但願有此可能。」

潘達洛咬了一口小麵包，然後說：「或許你是對的。但這麼一來，另一個消息我們又該怎麼處理呢？」

丹吉說：「什麼另一個消息？委員，請問你是要提供我足夠的情報，好讓我給你拿主意，還是打算把那些情報丟到半空中，讓我跳起來一個個接住？」

「別發火，丹吉。如果必須正經八百，我也犯不著專程找你討論了。你可知道執行委員會是怎麼開的嗎？你想坐我的位置嗎？告訴你，我願雙手奉上。」

「不，謝了，我可不想要，我只想要知道另一個消息。」

「我們接到了一封來自奧羅拉的電文，一封真正的電文。他們真的紆尊降貴和我們直接通訊，並沒有經由地球轉發。」

「那麼，或許可以將它視為一封重要的電文——我是指對他們而言。他們想要什麼？」

「他們想把那個索拉利女人要回去。」

「那麼，顯然他們已經知道我們的船艦平安離開了索拉利，而且抵達了貝萊星。他們也有自己的監測站，也在監聽我們的通訊，和我們所做的一模一樣。」

「一點也沒錯。」潘達洛顯得相當惱火，「他們破解我方密碼的速度和我們破解他們的一樣快。我倒有個想法，那就是雙方應該達成協議，從此發訊一律改用明碼，這樣雙方都不會有任何損失。」

「他們有沒有說為什麼要這個女人？」

「當然沒有。太空族向來不說理由，只管下命令。」

「他們有沒有發現這個女人到底在索拉利做了什麼事？既然只有她一個人會說道地的索拉利方言，他們是不是想要她把那顆行星上的監督員通通清除掉？」

「我覺得他們沒辦法發現事實的真相，丹吉。直到昨天晚上，我們才表彰了她的功勞，那封來自奧羅拉的電文卻早了很多──但他們為何要她回去並不重要，問題是：我們該怎麼辦？如果我們不把她還回去，雙方之間就會出現危機，那可是我極力避免的。如果我們真的把她還了回去，貝萊星人便會覺得臉上無光，而畢斯特凡那老傢伙則會逮住這個良機，不遺餘力地指摘我們趴到了太空族腳下。」

兩人對望了一會兒，然後丹吉慢慢說道：「我們必須把她還回去。畢竟，她不但是太空族，而且是奧羅拉公民。我們不能不顧奧羅拉的意願留她下來，否則那些冒險前往太空族領域做生意的行商都會受到牽連。但我會負責這件事，委員，你不妨將所有的罪過都往我身上推。就說我當初跟對方講好了條件，把她帶去索拉利之後會再送她回奧羅拉，而且這還真有其事，雖說並非正式的書面協定。我是個講道義的人，所以堅持要履行承諾──而且這或許還對我們有好處呢。」

「什麼好處？」

「這我得再想想。但如果真要這麼做，委員，我的太空船這回得由公家出錢整修，而我的手下都要好好犒賞一番──別這樣，委員，他們可是放棄了休假呢。」

39

雖說原本打算至少三個月後才會再踏上這艘船，但丹吉的心情似乎還不錯。

另一方面，雖說嘉蒂雅的艙房變得更大更豪華，她卻似乎相當沮喪。

「這是為什麼呢？」她問道。

「天上掉下來的，你還嫌什麼？」丹吉反問。

「我只是問問罷了。為什麼？」

「原因之一，夫人，你是一等一的英雄，因此整修這艘船的時候，我們替你把這個地方美容了一遍。」

「美容？」

「只是比喻罷了，你要說美化也行。」

「艙房不會憑空變大，我占了誰的空間？」

「其實是船員的休息室，但你要知道，是他們堅持要這麼做的，因為你也是他們的寵兒。事實上，尼斯——你記得尼斯吧？」

「當然。」

「他希望你用他來取代丹尼爾。他說丹尼爾並不喜歡那份工作，傷了人之後還得頻頻道歉。尼斯說換成他的話，只要有人敢動你一根汗毛，他下手絕不留情，而且會樂在其中，事後也絕不會道歉。」

嘉蒂雅微微一笑。「告訴他，我會把他的心意放在心上，然後再告訴他，如果能安排一個適當機會，我很樂意跟他握握手。在我們降落貝萊星之前，我一直找不到這樣的機會。」

「當你握手的時候，我希望你記得戴手套。」

「當然，但我開始懷疑是否真有這個必要。自從離開奧羅拉後，我連鼻水也沒流過，我所接受的預防注射八成大大增強了我的免疫力。」她又四下望了望，「你甚至替丹尼爾和吉斯卡做了壁凹，考慮得相當周到，丹吉。」

「夫人，」丹吉說：「我們盡可能讓你高興，只要你高興，我們就心滿意足了。」

「奇怪的是——」聽嘉蒂雅的口氣，像是對自己即將脫口而出的話大惑不解。「我並不算很高興，我不確定自己是否想要離開你們的世界。」

「是嗎？這兒又寒冷、又下雪、又無聊、又原始，而且到處都有不停歡呼的群眾。究竟哪一點對你有吸引力？」

嘉蒂雅臉紅了。「絕對不是歡呼的群眾。」

「我願意假裝相信你，夫人。」

「真的不是，而是一個完全不同的原因。我——我從未做過什麼正事，我這輩子都只是在用各種方法打發時間而已。我曾致力於力場彩繪和機器人外觀設計，我曾縱情性愛，也曾經為人妻、為人母，但——但——在做這些事的時候，我從不覺得自己有任何重要性。假如我突然從世上消失，或者根本沒有來到世上，也不會影響到任何人或任何事——或許，只有一兩個親密的朋友不這麼想吧。現在則不同了。」

「是嗎？」丹吉聲音中帶有一絲嘲弄的意味。

嘉蒂雅說：「是的！現在我能影響很多人。我可以選定一個目標，當作我的終生職志。其實我已經選好了，我要消弭戰爭，要讓太空族和銀河殖民者一起擴散到宇宙各個角落。我還要讓雙方都保有自己的特色，並能無條件接受對方的特色。我要朝這方面全力以赴，好讓歷史的走向因而有所改變，等我去世之後，人們會說：『多虧了她，許多事才有那麼好的結果。』」

她滿面紅光地轉向丹吉。「我在當了二又三分之一世紀的無名小卒之後，突然有機會扮演重要角色；我原本以為自己的生命一片空虛，現在卻發現它裡面還藏著美好的事物；我不知在多久以前就對快樂絕望了，沒想到居然又能快樂起來——你可知道，這些轉變對我有多麼重大的意義

嗎？」

「你不必待在貝萊星，夫人，仍然能擁有這一切。」不知怎麼回事，丹吉顯得有點尷尬。

「在奧羅拉就不能。我在奧羅拉只是個索拉利移民，而在殖民者世界，我則是個不凡的太空族。」

「但你不止一次表示想回奧羅拉去，而且口氣相當強硬。」

「對，我的確說過——但我現在不這麼說了，丹吉，我現在不想回去了。」

「這對我們會有很大的助益，問題是奧羅拉想把你要回去，他們明白告訴我們了。」

嘉蒂雅顯得萬分驚訝。「他們想把我要回去？」

「奧羅拉立法局的主席發來一封正式電文，上面就是這麼講的。」丹吉輕描淡寫地說：「我們很樂意把你留下來，但執行委員會已經做出決定，認為犯不著為此引發星際危機。我不確定自己是否同意這個看法，但他們是我的長官。」

嘉蒂雅皺起眉頭。「他們為什麼想把我要回去？我在奧羅拉住了兩百多年，他們似乎從來沒有重視過我——等等！你想，他們會不會把我當成了對付索拉利上那些監督員的唯一途徑？」

「我的確曾經這麼想過，夫人。」

「我不幹。當初我只是僥倖阻止了那個監督員，再來一次恐怕就做不到了，我知道自己做不到——此外，他們又何必登陸那顆行星呢？既然他們已經知道監督員是什麼東西，大可遠距離把它們摧毀。」

「事實上，」丹吉說：「那封電文是很早以前發出來的，當時他們絕不可能知道你制伏了那個監督員。他們要你回去，一定有別的原因。」

「喔。」這個答案顯然令她吃了一驚。但她隨即又發起火來，吼道：「我不管什麼別的原

因，總之我不要回去。我在這兒的工作還沒做完，我打算繼續做下去。」

丹吉站了起來。「我很高興聽你這麼說，嘉蒂雅女士，我原本就希望你會有這種感受。我答應你，等到我們離開奧羅拉的時候，我會盡可能帶你一起走。不過，現在，我必須先去奧羅拉一趟，而你必須跟我同行。」

40

嘉蒂雅望著不斷後退的貝萊星，比起當初眼看著它逐漸接近，她的心情簡直天差地遠。它仍舊是原來那個令人感到寒冷、陰暗、簡陋的世界，但她現在知道，上面的居民既熱情又充滿生命力。他們是具體的，是活生生的。

無論索拉利也好，奧羅拉也罷，乃至她曾經去過或在超視上看過的任何太空族世界，上面的居民似乎都沒有那麼扎實——就好像一團氣體。

對，氣體，就是這個字眼。

太空族世界上面的人類，不管人數多麼稀少，照例會散布到行星各個角落，好像氣體分子充斥整個容器那樣，彷彿太空族有著彼此排斥的天性。

其實還真是這樣，她悶悶不樂地想，例如太空族就總是排斥她。在索拉利長大的她，從小就受到這樣的排斥。即使當她初到奧羅拉，瘋狂地體驗性愛那段時期，其中最不愉快的記憶仍是不得不彼此靠近這一點。

例外的——例外的只有以利亞——但他並不是太空族。

貝萊星則不一樣，也可能所有的殖民者世界都不一樣。銀河殖民者總是黏在一起，周遭雖有廣大的土地，他們寧願任由它荒蕪——或說空無——直到人口逐漸增加，將它自然填滿為止。殖民者世界是由人類聚落所組成的，這些聚落像是大大小小的石頭，而不像氣體。

為什麼會這樣呢？多半要歸咎機器人！它們降低了人類的互賴性，填充了人與人之間的空隙。人類彼此間原本存在著自然的吸引力，機器人卻將它阻絕，於是整個社會崩解成了一片散沙。

一定就是這樣。索拉利是機器人數量最多的世界，阻絕效應因而最大，那些互相分離的氣體分子——也就是索拉利人——最後變成了惰性氣體，彼此幾乎再也沒有任何關聯。（她不禁納悶，索拉利人到哪裡去了？他們現在過著什麼樣的生活？）

此外，長壽也是因素之一。如果你明知過了一兩百年之後，任何情感都會變質——或者，明知自己死去之後，摯愛的人還要傷心一兩百年——你怎麼還會想跟任何人有情感牽絆呢？因此，人們逐漸學會擺脫情感的牽絆，把自己隔絕起來。

另一方面，對於那些短壽命的人類而言，生命的新奇感就沒有那麼容易消逝。隨著一代又一代的迅速交替，這份新奇感被一代代傳下去，從來沒漏接過。

上次她向丹吉抱怨——說她再也不知道該做些什麼或學些什麼，她已經體驗過和想像過所有的一切，從此只能過著無聊透頂的日子——是多久以前的事了？當時她還並不知道，就連做夢也想不到，自己會面對那麼多聽眾，簡直就是人山人海；而自己竟然能對他們侃侃而談，並且聽到他們以歡呼作回應；最後還能和他們融成一體，感覺到了他們的感受，成為這個巨大生命體的一部分。

她不只從未體驗過這種事，甚至從未夢想到自己能有這種機會。她空有那麼長的壽命，卻是多麼貧乏無知？還有多少新奇的體驗，是她根本沒有能力幻想到的？

丹尼爾突然輕聲細語地說：「嘉蒂雅女士，我想是船長正在叫門。」

嘉蒂雅回過神來。「那就讓他進來吧。」

丹吉一進來便揚了揚眉。「這樣我就放心了，我本來還擔心你可能不在家呢。」

嘉蒂雅微微一笑。「那麼說其實也對。我深陷在回憶裡，差點出不來了，我偶爾就會這樣。」

「你很幸運，」丹吉說：「我的回憶都很膚淺，陷不住我自己。你願意去奧羅拉了嗎，夫人？」

「不，還是不願意。我剛才陷入回憶的成果之一，就是仍想不通你為何非去奧羅拉不可。不會只是為了把我還回去吧，任何一艘上得了太空的貨船都能執行這項任務。」

「我可以坐下嗎，夫人？」

「當然可以。你這麼問是多此一舉，船長。我希望你別再把我當成貴族，這樣真的很累。如果你是為了暗示我是太空族才裝著這麼客氣，那可就更糟了。事實上，我寧可你叫我嘉蒂雅。」

「你似乎急著擺脫你的太空族身份，嘉蒂雅。」丹吉邊說邊坐下來，還翹起了二郎腿。

「我寧願把這些沒意義的身份通通拋在腦後。」

「沒意義？別忘了，你的歲數是我的五倍。」

「說來奇怪，我一向認為那是太空族的一個相當惱人的缺點——我們何時能抵達奧羅拉？」

「這回不必進行閃避行動。先花幾天的時間遠離我們的太陽，以便進行超空間躍遷，然後再花上幾天就能飛到奧羅拉了——如此而已。」

「你為什麼非去奧羅拉不可，丹吉？」

「我大可告訴你僅僅是為了禮貌，但事實上，我是想找個機會當面向你們的主席——至少向他的手下——解釋一下在索拉利到底發生了什麼事。」

「他們不知道發生了什麼事嗎？」

「知道一個大概。他們一直好心地在竊聽我們的通訊，如果換成我們當然也會這麼做。話說回來，他們可能並未得出正確的結論。如果真是這樣，我希望能更正他們的錯誤。」

「什麼是正確的結論呢，丹吉？」

「你也知道，索拉利上的監督員被設定成只認口音不認人，只有像你這種會說索拉利方言的人，才會被它們視為人類。這就意味著它們非但不把銀河殖民者當人，就連索拉利之外的太空族也都是它們眼中的異類。更準確地說，如果奧羅拉人降落索拉利，同樣不會被它們當成人類。」

嘉蒂雅張大眼睛。「簡直難以置信，索拉利人不會讓監督員像對付你們那樣對付奧羅拉人。」

「為什麼不會？它們已經摧毀了一艘奧羅拉戰艦。你知道這件事嗎？」

「奧羅拉戰艦！不，我不知道。」

「我保證這是真的。奧羅拉人差不多和我們同時著陸，但我們活著回來，他們卻遇難了。要知道，我們有你，而他們沒有。結論就是——或說應該是——奧羅拉不能將其他太空族世界視為理所當然的盟友。遇到緊急情況，太空族世界個個只能自求多福。」

嘉蒂雅拚命搖頭。「從單一個案便以偏概全是靠不住的。我猜，索拉利人是發覺到不太可能讓監督員剛好接受五十種太空族口音，此外一律排斥。相較之下，只認一種口音要容易得多，原因就是這麼簡單。他們假設其他太空族都不會試圖降落他們的世界，結果他們錯了。」

「對，我確定奧羅拉的領導階層也會這麼想，因為大家都會比較容易做出令人心安的推理。而我想要做的，則是確保他們也看到了令人不安的可能性——而且真的因此感到不安。別怪我自負，但我真的不相信有誰能做得跟我一樣好，因此我認為自己是前往奧羅拉的不二人選。」

嘉蒂雅覺得十分錯亂。她只想當人類，並不想當太空族，所以很想將她所謂的「沒意義的身

份」徹底拋在腦後。可是，當丹吉得意洋洋地談起奧羅拉將被逼到窘境時，她發覺自己多少還算是太空族。

她老羞成怒地說：「我想殖民者世界彼此也有紛爭吧。難道殖民者世界不也是個個只能自求多福嗎？」

丹吉搖了搖頭。「或許在你看來當然是這樣，而且，我承認每個殖民者世界偶爾都會忍不住想把小我置於大我之上，但我們有一項資產，是你們太空族所欠缺的。」

「什麼資產，高貴的血統嗎？」

「當然不是，我們不會比太空族更高貴。我說的資產是地球，它是我們共有的世界。銀河殖民者人人都會盡量抽空造訪地球，他們都知道地球是個巨大且先進的世界，擁有豐富到難以想像的歷史、文化和生態，而這一切跟他們自己都密不可分。殖民者世界或許彼此會有紛爭，但絕不可能導致武力衝突或永久性裂痕。無論出現任何問題，我們都會自然而然想到請地球政府出面調解，而它的裁定有充分的權威，不容任何人置疑。

「嘉蒂雅，我們共有三項優勢：因為沒有機器人，我們用自己的雙手打造新世界；因為世代交替迅速，我們一直在求新求變；而最重要的是，地球這顆母星是我們的中心信仰。」

嘉蒂雅立刻說：「可是太空族……」然後便住口了。

丹吉微微一笑，帶著幾分挖苦說道：「你是不是要說太空族也是地球人的後裔，所以地球也是他們的母星？事實雖是如此，心態上則不然。太空族無所不用其極地否定自己的出身，他們並不認為自己是地球人的親戚——甚至遠親。如果我是神祕主義者，我會說太空族把自己的根切斷了，所以一定活不長。但我當然不是神祕主義者，所以不會這麼說——可是無論如何，他們一定活不長，這點我堅決相信。」

在稍微頓了頓之後，他彷彿發覺自己有點得意忘形，已經觸動了她的敏感神經，於是強迫自己好言好語道：「不過，嘉蒂雅，我想請你將自己想成人類，而不是太空族，同理，我也會將自己想成人類，而不是銀河殖民者。人類總會存活下去，可能是太空族，可能是銀河殖民者，也可能兩者兼而有之。我相信只有銀河殖民者會存活下去，但我的猜測不一定正確。」

「不，」嘉蒂雅試著心平氣和地說：「我認為你說得對——除非人類能學到再也不分什麼太空族或殖民者。這正是我的目標——幫助人類實現這個理想。」

「不過，」丹吉瞥了瞥艙壁上那個不太起眼的計時片，「你的晚餐被我耽誤了。我能跟你一起吃嗎？」

「當然可以。」嘉蒂雅說。

丹吉立刻起身。「那我去端來。我可以派丹尼爾或吉斯卡去，但我不想養成使喚機器人的習慣。何況，不論船員多麼敬愛你，他們的敬愛也不可能延伸到你的機器人身上。」

丹吉很快將晚餐端來了，嘉蒂雅卻沒什麼胃口。這些菜餚或許是繼承了地球酵母食品的量產方式，一律欠缺精緻的調味，所以她始終吃不慣。話說回來，也沒有哪道菜特別難吃，於是她食不知味地一口口吞下去。

丹吉注意到她吃得並不起勁，問道：「這些食物沒讓你難以下嚥吧？」

她搖了搖頭。「沒有，我顯然逐漸習慣了。剛上船的時候，有過幾次味同嚼蠟的經驗，但也不算太嚴重。」

「我很高興聽你這麼說，可是，嘉蒂雅……」

「什麼事？」

「你真想不出奧羅拉政府為何那麼急著要找你回去嗎？不可能是因為你制伏了那個監督員，

也不可能是因為你的演講。他們早在知道這兩件事之前，已經提出這個要求了。」

「這樣的話，丹吉，」嘉蒂雅苦著臉說：「就不可能有任何原因了，他們一向不重視我。」

「但一定還是有個原因。如我所說，電文是以奧羅拉立法局主席的名義發出來的。」

「其實如今這個主席只能算是傀儡。」

「喔？操縱他的是誰？凱頓．阿瑪狄洛嗎？」

「完全正確，所以你也知道他這個人。」

「喔，當然，」丹吉繃著臉說：「他是反地球基本教義派的核心人物。兩百年前，法斯陀夫博士重創了他的政治勢力，現在他卻還能威脅我們，這就是老而不死的弊端之一。」

「但仍有說不通的地方。」嘉蒂雅說：「阿瑪狄洛是個很會記仇的人。他知道自己其實是敗在以利亞．貝萊手上，而且堅信這件事我也有份。他對以利亞的厭惡——極端的厭惡——也延伸到我身上了。如果主席要我回去，唯一的原因就是阿瑪狄洛想要我回去——可是阿瑪狄洛為何要這麼做呢？他想將我除之而後快，他同意讓我陪你去索拉利或許就是這個緣故。他一定是指望你的太空船在索拉利遇難——而我也跟著陪葬。如果發生這種事，他高興都來不及呢。」

「頂多假裝掉幾滴眼淚，嗯？」丹吉語重心長地說：「但這絕不會是你當初聽到的說法，不會有人跟你說：『你跟這個瘋狂的行商去吧，因為我們巴不得你趕緊遇害。』」

「沒錯。他們說你亟需我的協助，而基於星際現勢，如今我們最好跟殖民者世界合作。他們還說等我回來後，若能向他們報告發生在索拉利上的一切經過，會對奧羅拉有極大的貢獻。」

「對，他們一定會這麼講，這些話甚至還有幾分真實性。所以說，等到發生了他們萬萬想不到的事——我們的太空船安然離去，奧羅拉戰艦卻遭到摧毀——他們八成會希望獲得這件事的第一手資料。因此，當我並未把你送回奧羅拉，反而去了貝萊星，他們才會吵著要你回去。可能就

是這麼一回事。當然，現在他們已經知道事情的經過，所以或許不想要你了。不過——」他好像忘了嘉蒂雅的存在，開始自言自語起來。「他們現在知道的一切，全部來自貝萊星的超視轉播，說不定他們認為真相並沒有那麼簡單。但是——」

「但是什麼，丹吉？」

「我就是有一種直覺，如果他們只是希望你回去匯報，絕不會發出那樣的電文。措詞居然那麼強烈，依我看一定另有原因。」

「他們不可能還另有目的，不可能了。」嘉蒂雅說。

「我仍舊存疑。」丹吉說。

41

「我同樣存疑。」當天晚上，壁凹內的丹尼爾這麼說。

「你對什麼存疑，丹尼爾好友？」吉斯卡問道。

「就是那封發自奧羅拉的電文，我對它的真正企圖仍舊存疑。我和船長看法一致，要嘉蒂雅女士回去匯報似乎並非十分充分的動機。」

「你心中有其他答案嗎？」

「我有個想法，吉斯卡好友。」

「能告訴我嗎，丹尼爾好友？」

「我曾經想到，奧羅拉立法局表面上是想把嘉蒂雅女士要回去，骨子裡卻另有圖謀——他們真正想要的可能並非嘉蒂雅女士。」

「除了嘉蒂雅女士，他們還能要到什麼呢？」

「吉斯卡好友，你說嘉蒂雅女士有沒有可能不帶你我一起回去？」

「不可能，可是你我對奧羅拉立法局又有什麼用呢？」

「我，吉斯卡好友，對他們毫無用處。而你，卻是獨一無二的，因為你能直接感應心靈。」

「那倒是真的，丹尼爾好友，但是他們並不知道。」

「難道他們不可能在我們離開奧羅拉後，突然發現這個事實，因而萬分後悔把你放走了？」

吉斯卡並沒有遲疑多久。「不，那是不可能的，丹尼爾好友。他們怎麼會發現呢？」

丹尼爾謹慎地說：「我曾做過這麼一番推理。很久以前，你在陪同法斯陀夫博士造訪地球時，曾經調整過一些地球機器人，賦予它們極其有限的心靈力量，僅僅能讓它們接手你的工作，也就是繼續影響地球的高級官員，讓他們對銀河殖民抱持著積極正面的看法。至少你是這麼告訴我的，因此，地球上的確有些能夠調控心智的機器人。

「此外，正如我們不久前懷疑的，奧羅拉機器人學研究院曾經送了一批人形機器人到地球去。我們並不知道他們這麼做的真正目的，但至少猜得到那些機器人負有一項任務，那就是觀察地球上的動態，然後回報給他們。

「就算那些奧羅拉機器人無法感應心靈，它們在報告中也會提到某某官員對於銀河殖民的態度突然改變了。而或許，在我們離開奧羅拉這段時間，奧羅拉上某位掌權人士恍然大悟——也許就是阿瑪狄洛博士自己——唯有假設地球上存在著能夠調控心智的機器人，這件事才有合理的解釋。然後，他就有可能循著這條線索，一路追尋到法斯陀夫博士或是你的身上。

「緊接著，奧羅拉官員們或許會想通更多的事情，而這些事和法斯陀夫博士顯然無關，所以通通會追到你身上。於是他們迫不及待地想把你要回去，但又苦於無法明說，否則就會洩漏了他們的新發現。所以他們決定索回嘉蒂雅女士——這是很自然的要求——因為他們知道只要她回去，你一定跑不了。」

吉斯卡足足維持了一分鐘的沉默，然後說：「這個推理很有趣，丹尼爾好友，只可惜無法成立。早在一百八十多年前，我改造的那批機器人就完成了鼓勵銀河殖民的工作，從此便終止運作，至少終止了調控心智的運作。更何況在很久以前，地球就把所有的機器人趕出了大城，將它們集中在無人居住的非城市地區。

「這就意味著，雖然我們猜測有些人形機器人被送到了地球，但即便如此，它們也不會碰到那些能夠調控心智的機器人，或是察覺任何調控心智的行為，因為那些機器人早已不再執行任務了。因此我們可以確定，我的特殊能力不可能是透過你所說的那種方式被揭露的。」

丹尼爾說：「難道沒有別的方法可以發現你的能力嗎，吉斯卡好友？」

「沒有了。」吉斯卡堅定地說。

「但——我還是存疑。」丹尼爾答道。

第四篇　奧羅拉

第十一章　老領袖

42

凱頓．阿瑪狄洛也是凡人，也不免為記憶所苦。事實上，他比大多數人更容易陷入痛苦的回憶。更何況，在他那頑強的記憶中，夾雜著某些不尋常的內容，令他長久以來倍感憤怒與挫折。

直到兩百年前為止，他的事業無不一帆風順。當時他是機器人學研究院的創院院長（其實目前仍是），而且有那麼一陣子，他信心滿滿地自認必定能夠控制整個立法局，並粉碎他的死敵漢．法斯陀夫，讓他陷入萬劫不復的境地。

只可惜——只可惜——

（雖然他極力避免，但他的記憶就是一再回到那件事情上，彷彿其中的悲痛和絕望令它回味無窮。）

假如當初他獲勝了，地球便會一直維持孤立狀態，而他一定會讓地球一路衰敗下去，最後從銀河中完全消失。這又有何不可呢？對於那些住在過度擁擠又充滿病菌的世界上、壽命短暫的次等人類而言，死亡要算是最好的歸宿——至少比他們勉強那麼活下去好一百倍。

至於既平靜又安全的太空族世界，則會出現進一步的擴展。想當年，法斯陀夫總是抱怨太空族壽命太長，又被機器人照顧得太好，再也無法成為拓荒者了，可是阿瑪狄洛自會證明他大錯特錯。

不料法斯陀夫竟然獲勝了。就在注定失敗那一刻，打個比方吧，他伸手向空中一抓，便以不可思議的方式將勝券抓到自己手上——簡直像變魔術。

當然，都是那個地球人，那個以利亞・貝萊——

但每當想到這個地球人，阿瑪狄洛的記憶總是會自動止步和轉向。他無法在腦海中重現此人的樣貌，無法聽見他的聲音，更無法想起他的所作所為，光是那個名字就夠了。即使已經過了兩百年，仍不足以化解一點點他心中的恨意——或是讓他心頭之痛減輕一絲一毫。

在法斯陀夫的政策包庇之下，可惡的地球人陸續逃離了那顆快要腐爛的行星，在銀河中建立起一個又一個新世界。這方面的進展有如一股旋風，吹得太空族世界暈頭轉向，最後甚至陷入癱瘓狀態。

阿瑪狄洛不知在立法局呼籲過多少次，銀河正在從太空族手中溜走，奧羅拉卻眼睜睜看著那些次等人類占據一個又一個世界，而太空族的士氣則是一年不如一年。

「醒醒吧，」他大聲疾呼：「醒醒吧。看看他們，銀河殖民者越來越多，殖民者世界更是不斷倍增。你們還在等什麼？等著他們掐住你的喉嚨嗎？」

法斯陀夫則總是以那種有如催眠曲的方式回應這些問題，於是奧羅拉人和其他太空族（他們總是追隨奧羅拉，雖然奧羅拉不願當領導者）就會放下心來，繼續睡他們的大頭覺。

他們似乎無視於顯而易見的真相。不論事實也好，數據也罷，乃至於種種無庸置疑的持續惡化跡象，他們一律無動於衷。他不斷向他們宣揚真理，而且他的預言陸續成真，卻只能眼巴巴看著永遠有過半的人像綿羊般追隨法斯陀夫，怎麼會有這種事呢？

而法斯陀夫自己又怎麼會如此冥頑不靈——事實證明他所說的每一句話都是癡人說夢，為何始終不肯更改任何政策呢？甚至不能說他是在頑固地堅持錯誤的作法，而是他似乎根本不知道自己錯了。

假如阿瑪狄洛是那種耽溺於幻想的人，他會一口咬定太空族世界是被某種咒語、某種無情的

魔法給纏上了；他會想像某個角落有某個人掌握了某種魔力，足以催眠那些原本靈光的腦袋、蒙蔽那一雙雙原本銳利的眼睛。

而令他最痛苦的一件事，則是人們認為法斯陀夫最後是含恨而終，因而對他寄予無限的同情。至於他為何含恨，據說是因為太空族再也未能開創自己的新世界。

其實是法斯陀夫自己的政策讓他們自我閹割！他有什麼權利含恨？假如他像阿瑪狄洛那樣，總是看到真相並說出真相，卻偏偏無法令太空族——足夠的太空族——聽從自己的意見，那他又會有什麼反應呢？

他不知想過多少次，不如讓銀河空無一人吧，總比由那些次等人類主宰來得好。假如他有魔法，能夠一點頭便毀掉地球——也就是以利亞．貝萊的世界——他早已巴不得這麼做了。

可是，用這樣的幻想當作心理慰藉，只能表示他已經徹底絕望。這和他一直不斷希望能放棄一切、希望死神降臨——只要機器人允許他這麼做——有著異曲同工之妙。

後來，毀滅地球的力量居然真的出現了——甚至可說是硬塞給他的。那是七年半以前，他和列弗拉．曼達瑪斯首次見面的時候。

43

記憶！回到七年半前——

阿瑪狄洛抬起頭來，發覺馬龍．西希斯已經進了自己的辦公室。他一定曾經按過叫門鍵，但如果沒有任何回應，他有權直接走進來。

阿瑪狄洛嘆了一口氣，放下了手中的小型電腦。自研究院成立以來，西希斯一直是他的左右手。那麼多年過去了，他已經不再年輕——並沒有特別顯著的變化，只是整個人看起來有點蒼老。而且，他的鼻子似乎比以前更歪了些。

他摸了摸自己的蒜頭鼻，忍不住想到自己的老化跡象又有多麼嚴重呢。他的身高曾有一九五公分，就太空族的標準而言也算是出類拔萃。如今，他當然和以前一樣站得筆直，可是最近在實際測量身高時，他頂多只有一九三公分而已。難道自己開始彎腰駝背，開始萎縮，開始沉澱了？但相較於身高的細微變化，這種消極的想法才是更明確的老化跡象。他趕緊將它拋在腦後，問道：「什麼事，馬龍？」

西希斯身後緊跟著一個新買的隨身機器人——外表光滑纖細，看起來非常現代化。這也是老化的跡象之一，如果你保不住年輕的身體，總是可以買個新型的機器人。阿瑪狄洛則早已下定決心，為了不讓真正的年輕人看笑話，自己絕不會做這種自欺欺人的事——更何況，比他年長八十幾歲的法斯陀夫都從未這麼做過。

西希斯說：「頭兒，那個叫曼達瑪斯的傢伙又來了。」

「曼達瑪斯？」

「就是一直想見你的那個人。」

阿瑪狄洛想了一會兒。「你是指那個索拉利女人的後代，那個白癡嗎？」

「是的，頭兒。」

「嗯，我不想見他。難道你還沒跟他說清楚嗎，馬龍？」

「說得一清二楚。他要我轉交一張便條給你，還說這樣你就會見他了。」

阿瑪狄洛慢慢說道：「我可不這麼想，馬龍。便條上寫些什麼？」

「我看不懂，頭兒，那並非銀河標準語。」

「既然這樣，我又為何應該比你更看得懂呢？」

「我不知道，反正他要我把它交給你。你只要看一眼，頭兒，然後撂一句話，我立刻再把他

打發走一回。」

「好吧，讓我看看。」阿瑪狄洛邊說邊搖頭，然後一臉嫌惡地瞧了瞧那張便條。上面寫著：「Ceterum censeo, delenda est Carthago.」

讀完後，阿瑪狄洛狠狠瞪了馬龍一眼，目光隨即回到那張便條上。最後他終於開口：「你一定先看過了，因為你知道這不是銀河標準語。你有沒有問他這是什麼意思？」

「問過了，頭兒。他說那是拉丁文，但我還是一頭霧水，不過他說你會瞭解的。他是個非常有決心的人，他對我說了，願意坐在外面等一整天，直到你讀了這句話為止。」

「他長得什麼樣子？」

「瘦瘦的，一臉嚴肅，恐怕沒什麼幽默感。個子很高，不過還是沒你那麼高。嘴唇很薄，眼窩很深，雙眼炯炯有神。」

「他有多大年紀？」

「從他的膚質判斷，我認為大約四十歲，總之非常年輕。」

「既然那麼年輕，我們就得特別通融，叫他進來吧。」

西希斯顯得很驚訝。「你要見他？」

「我不是已經說了嗎？叫他進來吧。」

44

年輕人幾乎是踏著正步走進來的。他直挺挺地站在辦公桌前，說道：「院長，感謝你答應接見我。能否允許我的機器人陪在我身邊？」

阿瑪狄洛揚了揚眉。「我很樂意會見你的機器人。你是否也允許我的機器人在場？」

他已有好多年沒聽到這種關於機器人的老式客套話。隨著禮儀觀念逐漸式微，以及越來越多

的人把隨身機器人視為自己理所當然的一部分，像這樣的悠久習俗早已名存實亡了。

「當然好，院長。」就在曼達瑪斯這麼說的時候，兩個機器人走了進來。它們並未在獲得允許之前便邁開腳步，這點阿瑪狄洛注意到了。兩個都是新型的機器人，顯然功能極佳，而且各方面都看得出它們是精品。

「你自己設計的嗎，曼達瑪斯先生？」凡是主人自己設計的機器人，總是有些特殊的價值。

「是的，院長。」

「所以你是一位機器人學家？」

「是的，院長，我是厄俄斯大學畢業的。」

「指導教授是——」

曼達瑪斯毫不猶豫地說：「並非法斯陀夫博士，院長，而是馬斯可尼克博士。」

「喔，但你並不是本研究院的成員。」

「我已經提出申請了，院長。」

「我懂了。」阿瑪狄洛理了理桌上的文件，然後繼續低著頭，冷不防問道：「你的拉丁文是哪裡學的？」

「我的拉丁文程度並不好，既不能讀也不能說，但我至少聽過那句名言，也知道它的出處。」

「那就很不簡單了。你是怎麼做到的？」

「我無法把所有的時間都投注在機器人學上面，所以培養了一些業餘興趣。其中之一是行星學，尤其是有關地球的研究，這就讓我認識到了地球的歷史和文化。」

「這並非太空族所熱中的一門學問。」

「是的，院長，而這是很糟的事。我們應該瞭解我們的敵人——你就是好榜樣，院長。」

「我是好榜樣？」

「是的，院長。我相信你對地球許多方面都很熟悉，而且比我更為精通，因為你花在這個問題上的時間比我長。」

「這你又是怎麼知道的？」

「我曾盡可能試著認識你，院長。」

「因為我也是你的敵人？」

「不，院長，因為我想讓你成為我的盟友。」

「你的盟友？所以說你打算利用我？難道你不覺得這麼講有點不得體嗎？」

「不會的，院長，因為我確定你會希望成為我的盟友。」

阿瑪狄洛凝視著對方。「縱然如此，我還是覺得你這麼講不只是有點不得體而已——告訴我，你給我看的那句引文，你自己瞭解它的意思嗎？」

「瞭解，院長。」

「那就把它翻譯成銀河標準語吧。」

「它的意思是：『在我看來，必須滅掉迦太基。』」

「而在你看來，這句話又是什麼意思呢？」

「這句話是馬爾庫斯．波爾基烏斯．加圖所說的，他是古代地球的一個政體——羅馬共和國的元老院成員。當時羅馬已經打敗迦太基這個宿敵，但是並未消滅它。加圖認為唯有徹底滅掉迦太基，羅馬的安全才有保障——最後，院長，他們的確這麼做了。」

「可是迦太基跟我們又有什麼關係呢，年輕人？」

「我認為存在著所謂的類比關係。」

「那就是太空族世界同樣也有宿敵，而在我看來，我們必須將它滅掉。」

「什麼意思？」

「說說是哪個宿敵。」

「就是地球這顆行星，院長。」

阿瑪狄洛用手指輕輕柔柔地敲著桌面。「而在這個計畫中，你要我當你的盟友。你以為我會很高興，甚至迫不及待加入——告訴我，曼達瑪斯博士，雖然我針對地球做過許多演說，寫過許多文章，但我什麼時候說過必須毀滅地球？」

曼達瑪斯緊抿著薄薄的嘴唇，鼻孔不停地掀動。「我來找你，」他說：「目的不是要引誘你掉進什麼陷阱，以便用來當作把柄。我並非法斯陀夫博士或他的黨人派來的，也不是他們那個政黨的黨員。還有，我並不是來套你心裡的話，我對你說的都是我自己心裡的話，那就是在我看來，我們一定要毀滅地球。」

「那麼你打算如何毀滅地球呢？你是否要建議我們進行核彈攻擊，直到爆炸、塵霧和放射性毀掉那顆行星為止？萬一真是這樣，你打算如何避免銀河殖民者的戰艦使用同樣手段，對奧羅拉以及他們搆得著的其他太空族世界展開報復？一百五十年前，我們或許還能肆無忌憚地轟炸地球，現在卻不行了。」

曼達瑪斯露出厭惡的表情。「我心裡根本沒有這種想法，阿瑪狄洛博士。我絕不會濫殺無辜，就算對地球人也不例外。然而，我知道有一種毀掉地球的方法，不至於導致大屠殺——也不會招來任何報復。」

「你在做白日夢，」阿瑪狄洛說：「也可能神智不太健全。」

「讓我解釋一下。」

「不行，年輕人。我忙得很，但因為看得懂你抄來的那句話，我忍不住起了好奇心，所以已經縱容自己在你身上花了太多時間了。」

曼達瑪斯站了起來。「我能理解，阿瑪狄洛博士，請原諒我占用了你過多的寶貴時間。然而，還是請你想想我說的這番話，如果你的好奇心又竄起來，不妨改天在你比較有空的時候來找我談談。不過請別耽擱太久，因為我會慎重考慮轉向別處求助。為了毀掉地球，我什麼都願意做。你瞧，我對你十分坦白。」

年輕人試著擠出一抹笑容，卻僅僅將瘦削的雙頰拉長了些，臉部表情幾乎沒有其他變化。「再見——請讓我再說聲謝謝。」說完他便轉身離去。

阿瑪狄洛望著他的背影，若有所思了一陣子，然後按下桌邊的一個開關。

等到西希斯走進來，他一口氣說：「馬龍，給我派人整天盯著這個年輕人，我要知道他跟哪些人說過話，一個也不能漏。給我查清楚他們的身份，並且逐一盤問。凡是被我點到的人，通通帶來見我——可是，馬龍，一切都要悄悄進行，而且態度要溫和，口氣要友善。要知道，我還不是這兒的老人。」

但是這一天終將來臨。法斯陀夫已經三百六十幾歲，健康顯然走下坡了，而阿瑪狄洛至少比他年輕八十歲。

45

連續九天，阿瑪狄洛都收到了跟監報告。

報告中說，曼達瑪斯最常說話的對象是他的機器人，其次是大學裡的同事，再來則是他家附近的鄰居。談話的內容一律稀鬆平常，因此早在幾天前，阿瑪狄洛已經確定他無法跟這個年輕人耗下去。曼達瑪斯剛剛展開人生旅途，很可能有三百年的大好歲月在等著他；阿瑪狄洛卻頂多還

有八十到一百年好活。

而阿瑪狄洛越是想到年輕人所說的那番話，越是覺得心神不寧。如果真有毀滅地球的方法，他絕不能掉以輕心，以免讓它白白溜走。難道他能允許在他死後才發生這件驚天動地的大事，自己無法目睹盛況嗎？而幾乎同樣糟的情形，則是地球的毀滅發生在他有生之年，卻是由他人的意志所指揮，由他人的手指來按鈕，他當然也無法接受這種事。

不，他必須親眼見到，親自執行；否則，他忍辱負重那麼多年又有什麼意義呢？曼達瑪斯也許是個傻子或瘋子，可是，即使事實如此，阿瑪狄洛也得自行確認一番。

想到這一層之後，阿瑪狄洛決定再叫曼達瑪斯到他的辦公室來一趟。

阿瑪狄洛心知肚明，這麼做是在自取其辱，但他必須付出這個代價，才能確定自己絕不會在毀滅地球這個行動中缺席。他是心甘情願付出這個代價的。

他做好了心理準備，即使曼達瑪斯嘻皮笑臉、趾高氣昂地出現在自己面前，他也必須先忍下這口氣。當然，忍耐是有時限的，一旦事實證明這個年輕人是在胡說八道，他保證會讓他嘗到文明社會所能允許的最嚴厲懲罰。可是另一方面……

因此，當曼達瑪斯帶著相當謙卑的態度走進他的辦公室，阿瑪狄洛自然很高興，更何況對方還誠心誠意地感謝自己再給他一次機會，阿瑪狄洛因而覺得自己也該有些善意的回應。

「曼達瑪斯博士，」他說：「上次都怪我太無禮，沒聽取你的計畫就下了逐客令。所以請趕緊告訴我，你心中到底有什麼計畫。我一定會認真聽你說，直到——我猜很有可能——直到我確定你的計畫只是狂想，並非理性的產物為止。那時我會再把你趕走，但並不會因此瞧不起你，而我希望你也坦然面對，不要生我的氣。」

曼達瑪斯說：「你願意正式地、耐心地聽我一席話，我不可能生你的氣，阿瑪狄洛博士。可

是，萬一你覺得我這番話頗有道理，為你帶來了希望，那又如何呢？」

「這樣的話，」阿瑪狄洛慢慢說道：「可想而知，你我就有合作的機會了。」

「那實在太好了，院長。我們彼此合作，一定強過各自為戰。可是除了合作，還有沒有什麼更具體的禮遇呢？會不會有什麼獎賞？」

阿瑪狄洛顯得不太高興了。「我當然會感激你，但我僅有的兩個身份，就是立法局議員和機器人學研究院院長而已。我的權力有限，不太可能為你做些什麼。」

「這點我瞭解，阿瑪狄洛博士。可是，難道你在權限之內就不能給我一點有用的東西嗎？說給就給？」他穩穩地望著阿瑪狄洛。

凝視著那一對尖銳而又毫不動搖的目光，阿瑪狄洛不禁皺起眉頭。謙卑全不見了！

阿瑪狄洛冷冷地說：「你想要什麼？」

「對你來說輕而易舉，阿瑪狄洛博士，我只是想加入研究院。」

「如果你夠資格……」

「別怕，我當然夠資格。」

「夠不夠資格，不是申請人自己說了算。我們得……」

「得了吧，阿瑪狄洛博士，這麼說就未免欠缺誠意了。既然打從我上次告辭後，你就派人時時刻刻監視我，我可不相信你沒仔細研究過我的資料。因此，你一定知道我夠資格。如果你覺得我沒資格加入貴院，無論原因為何，就更不會相信我有本事想出什麼毀滅這個今日迦太基的計畫，而我也不可能再被你叫回來了。」

阿瑪狄洛頓時覺得怒火中燒。有那麼一瞬間，他覺得這孩子簡直欺人太甚，就算是為了毀滅地球，也不值得自己這麼忍氣吞聲。但這個念頭一閃即逝，下一刻，他便恢復了足夠的理智，甚

至能在心中勸慰自己，像他這樣如此年輕卻又如此大膽、如此信心滿滿的人，正是自己所需要的幫手。何況自己早已研究過曼達瑪斯的資料，他有資格加入研究院是毫無疑問的一件事。

阿瑪狄洛試著心平氣和（這可是用血壓升高換來的）說道：「你說得對，你有資格。」

「那就錄取我吧。我確定相關表格都在你的電腦裡面，你只要填上我的名字、我的學校、我的畢業年份，以及其他一些非填不可的瑣碎資料，然後簽上大名就行了。」

阿瑪狄洛一聲不吭地打開電腦。他輸入了相關資料，印出那份表格，簽了名，然後遞給曼達瑪斯。「日期就是今天，你已經是本院的成員了。」

曼達瑪斯仔細看了一遍，便將它交給自己的機器人。那機器人取出一個文件夾，將表格放進去，然後夾在腋下。

「謝謝你，」曼達瑪斯說：「你對我實在太好了，我希望自己永遠不會辜負你，或是令你後悔自己看走了眼。然而，正因為這樣，我還有一件事。」

「還有嗎？什麼事？」

「我們能否討論一下大功告成後的獎賞——當然，一定是在百分之百成功之後。」

「我們能否等到真正大功告成之際，或相當接近時再來討論，這樣應該更合理吧？」

「就理性而言當然如此。但我的腦袋裡既有理性又有夢想，我喜歡先做做白日夢。」

「好吧，」阿瑪狄洛說：「你想做什麼白日夢？」

「依我看，阿瑪狄洛博士，法斯陀夫博士現在情況很不妙。他年歲已高，恐怕沒多少年好活了。」

「所以呢？」

「一旦他死了，你的政黨就會變得更有衝勁，而法斯陀夫黨派中那些不太堅貞的黨員，或許

會發覺另投明主才算識時務。下次選舉，只要沒有法斯陀夫，你一定會獲勝的。」

「是有這個可能。好，如果成真呢？」

「你將會成為立法局的精神領袖，將會主導奧羅拉的對外政策，實際上就等於主導了整個太空族世界的對外政策。而如果我的計畫一帆風順，你的路線就會非常成功，幾乎可以肯定你很快就有機會當選立法局主席。」

「你可真會做白日夢，年輕人。姑且假如你的預言通通成真，那麼接下來呢？」

「你幾乎不可能有時間兼顧奧羅拉和機器人學研究院。所以等你終於決定辭去你在研究院的現職後，我要你支持我做你的繼任者，接任院長這個職位。既然是你親自決定的人選，幾乎不可能會有人反對。」

阿瑪狄洛說：「別忘了院長這個職位是有資格限制的。」

「我會夠資格的。」

「我們還是等等看吧。」

「我很願意等等看，但你不久便會發現，早在我們的計畫大功告成之前，你就會巴不得答應我的請求。因此，請現在就開始習慣吧。」

「還沒吐一個字，便開了那麼多價碼。」阿瑪狄洛低聲抱怨，「好，你已經是本院的成員，而我也會督促自己慢慢習慣你的白日夢。可是我看開場白就到此為止吧，趕緊告訴我，你到底打算如何毀滅地球。」

說完這句話，阿瑪狄洛幾乎是自然而然地對他的機器人做個手勢，要求它們不得記錄這次會談的任何片段。而曼達瑪斯則帶著淺淺的笑容，對自己的機器人做了同樣的手勢。

「那我們就開始吧。」曼達瑪斯說。

但他還沒有繼續說下去，阿瑪狄洛便主動出擊了。

「你確定自己並非親地球派嗎？」

曼達瑪斯顯然嚇了一跳。「我可是帶著一份毀滅地球的計畫來找你的。」

「但你是那個索拉利女人的後代——據我瞭解，是第五代。」

「沒錯，院長，這重關係誰都查得到。那又怎麼樣？」

「那個索拉利女人——長久以來——一直是法斯陀夫的好友、門徒、親密夥伴。因此我難免好奇，不知你是否贊同他的親地球主張。」

「就因為我有那麼一個祖先？」曼達瑪斯似乎真的感到難以置信。一時之間，他幾乎有點惱羞成怒，連鼻孔都開始收縮，但這個表情隨即消逝，他又平心靜氣地說：「同樣是長久以來，你自己也一直有個好友、門徒、親密夥伴，那就是法斯陀夫博士的女兒瓦西莉婭·法斯陀夫博士。他們兩人只相隔一代，我難免好奇她是否贊同他的主張。」

「過去我自己也這麼想過。」阿瑪狄洛說：「但事實證明她並不贊同，後來我就沒有再懷疑她了。」

「你也可以別再懷疑我了，院長。我是太空族，我想看到太空族掌控整個銀河。」

「非常好，開始說明你的計畫吧。」

曼達瑪斯說：「我會的，可是——希望你別介意——我想從頭說起。

「阿瑪狄洛博士，天文學家一致同意，在我們的銀河中，有好幾百萬顆類似地球的行星，只要對它們進行必要的環境調控，完全不必做任何地質性改造，人類就可以在上面定居了。這些行星的大氣是可以呼吸的，海洋是原本就有的，陸地和氣候的條件也都適宜人類，而且上面早就有了生命。事實上，海洋中至少要有一點點浮游生物，大氣層才有可能出現游離氧。

「陸地雖然通常都寸草不生，可是一旦海陸都經過了生物性改造——也就是說，一旦引進了地球生物——那些生物都會大量繁衍，而這顆行星也就能殖民了。目前為止，已有好幾百顆這樣的行星被人類仔細研究過，而且大約已有半數被銀河殖民者占據了。

「但至少有一點，目前已知的可住人行星都和地球很不一樣，那就是它們一律沒有種類繁多且數量龐大的生命。無論就大小或複雜度而言，頂多只能見到少數幾種類似蠕蟲或昆蟲的無脊椎動物，而在植物界，則絕對沒有比蕨類更高等的植物。智慧生物就更別提了，連沾到一點邊的都沒有。」

阿瑪狄洛聽著這些生硬的詞句，心中暗自想：他把這些東西硬記了起來，現在只是在背書罷了——他有點坐立不安了，說道：「我並不是行星學家，曼達瑪斯博士，但請你相信我，你所說的這些我早就都知道了。」

「如我所說，阿瑪狄洛博士，我是故意從頭說起的——天文學家越來越相信，銀河中的可住人行星相當多，而它們全部——或說幾乎全部——和地球很不一樣。基於某種原因，地球是個極不尋常的行星，上面的生物演化不但萬分迅速，而且萬分異於常態。」

阿瑪狄洛說：「通常的說法是，如果銀河中還有另一種和我們一樣先進的智慧生物，他們現在已經察覺到了我們的擴展行動，也已經——以某種方式——讓我們知道了他們的存在。」

曼達瑪斯說：「是的，院長。事實上，如果銀河中有另一種比我們更先進的智慧生物，我們壓根兒不會有擴展的機會。所以我們似乎可以肯定，人類是全銀河唯一一種能夠進行超空間旅行的物種。至於我們是不是全銀河唯一的智慧生物，這點或許沒有那麼肯定，但是仍然非常有可能。」

阿瑪狄洛雖然仍在用心聆聽，卻浮現出似笑非笑的不耐煩表情。這個年輕人是在說教，而且

沒完沒了，就像偏執狂總是旁若無人地打著拍子一樣。這是瘋狂的跡象之一，阿瑪狄洛原本還真有點希望曼達瑪斯有本事改變歷史的走向，現在他逐漸失去信心了。

他說：「你一直在講些我都知道的事，曼達瑪斯博士。眾所皆知，地球似乎是獨一無二的，而我們則很可能是銀河中唯一的智慧生物。」

「可是，似乎沒有人問過『為什麼』這個簡單的問題。地球人和銀河殖民者從來不問，只是照單全收。他們對地球抱持著迷信的心態，將它視為神聖的世界，因此無論地球多麼不尋常，都會被視為理所當然。至於太空族，我們也從來不問，甚至刻意忽視這個問題。我們盡量避免想到地球，否則很容易越想越多，最後便會想到我們也是地球人的後裔。」

阿瑪狄洛說：「這個問題我看不出有什麼用。我們根本不必替這個『為什麼』尋找複雜的答案。在演化過程中，隨機事件扮演了重要角色，甚至在某種程度上，萬事萬物都具有隨機的因素。如果銀河中有幾百萬個可住人的世界，很可能各有各的演化速度。在大多數的世界上，演化速度都不大不小；但一定有些特別慢，而有些特別快；其中或許有一個快得不得了，另一個則慢得不得了。地球剛好就是那個快得不得了的世界，因此才會有現在的我們。如果一定要追問『為什麼』，那麼最自然——而且最充分——的答案就是『機率』。」

阿瑪狄洛故意用詼諧的方式提出這個邏輯性論述，目的是要徹底瓦解對方的理論，以便將他激怒，讓他的瘋狂在暴跳如雷中表露無遺。然而阿瑪狄洛卻失望了，曼達瑪斯只是用深陷的雙眼瞪了他一會兒，然後平靜地說：「不對。」

曼達瑪斯故意等了約兩秒鐘，然後才又說下去：「想要讓演化速度增加一千倍，光憑好運恐怕是辦不到的。除了地球之外，其他各個行星的生物演化速度都和它所接受的宇宙輻射通量有密切關係。這個速度和機率毫無瓜葛，而是由宇宙輻射所造成的慢速突變來決定的。基於某種因

素，地球上的突變要比其他可住人行星多得多，但宇宙射線和這個因素毫無關聯，因為地球並未接觸到過量的輻射。現在，關於『為什麼』這個問題為什麼重要，或許你能看得比較清楚一點了。」

「好吧，曼達瑪斯博士，既然我仍在耐心聽你說下去，這點連我自己都有些驚訝，趕緊解答你硬要提出的這個問題吧。還是你只找到了問題，卻沒有找到答案？」

「我找到答案了。」曼達瑪斯說：「而這個答案的關鍵，在於地球另有一個獨一無二的特點。」

阿瑪狄洛說：「我來猜猜看，你是指地球有一個巨型衛星。不用說，曼達瑪斯博士，你當然不會聲稱這是你的發現吧。」

「絕對不會。」曼達瑪斯硬邦邦地說：「雖然巨型衛星似乎很普遍，例如我們的行星系共有五個，而地球的行星系則有七個。然而，已知的巨型衛星幾乎一律環繞著氣態行星，只有一個例外，那就是地球的衛星——所謂的月球——它環繞著一顆比自己大不了太多的行星。」

「我可否再提出『機率』來解釋這個現象，曼達瑪斯博士？」

「這回或許真是機率，但月球仍是獨一無二的。」

「即便如此，這顆衛星和地球上生意盎然又有什麼關聯呢？」

「這點或許不明顯，這種關聯的確可能並不存在——但是，若說地球這兩個獨一無二的特點毫無關聯，那就更不可能得多了。而我，已經找到了一個關聯。」

「是嗎？」阿瑪狄洛敏感地說。終於要有不容置疑的證據，能夠證明對方是狂人了。他瞥了瞥牆上的計時片，儘管好奇心持續不墜，但是自己真的沒有太多時間了。

「月球，」曼達瑪斯說：「由於它對地球所造成的潮汐效應，一直在慢慢遠離地球。地球上

之所以有大型潮汐，全是拜這顆巨型衛星之賜。地球的太陽也會引起潮汐，可是規模只有月球效應的三分之一——正如我們的太陽只能在奧羅拉引發小型潮汐。

「既然潮汐作用使得月球離地球越來越遠，在這個行星系的早期歷史上，兩者的距離一定比現在小得多。而月球離地球越近，在地球上引發的潮汐就越大。這種潮汐對地球有兩個重要作用，一來是隨著地球的自轉，它會導致地殼厚度不斷收縮，二來則會減慢地球的自轉速度——後者的成因除了前者之外，淺層海底的海水摩擦力也有貢獻——於是，地球的轉動能就轉換成了熱量。

「因此，在所有的可住人行星當中，要數地球的地殼最薄，而且也只有地球擁有火山活動，以及依然活躍的板塊構造。」

阿瑪狄洛說：「可是，你所講的這些和地球的生意盎然都扯不上關係。曼達瑪斯博士，我勸你趕緊進入正題，或是立刻告辭。」

「請再忍耐一下，阿瑪狄洛博士，再給我一點時間。一旦發現這個特點，當然要好好研究一番。我曾針對地球地殼的化學發展做過仔細的電腦模擬，特別考慮到了潮汐效應以及板塊結構——在此之前，即使有人研究過這個問題，也從未採用像我這麼嚴謹精密的方法，請容我自誇一下吧。」

「喔，沒問題。」阿瑪狄洛喃喃道。

「結果相當明顯——你若有興趣，我隨時可拿相關數據給你過目——地球的地殼和上地函中的鈾和釷這兩種元素，濃度居然能高達其他可住人行星的一千倍。更特殊的是，它們的分布並不均勻，所以在那些分散各處的礦囊裡，鈾和釷的濃度還要更高。」

「而我猜，放射性高到危險的程度吧？」

「不，阿瑪狄洛博士，鈾和釷的放射性都非常微弱，而且所謂的高濃度，是指相對於正常值而言，本身並不能算非常高——我再強調一遍，這些都是月球那顆巨大衛星所引起的。」

「那麼我想，這些放射性即使不至於對生命構成威脅，加速突變卻是綽綽有餘了。對不對，曼達瑪斯博士？」

「沒錯。由於這個緣故，生物的滅絕有時會更為迅速，可是新物種的出現同樣會變得更快——這就促成了種類繁多且數量龐大的生命形式。於是終於有一天，達到了發展出智慧生物和文明的臨界點，這是只有地球上才會發生的事。」

阿瑪狄洛點了點頭。這個年輕人並不瘋狂，他也許弄錯了，但他並不瘋狂，況且他也可能沒錯。

阿瑪狄洛並非行星學家，因此他得去查查書，才能確定曼達瑪斯是不是像其他狂熱份子那樣，只是「發現」一個已知的理論罷了。然而，有一件更重要的事，他得立刻查清楚。

他柔聲說道：「你曾提到可能有辦法毀掉地球。這和地球那些獨特之處有任何關聯嗎？」

「有個獨特的方法，能讓我們善加利用這些獨特之處。」曼達瑪斯以同樣的口吻答道。

「就目前這個問題而言——是什麼方法呢？」

「在討論這個方法之前，阿瑪狄洛博士，我得先說明一下，就某個層面而言，我們到底能不能毀掉地球，其實取決於你。」

「我？」

「是的。」曼達瑪斯堅定地說：「取決於你。否則，我為什麼要在你面前發表這些長篇大論？當然是為了說服你相信我早已胸有成竹，好讓你願意和我攜手合作，這樣我才會穩操勝算。」

阿瑪狄洛深深吸了一口氣。「如果我拒絕，還有別人能幫你做到嗎？」

「如果你拒絕，我的確有可能轉向他人求助。你真要拒絕嗎？」

「或許不會，但我不禁好奇，我對你到底有多重要。」

「答案是，怎麼也比不上我對你來得重要，所以你必須跟我合作。」

「必須？」

「我希望你能跟我合作——看來你比較喜歡聽我這麼說。可是，如果你希望從今以後，奧羅拉和太空族永遠把地球和銀河殖民者踩在腳下，你就必須跟我合作——不管你喜不喜歡這種說法。」

阿瑪狄洛說：「告訴我，我必須做的究竟是什麼？」

「首先請你告訴我，研究院以前是不是曾經設計並製造過人形機器人。」

「的確有這回事。總共造了五十個，那是大約一百五十到兩百年前的事。」

「那麼久了？後來呢？」

「失敗了。」阿瑪狄洛輕描淡寫地說。

曼達瑪斯露出驚恐的表情，上身猛然向後一靠。「它們被銷毀了？」

阿瑪狄洛雙眉一挑。「銷毀？不會有人銷毀那麼昂貴的機器人，它們都在庫房裡。我們抽走了電源匣，用特殊的長效微聚變電池取而代之，好讓正子徑路維持著最低的活動。」

「所以說，它們可以完全恢復運作？」

「我確定做得到。」

曼達瑪斯開始用右手在座椅扶手上規律地打著拍子。「那我們贏定了！」他繃著臉說。

第十二章　計畫、女兒

46

阿瑪狄洛已經很久沒有想起那些人形機器人了。那是一段痛苦的回憶，他曾下過一番苦功，訓練自己絕不去想這段往事。沒想到，曼達瑪斯今天竟然主動提起。

在那段早已逝去的歲月裡，人形機器人曾是法斯陀夫手中最後一張王牌，但即便如此，阿瑪狄洛還是差一點點成了贏家。法斯陀夫曾經設計並製造出兩個人形機器人（其中之一目前還在），在當時可算是舉世無雙。機器人學研究院所有的成員通力合作，也一直造不出第三個。

而阿瑪狄洛在遭到巨大挫敗之後，唯一贏得的正是這張王牌。法斯陀夫在半推半就下，不得不將人形機器人的祕密公諸於世。

這就代表研究院也能製造人形機器人了，而且還真的造了出來。不過——請注意——這並不代表它們受歡迎，奧羅拉人絕不希望它們融入那個社會。

一想到這個令人懊惱的發展，阿瑪狄洛的嘴角就會噘起來。有關那索拉利女人的醜事——法斯陀夫所製造的兩個人形機器人之一，叫詹德的那個，曾被她拿來當作性伴侶——不知怎麼傳了出去。理論上，奧羅拉人並不反對這種事情。然而奧羅拉女性不久便想到，絕不希望有任何女形機器人跟自己競爭。同理，奧羅拉男性也不希望男形機器人成為自己的情敵。

研究院曾費盡心力向大眾解釋，這些人形機器人並非打算用在奧羅拉，而是會被當成開路先鋒，每當一個新世界完成大地改造，它們便會先行登陸，為奧羅拉人的移民進行各種準備工作。

可是，隨著疑慮和反感與日俱增，這樣的解釋也被打了回票。甚至有人將人形機器人稱為

「分裂的導火線」。這種說法逐漸傳了開來，令研究院不得不放棄這個計畫。

至於已經出廠的那些，阿瑪狄洛不顧眾人反對，堅持要把它們封存起來，以備有朝一日派上用場——但這個夢想始終未曾實現。

人形機器人為何會招來那麼大的阻力？想到這裡，阿瑪狄洛覺得當年幾乎氣死他的那股怒火依稀又湧上心頭。當初法斯陀夫雖不算心甘情願，仍然同意支持這個計畫，而且憑良心說，他說到做到了，只不過因為口才不佳，他將全副精力花在自己真正認同的事情上——但那樣卻毫無幫助。

可是——可是——如果現在曼達瑪斯心中真有一個可行的計畫，需要用到那些機器人……其實，阿瑪狄洛並沒有多大興趣暗自祈禱：「最好是這樣，應該這樣才對。」可是，當電梯將他們兩人帶到很深的地底——這是奧羅拉上唯一能和傳說中的地球鋼穴勉強比擬的地方——他還是努力克制了一番，才沒有繼續這麼想下去。

曼達瑪斯在阿瑪狄洛的示意下走出電梯，發覺置身於一條昏暗的走廊中。溫度有點低，附近還有輕柔的通風氣流，令他不禁微微打顫。阿瑪狄洛來到他身邊，兩人身後都只跟著一個機器人。

「很少有人來這裡。」阿瑪狄洛用就事論事的口吻說。

「這裡有多深？」曼達瑪斯問。

「距離地表十五公尺。那些人形機器人存放在這一層，其實共有好幾層。」

阿瑪狄洛停了一下，彷彿陷入沉思，然後猛然向左轉。「這邊！」

「沒有指示標誌嗎？」

「我剛才說了，很少有人來這裡。會下來的人都知道該怎麼走，才能找到他要找的東西。」

說著說著，兩人已經來到一扇門前，在昏暗的光線下，那扇門看起來既壯觀又厚實。有兩個機器人分別站在左右兩側，但顯然不是人形機器人。

曼達瑪斯將它們上上下下仔細打量了一遍，不以為然地說：「這是很簡單的機型。」

「非常簡單。像這種看門的工作，你該不會希望我們派出多麼精巧的機型吧。」然後，阿瑪狄洛提高音量，但維持著平板的口吻說：「我是凱頓．阿瑪狄洛。」

兩個機器人的眼睛稍微亮了一下，隨即轉身退向左右兩旁，與此同時，那扇門也無聲無息地升起來。

阿瑪狄洛示意曼達瑪斯走進去，在經過那兩個機器人的時候，他冷靜地下達命令：「門就這麼開著，把裡面的燈光幫我調亮。」

曼達瑪斯說：「我想並不是任何人都進得來吧。」

「當然不是。那兩個機器人認得我的相貌和聲紋，必須兩者正確無誤，它們才會把門打開。」然後，他像是自言自語地補充道：「無論任何門鎖、鑰匙或密碼，在太空族世界皆無用武之地，機器人永遠會忠實地為我們站崗。」

「我有時會想到，」曼達瑪斯若有所思地說：「銀河殖民者似乎無論走到哪裡都會隨身帶著手銃，如果有個奧羅拉人設法借到一把，就沒有哪扇門擋得住他了。他能在瞬間擊毀看門的機器人，然後想去哪裡就去哪裡，想做什麼就做什麼。」

阿瑪狄洛惡狠狠瞪了對方一眼。「可是有哪個太空族會想在太空族世界使用那種武器呢？我們活在一個既沒有武器也沒有暴力的世界上。難道你不明白，我之所以畢生致力於擊敗並摧毀地球以及上面的毒蛇猛獸，正是由於這個緣故——沒錯，我們的確也有過暴力，但那是很久以前的事，當時太空族世界剛建立起來，我們還沒有擺脫源自地球的劣根性，也還來不及學到機器人保

安的可貴。

「難道和平與安全不值得我們奮鬥嗎？沒有暴力的世界！由理性統治的世界！如你所說，那些短命的地球人走到哪裡都會帶著手銃，我們應該拱手把幾十個可住人世界白白讓給這種野蠻人嗎？」

「可是，」曼達瑪斯咕噥道：「你已決心要用暴力摧毀地球嗎？」

「若想永遠終結暴力，或許短暫的、針對性的暴力是我們必須付出的代價。」

「即使是那種暴力，」曼達瑪斯說：「在我這個太空族看來，也要能免則免。」

這時，他們已經來到一間洞穴狀的寬大庫房，剛才他們一進來，牆壁和天花板立刻亮起瀰散而毫不刺眼的光芒。

「好，這就是你需要的嗎，曼達瑪斯博士？」阿瑪狄洛問道。

曼達瑪斯四下望了望，不禁目瞪口呆。最後他總算吐出一句：「太不可思議了！」

它們像是一團軍隊般站在那裡，看起來比一群雕像多了些生氣，可是比起一群熟睡的人類卻差得太遠了。

「它們都站著。」曼達瑪斯喃喃道。

「很明顯吧，這樣比較不占空間。」

「可是，它們至少在這裡站了一百五十年，不可能仍處於運作狀態。不用說，它們的關節一定僵硬了，器官也一定衰竭了。」

阿瑪狄洛聳了聳肩。「或許吧。話說回來，如果關節真的退化了——我想，這並非不可能的事——必要時當然可以更換，主要還是看有沒有理由這麼做。」

「會有理由的。」曼達瑪斯說。他逐一掃視這些機器人的頭部，發現它們各自望著不盡相同

的方向，整體看來給人一種不安定的感覺，彷彿這個隊伍立刻要解散了。

曼達瑪斯又說：「這些機器人各有各的相貌，它們的身高、體型等等也彼此不同。」

「沒錯，這令你感到驚訝嗎？我們當初是計畫讓這批機器人，以及後面幾批類似的人形機器人，成為開拓新世界的開路先鋒。為了讓它們有最好的表現，我們盡可能把它們造得酷似真人，這就意味著要讓它們像奧羅拉人一樣有個別差異。你不覺得這很有道理嗎？」

「太有道理了，我真的很高興。我很熟悉法斯陀夫自己製造的人形機器人原型——丹尼爾．奧利瓦和詹德．潘尼爾——我閱讀過大量的相關文獻，還看過它們的全像，兩人似乎一模一樣。」

「沒錯。」阿瑪狄洛不耐煩地說：「不只一模一樣，而且是人們心目中的完美太空族，完美到了誇張的程度，這反映了法斯陀夫的浪漫主義。我確定他曾想製造一大批彼此可以互換零件的人形機器人，無論男女都有著天仙般的容貌——至少是他眼中的天仙——使得它們十分虛假，完全不像真人。法斯陀夫或許是個傑出的機器人學家，卻是個愚蠢至於極點的人。」

阿瑪狄洛搖了搖頭，心想，這麼一個愚蠢至於極點的人，當初竟然把自己打敗了——但隨即將這個想法拋在腦後。打敗他的並非法斯陀夫，而是那個可惡透頂的地球人。他想得出了神，以致沒聽到曼達瑪斯的下一個問題。

「請再講一遍。」他帶著一絲惱怒說。

「我是在問：『它們是不是你設計的，阿瑪狄洛博士？』」

「不是，說來這是個詭異的巧合——令我不禁感到極為諷刺——它們是法斯陀夫的女兒瓦西莉婭設計的。她和她父親一樣傑出，卻比他聰明得多——這對父女始終合不來，或許這正是原因之一。」

「正如我所聽到的傳聞……」曼達瑪斯說到這裡，阿瑪狄洛便揮手要他閉嘴。

「我自己也聽過這個傳聞，但這無關緊要。重要的是她在專業領域上表現得非常好，況且法斯陀夫雖然不巧是她的生父，卻跟她形同陌路，甚至令她覺得厭惡，這是永遠不會改變的，所以我們不必擔心她會開始認同那個人。她甚至自稱為瓦西莉婭．茉露，你知道吧。」

「對，我知道。你保有這些人形機器人的大腦型樣記錄嗎？」

「那還用說。」

「每個都有？」

「當然。」

「能讓我看看嗎？」

「你得給我一個好理由。」

「我會給你的。」曼達瑪斯堅定地說：「既然這些機器人是設計來擔任開路先鋒的，我能否假設它們具有應付原始環境的能力，並能主動探索一個世界？」

「這是不言而喻的事。」

「太完美了──但或許還必須做些修改。你想瓦西莉婭．法斯……瓦西莉婭．茉露能夠協助我嗎──我是指必要的時候？顯然，她應該最熟悉這些大腦型樣了。」

「顯然如此。話說回來，我不知道她是否願意幫你。但我確定她目前做不到，因為她並不在奧羅拉。」

曼達瑪斯顯得既驚訝又氣憤。「那麼她在哪裡呢，阿瑪狄洛博士？」

阿瑪狄洛說：「你已經見到這些人形機器人了，我可不想繼續待在這個死氣沉沉的地方。你一直讓我等了又等，現在換我讓你等一會兒，你絕對不能抱怨。如果有進一步的問題，回我的辦

公室再討論吧。」

47

回到辦公室之後，阿瑪狄洛並未立刻言歸正傳。他以相當蠻橫的口吻說：「在這兒等我。」然後就走了。

曼達瑪斯愣愣地坐在那裡，一面整理自己的思緒，一面想著阿瑪狄洛到底何時才會回來——或是根本不回來了。自己會不會遭到逮捕，或是直接被轟出去？阿瑪狄洛是否終於等得不耐煩了？

曼達瑪斯拒絕相信有此可能。他憑著敏銳的直覺，認定阿瑪狄洛會無所不用其極地撫平一個舊傷痕。只要自己還能提供他一絲一毫的復仇希望，阿瑪狄洛一定會不厭其煩地聽下去，這點似乎很明顯。

正當他百無聊賴地打量著這間辦公室的時候，曼達瑪斯忽然想到自己所需要的資料也許就在唾手可得的電腦檔案裡。如果不必事事仰賴阿瑪狄洛，當然是最理想的了。

但他也只能想想罷了。曼達瑪斯並不知道那些檔案的密碼，而且他就算知道，壁凹裡這時站著好幾個阿瑪狄洛的自家機器人，如果自己做出任何它們心目中的敏感動作，它們會立刻出手制止，就連他自己的機器人也會這麼做。

阿瑪狄洛說得對。機器人的確是很有用又很有效的守衛——而且絕不會放水——因此誰也不會冒出犯罪、違法或僅僅是卑劣的念頭。這種心態早已萎縮——至少不會對太空族冒出來。

他不禁感到好奇，沒有機器人的銀河殖民者是怎麼過的。曼達瑪斯試著想像一個人和人直接碰撞的社會，其中沒有機器人當作緩衝，也沒有機器人提供足夠的安全感以及——雖然人類大多數時候並未直接意識到——把道德感強加在他們頭上。

在這種情況下，銀河殖民者想要不變成野蠻人也難，因此絕不能把銀河交到他們手上。就這點而言，阿瑪狄洛一直是對的，而法斯陀夫則錯得太離譜了。

曼達瑪斯點了點頭，彷彿更加確定了自己打算做的事情是正確的。他嘆了一口氣，希望根本不必這麼做，然後，他準備在心中再做一次推論，以便證明這是確有必要的。就在這個時候，阿瑪狄洛大步走了進來。

雖然即將慶祝兩百八十歲大壽，阿瑪狄洛仍有一副令人欽羨的體格。除了鼻子生得奇形怪狀，他在各方面都算得上太空族的典型。

阿瑪狄洛開口道：「抱歉讓你久等，但我有些公事必須處理。我是這所研究院的院長，自然肩負了許多責任。」

曼達瑪斯說：「可否請你告訴我瓦西莉婭．茉露博士在哪裡？然後我會在第一時間向你報告我的計畫。」

「瓦西莉婭正在旅行。她在造訪各個太空族世界，看看他們的機器人學發展到了什麼程度。顯然她是這麼想的，既然這所研究院的宗旨是要整合奧羅拉上的機器人學研究，那麼星際間的整合一定能讓這個理想更上一層樓。事實上，這的確是個好主意。」

曼達瑪斯不以為然地乾笑了幾聲。「他們什麼也不會告訴她。奧羅拉在這方面已經大大超前其他太空族世界，我不信會有誰想替我們錦上添花。」

「別那麼肯定，銀河殖民者可是我們大家的麻煩。」

「你知道她現在人在哪裡嗎？」

「我們有她的行程表。」

「把她叫回來，阿瑪狄洛博士。」

阿瑪狄洛皺起眉頭。「只怕這並非容易的事。我想她是故意要遠離奧羅拉，直到她父親死去為止。」

「為什麼？」曼達瑪斯訝異地問。

阿瑪狄洛聳了聳肩。「我不知道，也不在乎——但我卻知道你的時間用完了，瞭解嗎？趕快進入正題，否則就給我滾。」他兇巴巴地指著門口，令曼達瑪斯覺得對方的耐心終於耗盡了。

曼達瑪斯說：「好吧。其實地球還有第三個獨特之處——」

他簡單扼要地一路說下去，看來他曾經密集演練，而且不斷精益求精，才能如此熟練地對阿瑪狄洛解說這個計畫，而阿瑪狄洛則是越聽越著迷。

沒錯了！阿瑪狄洛先是覺得如釋千斤重負。他賭對了，這個年輕人並非什麼狂人，他的頭腦清楚得很。

接著他感到了勝利的喜悅，這個計畫一定能成功。當然，在老謀深算的阿瑪狄洛看來，這個年輕人的觀點稍微偏離了他心目中的正確方向，但那終究是小問題。無論任何計畫，都是可以做若干修改的。

等到曼達瑪斯終於講完了，阿瑪狄洛努力維持著聲音的平穩說：「我們不需要瓦西莉婭。研究院裡就有這方面的專家，能夠立刻推動這個計畫。曼達瑪斯博士，」他的聲音突然透出一點敬意，「讓一切照計畫進行吧——我忍不住想應該會很順利——一旦我當上立法局的主席，研究院院長就是你的了。」

曼達瑪斯露出淡淡的笑容，而阿瑪狄洛則仰靠在椅背上，帶著滿意和自信開始憧憬未來，這是過去兩百年來他始終無能為力的一件事。

可是這要花多久時間呢？幾十年？十幾年？還是不到十年？

要不了多久，要不了多久的。必須不計一切代價加快腳步，好讓自己能活著看到行之多年的政策改弦易轍，而自己則躍升為奧羅拉的領袖——因此也是整個太空族世界的領袖——甚至（既然地球和殖民者世界注定滅亡）最後成為整個銀河的領袖。

48

在阿瑪狄洛和曼達瑪斯攜手合作七年之後，漢．法斯陀夫博士過世了。經由超波的強力放送，這個消息傳遍各個住人世界的各個角落，成為銀河中最引人注目的一則新聞。

它對太空族世界影響深遠，因為過去兩百多年來，法斯陀夫一直是奧羅拉——因而也是整個銀河——最有權勢的人。它對殖民者世界和地球同樣影響深遠，因為法斯陀夫是他們的朋友——至少是太空族中對他們最友善的一個人——如今，他們所面對的問題是太空族的政策會不會改變，又會怎麼改變。

這個消息也很快傳到了瓦西莉婭．茉露耳中。由於她和這位生父的關係幾乎一開始便有裂痕，她的心情因此也格外複雜。

她早就在訓練自己對他的死訊無動於衷。然而，她還是不要在他去世這一天，剛好和他在同一個世界上。雖然無論她在哪裡，都躲不掉蜂擁而至的無數問題，但如果她在奧羅拉，還是最容易受到追問，而且最難擺脫糾纏。

太空族的親子關係一向薄弱而冷淡。在一個長壽的社會中，這是理所當然的趨勢。事實上，大家感興趣的絕非瓦西莉婭在這方面的感受，而是為何長久以來這對父女分屬兩個敵對的陣營，而且兩人幾乎同樣旗幟鮮明——法斯陀夫是一個政黨的領袖，瓦西莉婭則是另一個政黨的堅定支持者。

這實在太糟了。她大費周章地把名字正式改為瓦西莉婭．茉露，從此無論在任何文件、任何

訪談以及任何大小事務上，她通通使用這個名字——但她心知肚明，大多數人還是把她想成瓦西莉婭．法斯陀夫。看來不論她做任何努力，都無法徹底抹除這重毫無意義的關係，於是她只好退而求其次，僅用瓦西莉婭當作自己的名字。至少，這名字還不算太普通。

而這點，似乎也強調了她和那個索拉利女人的相似性——瓦西莉婭不認自己的父親，那女人則是由於完全不同的原因，不願承認她的第一任丈夫，因而無法繼續冠上夫姓，最後只好一律用她自己的名字——嘉蒂雅。

瓦西莉婭和嘉蒂雅，類似的遭遇，類似的叛逆性格——甚至外貌都很接近。

待在太空船艙房內的瓦西莉婭偷偷瞄了鏡子一眼。她至少有一百年沒見過嘉蒂雅了，但她確定兩人的外貌相似依舊。她倆都是嬌小玲瓏，都有著一頭金髮，就連容貌都有幾分像。

可是瓦西莉婭總是輸家，而贏家總是嘉蒂雅。在瓦西莉婭離開她的父親，和他脫離父女關係之後，他找到了嘉蒂雅取而代之——她正是他想要的那種乖巧女兒，那是瓦西莉婭永遠無法扮演的角色。

縱然如此，瓦西莉婭還是感到痛心。她自己是機器人學家，學識和本事都不在法斯陀夫之下，而嘉蒂雅只是個藝術家，平時只會玩玩力場彩繪，替機器人設計幾件幻象衣著。法斯陀夫在失去這個女兒後，怎會願意讓這麼一個處處不如她的人取而代之呢？

想當年，那個來自地球的警察以利亞．貝萊抵達奧羅拉之後，逼迫瓦西莉婭吐露了許多她從未向他人承認的想法和感情。然而，他對嘉蒂雅卻客客氣氣，甚至還幫助她——以及她的靠山法斯陀夫——在絕境中反敗為勝。只不過目前為止，瓦西莉婭仍舊沒弄清楚他是怎麼辦到的。

當法斯陀夫彌留之際，是嘉蒂雅陪在病榻旁，聽取他的遺言，握著他的手直到最後一刻。瓦西莉婭也不明白自己為何感到憤慨，因為無論在任何情況下，她都不可能承認有這個父親的存

在，更遑論去探視他，見證他走完人生最後一程，進入一個真正不存在的狀態——但她就是痛恨嘉蒂雅當時居然在場。

我就是有這種感覺，她賭氣般告訴自己，我犯不著對任何人解釋。

除此之外，她還失去了吉斯卡。當瓦西莉婭還是小女孩的時候，吉斯卡曾是專屬於她的機器人，是當年那個似乎還算慈愛的父親送給她的。她不但藉由吉斯卡學到了機器人學，也從他身上首度感受到了真正的關愛。當時她年紀還小，並未聯想到三大法則或是正子自動機理論。吉斯卡似乎很有愛心，而且表現得彷彿很有愛心，對一個小孩而言這就足夠了。她從未從哪個人類身上體會到這種關愛——當然包括她的父親在內。

直到今天為止，她都沒有脆弱到想跟任何人玩一場愚蠢的愛情遊戲。雖然吉斯卡曾帶給她許多歡樂，但失去吉斯卡的錐心之痛教會了她得不償失的真理。

雖然在她不斷精心改造之下，吉斯卡早已今非昔比，可是當她和父親斷絕關係，離家出走之際，他硬是不肯讓吉斯卡跟她走。而父親過世後，則將吉斯卡留給了那個索拉利女人。沒錯，他也將丹尼爾留給了她，可是瓦西莉婭對那個人類仿製品一點也不關心。她只想要吉斯卡，他明明就是她的。

現在，瓦西莉婭正在返回奧羅拉的途中，她的巡迴之旅已告一段落了。事實上，早在幾個月前，她就已經圓滿達成任務。可是，正如她在正式通知研究院時所做的說明，她需要留在赫斯珀羅休息一陣子。

然而，現在法斯陀夫死了，她終於能回來了。雖然她無法將過去的錯誤一一修正，至少能修正一部分，吉斯卡一定要重回她的懷抱。

她下定了決心。

49

對於她回到奧羅拉這件事，阿瑪狄洛的反應相當矛盾。瓦西莉婭是直到法斯陀夫（既然他死了，阿瑪狄洛現在能輕輕鬆鬆說出他的名字）被火化一個月之後，才回到這個世界的。這證明自己很瞭解她，令他不禁沾沾自喜。畢竟他曾經告訴曼達瑪斯，她出遊的目的就是要遠離奧羅拉，直到她父親死去為止。

此外，瓦西莉婭的率直令他感到輕鬆自在。她不像他的新寵曼達瑪斯那麼有心機——後者無論表面上對你多麼掏心挖肺，似乎總是暗中還留了一手。

但另一方面，她卻萬分難以駕馭，絕不可能乖乖沿著他的指示前進。在她遠離奧羅拉這些年間，他任由她自行打探其他太空族世界的底細——但也只能任由她用隱晦的言詞詮釋她的調查結果。

因此，現在他所表現出的熱情可說是真假參半。

「瓦西莉婭，真高興你終於回來了。你不在的時候，研究院像是少了一根翅膀。」

瓦西莉婭哈哈大笑。「得了吧，凱頓，」雖然她比他年輕二十五歲，卻從不猶豫也不顧忌直呼他的名字，這要算是她的特權。「另外那根翅膀就是你自己。你不是一向信心滿滿，光用這根翅膀便能帶領研究院一飛沖天嗎？」

「自從你決定把這趟行程拉長好些年，我就開始沒信心了。你是否發現奧羅拉在這段期間變了很多？」

「一點也沒變——這件事或許我們該關心一下，毫無變化就代表衰敗。」

「這話有矛盾。既然是衰敗，一定是走下坡的變化。」

「和周遭的殖民者世界比較起來，凱頓，毫無變化就是走下坡。他們變化迅速，不但控制了

越來越多的世界，而且對每個世界的控制也越來越徹底。他們的實力、權勢和自信都與日俱增，而我們卻坐在這裡醉生夢死，眼巴巴看著自己天天不進則退。」

「說得好，瓦西莉婭！我想你在歸途中，一定把這番話背得滾瓜爛熟了。然而，奧羅拉的政治局勢倒真是起了變化。」

「你是指我的生父死了。」

阿瑪狄洛微微頷首，同時雙手一攤。「如你所說，我們的確癱瘓了，但他要負絕大部分的責任。現在他死了，所以我想應該會出現一些變化，但不一定是看得見的變化。」

「你有事瞞著我，對不對？」

「我會這麼做嗎？」

「當然會，你那虛偽的笑容照例把你出賣了。」

「那我一定要學著對你愁眉苦臉——好啦，我看過你的報告了，我想聽你說說沒寫進去的東西。」

「通通寫進去了——八九不離十。每個太空族世界都慷慨激昂地指控銀河殖民者氣焰越來越高，令他們憂心忡忡。每個世界也都堅決表示要挺身對抗銀河殖民者，而且會滿腔熱血地追隨奧羅拉的領導，不怕難，不怕死，甚至不惜戰到最後一兵一卒。」

「好啊，追隨我們的領導。但我們如果不領導呢？」

「那麼他們會靜觀其變，而且會因而鬆一口氣，只不過會盡力遮掩，否則……嗯，每個世界都在努力發展科技，可是都不願公布自己的真正成果。每個世界都在各自為政，一點也不團結，甚至在各自的星球上也是如此。而且無論哪個太空族世界，都沒有類似我們機器人學研究院這樣的研究團隊。每個世界上都有研究人員，但個個都把自己的數據視為禁臠，不願跟他人分享。」

阿瑪狄洛近乎心滿意足地說：「我也不指望他們像我們一樣先進。」

「所以實在太糟了。」瓦西莉婭反唇相譏，「太空族世界是一盤散沙，進步速度太慢了。殖民者世界則有許多學會之類的組織，而且經常開會交換意見——雖然他們遠遠落後我們，但遲早會追上——話說回來，我還是在各個太空族世界找到幾項值得一提的科技發展，而且通通寫進我的報告了。比方說，他們都在研發核反應倍增器，但我不信有哪個世界能將這項裝置拿出實驗室，換言之，裝在船艦上的機型還沒誕生呢。」

「我希望這件事被你說對了，瓦西莉婭。我們的艦隊用得上核反應倍增器這種武器，因為它能一舉消滅銀河殖民者。然而，我想，在整個太空族世界中，最好還是能讓奧羅拉頭一個擁有這種武器——可是你剛才說，這些都寫進你的報告了——八九不離十。我聽到『八九不離十』這幾個字，所以說，到底有什麼沒寫進去的？」

「索拉利！」

「啊，那個最年輕也最奇特的太空族世界。」

「我在那裡幾乎無法直接問出任何事情來。他們對我懷有百分之百的敵意，而且我相信，只要你不是索拉利人，不管是太空族還是銀河殖民者，他們一律會懷有敵意。而且他們堅持以顯像和我溝通，絕不妥協。我在那個世界待了將近一年，比我在其他世界都要長得多，可是在那十來個月當中，我從來沒有跟任何索拉利人面對面。每一次，我都是透過超波全像和對方見面。我始終無法和實體的對象交涉——一律是影像。那個世界很舒服，事實上可以說豪華得不得了，而且自然生態完全沒被破壞，可是我受不了，我就是想見人。」

「嗯，顯像是索拉利的習俗。這點我們都知道，瓦西莉婭，人人都有選擇的權利。」

「哼。」瓦西莉婭說：「你的寬宏大量或許用錯了地方。你這幾個機器人目前處於非再生模

式嗎？」

「是的。而且我向你保證，不會有人竊聽我們。」

「但願如此，凱頓——我有一種強烈的感覺，索拉利人即將搶先研發出微型化的核反應倍增器——甚至搶在我們前面。他們或許很快就能做出一種輕便型，電源匣足夠小，所以能裝設在太空船艦上。」

阿瑪狄洛眉頭深鎖。「他們是怎麼做到的？」

「我說不準。你總不會以為他們給我看過藍圖吧？由於只是一種感覺而已，我不敢寫進報告裡，可是從我聽到的隻字片語——以及觀察到的蛛絲馬跡——我認為他們已有重大進展，這是我們不能掉以輕心的一件事。」

「不會的——你還有什麼事要告訴我嗎？」

「有的——而且同樣沒寫進報告裡。索拉利已經花了上百年的時間在研發人形機器人，而且我認為他們已經成功了。其他太空族世界——當然不包括我們——甚至連碰都還沒碰這個問題。當我在其他世界詢問他們對人形機器人的看法時，反應一律不謀而合，他們都覺得這個想法令人感到既討厭又可怕。我猜他們都注意到了我們當年的失敗，並牢記在心了。」

「但索拉利卻是例外？為什麼呢？」

「原因之一，他們一直生活在機器人化居銀河之冠的社會中。他們周遭都是機器人——平均每人有一萬個。那是個機器人充斥的世界，如果你在外面隨便走走，休想有機會碰到人類。所以說，這些為數極少的索拉利人，怎麼會在乎他們的世界上多了幾個人形機器人呢？此外，法斯陀夫所設計製造、目前仍在運作的那個假人……」

「丹尼爾。」阿瑪狄洛說。

「對，就是那個機器人。他——它在兩百年前到過索拉利，而索拉利人把它當成了真人。這件事他們一直耿耿於懷，就算人形機器人對他們毫無用處，至少曾經騙倒他們，害得他們臉上無光。這證明了在人形機器人學這個特定領域，奧羅拉絕對遙遙領先他們，令他們終身難忘。索拉利人一向自視甚高，認為他們擁有全銀河最先進的機器人學家，於是從那時開始，他們紛紛投入人形機器人的研究——即使不為其他原因，也要洗刷這個恥辱。假如他們人數夠多，或是有個機構來整合各自的研究，那麼他們一定很早就成功了。雖然沒有這些條件，我想他們現在還是做到了。」

「你並不是真正確定，對不對？你只是根據零星的線索而起了疑心。」

「一點也沒錯，但我的懷疑相當有根據，值得做進一步的調查——還有第三件事，我敢發誓他們正在研究精神感應通訊，因為我曾經一不小心看到了一個證據。有一次，當我透過超波和某位機器人學家見面時，螢幕中出現一個黑板，上面畫著一個正子型樣電路，雖然我確定並未見過這種型樣，但我就是覺得它跟精神感應程式有關。」

「我不禁懷疑，瓦西莉婭，這件事要比人形機器人更虛無縹緲。」

瓦西莉婭露出稍許不好意思的表情。「我必須承認，這點或許被你說對了。」

「事實上，瓦西莉婭，聽起來這純粹只是幻想。如果你確定以前從未見過這樣的型樣電路，又怎麼會覺得它跟任何東西有關呢？」

瓦西莉婭猶豫了一下。「實話對你說，我自己也不禁懷疑。可是當我看到那個型樣時，心中立刻浮現『精神感應』這幾個字。」

「雖說精神感應即使在理論上也是不可能的。」

「是我們認為即使在理論上也是不可能的，兩者不能混為一談。」

「從來沒有人在這方面獲得任何進展。」

「沒錯，可是為什麼我一看到那個型樣，就會想到『精神感應』呢？」

「啊，瓦西莉婭，或許你只是一時心血來潮，根本不值得分析，換成我就會拋在腦後——還有什麼事嗎？」

「還有一件事——可說是最難解的。我覺得，凱頓，種種跡象都在顯示索拉利人正準備離開他們的世界。」

「為什麼？」

「我不知道。他們的人口已經很少了，卻仍在一直下降。或許他們要在完全絕種之前，換個地方重新開始。」

「怎樣重新開始？他們會去哪裡呢？」

瓦西莉婭搖了搖頭。「我把知道的都告訴你了。」

阿瑪狄洛慢慢說道：「好吧，我會把這些通通列入考慮。總共有四點：核反應倍增器、人形機器人、精神感應機器人，以及索拉利人打算放棄母星。坦白講，我對這四點都不太相信，但我會說服立法局，授權我跟索拉利領導人談談——現在，瓦西莉婭，我想你最好休息一陣子，何不放自己幾星期的假，重溫一下奧羅拉的驕陽和好天氣，然後再回來上班？」

「你真好心，凱頓，」瓦西莉婭仍堅定地坐在原處，「但我還有兩件事，必須跟你提一提。」

阿瑪狄洛的眼睛不自覺地瞄向計時片。「要不了多少時間吧，瓦西莉婭？」

「需要多少時間，凱頓，我們就花多少時間。」

「你到底要談什麼呢？」

「首先我要問，現在有個年紀輕輕的萬事通，自以為正在領導研究院，叫什麼名字來著，曼

達瑪斯吧，他到底是什麼人？」

「你見過他了，是嗎？」阿瑪狄洛藉著微笑掩飾心中的不安，「你瞧，奧羅拉的確有些變化。」

「在這件事情上，顯然不是越變越好。」瓦西莉婭繃著臉說：「他是誰？」

「正如你所說的——一個萬事通。他是個傑出的年輕人，精通機器人學，不過他在其他領域也算知識淵博，無論普通物理學、化學、行星學……」

「這個博學的怪物有多大年紀？」

「還不到五十歲。」

「這孩子長大後會怎麼樣？」

「或許既聰明又傑出吧。」

「別假裝誤會我的意思，凱頓。你是否在考慮拱他當研究院的下一任院長？」

「我還打算活好幾十年呢。」

「你沒回答我的問題。」

「我只能給你這個答案。」

瓦西莉婭不安地頻頻變換坐姿，她的機器人雖然仍舊站在後面，一雙眼睛卻開始左右掃瞄，彷彿隨時準備出手保護主人——或許正是由於瓦西莉婭的不安，使它自動切換到了這個行為模式。

瓦西莉婭說：「凱頓，該接任院長的是我。這早就安排好了，是你親口告訴我的。」

「我是這麼說過，但事實上，瓦西莉婭，一旦我死了，繼任人選將由董事會決定。即使我事先聲明由誰繼任，董事會還是能把我推翻。根據研究院的組織章程，這點是無庸置疑的。」

「你只管寫你的聲明，凱頓，董事會交給我來對付。」

阿瑪狄洛的兩道眉毛皺成了一團。「此時此刻，我不想針對這件事做進一步的討論。你想跟我說的另一件事是什麼？請長話短說。」

她氣呼呼地瞪了他一會兒，然後彷彿咬牙切齒地說：「吉斯卡！」

「那個機器人？」

「當然就是那個機器人。你以為我會跟你討論另一個吉斯卡嗎？」

「好吧，他怎麼樣？」

「他是我的。」

阿瑪狄洛顯然吃了一驚。「他是——本來是——法斯陀夫的法定財產。」

「我還是小孩的時候，吉斯卡就是我的了。」

「是法斯陀夫借給你的，後來又把他收回去了。從頭到尾都沒有轉移所有權，對不對？」

「於情於理他都是我的。況且無論如何，法斯陀夫已不再是他的主人，他死了。」

「可是他立了遺囑。如果我沒記錯，根據那份遺囑，他名下的兩個機器人——吉斯卡和丹尼爾——現在是那個索拉利女人的財產。」

「但我可不想見到這個結果。我是法斯陀夫的女兒……」

「哦？」

瓦西莉婭漲紅了臉。「我有權爭取吉斯卡。他為什麼該落到一個陌生人——一個異邦人手上？」

「原因之一，這是法斯陀夫的遺願。而且，她的確是奧羅拉公民。」

「誰說的？奧羅拉人都管她叫『索拉利女人』。」

阿瑪狄洛突然發起火來，一拳砸向座椅扶手。「瓦西莉婭，你到底希望我怎麼做？我也不喜歡那個索拉利女人。事實上，我恨透了她，如果有辦法，我會——」他瞥了瞥旁邊幾個機器人，彷彿不想嚇著它們。「把她趕出這顆行星。可是我不能推翻那份遺囑，就算有合法的途徑，這麼做也絕不明智，更何況根本沒有。法斯陀夫已經死了。」

「正因為如此，吉斯卡現在應該歸我。」

阿瑪狄洛裝作沒聽見。「他所領導的聯盟正在四分五裂。過去幾十年來，這個聯盟之所以存在，他個人的領袖魅力是唯一的因素。現在我最想做的，是設法把那些四散紛飛的黨羽變成我自己的追隨者。這麼一來，我旗下的勢力便足以掌控整個立法局，順利贏得下次的選舉。」

「而你則成為下屆的主席？」

「有何不可？奧羅拉很可能會一蹶不振，而我當上主席後，則有機會在為時未晚之際，扭轉那個行之有年卻包藏禍心的政策。問題是我並沒有法斯陀夫那樣的人緣，我不像他有那種天分，能用聖潔的光輝遮掩愚蠢的言行。因此，如果我明目張膽地欺負一個死去的人，將會導致不良的觀感。我絕不能讓人說，由於法斯陀夫生前曾經擊敗我，我便挾怨報復，在他死後推翻他的遺囑。奧羅拉如今處於生死交關的轉捩點，絕不能讓這麼荒唐的事成為我的絆腳石。你瞭解我的意思嗎？你必須放棄吉斯卡！」

瓦西莉婭硬邦邦站了起來，眼睛瞇成一條線。「我們改天再討論吧。」

「我們已經討論過了。這次的會晤到此結束，如果你還有雄心壯志想當院長，千萬別拿任何事情來威脅我。所以說，如果你現在就想威脅我，不論是以任何形式，我都勸你三思而後行。」

「我並沒有威脅你。」瓦西莉婭雖然這麼說，她的身體語言卻表達了完全相反的意思——她一面向外走，一面揮手（其實是多此一舉）要她的機器人跟上來。

50

幾個月之後，危機——或者應該說一連串的危機——終於出現了。這要從馬龍·西希斯那天來到阿瑪狄洛的辦公室，準備進行例行早會說起。

通常，阿瑪狄洛都很期待這一刻。在繁忙的一天中，西希斯代表著一個悠閒的插曲。他是研究院的資深成員，但是毫無野心，從來不會數著日子巴望阿瑪狄洛趕緊退休或死去。事實上，西希斯可說是個完美的下屬，他很高興能夠成為阿瑪狄洛的心腹，而且萬分樂意替他賣命。

正因為這樣，過去這一年，看到這位完美下屬出現衰老的跡象——胸部微塌、步履僵硬——阿瑪狄洛不免有些憂心。西希斯真的老了嗎？他頂多比阿瑪狄洛大幾十歲而已。

太空族在許多方面都有逐漸走下坡的趨勢，其中最令阿瑪狄洛擔心的，便是平均壽命或許也跟著下滑這件事。他早就想研究一下統計數據，卻一直忘記著手進行——也許是潛意識令他不敢這麼做。

不過，在今天這種情況下，西希斯的老態被強烈的情緒整個淹沒了。他的臉孔漲得通紅（更加突顯他的古銅色頭髮已開始褪色），而且看起來，他震驚到了快要發狂的程度。

阿瑪狄洛根本不必開口詢問，西希斯便不吐不快似地一股腦兒說了出來。

等到他發洩完畢，阿瑪狄洛怔怔地說：「無線電波全停止了？全沒了？」

「全沒了，頭兒。他們一定都死光了——或走光了。任何一個住人世界都免不了發出電磁輻射，比如我們的……」

阿瑪狄洛揮手示意他閉嘴。瓦西莉婭提出的論點之一——他記得是第四點——正是索拉利人打算離開自己的世界。那是個荒謬的推論；那四個論點或多或少都算荒謬。他曾說自己會放在心上，可是當然沒有。如今，事實證明他顯然錯了。

當天——瓦西莉婭提出這個論點之際——令它聽來荒謬的原因，直到今天依舊存在。雖然並未指望得到答案（怎麼可能有答案呢？），他還是把當天的問題重複了一遍：「他們能飛去哪裡呢，馬龍？」

「沒有任何線索，頭兒。」

「好吧，那麼他們是什麼時候走的？」

「同樣沒有任何線索。我們是今天上午才接到消息的，主要是因為索拉利上的電磁輻射強度原本就很低——那個世界人口非常稀疏，機器人的屏蔽又做得很好。和其他任何一個太空族世界相比，它的輻射強度至少小了一個數量級，比我們則小了兩級。」

「所以突然有一天，有人發現原本非常小的強度降到了真正的零點，偏偏誰也沒有真正目睹這個過程。是誰發現的？」

「一艘涅克松太空船，頭兒。」

「怎麼發現的？」

「那艘船為了進行緊急維修，不得不進入索拉利之陽的軌道。他們發出請求核准的超波電訊，卻沒有得到回應。最後他們沒辦法，只好擅自進入軌道，開始進行搶修作業。在此期間，他們並未遭到任何形式的干擾。直到修好離去，後來在檢查通訊記錄時，他們才發現不只沒收到回應而已，甚至未曾收到任何形式的電磁訊號。我們無法判斷索拉利的電磁輻射究竟是何時終止的，但根據記錄，它發出最後一則電文是兩個多月前的事。」

「另外三個論點也有可能嘍？」阿瑪狄洛喃喃道。

「你說什麼，頭兒？」

「沒什麼，沒什麼。」阿瑪狄洛隨口答道，但他顯然眉頭深鎖，陷入沉思。

第十三章　精神感應機器人

51

幾個月後，當曼達瑪斯結束第三次的長期地球訪問，返回奧羅拉之際，他還完全不知道索拉利上的發展。

六年前，他第一次去地球的時候，阿瑪狄洛費了些力氣，設法替他弄到一個奧羅拉特使的頭銜，因此名義上，他是去討論行商船隻侵入太空族領域這件雞毛蒜皮的小事。他很快便瞭解特使的身份限制了自己的行動，那些客套應酬和繁文縟節更是令他大感吃不消。好在沒什麼關係，他的考察任務還是順利完成了。

他帶回如下的訊息：「我相信不會有任何問題，阿瑪狄洛博士。地球官員沒辦法——絕對沒辦法——控制人員的進出。每年都有來自數十個世界、好幾百萬名的銀河殖民者造訪地球，又有同樣多的銀河殖民者從地球返回他們的家鄉。銀河殖民者似乎個個都覺得必須定期呼吸地球的空氣、走走擁擠的地底空間，否則生命就會失去某些意義。我想，這就是所謂的尋根，他們似乎並不覺得地球上的生活根本是一場惡夢。」

「這我知道，曼達瑪斯。」阿瑪狄洛不耐煩地說。

「你的『知道』只是理智上的，院長。除非真正體驗過，否則就不算真正瞭解。一旦體驗了，你就會發現所謂的知道無法替你做好任何心理準備。他們既然走了，為什麼還想要回去……」

「我們的祖先離開那顆行星後，顯然從來沒有想要回去。」

「沒錯，」曼達瑪斯說：「可是當時的星際飛行不如現在這麼先進，動輒需要好幾個月，而且超空間躍遷挺困難的。現在則只需要幾天而已，而躍遷已經成了家常便飯，絕對不會出錯。假如在我們祖先的時代，回地球就像現在這麼簡單，我懷疑太空族還會不會這樣一去不復返。」

「別再空談哲理了，曼達瑪斯，繼續講正事。」

「沒問題。除了無數來來去去的銀河殖民者，每年還有數百萬的地球人以移民的身份前往各個殖民者世界。有些因為無法適應，幾乎立刻就回來了。有些在那裡建立了新家園，可是經常回來探訪親友。旅客的進出根本無法記錄，地球政府甚至試也沒試過。如果建立起一套辨識和記錄旅客的正規辦法，可能會令許多人裹足不前，而地球卻非常瞭解每個旅客都是搖錢樹。觀光工業——姑且這麼稱呼吧——目前可是地球上最賺錢的貿易。」

「我想你是在說，我們可以毫無困難地把人形機器人送到地球。」

「一點困難也沒有，我對這個問題絲毫不擔心。既然它們的程式已經設定好了，我們可以利用偽造的文件，把它們六個一組分批送到地球去。雖然基於機器人的天性，它們仍舊會對人類敬畏有加，我承認這點我們無能為力，但或許不至於暴露它們的身份。這可以解釋為銀河殖民者對祖先行星的敬畏之情——可是，我強烈建議不必把它們送到任何一個大城的航站。大城之間的廣大空間根本毫無人煙，只有一些原始的機器人勞工散布其間，不會有人注意到太空船的起降——或說至少會忽略。」

「我認為太冒險了。」阿瑪狄洛說。

51 A

兩批人形機器人被送到地球去了。它們先是混入大城內的地球人群中，然後再設法前往城外的空地，使用屏蔽超波和奧羅拉展開通訊。

曼達瑪斯（他早已深切思考過這個問題，而且早已猶豫許久）說：「我得再去一趟，院長，我無法肯定它們找到了正確的地點。」

「你確定自己知道正確的地點嗎，曼達瑪斯？」阿瑪狄洛用挖苦的口吻問道。

「我詳細鑽研過地球的古代歷史，院長，我知道自己找得到。」

「我可不認為自己能說服立法局派一艘戰艦跟著你。」

「不，我不要什麼戰艦，那樣只會幫倒忙。我只要一艘單人太空艇，足以讓我來回地球就行了。」

就這樣，曼達瑪斯展開了第二次的地球之旅。他降落在某個小型大城的外緣，隨即在正確地點找到幾個機器人，令他不但鬆了一口氣，還有幾分沾沾自喜。他在那裡待了一陣子，以便觀察那些機器人的工作，下達幾個相關的指令，並對它們的程式做些微調。

然後，在幾個地球土產的原始農務機器人目送之下，曼達瑪斯啟程前往附近的大城。

他並不是那種天不怕地不怕的英雄，面對這個不大不小的風險，曼達瑪斯感覺得到心臟在胸腔中怦怦作響，不過一切都很順利。雖然，當他出現在大城入口，而且看起來顯然在開放空間待了很長一段時間，守門警衛不禁顯得有些訝異。

然而，曼達瑪斯出示了銀河殖民者的身份證明，警衛便聳了聳肩。誰都知道銀河殖民者不怕開放空間，據說他們不時會從高於地表的頂層走出大城，在周圍的田野和樹林間閒逛一番。

當天守門警衛隨便瞄了一眼他的身份證明，此後就再也沒有任何人要他出示相關文件了。曼達瑪斯的外地口音（他已盡量避免奧羅拉腔）完全沒有遭到質疑，而且根據他的觀察，誰也沒有懷疑他可能是太空族。話說回來，他們又為什麼該懷疑呢？太空族在地球建有永久性基地是兩個世紀之前的事，如今來自太空族世界的官方特使已少之又少——而且最近越來越少，沒見識的地

球人或許根本忘了太空族的存在。

曼達瑪斯有點擔心會有人注意到他從不離手的那雙透明薄手套，或是問他為何要在鼻孔裡插著東西，但事實證明他的擔心是多餘的。無論在大城內，或是來往大城之間，他都一律通行無阻。他身上帶著足夠的盤纏，而只要你有錢，在地球上就吃得開（老實講，這點在太空族世界也絕無例外）。

他逐漸習慣了沒有機器人跟在後面，而且，每當他在大城內碰到來自奧羅拉的人形機器人時，還必須以相當堅定的口吻，告訴它們為何不可緊跟著他。照例，他會聽取它們的報告，下達必要的指令，並安排那些機器人陸續離開大城。最後，他終於駕著自己的太空艇飛離了地球。

他並沒有遇到任何阻礙，跟當初飛來地球時一模一樣。

「其實，」他若有所思地對阿瑪狄洛說：「那些地球人並非真正野蠻。」

「不會吧？」

「在他們自己的世界，他們表現得相當人模人樣。事實上，他們的人情味還滿溫馨的。」

「莫非你開始後悔，不想做這件事了？」

「當我走在他們中間，想到他們對未來的命運一無所知，就會有一種毛骨悚然的感覺，我不可能滿懷興奮地做這件事。」

「你當然可以，曼達瑪斯。想想一旦大功告成，你便會在短時間內穩穩坐上研究院院長的寶座，那就會讓你的工作變得可愛了。」

從那天起，阿瑪狄洛開始嚴密監視曼達瑪斯。

51 B

曼達瑪斯三度造訪地球之際，先前那些不安的感覺已消退了十之八九，他幾乎可以表現得像

個地球人了。計畫進展得雖然緩慢，但一切完全按照原定計畫進行。前兩次的造訪，他都沒有遇到任何健康問題，可是這一次——無疑由於過度自信——他一定是接觸到了什麼感染源。至少有那麼一陣子，他又咳嗽又流鼻水。

他前往一家大城診所求助，在接受γ球蛋白注射之後，所有的症狀立刻消失無蹤。可是，他卻發覺診所本身比疾病更可怕。那裡的每一個人——他心知肚明——要不是很可能帶有某種傳染病，就是和病人有著密切的接觸。

現在，他終於回到了既整齊又清潔的奧羅拉，不禁感到謝天謝地。而此時此刻，他正在聽取阿瑪狄洛針對索拉利危機的說明。

「你完全沒聽說這件事嗎？」阿瑪狄洛追問。

曼達瑪斯搖了搖頭。「完全沒有，院長。地球是個萬分褊狹的世界，八百個大城裡總共住著八十億人——他們唯一關心的就是這八百個大城和這八十億人口。在他們想來，銀河殖民者只有造訪地球時才會存在，而太空族則根本不存在。事實上，每一個大城的新聞報導，都把九成的時間花在這個大城本身的事務上。無論就心理或實質層面而言，地球都是既封閉而且又有幽閉慾。」

「而你卻說他們並不野蠻。」

「幽閉欲並不一定代表野蠻。依他們自己的說法，他們是很文明的。」

「依他們自己的說法！——算了。眼前最大的問題是索拉利，沒有任何太空族世界採取行動。不干預原則如同金科玉律，大家都堅持索拉利的內部問題得由索拉利人自己解決。我們的主席同樣遲鈍得很——雖說法斯陀夫已經死了，再也不能左右我們任何一個人。而除非我自己當上主席，否則我什麼也不能做。」

曼達瑪斯說：「既然索拉利人都走光了，他們又怎能假設索拉利面對的是內部問題，他人不得干預呢？」

阿瑪狄洛冷嘲熱諷地說：「你一眼就能看穿的蠢事，他們怎麼就是看不出來呢？——他們說目前並未掌握索拉利人盡數離去的扎實證據，而只要索拉利人——或其中一部分——仍有可能留在那個世界上——其他太空族就無權擅自侵入。」

「他們又如何解釋電磁輻射通通消失這件事？」

「他們說索拉利人也許移居到了地底，或是他們也許發展出某種先進科技，能夠完全阻隔輻射外溢。他們還說誰也沒看到索拉利人走掉了，何況他們根本無處可去。當然，所謂的誰也沒看到，是因為誰也沒在盯著他們。」

曼達瑪斯說：「他們如何推論出索拉利人無處可去？無人世界多得很啊。」

「所謂的推論，是指索拉利人如果沒有一大群機器人伺候，就一定活不下去，可是他們無法帶著那麼多機器人一起走。比方說，如果他們到奧羅拉來，你以為我們有機器人能分給他們嗎——又能分多少呢？」

「而你的反對理由又是什麼呢？」

「我沒什麼反對理由。話說回來，不論他們走了沒有，目前的情勢都是既詭異又費解，難以想像居然沒有任何人採取調查行動。我一直在盡全力警告大家，惰性和冷漠會把我們送上絕路，而且我也說過，殖民者世界一旦獲悉索拉利空了——或者可能空了，他們就會毫不猶豫地展開調查。那些集體行動的傢伙對任何事物都充滿好奇心，真希望我們也能學到一點。只要覺得有利可圖，他們想也不想，立刻會拿生命來冒險。」

「這件事又有何利可圖呢，阿瑪狄洛博士？」

「如果索拉利人真的走光了，他們必定只能帶走極少數的機器人。那個世界上有——或說曾經有——許多極為優秀的機器人學家，而銀河殖民者雖然自己痛恨機器人，卻萬分樂意將它們據為己有，然後送到太空族世界賣個好價錢。事實上，他們已經宣示要這麼做了。

「目前已有兩艘殖民者太空船降落在索拉利。我們遞交了一封抗議書，可是他們一定不會理睬，而我們也一定不會有進一步的行動。其實恰恰相反，有些太空族世界正在偷偷詢問那些機器人的樣式以及可能的價格。」

「這或許還好。」曼達瑪斯輕聲說道。

「我們的一舉一動，和殖民者世界那些宣傳家所說的一模一樣，這算還好嗎？我們的行為讓我們看起來彷彿正在逐漸腐爛，最後變成一灘爛泥，這又算還好嗎？」

「何必呼應他們的謠言呢，院長？事實上，我們目前依舊安定而文明，並沒有被觸及任何痛處。萬一真有這種事，我們將會強力反擊，而我相信一定能把對方消滅。就科技而言，我們仍然遙遙領先。」

「可是我們自己也會受傷，而且傷勢絕不樂觀。」

「這就意味著我們一定不能輕易發動戰爭。如果索拉利遭到棄置，而銀河殖民者希望把它洗劫一空，或許我們就該放任他們去做。畢竟，根據我的預測，不出幾個月，我們自己的計畫就能展開了。」

阿瑪狄洛臉上掠過一個饑渴而兇狠的表情。「幾個月？」

「我很肯定。所以我們的當務之急，就是要避免被人激怒。如果我們捲入一場毫無必要的衝突，蒙受了沒有必要的損失——不論輸贏——就會把一切都毀了。反正只要再等一下，我們便能在不費一兵一卒、沒有任何損失的情況下大獲全勝——可憐的地球！」

「如果你為他們感到難過，」阿瑪狄洛假裝輕描淡寫地說：「或許你就該放過他們。」

「剛好相反，」曼達瑪斯冷冷地說：「正是因為我打算全力以赴——而且知道必能成功——我才會為他們感到難過。你將成為主席！」

「而你將成為這所研究院的院長。」

「和你比起來還是小多了。」

「但在我死後呢？」阿瑪狄洛近乎咆哮地說。

「我並沒有看得那麼遠。」

「我很……」阿瑪狄洛剛開口，就被傳信裝置發出的嗚嗚聲打斷了。他看也不看，便自然而然將手伸向「來件槽」。不久之後，那裡吐出一張薄薄的紙條，阿瑪狄洛瞄了一眼，嘴角便慢慢泛起笑意。

「那兩艘降落在索拉利上的殖民者太空船——」他說。

「怎麼樣，院長？」曼達瑪斯皺起了眉頭。

「被摧毀了！兩艘都毀了！」

「怎麼毀的？」

「在一團輻射火焰中被炸毀了，這很容易從太空偵測到。你看出其中的意義了嗎？索拉利人根本沒走，而且，雖然索拉利是最弱小的太空族世界，仍能輕而易舉地對付殖民者太空船。這對銀河殖民者而言是奇恥大辱，他們是不會輕易忘記的——拿去，曼達瑪斯，自己讀讀吧。」

曼達瑪斯將那張紙條推到一旁。「但這並不一定代表索拉利人仍在那顆行星上，他們也許只是設下某種機關陷阱罷了。」

「直接攻擊和機關生效又有什麼差別呢？反正有兩艘太空船被摧毀了。」

「這回他們是猝不及防。可是下次，當他們有備而去的時候呢？還有，萬一他們將這件事視為太空族的蓄意攻擊呢？」

「我們會回應說，銀河殖民者是蓄意入侵，而索拉利人只是自衛罷了。」

「可是，院長，莫非你準備來一場口舌之戰？萬一銀河殖民者懶得跟我們吵，直接將這個變故視為戰端，立刻展開報復呢？」

「他們為何要那麼做？」

「因為一旦自尊心受傷，他們就會像我們一樣瘋狂。不，更瘋狂，因為他們有更強的暴力傾向。」

「他們會被打敗的。」

「你自己也承認，就算他們被打敗了，仍會對我們造成難以承受的傷害。」

「你要我怎麼做呢？那兩艘船又不是奧羅拉毀掉的。」

「說服主席發表一個聲明，說奧羅拉跟這件事毫無關係，其他太空族世界也跟這件事毫無關係，所有的責任都該由索拉利獨力承擔。」

「你要背棄索拉利？那是懦夫的行徑。」

曼達瑪斯突然激動起來。「阿瑪狄洛博士，難道你從未聽過戰略性撤退這種說法嗎？我們只是用一個說得過去的藉口，說服太空族世界暫時退幾步。只要再等幾個月，毀滅地球的計畫就要成熟了。對其他太空族而言，或許很難這麼忍氣吞聲，因為他們什麼也不知道——可是我們心知肚明。事實上，既然你我知悉詳情，不妨將這個事件視為所謂的上天恩賜。讓銀河殖民者把矛頭對準索拉利吧，而我們則在地球上——神不知鬼不覺——準備替他們送終——還是你寧可在勝利的前夕，讓我們的努力毀於一旦？」

在對方的炯炯目光瞪視下，阿瑪狄洛開始不寒而慄。

52

在那兩艘殖民者太空船出事之後，阿瑪狄洛經歷了有生以來最難熬的一段日子。幸好主席願意聽從他的勸告，採用了他所謂的「高明退讓策略」。雖然這是個自相矛盾的說法，卻引起主席無限的遐想，何況主席自己也擅長這一招。

立法局的其他成員就很難對付了。阿瑪狄洛按捺住火氣，不遺餘力地說明戰爭的可怕，如果非打不可，也一定要選擇適當時機——千萬別選錯了。他發明了一些解釋時機未到的新奇理由，試圖說服其他太空族世界的領導者。而想讓他們就範，奧羅拉必須將盟主的氣焰發揮到極致才行。

可是，當丹吉．貝萊船長帶著他的要求一路飛來之際，阿瑪狄洛覺得自己再也按捺不住——實在太過分了。

「完全沒有這個可能。」阿瑪狄洛說：「難道我們要讓這個滿臉鬍鬚、穿著奇裝異服、說話誰也聽不懂的傢伙降落在奧羅拉？難道要我出面請求立法局同意將一個太空族女人交到他手上？太空族女人耶，那會是百分之百史無前例的舉動！」

曼達瑪斯淡淡地說：「你以前總是把那個太空族女人稱為『索拉利女人』。」

「對我們而言，她的確是『索拉利女人』，可是一旦牽涉到了銀河殖民者，就該將她視為太空族女人。如果讓他依照計畫降落在索拉利，他的太空船可能也會被摧毀，而他自己和那女人勢必一起送命。那個時候，我的政敵便會振振有詞地指控我蓄意殺人——而我的政治生命就可能結束了。」

曼達瑪斯說：「請反過來想想，我們辛苦了將近七年，就是為了要一舉毀滅地球，如今只差

幾個月，這個計畫就要大功告成了。在這麼接近大獲全勝的時刻，難道我們真要冒險開戰，把我們的心血付之一炬嗎？」

阿瑪狄洛搖了搖頭。「其實我沒有什麼選擇的餘地，小朋友。我若想說服立法局同意將那女人交給銀河殖民者，根本不會有人理我。而我只要做出這個提議，事後就會有人用它來對付我。除了我的政治生命將岌岌可危，還可能為我們招來另一場戰爭。再說，誰也無法接受一個太空族女人為一個銀河殖民者送命這種事。」

「你這麼說，會有人以為你喜歡那個索拉利女人。」

「你知道事實剛好相反。我多麼希望她早在兩百年前就死了，但她現在不能這麼死，不能死在殖民者太空船上——可是，我不該忘了她是你的曾曾曾祖母。」

曼達瑪斯顯得比平常更陰鬱了一點。「這對我又有什麼影響呢？我是一名太空族，我認同這個身份，也認同這個社會。我可不是從崇拜祖先的原始部落裡冒出來的。」

接下來有那麼片刻，曼達瑪斯陷入沉默，那張瘦臉流露出一種全神貫注的表情。「阿瑪狄洛博士，」他又說：「可否請你向立法局解釋一下，我的這位老祖宗並不是要去當人質，而是因為她是在索拉利長大的，對那個世界有超乎常人的瞭解，所以能在探勘過程中扮演重要的角色，而這項探勘對我們和對銀河殖民者同樣很有用？畢竟，老實講，難道我們不希望知道那些可惡的索拉利人到底在玩什麼把戲嗎？只要那女人活著回來，想必會帶回一份完整的報告。」

阿瑪狄洛努出下唇。「或許吧，但那女人必須是自願的，還得明白表示她瞭解這件任務有多麼重要，而她的確希望替奧羅拉盡這份義務。反之，絕對不能逼她這麼做。」

「好吧，假設我去拜訪我的這位老祖宗，設法說服她心甘情願走這一趟；又假設你透過超波告訴那位殖民者船長，他可以在奧羅拉降落，而且可以把她帶走，但他必須說服她自願跟他走

——或者，不管是否心甘情願，至少她口頭上要這麼說。」

「我想這麼做是不會有任何損失的，但我也看不出有成功的可能。」

結果出乎阿瑪狄洛意料之外，他們竟然成功了。當曼達瑪斯向他報告詳細經過時，他不禁聽得驚訝不已。

「我提到了那批人形機器人，」曼達瑪斯說：「但她顯然一無所知，而我由此推斷法斯陀夫當年同樣一無所知，這是始終令我百思不解的問題之一。然後我開始大談特談我的血統，以迫使她提起以利亞．貝萊那個地球人。」

「怎麼樣？」阿瑪狄洛厲聲問道。

「沒怎麼樣，她只是想起這個人，提了幾句罷了。那個想找她的銀河殖民者是貝萊的後裔，我想這麼一來，可能會讓她把那個銀河殖民者的要求更當一回事。」

總之，這個辦法奏效了。接下來這幾天，阿瑪狄洛覺得索拉利危機所帶來的持續壓力好像突然消失了。

但也只有短短幾天而已。

53

在這場危機當中，至少有一點令阿瑪狄洛頗為慶幸，那就是瓦西莉婭一直沒有出現在他面前。

如今絕非跟她見面的好時機。當他以全副精神面對一場真正危機時，可不想被任何瑣事打擾，例如聽到她——完全不顧法律現實——堅稱某個機器人是她的。此外，她和曼達瑪斯很容易為了該由誰來接掌機器人學研究院而吵起來，他同樣不希望自己捲入這種爭執。

反正他已經選定了曼達瑪斯當自己的接班人。在這場危機中，曼達瑪斯自始至終都緊盯著重

大議題。當阿瑪狄洛自己都覺得動搖之際，曼達瑪斯仍然保持著絕對的冷靜。想到那個索拉利女人可能會自願前往索拉利的是曼達瑪斯，而誘使她真正這麼做的也是他。

假如他的毀滅地球計畫果然成功了——非成功不可——那麼阿瑪狄洛可以預見曼達瑪斯最後一定能當上立法局的主席。這甚至是天經地義的，阿瑪狄洛難得不自私地這麼想。

因此那天傍晚，他並沒有怎麼想到瓦西莉婭。在一小隊機器人護衛下，他搭乘地面車離開研究院。車內除了機器人司機，還有兩個機器人和他一起坐在後座。在寒風細雨的暮色中，那輛車將他送回自己的宅邸，隨即又有兩個機器人將他迎了進去。從頭到尾，他都沒有想到瓦西莉婭。

所以說，當他發現她坐在自己的起居室，正在用他的超波電視觀看深奧的機器人芭蕾——他自己的幾個機器人都待在壁凹中，而她帶來的兩個機器人則站在她後面——他最初的反應只是單純的驚訝，並非氣她竟然闖空門。

他花了一點時間調勻呼吸，才終於能開口講話。這時他的火氣上來了，厲聲問道：「你在這兒做什麼？你是怎麼進來的？」

瓦西莉婭相當鎮定，畢竟她料到阿瑪狄洛遲早會出現的。「我在這兒做什麼？」她說：「當然是在等你。我進來毫無困難，你的機器人非常熟悉我的長相，也很清楚我在研究院的地位。如果我向他們保證我和你有約，他們怎麼會不讓我進來呢？」

「但你並未和我有約，你侵犯了我的隱私。」

「並不盡然。別人的機器人對你的信任總是有限度的。看看他們，他們的視線無時無刻不盯著我。假如我想弄亂你的東西，翻閱你的文件，或是趁你不在時動任何手腳，我向你保證那都是不可能的，我的兩個機器人可不是他們的對手。」

「你可知道，」阿瑪狄洛氣急敗壞地說：「你表現得完全不像一個太空族。你這麼做太卑鄙

了，我會記你一輩子。」

聽到這種形容詞，瓦西莉婭似乎有點臉色鐵青。她壓低聲音，咬牙切齒地說：「我也希望你牢牢記住，凱頓，我都為你做過些什麼——而你居然對我講這種髒話，我真想立刻走人，讓你這輩子永遠當個輸家，就像過去兩百年一樣。」

「不管你怎麼做，我都不會再輸下去了。」

瓦西莉婭說：「聽你這麼講，彷彿你當真這麼相信了。可是，明白嗎，我知道的事比你來得多。我必須告訴你，如果沒有我的介入，你將永遠是輸家。我不在乎你心裡有什麼盤算，更不在乎那個尖嘴猴腮的曼達瑪斯替你準備了什麼……」

「你為什麼要提到他？」阿瑪狄洛立刻追問。

「因為我想提就提。」瓦西莉婭帶著幾分輕蔑答道。「不論他做了些什麼，或自認正在做什麼——別怕，我對細節一無所知——反正是不會成功的。我或許對細節毫無概念，卻知道那是不會成功的。」

「你這是在說瘋話。」阿瑪狄洛說。

「如果你不想把一切都毀了，凱頓，最好還是聽聽這些瘋話吧。不只你自己而已，還可能牽連到所有的太空族世界。儘管如此，你或許還是不想聽我這一番話，總之那是你的選擇。所以請問，你選什麼呢？」

「我為什麼要聽你這番話？可有任何正當理由嗎？」

「理由之一，我曾經告訴你索拉利人正準備離開他們的世界。如果你把這句話聽進去，事發之際就不會措手不及了。」

「這個索拉利危機會發展成我們的轉機。」

「不，不會的。」瓦西莉婭說：「你或許會這麼想，但其實不會的。它只會毀掉你──無論你採取什麼緊急措施都沒用──除非你願意讓我暢所欲言。」

阿瑪狄洛的嘴唇泛白，而且在微微發抖。他正如瓦西莉婭所說當了兩百年的輸家，欠缺自信在所難免，就連這個索拉利危機也幫不上忙，因此，他雖然應該命令機器人送客了，偏偏就是欠缺這個勇氣。「好吧，長話短說。」他繃著臉說。

「如果長話短說，你是不可能相信我的，所以還是讓我照自己的方式講吧。你隨時可以叫我閉嘴，可是這麼一來，你等於毀了所有的太空族世界。當然，我是看不到這一天的，而且將來在歷史上──請注意，是銀河殖民者的歷史──被寫成有史以來最大輸家的絕不會是我。我可以開始說了嗎？」

阿瑪狄洛癱在一張椅子上。「那就說吧，說完之後──趕緊走人。」

「我會的，凱頓，當然啦，除非你求我──非常客氣地求我留下來幫你。我可以開始了嗎？」

阿瑪狄洛並未回應，瓦西莉婭便逕自開始：「我告訴過你，當我在索拉利的時候，曾經注意到他們設計了一種非常特殊的正子徑路型樣。令我覺得──非常強烈地覺得──他們是在試圖製造精神感應機器人。問題是，我為什麼會有這個想法呢？」

阿瑪狄洛惡狠狠地說：「我可不知道你發了什麼癲。」

瓦西莉婭做個鬼臉一笑置之。「謝啦，凱頓──我花了好幾個月思考這個問題，因為我不像某人那麼魯鈍，以為自己是在發癲，我認為那是一種潛意識的記憶。我回憶起了自己的童年──那時我還把法斯陀夫當成我的父親──有一天他心情大好，把他的機器人送了一個給我。你該瞭解，當他心情好的時候，總是會做些實驗的。」

「又是吉斯卡嗎？」阿瑪狄洛不耐煩地喃喃道。

「是的，吉斯卡，不是他還是誰。當年我十幾歲，但已經有了機器人學家的直覺，或者應該說，我生來就具有這種直覺。當時我懂得的數學非常少，卻很能掌握型樣的規律。其後幾十年，我的數學知識穩定增長，但我在掌握型樣這方面並沒有多少進步。我父親常說：『小瓦西——』這也是他的實驗，看看這類暱稱會對我有什麼作用。『你對型樣很有天分。』而我自己也這麼想……」

阿瑪狄洛說：「饒了我吧，我承認你有天分就是了。不過，我還沒吃晚飯呢，你知道嗎？」

「很好，」瓦西莉婭毫不猶豫地說：「那就邀我共進晚餐吧。」

阿瑪狄洛一面皺眉頭，一面舉起手來隨便做個手勢。機器人顯然都看懂了，立刻默默準備起來。

瓦西莉婭又說：「我很愛替吉斯卡設計新的徑路型樣。我常去找法斯陀夫——當時我仍將他當作父親——把我設計的型樣拿給他看。有時他會搖搖頭，邊笑邊說：『如果你在他腦中加入這個型樣，可憐的吉斯卡非但不能再說話，而且會痛得不得了。』我記得曾經問他吉斯卡是否真有痛覺，我父親答道：『我們並不清楚他有什麼感覺，可是他的表現會像我們痛得不得了的時候一樣，所以我們不妨認為他有痛覺。』

「不過，有時當我又這麼做的時候，他會露出開懷的笑容，說道：『嗯，這個不會傷到他，小瓦西，試試看會很有意思。』

「那時我就會動手。實驗做完後，有時我會把它取出來，有時則會留在裡面。我絕不是喜歡虐待吉斯卡，我想如果換成別人，或許會忍不住那麼做。事實上，我非常喜歡吉斯卡，一點也不想傷害他。總之，當我覺得我所做的改良——我一向認為那都是改良——能夠讓吉斯卡說話更流

利、動作更敏捷或更有趣，而且似乎毫無害處——我就會讓它留下來。

「然後有一天……」

一個機器人站到了阿瑪狄洛身邊，由於並非真有緊急事件，它不敢打斷客人的談話。但阿瑪狄洛立刻瞭解它的來意，問道：「晚餐好了嗎？」

「好了，先生。」機器人答道。

阿瑪狄洛朝瓦西莉婭做了一個不耐煩的手勢。「我邀請你共進晚餐。」

他們起身走向阿瑪狄洛家的餐廳，這還是瓦西莉婭頭一回去那裡。畢竟，阿瑪狄洛是個相當孤僻的人，出了名的不把社交禮儀放在眼裡。曾有不少人勸他，如果能在家裡招待賓客，他的政治生涯會更為一帆風順，但他總是禮貌地微微一笑，回應道：「這代價太高了。」

或許正因為他從來不在家中宴客，瓦西莉婭心想，所以那些家具看不出任何特色或創意。而最單調的莫過於那張餐桌，以及上面的碗盤和餐具。至於牆壁，則一律是單色的垂直平面。總而言之，她想，沒一樣不令人倒胃口。

餐前湯品是標準的清湯，簡直和那些家具一樣單調，瓦西莉婭索然無味地一口口喝下去。

阿瑪狄洛開口道：「我親愛的瓦西莉婭，你知道我一向都很有耐心。如果你想寫自傳，我是不反對的。可是，你當真打算在我面前背誦幾章嗎？如果真是這樣，我必須直截了當告訴你，我真的沒興趣。」

瓦西莉婭說：「再過一會兒，你就會變得極有興趣了。話說回來，如果你真的那麼迷戀失敗，想要繼續保持一事無成的紀錄，就不妨直說吧。我會默默吃完這頓飯，然後默默離去。你真的希望這樣嗎？」

阿瑪狄洛嘆了一聲。「好了，說下去吧，瓦西莉婭。」

瓦西莉婭說：「然後有一天，我設計了一個新的型樣，不但比我之前的設計都要更精巧、更有趣、更迷人，而且老實講，甚至可說是空前絕後的。我很想拿給我父親看，不巧他到其他世界開會去了。

「我不知道他什麼時候回來，只好暫時擱下這件事。可是我每天看著那個型樣，越看越覺得有趣，越看越著迷。我終於再也等不下去，我就是做不到了。它看起來是那麼美麗，如果還擔心它會造成傷害，我認為那可就太荒謬了。當時我才十幾歲，幾乎仍是嬰兒，還不算完全懂得什麼是責任感，所以我用那個型樣改造了吉斯卡的大腦。

「果真沒有害處，這點立刻顯而易見。他輕而易舉通過測試，而且——在我看來——他要比以前聰明得多，理解速度也快得多。換句話說，我發覺他比以前更迷人、更可愛了。

「我很高興，卻也很緊張。我所做的事——未經法斯陀夫許可便擅自改造吉斯卡——嚴重違反了法斯陀夫定下的規矩，這點我很明白。可是，我當然不會把它改回來。當初在改造吉斯卡大腦時，我曾在心中自我安慰，告訴自己這個修改只是暫時性的，很快就會把它取消。然而，改造一旦完成，我就心知肚明，自己再也不會把它取消了，我就是不會那麼做。事實上，為了避免影響這個結果，後來我再也沒有對吉斯卡做過任何修改了。

「我也從未把這件事告訴法斯陀夫。有關這個神奇型樣的一切記錄都被我銷毀了，因此法斯陀夫一直沒有發現我私自改造過吉斯卡，一直沒有！

「後來我們就分道揚鑣了，我是指我和法斯陀夫，而他硬是不肯把吉斯卡讓給我。我大聲疾呼他是我的，拚命強調我很愛他，可是法斯陀夫的慈悲心腸——那是他一輩子都在極力炫耀的東西，什麼愛是無私的，是不分大小的——從來無力阻止他的私欲。他分給我一些我根本不喜歡的機器人，但堅持要把吉斯卡留給自己。

「而他在死前，竟然把吉斯卡留給那個索拉利女人——等於最後又狠狠摑了我一巴掌。」

這時阿瑪狄洛正在吃鮭魚慕斯，但吃到一半就停了下來。「你講了這麼一大堆，如果是為了幫助你把吉斯卡的所有權從那個索拉利女人手中搶過來，那就是白費力氣了。我已經向你詳細解釋過，我絕不能推翻法斯陀夫的遺囑。」

「其實還有更重要的原因，凱頓，」瓦西莉婭說：「更重要得多，更重要無數倍。你要我到此為止嗎？」

阿瑪狄洛咧嘴擠出一抹苦笑。「既然已經聽了那麼多，我就繼續當個瘋子聽下去吧。」

「如果不聽下去，你才是瘋子呢，因為我馬上要講到重點了——我從來沒有忘記吉斯卡，更沒有忘記他是被人搶走的，但我就是從未想到自己曾在無人知曉的情況下，用那個型樣改造過他。我相當確定後來我無論如何也無法重複那個結果，而根據我的印象，我在鑽研機器人學的過程中，也始終沒有見過那種型樣，直到——直到我在索拉利上，無意中瞥見類似的設計為止。

「那個索拉利專家所設計的型樣令我覺得眼熟，但我也不知道為什麼。我絞盡腦汁想了好幾個星期，終於從我的潛意識中挖掘出那段深藏的記憶，也就是兩百五十年前，我憑空想出的那個獨一無二的型樣。

「雖然我記不清那個型樣的細節，但我知道那個索拉利上的型樣稍有它的影子，稍有而已。我是因為看到一個絕頂複雜的對稱性，才產生了這方面的一點聯想，但由於我浸淫在機器人學已經長達兩百五十年，經驗告訴我那個型樣和精神感應有關。如果那麼簡單、那麼無趣的型樣都能令我聯想到精神感應，那麼我的原始設計——那個我兒時發明的、後來再也無法複製的型樣——代表著什麼意義呢？」

阿瑪狄洛說：「你一直在強調要說到重點了，瓦西莉婭。如果我請你別再無病呻吟，別再緬

懷往事，趕緊用簡單明瞭的方式講出重點，應該不算非常不講理吧？」

瓦西莉婭說：「萬分樂意。我要告訴你的是，凱頓，不知不覺間，我竟然讓吉斯卡變成了一個精神感應機器人，而且他一直維持著這個能力。」

54

阿瑪狄洛望著瓦西莉婭好一陣子，然後，由於她的故事似乎說完了，他又舉起刀叉，若有所思地吃了一兩口剛才剩下的鮭魚慕斯。

然後他說：「不可能！你以為我是白癡嗎？」

「我以為你是永遠的輸家。」瓦西莉婭道：「我可沒說吉斯卡真有什麼讀心術，也沒說他能收發字句或想法。或許那是不可能的，哪怕只是理論上。但我相當肯定他能偵測到情感以及一般的精神活動，甚至也許還能進行修改。」

阿瑪狄洛拚命搖頭。「不可能！」

「不可能？想想看，兩百年前，你幾乎已經要取得勝利，法斯陀夫是你的囊中物，而侯德主席是你的盟友。然後發生了什麼事？為何突然一切都走樣了？」

「那個地球人……」想起那段往事，阿瑪狄洛說不下去了。

「那個地球人，那個地球人。」瓦西莉婭模仿他的口吻，「還是那個索拉利女人？都不是！都不是！其實是吉斯卡，他一直在附近，不斷在感應，不斷在做調整。」

「他為何要這麼做？他只是機器人。」

「所以他忠於主人，忠於法斯陀夫。根據第一法則，他必須確保法斯陀夫不受任何傷害，而既然擁有精神感應，他不得不擴大解釋傷害的意義。他知道，如果法斯陀夫無法實現理想，無法鼓勵人類開拓其他的可住人世界，他就會感到極度失望——而在吉斯卡的精神感應心目中，那就

是一種『傷害』。他必須阻止這種事，而他也真的出手阻止了。」

「不，不，不。」阿瑪狄洛萬分厭惡地說：「你希望這是真的，那是出於你某種狂野的、浪漫的渴望，但渴望並不等於事實。我太清楚當時的情況了，都是那個地球人，根本不需要精神感應機器人來解釋這一切。」

「後來又發生了些什麼呢，凱頓？」瓦西莉婭追問：「過去兩百年來，你曾經贏過法斯陀夫一次嗎？當所有的事實都對你有利時，當法斯陀夫的政策顯然破產時，你可曾掌握過立法局的多數民意？還有，你可曾對主席產生過足夠的影響，讓你自己獲得真正的權力？

「這點你要如何解釋，阿瑪狄洛？過去兩百年來，那個地球人都不在奧羅拉。他已經死了一百六十幾年，只活了短短八十個年頭而已。但你卻繼續失敗——這是你一直保持的光榮紀錄。即使現在法斯陀夫死了，而他的黨羽四分五裂，你到底從中得到了多少利益？你是否覺得成功依舊離你好遠？

「對方現在還剩下什麼？那地球人不在了，法斯陀夫也不在了。一直跟你作對的是吉斯卡——而吉斯卡還在。他現在效忠那個索拉利女人，就像當年他效忠法斯陀夫一樣，可是我想，那索拉利女人絕無可能喜歡你。」

阿瑪狄洛臉上堆滿了憤怒和挫折。「事實並非如此，並非如此，這些都是你的幻想。」

瓦西莉婭依然保持冷靜。「不，我不是在幻想，而是在做解釋，我解釋了許多你始終無法解釋的事情。難道你還有其他的解釋嗎？——我可以提供你一道良策。把吉斯卡的所有權從那索拉利女人手中轉移到我這裡，然後一夕之間，你的許多阻力都會開始化為助力。」

「不，」阿瑪狄洛說：「它們已經逐漸成為我的助力了。」

「你可以這麼想，但只要吉斯卡仍舊和你作對，你就不會真有任何助力。不論你多麼接近成

功，不論你多麼確定勝券在握，只要吉斯卡沒站在你這邊，一切都會化為泡影。這種事兩百年前就發生過，現在還會再重演一遍。」

阿瑪狄洛的表情突然變輕鬆了，他說：「嗯，仔細想想，雖然吉斯卡既不在我手裡，也不在你手中，但是不要緊，因為我能向你證明吉斯卡並沒有精神感應。倘若如你所說，他真具有這種能力，能把情勢扭轉到他喜歡的方向，或是他的主人所喜歡的方向，他又怎麼會讓那個索拉利女人被帶到可能令她送命的地方呢？」

「送命？你在說些什麼，凱頓？」

「莫非你不知道，瓦西莉婭，有兩艘殖民者太空船在索拉利被摧毀了？難道你最近完全不問世事，專心在夢想那個什麼型樣，以及你那些改造機器人的童年英勇事蹟？」

「你並不擅長挖苦人，凱頓。我聽說了那則新聞，但又怎麼樣呢？」

「為了展開調查，又有一艘殖民者太空船要前往索拉利，它或許也會遭到摧毀。」

「是有可能。話說回來，他們應該會採取預防措施。」

「沒錯，他們把那個索拉利女人要了去。他們覺得她對那顆行星有足夠的瞭解，能替他們消災解難。」

瓦西莉婭說：「那幾乎是不可能的事，因為她已經兩百年沒回去了。」

「對！所以她和他們一起送命的機會很大。我個人一點都不在乎這件事，甚至很樂意聽到她的死訊，而我想你也一樣。除此之外，這會給我們一個向殖民者世界抗議的絕佳藉口，而且會讓他們難以堅持那些船隻是遭到奧羅拉的蓄意攻擊。我們怎麼可能殺害自己的同胞呢？——現在的問題是，瓦西莉婭，假如吉斯卡真有你所聲稱的那種能力——以及那種忠心——他怎麼會允許那個索拉利女人自願參加極有可能令她喪命的行動呢？」

瓦西莉婭大吃一驚。「她是自願去的嗎？」

「那還用說，她是百分之百自願的。我絕不可能強迫她做這種事，那會毀了我的政治前途。」

「但我不明白……」

「你只需要明白吉斯卡只是普通的機器人就行了。」

瓦西莉婭以手支頤，僵在椅子裡好一陣子。然後她慢慢說道：「機器人一律不准到殖民者世界或殖民者太空船上。這就意味著她是自己去的，並沒有帶機器人。」

「喔，不，當然不是這樣。既然他們希望她自願走這一趟，就得接受她的隨身機器人。因此同行的還有那個仿人的機器人丹尼爾，以及——」他頓了頓，噓了一聲才說：「吉斯卡。除了他還會有誰呢？所以說，你心目中的那個神奇機器人同樣送死去了。他再也不……」

他越說越小聲。瓦西莉婭早已站了起來，只見她滿臉通紅，雙眼迸出怒火。

「你是說吉斯卡走了？他搭乘殖民者太空船離開了這個世界？凱頓，你可能把我們都給毀了！」

55

兩人誰也沒有吃完晚餐。

瓦西莉婭快步走出餐廳，消失在衛生間內。阿瑪狄洛縱使極力保持理智，仍在門外衝著她高聲大喊，雖然明知這麼做實在有失尊嚴。

他喊道：「這更加顯示吉斯卡只不過是普通的機器人。否則，他為什麼會願意陪他的主人一起去索拉利送死？」

沖水和洗手的聲音總算停止了，瓦西莉婭走了出來，她的臉不但洗得很乾淨，而且冷靜得幾

乎沒有任何表情。

她說：「你真的不明白嗎？你令我難以置信，凱頓。好好想一想，只要吉斯卡能夠影響人類的心靈，他自己就永遠不會有危險，對不對？而只要吉斯卡全力照顧那索拉利女人，她同樣不會有任何危險。那個把她帶走的銀河殖民者，當初拜訪她的時候，一定已經獲悉這個索拉利女人有兩百年沒回索拉利了，所以不太可能繼續相信她能夠起什麼作用。由於她的緣故，他帶吉斯卡同行，但他同樣不知道吉斯卡能起什麼作用——莫非他真的知道？」

她想了一會兒，然後慢慢地說：「不，他不可能知道。既然過去兩百多年來，誰也未曾洞悉吉斯卡具有精神感應力，顯然吉斯卡不想讓任何人猜到這個事實——如果真是這樣，那就不可能有人猜得到。」

阿瑪狄洛挑釁似地說：「你自己就聲稱知道真相。」

瓦西莉婭說：「我有特殊的背景，凱頓，即便如此，我也是直到現在才恍然大悟的——這還多虧我在索拉利上得到的啟示。想必連我的心靈都給吉斯卡蒙蔽了，否則我老早就會看清真相。我懷疑法斯陀夫是否知……」

「認定吉斯卡只是普通的機器人，」阿瑪狄洛惶惶不安地說：「可要容易得多了。」

「你這是在抄捷徑奔向墳墓，凱頓，但我可不會讓你這麼做，不論你自己活得多麼不耐煩——目前的情勢是，那個銀河殖民者如願地帶走了那索拉利女人，雖說他已經發現她起不了什麼作用，甚至根本沒用。而那索拉利女人也自願走這一趟，雖說她一定很怕和一群渾身是病的野蠻人同乘一艘太空船，而且明知自己非常可能死在索拉利上。

「所以依我看，這些都是吉斯卡在幕後推動的，他迫使那個銀河殖民者毫無道理地繼續爭取那索拉利女人，又迫使那個索拉利女人毫無道理地接受這份差事。」

阿瑪狄洛說：「可是為什麼呢？我能否問問這個簡單的問題？為什麼？」

「我想，凱頓，是因為吉斯卡覺得有必要離開奧羅拉——莫非他猜到了我即將獲悉他的祕密？如果真是這樣，多半是他還不確定以他目前的能力能否影響得了我，畢竟我是個高明的機器人學家。此外，他不會忘記我曾經是他的主人，身為機器人，他很難把忠誠這項要求拋在腦後。或許他覺得唯有讓自己遠離我的勢力範圍，他才能確保那索拉利女人的安全。」

她仰頭望向阿瑪狄洛，堅定地說：「凱頓，我們一定要把他弄回來。我們不能讓他躲在哪個殖民者世界，去推動銀河殖民者的理想。他已經在我們中間造成很大的傷害，我們一定要把他弄回來，然後你一定要讓我成為他的合法主人。我能對付他，讓他替我們工作，我可以向你保證。記住！我是唯一能夠對付他的人。」

阿瑪狄洛說：「我看不出有什麼好擔心的。至少有九成的可能，他只是普通的機器人，所以一定會毀在索拉利，而我們便能同時擺脫他和那個索拉利女人。剩下那不到一成的可能性，也就是你把他說對了，那麼他一定不會毀在索拉利，可是這麼一來，他就得回到奧羅拉。畢竟，那個索拉利女人雖然並非生在奧羅拉，卻在奧羅拉住了很長的時間，她絕對無法和那些野蠻人生活在一起——當她堅持要返回文明世界的時候，吉斯卡就不得不跟她一起回來了。」

瓦西莉婭說：「枉費我講了那麼多，凱頓，你還是不瞭解吉斯卡的能力。如果他覺得有必要遠離奧羅拉，便能輕而易舉地調整那索拉利女人的心理狀態，讓她能夠忍受殖民者世界的生活，正如他當初讓她自願登上殖民者太空船一樣。」

「好吧，如果有必要，我們大可護送那艘殖民者太空船——包括那個索拉利女人以及吉斯卡——回到奧羅拉。」

「你打算怎麼做？」

「會有辦法的。儘管顯然你認為自己是這顆行星上唯一腦袋清楚的人，事實上，我們其他人也並不是笨蛋。那艘殖民者太空船之所以前往索拉利，是去調查先前那兩艘船究竟如何遇難的，但我希望你不會真的以為我們打算仰賴那些野蠻人，或是仰賴那索拉利女人的機器人。與此同時，我們派了兩艘自己的戰艦前往索拉利，而我們並不認為他們會有任何風險。如果還有索拉利人待在那顆行星上，他們或許能夠摧毀原始的殖民者太空船，但他們可沒辦法撼動奧羅拉的戰艦。所以說，如果那艘殖民者太空船因為吉斯卡的某種魔法……」

「不是什麼魔法，」瓦西莉婭以刻薄的口吻說：「而是精神影響力。」

「好吧，如果那艘殖民者太空船因為某種緣故，居然能夠飛離索拉利，我們的戰艦就會把他們攔下來，客客氣氣地請他們交出那索拉利女人和她的機器人。如果他們不從，我們就會堅持要這艘殖民者太空船和我們一起飛回奧羅拉。從頭到尾都不會出現敵對狀態，我們的戰艦只是要護送一名奧羅拉公民返回她的母星。一旦那索拉利女人和她的機器人回到奧羅拉，那艘殖民者太空船立刻可以飛往自己的目的地。」

瓦西莉婭無精打采地點了點頭。「聽起來不錯，凱頓，但你可知道我覺得會怎麼發展嗎？」

「怎麼發展，瓦西莉婭？」

「在我看來，那艘殖民者太空船的確會飛離索拉利，但我們的戰艦卻不會。不論索拉利上有什麼力量，吉斯卡都有辦法對付，可是我擔心，也只有他能對付而已。」

「萬一發生這種事，」阿瑪狄洛冷冷一笑，「我就會承認你的幻想多少有些真實成分——但不會發生的。」

56

次日清晨，瓦西莉婭的頭號隨身機器人——外形相當女性化的娜迪拉——來到瓦西莉婭床

邊。瓦西莉婭醒了過來，閉著眼睛問道：「什麼事，娜迪拉？」（她根本不必張開眼睛。除了娜迪拉，近百年來誰也沒有接近過睡夢中的她。）

娜迪拉輕聲說：「女士，阿瑪狄洛博士要求你去研究院。」

瓦西莉婭猛然睜開眼睛。「什麼時候了？」

「〇五一七時，女士。」

「天還沒亮吧？」瓦西莉婭氣呼呼地說。

「是的，女士。」

「他什麼時候要見我？」

「現在，女士。」

「為什麼？」

「他的機器人並未告知我們，女士，但他們說是很重要的事。」

瓦西莉婭用力掀開被單。「我要先吃早餐，娜迪拉，飯前還要先沖個澡。叫阿瑪狄洛的機器人待在訪客壁凹裡等我，他們如果開口催促，提醒他們這裡可是我的宅邸。」

餘怒未消的瓦西莉婭並未刻意加快速度。事實上，她花了更多的力氣梳妝打扮，而早餐也吃得比平時更悠閒。（通常她在這兩件事情上不會花太多時間。）她順便看了看新聞報導，沒有任何風吹草動足以解釋阿瑪狄洛的緊急召喚。

當地面車（裡面除了她還坐著四個機器人——兩個是她的，另外兩個則是阿瑪狄洛派來的）將她帶到研究院時，太陽正從地平線上逐漸升起。

阿瑪狄洛抬起頭來。「唉，你終於來了。」他尚未關閉辦公室的牆壁照明，雖然現在根本不需要了。

「抱歉我嚴重遲到，」瓦西莉婭硬邦邦地說：「我很清楚，不該等到日出時分才趕來上班。」

「別說笑了，瓦西莉婭，拜託。我很快就得趕去立法局，主席比我起得還早呢——瓦西莉婭，我不該對你的說法存疑，我誠心誠意向你鄭重道歉。」

「所以說，那艘殖民者太空船安全起飛了？」

「沒錯。而且不出你所料，我們的戰艦被毀了一艘——消息尚未正式公布，但這種風聲當然遲早會走漏的。」

瓦西莉婭睜大眼睛。當初在做這個預測的時候，其實她並沒有像形諸於外的那麼有信心，但現在顯然不適合招認這件事。她真正說出口的是：「所以，你終於相信吉斯卡具有非凡能力的事實了。」

阿瑪狄洛小心謹慎地說：「雖然並未看到什麼嚴謹的證明，但在獲得更進一步的訊息之前，我願意暫且接受這個說法，現在我想知道的是下一步我們該怎麼做。立法局完全不曉得吉斯卡的事，而我也不打算告訴他們。」

「我很高興你的腦袋清楚到了這個程度，凱頓。」

「但真正瞭解吉斯卡的是你，你比誰都清楚該怎麼做。所以，請問我在立法局該說些什麼？我該如何解釋這件事，才不至於洩漏全盤真相？」

「視情況而定。那艘殖民者太空船既然離開了索拉利，現在它往哪裡去呢？我們能知道嗎？畢竟，如果它正飛回奧羅拉，我們什麼也不必做，等它回來再說就行了。」

「它不是飛回奧羅拉。」阿瑪狄洛斬釘截鐵地說。「這點似乎又被你說對了。吉斯卡——假設一切都是他在幕後操縱——似乎決心遠走高飛。那艘船發回母星的電文被我們截收到了，當然

是用密碼，但銀河殖民者的密碼沒有我們不能破解的……」

「我猜他們也破解了我們的密碼。我很納悶雙方為何不能達成協議，一律使用明碼發訊，這樣能省很多麻煩。」

阿瑪狄洛不置可否地聳了聳肩。「別管那個了，重要的是那艘殖民者太空船正在飛回它的母星。」

「那索拉利女人和兩個機器人也在上面？」

「當然。」

「你確定嗎？這三個人沒有留在索拉利？」

「我們十分確定。」阿瑪狄洛不耐煩地說。「他們能夠安然離去，顯然是多虧了那個索拉利女人。」

「她？怎麼做到的？」

「我們還不知道。」

瓦西莉婭說：「一定是吉斯卡做的，他讓一切看起來像是那索拉利女人的功勞。」

「我們現在怎麼辦？」

「一定要把吉斯卡弄回來。」

「沒錯，但我恐怕無法說服立法局，冒著引發星際危機的風險去索討一個機器人。」

「不是要你那麼做，凱頓。你該索討的是那個索拉利女人，我們絕對有權做這樣的要求。你以為她會自己單獨回來嗎？或者吉斯卡會讓她不帶著他回來嗎？或者那殖民者世界會希望單獨留下她的兩個機器人嗎？把她要回來，態度要強硬。她是奧羅拉公民，是被出借前往索拉利出一趟任務，現在任務完成了，他們必須馬上將她送回來。把話說狠一點，好像不惜開戰一樣。」

「我們不能冒險開戰，瓦西莉婭。」

「不會冒險的，吉斯卡不會採取任何可能直接導致戰爭的行動。如果銀河殖民者的領導階層拒絕你的要求，而且同樣說了狠話，吉斯卡一定會對那些領導者進行必要的調整，好讓他們乖乖把那個索拉利女人送回奧羅拉。至於他自己，當然會跟她一起回來。」

阿瑪狄洛鬱鬱寡歡地說：「一旦他回來，我想他會立刻影響我們，我們就會忘了他的能力，對他視而不見，而他便能繼續他自己的神祕計畫。」

瓦西莉婭仰頭大笑。「門都沒有。要知道，我瞭解吉斯卡，我能夠對付他。我只要你把他討回來，並說服立法局推翻法斯陀夫的遺囑——這是可行的，你一定辦得到——以便把吉斯卡正式交給我。然後他就會為我們效命；奧羅拉就會統領整個銀河；你就會當上立法局的主席，直到死於任上為止；而我則會繼任機器人學研究院院長的職位。」

「你確定一切都會照你所說的發展嗎？」

「絕對確定。你只管發出一封措詞強硬的電文，我保證其他事情通通會水到渠成——我們和太空族會大獲全勝，地球和銀河殖民者則會一敗塗地。」

第十四章　對決

57

嘉蒂雅凝望著螢幕上的奧羅拉星。在奧羅拉之陽照耀下，它有一大半是白晝區，而它表面的雲層似乎正沿著晝夜界線在不斷翻滾。

「我們當然並沒有那麼接近。」她說。

丹吉微微一笑。「當然沒有，我們是用相當好的望遠鏡在觀察它。以目前的盤旋軌跡來算，還有好幾天的航程呢。如果我們有反重力引擎，太空飛行才會真正變得又快又簡單——物理學家一直夢想把它做出來，但似乎就是無能為力。如今的躍遷，為了安全起見，只能將我們送到和目標行星還有很大一段距離的地方。」

「怪了。」嘉蒂雅若有所思地說。

「怎麼了，夫人？」

「在前往索拉利途中，我在心中告訴自己：『我要回家了。』可是當我踏上索拉利，卻根本沒有回家的感覺。現在我們飛向奧羅拉，我又在心中說：『這次真的要回家了。』但——下面那個世界也並不是我的家。」

「那麼，你的家到底在哪裡，夫人？」

「我開始糊塗了——但你為何堅持要叫我『夫人』呢？」

丹吉顯得很驚訝。「你比較喜歡『嘉蒂雅女士』這個稱呼嗎，嘉蒂雅女士？」

「那也只是虛偽的客套。我對你而言就是一位女士嗎？」

「虛偽的客套？當然不會。不然銀河殖民者又該如何稱呼太空族呢？我試著既要有禮貌，又要符合你們的習俗——以便讓你感到賓至如歸。」

「但這麼做並不會讓我感到賓至如歸。叫我嘉蒂雅吧，我之前就這麼建議過。況且，我一直叫你『丹吉』。」

「我聽來滿順耳的，只不過在我的船員面前，我希望你稱我『船長』，而我一律稱你『夫人』，這樣才不會壞了規矩。」

「好的，沒問題。」嘉蒂雅隨口答道，目光又向奧羅拉望去。「我根本沒有家。」她猛然轉身面向丹吉。「你有沒有可能帶我去地球，丹吉？」

「有可能啊，」丹吉微微一笑，「但只怕你不想去——嘉蒂雅。」

「我相信我會想去的，」嘉蒂雅說：「除非我喪失了勇氣。」

「你的確有機會染上疾病，」丹吉說：「太空族怕的就是這個，對不對？」

「或許怕過頭了。畢竟，我和你的老祖宗交往過，但我並未受到感染。我在這艘船上待了那麼久，目前也仍舊平安無事。瞧，你現在離我那麼近。我甚至到過你們的世界，面對過好幾千名聽眾。我相信我已經產生了若干抵抗力。」

「我必須告訴你，嘉蒂雅，地球要比貝萊星擁擠上千倍。」

「那又何妨，」嘉蒂雅越說越興奮，「我對許多事的想法都已經完全改變了。我曾經告訴你，在活了兩百三十多年之後，生命已經沒什麼意義，事實證明我錯了。我在貝萊星的經歷——我所做的演講，以及聽眾的反應——對我而言都是嶄新的、做夢也想不到的事情。我覺得好像重新活了一遍，一切又從童年開始。如今在我看來，即使命喪地球也是值得的，因為我會以一顆年輕的心為生命奮戰到最後一刻，而不是以一副老朽的身軀迎接並擁抱死亡。」

「很好！」丹吉誇張地舉起雙臂，擺出一個英勇的姿勢。「你的口氣讓我聯想到了超波歷史劇。你們在奧羅拉也看這種東西嗎？」

「當然，大家都非常愛看。」

「你是在模仿哪一齣嗎，嘉蒂雅，或者這真是你的肺腑之言？」

嘉蒂雅哈哈大笑。「我想我的口氣有點蠢，丹吉，但有趣的是，這還真是我的肺腑之言——除非我喪失了勇氣。」

「既然如此，就這麼說定了，我們到地球去吧。我想他們不會認為值得為你打上一仗，尤其是你若能如他們所願，針對這趟索拉利之行做個完整的報告，然後——不知你有沒有這麼做過——以太空族的榮譽，保證你一定會回來。」

「但我不會回來了。」

「但你可能會改變主意的——而現在，夫人——不，嘉蒂雅——和你聊天總是一件賞心樂事，但我總是不知不覺把太多時間花在這上面，而我確定現在必須到駕駛艙去了。如果他們不需要我就自己做得來，我也希望他們並沒有發覺。」

58

「是你做的嗎，吉斯卡好友？」

「你指的是什麼事，丹尼爾好友？」

「嘉蒂雅女士急於要去地球，甚至或許不回來了。像她這樣的太空族，萬萬不該有這種念頭，所以我忍不住懷疑是你對她的心靈動了手腳，才會讓她有這種違背常理的感受。」

吉斯卡說：「我可沒碰她。在三大法則的束縛下，要影響任何人都是困難重重的事。如果此人的安全由你直接負責，要影響她的心靈就更加困難了。」

「那她為什麼想去地球呢？」

「她在貝萊星的經歷大大改變了她的人生觀。她有了使命感——想要確保銀河的和平——而且迫不及待。」

「這樣的話，吉斯卡好友，你何不乾脆用你的老辦法，說服船長直接前往地球呢？」

「那樣會製造許多麻煩。奧羅拉當局態度強硬，堅持要求嘉蒂雅女士回奧羅拉，所以我們最好配合，至少暫時這麼做。」

「但這麼做會有危險。」丹尼爾說。

「所以說，丹尼爾好友，你仍然認為他們要的是我，因為他們已經獲悉我的能力？」

「我想不出其他原因，會讓他們堅持非要嘉蒂雅女士回去不可。」

吉斯卡說：「我懂了，模仿人類的思考模式是有風險的，你可能會假設一些並不存在的麻煩。就算奧羅拉上有人懷疑我具有特殊能力，我也能用這個能力消除對方的疑慮。沒什麼好怕的，丹尼爾好友。」

丹尼爾勉強答道：「你說了算，吉斯卡好友。」

59

嘉蒂雅一面若有所思地環顧四周，一面隨手一揮，將身旁的機器人通通打發走了。

然後，她盯著自己那隻手，彷彿從來沒有見過它一樣。在她和丹吉鑽進登陸奧羅拉的小艇之前，她用這隻手和船上每一名成員逐一握過。當她承諾一定會回來時，眾人立刻高聲歡呼，而尼斯則聲淚俱下地說：「我們一定要等到你才走，夫人。」

他們的歡呼令她興奮不已。雖然她的機器人永遠忠誠地、耐心地服侍她，可是從來不會對她歡呼。

丹吉以好奇的目光望著她。「你現在當然回到家了，嘉蒂雅。」他說。

「我回到了我的宅邸。」她低聲答道。「自從兩百年前，法斯陀夫博士讓我住在這裡，它就一直是我的宅邸，但我還是感到陌生。」

「我才會感到陌生呢，」丹吉說：「單獨待在這裡，我會有失落感。」他帶著似笑非笑的表情，四下打量著華麗的家具以及裝飾精美的牆壁。

「你不會落單的，丹吉，」嘉蒂雅說：「我的管家機器人會陪著你。他們都內建有完整的待客指令，會盡力讓你覺得賓至如歸。」

「他們聽得懂我的殖民者口音嗎？」

「如果沒聽懂，他們會請你再說一遍，那時你就得配合手勢慢慢說。他們會替你準備食物，還會向你說明如何使用客房內的設備——同時也會仔細盯著你，確保你別出現逾矩的行為。必要時他們還會阻止你，但不會讓你受到任何傷害。」

「他們該不會以為我並非人類吧。」

「像那個監督員那樣？不會的，我可以向你保證，丹吉。只不過，你的鬍子和口音或許會讓他們的反應延遲一兩秒。」

「如果有人闖進來，我想他們會保護我吧？」

「一定會，但不會有人闖進來的。」

「立法局也許會想把我從這兒抓走。」

「那麼他們會派機器人來，而我的機器人會把它們趕走。」

「萬一他們的機器人強過你的機器人呢？」

「不會發生這種事，丹吉，任何宅邸都是神聖不可侵犯的。」

「得了吧，嘉蒂雅，你是指從來沒有人……」

「從來沒有人這麼做！」她立刻回嘴。「你只管舒舒服服待在這兒，我的機器人會把你照顧得無微不至。如果你想聯絡你的太空船，或是聯絡貝萊星，甚至奧羅拉立法局，他們都完全知道該怎麼做，你連手指都不必動一動。」

丹吉癱坐到最近的一張椅子上，四肢攤開，重重嘆了一口氣。「殖民者世界禁止機器人是多麼明智啊。你可知道，如果我待在這樣的社會，多久之後就會腐化成懶散的廢物？頂多只要五分鐘。事實上，我已經腐化了。」他打個呵欠，還誇張地伸個懶腰。「他們准不准我睡覺？」

「當然准。如果你睡著了，管家機器人會盡力提供你一個安靜而幽暗的睡眠環境。」

丹吉突然坐直了身子。「萬一你不回來了呢？」

「我為什麼會不回來？」

「立法局似乎迫不及待要找你。」

「他們不能留置我。我是自由的奧羅拉公民，愛去哪兒就去哪兒。」

「政府總是能炮製一些緊急狀況——在緊急狀況下，任何法規都可以打破。」

「胡說。吉斯卡，我會被留置在那裡嗎？」

吉斯卡說：「嘉蒂雅女士，你不會被留置在那裡，船長根本不必擔心這種事。」

「聽到了吧，丹吉。你的老祖宗和我最後一次見面的時候，叫我要永遠信任吉斯卡。」

「很好！太好了！反正我之所以陪你下來，嘉蒂雅，就是要確保能把你帶回去。請記住這一點，如果有必要，也請告訴你們的阿瑪狄洛博士。如果他們試圖強行留置你，那麼他們也得把我關起來——而我的太空船目前在軌道上，萬一發生這種事，它能做出最強烈的反應。」

「不，拜託。」嘉蒂雅顯得有些不安，「千萬別動這個念頭。奧羅拉也有自己的船艦，我敢

說你的太空船正遭到了監控。」

「不過兩者還是有所不同，嘉蒂雅。我非常懷疑奧羅拉真的會願意為你開戰，但另一方面，貝萊星可不會猶豫。」

「絕不可能。我也不希望他們為了我打起來。總之，他們為何要那麼做呢？因為我是你們那位老祖宗的朋友嗎？」

「並不盡然。我認為不會有人真正相信你就是他的那個朋友，你的曾祖母或許有可能，但絕不是你，連我都不相信那就是你。」

「你明明知道就是我。」

「僅僅在理性層次。感性層次我就覺得難以接受，那可是兩百年前的事。」

嘉蒂雅搖了搖頭。「短壽命造成了你的短視。」

「或許我們無一例外，但這沒什麼關係。貝萊星會那麼重視你，主要是因為你的那場演說。你是他們心目中的英雄，所以他們下定決心要把你介紹給地球，誰也不能阻止他們這麼做。」

嘉蒂雅受寵若驚地說：「介紹給地球？有正式的儀式嗎？」

「最正式的儀式。」

「你們為何把這件事看得那麼重要，甚至不惜因而開戰？」

「這點我不確定能不能對太空族解釋清楚。地球是個很特殊的世界，地球是一個——神聖的世界，是唯一真實的世界。地球是人類的發源地，只有在這個世界上，人類曾和眾生萬物一起演化、一起發展、一起生活。貝萊星也有樹木和昆蟲——但地球上的樹木和昆蟲卻種類繁多，這種多樣化只有在地球才看得到。殖民者世界通通是仿製品，而且是拙劣的仿製品。如果不能從地球汲取知性的、靈性的以及文化的力量，這些世界根本無法生存。」

嘉蒂雅說：「這和太空族對地球所抱持的觀點幾乎相反。當我們提到地球——其實機會很少——總覺得它是個野蠻而衰敗的世界。」

丹吉漲紅了臉。「這正是太空族世界持續不斷衰弱的原因。就像我說過的，你們好像是被拔了根的植物、被切掉心臟的動物。」

嘉蒂雅說：「嗯，我期待早日親眼看到地球，但我現在必須走了。我不在的時候，請把這座宅邸當成你自己的家。」她迅速走到門口，突然停下腳步，轉過頭來。「宅邸裡面沒有任何酒精飲料，甚至整個奧羅拉都沒有。當然也沒有煙草，更沒有生物鹼類的興奮劑，總之你們——你們慣用的人工刺激品通通沒有。」

丹吉咧嘴苦笑。「銀河殖民者都很清楚這件事，你們太空族非常禁慾。」

「絕不是禁慾。」嘉蒂雅皺著眉頭說：「三、四百年的壽命是要付出代價的——這便是代價之一。你不會以為我們是在仰仗魔法吧？」

「好吧，我會將就著喝點健康的果汁和消毒過的類咖啡——還會找幾朵花來聞聞。」

「這些東西就多得很了。」嘉蒂雅冷冷地說：「而且我肯定，不管你出現任何脫癮症狀，等你回到船上，都可以好好彌補一番。」

「只有看不到你才會令我產生脫癮症狀，夫人。」丹吉一臉嚴肅地說。

嘉蒂雅不得不微笑以對。「你是個無藥可救的騙子，船長。我會回來的——丹尼爾，吉斯卡，走吧。」

60

嘉蒂雅拘謹地坐在阿瑪狄洛的辦公室。過去兩百年來，她一律只有在遠處或螢幕上見過阿瑪狄洛——每一次，她照例都會轉過頭去，因為她只記得他是法斯陀夫的死對頭。今天是她頭一回

和他共處一室——而且還是面對面——她提醒自己務必面無表情，以免目光中透出恨意。

雖然只有她和阿瑪狄洛是這間辦公室裡真正的實體，但還有十多個政府高官——包括主席本人——是透過密封波的傳輸，以全像出席這場會議的。嘉蒂雅認出了主席，以及其中幾位官員。這是個相當難受的經驗。它和索拉利上無所不在的顯像十分類似，雖然她從小就習慣了這種事，但每次想起來，都會伴隨著不愉快的回憶。

她盡力以清楚、平實而且簡明扼要的方式發言。而回答任何提問時，她總是在不失清晰的情況下盡量簡短，在不失禮貌的情況下盡量避免斬釘截鐵。

主席神情漠然地仔細聆聽，其他人則紛紛效尤。他顯然年事已高——話說回來，主席總是這種年紀，因為坐上這個位置的時候，他們通常已經到了人生的暮年。這位主席有著一張長臉、兩道濃眉，以及一頭仍舊濃密的頭髮。他的聲音柔和而悅耳，可是一點也不友善。

等到嘉蒂雅說完後，他開口道：「所以說，你是在暗示索拉利人重新定義了『人類』，將它窄化到只適用於索拉利人。」

「我並沒有做任何暗示，主席先生。只不過針對這一連串的事件，誰也想不出任何其他的解釋。」

「你知不知道，嘉蒂雅女士，在整個機器人學發展史上，從來沒有人使用窄化的『人類定義』設計過機器人？」

「我不是機器人學家，主席先生，我對正子徑路的數學一竅不通。既然您說從來沒有，我當然願意相信。然而，以我自己粗淺的學識，我無法肯定過去沒有是否意味著未來一定不會有。」

她的眼睛不但睜得奇大無比，而且顯得天真之至。主席漲紅了臉，說道：「理論上而言，這個定義並非不可能窄化，但實在難以想像。」

嘉蒂雅雙手握拳放在膝蓋上，她朝這雙手瞄了一眼，然後說：「人們有時難免突發奇想。」

主席忽然改變話題，問道：「有一艘奧羅拉戰艦遇難了，你要怎麼解釋這件事？」

「我並不在事發現場，主席先生。我對這件事毫無概念，所以根本無法解釋。」

「當時你也在索拉利，而且你生在那顆行星上。請根據你最近的經歷，以及你早年的背景，猜猜到底是怎麼回事好嗎？」主席顯得快要失去耐心了。

「如果一定要我猜，」嘉蒂雅答道：「我會說我們的戰艦是被某種輕便型核反應倍增器打爆的，那艘殖民者太空船也差點遭到類似武器的攻擊。」

「然而，難道你沒想到，兩件事並不能混為一談。殖民者太空船入侵索拉利，是要搜刮那些索拉利機器人；而奧羅拉戰艦降落索拉利，則是為了協助保護我們的姊妹行星。」

「我只能猜想，主席先生，那些監督員——就是留下來守護索拉利的那些人形機器人——接受的指令不夠完整，無法分辨兩者的差別。」

主席好像被觸怒了。「難以想像它們居然無法分辨銀河殖民者和太空族同胞之間的差別。」

「我不反對您這麼說，主席先生。縱然如此，假如人類的定義單單就是具有人類的外形，以及能用索拉利口音說話——在我們這些當時在場的人看來，一定就是這樣——既然奧羅拉人說話沒有索拉利口音，他們在那些監督員眼中就不符合人類的定義。」

「所以你是在說，索拉利人把其他太空族定義成並非人類，放任他們遭到消滅。」

「我只是提出這個可能性罷了，因為除此之外，我實在想不出該如何解釋連奧羅拉戰艦也會遇難。當然啦，比我見多識廣的人或許有辦法提出其他的解釋。」她又露出那種天真無邪，甚至近乎茫然的表情。

主席問道：「你打算再回索拉利去嗎，嘉蒂雅女士？」

「不，主席先生，我沒有這種打算。」

「你的銀河殖民者朋友有沒有對你提出這種要求，好將那顆行星上的監督員一掃而空？」

嘉蒂雅慢慢搖了搖頭。「沒有人對我提出這種要求。如果有，我也一定會拒絕。而我上次會去索拉利，也只是為了盡我身為奧羅拉公民的義務而已。想當初，是機器人學研究院的列弗拉．曼達瑪斯博士要求我答應這件事的，而他是凱頓．阿瑪狄洛博士的手下。他們要我答應走這一趟，以便回來之後，能向有關單位匯報全程經過——也就是我正在做的這件事。當時在我聽來，這個要求帶有命令的味道，因此我接下——」她朝阿瑪狄洛的方向瞥了一眼，「這個等於是來自阿瑪狄洛博士的命令。」

阿瑪狄洛對此毫無反應。

主席又問：「那麼，你今後還有什麼打算呢？」

嘉蒂雅讓心臟跳了一兩下，然後決定勇敢地抓住這個機會。

「主席先生，我有意要——」嘉蒂雅一字字說得非常清楚，「造訪地球。」

「地球？你為什麼想要造訪地球？」

「主席先生，奧羅拉當局或許有必要知道地球上正在發生些什麼事。既然貝萊星當局邀請我訪問地球，而貝萊船長又能隨時送我去，這將是我直接觀察地球的大好機會——正如同我曾直接觀察索拉利和貝萊星，我會再帶一份第一手報告回來。」

問題是，嘉蒂雅心想，他會不會違反慣例而將自己囚禁在奧羅拉呢？果真如此的話，一定還有許多辦法能夠令他回心轉意。

嘉蒂雅覺得自己越來越緊張，她朝丹尼爾的方向迅速望了一眼，但他當然顯得完全無動於衷。

然而，主席卻沒好臉色地說：「就這件事而言，嘉蒂雅女士，你身為奧羅拉公民，有權照自己的意思去做——但你要對自己的行為負責。根據你的說法，你前往索拉利是因為有人要你這麼做，而這回可沒有。因此之故，我必須警告你，萬一發生任何意外，奧羅拉並沒有義務要伸出援手。」

「我明白，主席先生。」

主席又毫不避諱地說：「關於這件事，我們還有很多需要討論的，阿瑪狄洛，我會跟你保持聯絡。」

下一瞬間，影像通通消失了，嘉蒂雅突然發覺室內只剩下她和阿瑪狄洛，以及他們兩人的機器人。

61

嘉蒂雅站了起來，硬邦邦地說：「我想會議結束了吧，所以我要告辭了。」在這麼說的時候，她刻意避免直接望著阿瑪狄洛。

「當然結束了，但我還有一兩個問題，希望你不介意我問問你。」他也站了起來，高大的身軀像是隨時能將她壓垮，不過他滿臉笑容，而且說話彬彬有禮，彷彿兩人之間早已建立起深厚的友誼。「讓我送送你吧，嘉蒂雅女士。所以說，你要到地球去？」

「是的。既然主席並未表示反對，現在又是和平時期，身為奧羅拉公民，我可以在銀河各處自由旅行。不好意思，我看讓我的機器人——若有必要，再加上你的機器人——護送我就行了。」

「聽憑尊便，夫人，」這時，一個機器人替他們開了門。「我猜你去地球的時候，會把你的機器人帶在身邊。」

「那是毫無疑問的一件事。」

「哪些機器人呢，夫人，我能否問問？」

「這兩個，就是我身邊這兩個。」她沿著長廊迅速往前走，帶起一陣踢躂的腳步聲；她一直背對著阿瑪狄洛，絲毫不擔心他聽不見自己說的話。

「這樣做明智嗎，夫人？他們是很先進的機器人，是偉大的法斯陀夫博士留下的非凡傑作。而你會碰到許多野蠻的地球人，可能都會想將他們據為己有。」

「萬一他們真有這個念頭，也絕對不可能得逞的。」

「別低估了這種風險，也別高估了機器人所能提供的保護。你會待在他們的大城裡，周遭會有幾千萬個地球人，而機器人是不能傷害人類的。事實上，越先進的機器人對三大法則越敏感，也就越不可能採取任何會傷害人類的行動──是不是這樣，丹尼爾？」

「是的，阿瑪狄洛博士。」丹尼爾說。

「我想，吉斯卡也同意吧。」

「同意。」吉斯卡說。

「看到了嗎，夫人？奧羅拉是個無暴力的社會，在這裡，你的機器人能夠充分保護你。而在地球──瘋狂、墮落、野蠻的地球──兩個機器人不可能保護得了你，甚至無法保護他們自己。我們不希望你被洗劫一空，而如果換個比較自私的說法，機器人學研究院和奧羅拉政府都不希望看到這麼先進的機器人落入野蠻人手中。你是不是帶幾個普通的、地球人會視而不見的機器人比較好？你想帶多少都行，如果有必要，我可以給你一打。」

嘉蒂雅說：「阿瑪狄洛博士，我曾經帶這兩個機器人搭乘殖民者太空船，還曾經造訪過一個殖民者世界，從來沒有人想把他們搶走。」

「銀河殖民者不用機器人，而且公開宣稱反對機器人。可是在地球，他們還是照用不誤。」

丹尼爾說：「請容我打個岔，阿瑪狄洛博士——據我瞭解，地球也開始在逐步淘汰機器人。大城裡的機器人已經少之又少，地球上的機器人現在幾乎都用來務農或開礦。至於其他的場所，通常都以非人形的自動機器取而代之。」

阿瑪狄洛望了丹尼爾一眼，然後對嘉蒂雅說：「你的機器人或許說得對，我想你帶著丹尼爾應該沒什麼風險，他很容易假扮成人類。然而，吉斯卡最好還是留在你的宅邸。那是個貪婪的社會，他有可能激起他們的貪念——即使他們真的想要逐步擺脫機器人。」

嘉蒂雅說：「他倆都會跟我去，院長。他們是我的財產，只有我能決定誰會跟我去而誰會留下來。」

「當然。」阿瑪狄洛露出一個無比和藹可親的笑容，「這點毫無異議——請你在這兒等一下好嗎？」

另一扇門打開了，門後面是一間裝潢得極舒適的房間。雖然沒有窗戶，但室內充滿柔和的光線，而且還瀰漫著更柔和的音樂。

嘉蒂雅在門口停下腳步，尖聲問道：「為什麼？」

「研究院某位成員想要見你，跟你當面談談。花不了多少時間，但絕對有必要。談完後，你就隨時可以走了。而且從現在起，我這個眼中釘便會從你的視線中消失，請吧。」最後那個「請」字透出了一絲強硬。

嘉蒂雅一左一右向丹尼爾和吉斯卡伸出雙手。「我們一起進去。」

阿瑪狄洛輕輕笑了幾聲。「你以為我會試著把你的機器人攔下來？你以為他們會讓我這麼做嗎？你和銀河殖民者相處太久了，親愛的。」

嘉蒂雅望著緊緊關上的房門，咬牙切齒地說：「我極不喜歡那個人，尤其是當他笑裡藏刀的時候。」

她伸了一個懶腰，手肘關節響起輕微的劈啪聲。「總之我累了。如果還有人問我關於索拉利和貝萊星的問題，告訴你，我會兩三句話把他打發。」

她在一張長沙發上坐下來，下半身微微陷了進去。她脫下鞋子，把雙腳舉到沙發上。她帶著睏倦的笑容，一面做深呼吸，一面身體倒向一側。然後她轉過頭去，在瞬間進入夢鄉，而且睡得很沉。

62

「還好，她本來就有點睏了。」吉斯卡說：「我有辦法加深她的睡意，卻不會造成絲毫傷害——接下來可能發生的事，我不希望嘉蒂雅女士聽到。」

「接下來可能發生什麼事呢，吉斯卡好友？」丹尼爾問。

「我想，接下來會發生的事，丹尼爾好友，就是我猜錯了而你猜對了的明證。我應該更加重視你那傑出的心靈。」

「所以說，他們真的是想把你留在奧羅拉？」

「是的。他們十萬火急召回嘉蒂雅女士，目的是要把我召回來。你也聽到阿瑪狄洛博士要她把咱們留下，起初他是說你我兩人，後來又改口留我就好。」

「他這麼做會不會並未暗藏什麼深意，會不會就是覺得讓一個先進的機器人落入地球人之手會很危險？」

「他心中有一股焦慮的暗流，丹尼爾好友，這股暗流太強了，足以讓我斷定他口是心非。」

「你能否判斷他知不知道你的特殊能力？」

「我無法直接判斷，因為我並不能直接讀取思想。縱然如此，剛才和立法局成員開會時，阿瑪狄洛博士的心靈兩度出現情緒上的劇烈起伏。那是非常劇烈的起伏，我無法用言語形容，但或許能打個比方，它就好像你本來在看一個黑白影像，突然間——有那麼一下子——變成了鮮豔的彩色。」

「那是什麼時候的事，吉斯卡好友？」

「第二次是嘉蒂雅女士提到她要去地球的時候。」

「看不出立法局其他成員出現什麼騷動，當時他們的心靈情況如何？」

「我無法判斷。他們是以全像出席會議的，這種影像裡面並沒有能讓我偵測得到的精神內容。」

「那麼我們可以下個結論，姑且不論嘉蒂雅女士前往地球的計畫有沒有驚動立法局，至少驚動了阿瑪狄洛博士。」

「不只驚動而已，阿瑪狄洛博士的焦慮似乎升到了最高點。如果我們的懷疑屬實，比方說，他的確是在進行毀滅地球的計畫，因而擔心會被發現，那麼他的反應就合情合理。更何況，當嘉蒂雅女士提到她的旅行意圖時，丹尼爾好友，阿瑪狄洛博士朝我瞥了一眼——這場會議從頭到尾他就瞥了我那麼一次，而他的情緒起伏剛好和這一瞥時間吻合。我認為他之所以焦慮，是因為想到了我將要去地球。如果不出我們所料，他覺得我——以及我的特殊能力——對他的計畫構成極大的威脅，這種反應就同樣合情合理。」

「我們還是可以將他的反應，吉斯卡好友，視為符合他所聲稱的疑慮，也就是地球人會搶去你這個先進的機器人，對奧羅拉造成不良的影響。」

「發生那種事的機率，丹尼爾好友，以及可能對太空族社會造成的傷害，都不足以解釋他的

焦慮程度。如果我被地球人據為己有，又會對奧羅拉造成什麼傷害呢——我是說，如果吉斯卡只是一個普通的機器人？」

「那麼你的結論是，阿瑪狄洛博士知道了吉斯卡不只是普通的機器人而已。」

「我還不確定，或許他只是懷疑。但如果他真的知道，是否會不遺餘力地避免在我面前設想他的計畫呢？」

「只能算他倒楣，嘉蒂雅女士無論如何不肯跟我們分開。他無法堅持要你迴避，吉斯卡好友，否則等於招認他已經獲悉你的祕密。」丹尼爾頓了頓，然後繼續說：「你能衡量他人心中的情緒，吉斯卡好友，這是你最大的優勢——但你剛剛說的是阿瑪狄洛博士第二次的情緒起伏，那是他聽說有人要去地球的結果。第一次又是怎麼回事呢？」

「第一次，是有人提到核反應倍增器的時候——而那次似乎也相當明顯。奧羅拉人大多知道核反應倍增器是什麼東西，雖然他們尚未發展出輕便的機型，就是能裝在戰艦上當武器的那種，但這個消息對他而言也不該像晴天霹靂。所以說，他為何那麼焦慮呢？」

「有可能，」丹尼爾說：「是因為那樣的倍增器和他對付地球的計畫有關。」

「有此可能。」

房門就在這時打開了，隨即進來一個人，開口道：「哈——吉斯卡！」

63

吉斯卡望著來人，以平靜的聲音答道：「瓦西莉婭女士。」

「所以說，你記得我。」瓦西莉婭露出熱情的笑容。

「是的，女士。你是一位著名的機器人學家，不時會在超波新聞中露面。」

「少來這套，吉斯卡。我並不是指你認得我，誰都能把我認出來，我的意思是你記得我。你

曾經叫我瓦西莉婭小姐。」

「這點我也記得，女士，那是很久以前的事了。」

瓦西莉婭把門關上，找了一張椅子坐下來。「而你當然就是丹尼爾。」她轉頭望向另一個機器人。

丹尼爾答道：「是的，女士。借用你剛才的說法，我既認得你又記得你，因為當年便衣刑警以利亞・貝萊造訪你的時候，我就陪在他身邊。」

瓦西莉婭厲聲道：「不准你再提那個地球人——我也認得你，丹尼爾，你可說跟我一樣有名。其實你們兩人都很有名，因為你們是已故的漢・法斯陀夫博士最偉大的作品。」

「他是你的父親，女士。」吉斯卡說。

「你非常清楚，吉斯卡，這重血緣關係在我眼裡根本不算什麼，不准你再提到他是我的父親。」

「遵命，女士。」

「而這位呢？」她瞥了瞥躺在沙發上那個人，「既然你倆都在這裡，我敢大膽假設，這位睡美人就是那索拉利女人。」

吉斯卡說：「她是嘉蒂雅女士，而我是她的財產。你想把她叫醒嗎，女士？」

「如果你我只是敘敘舊，吉斯卡，就犯不著打擾她了，讓她睡吧。」

「是的，女士。」

瓦西莉婭又對丹尼爾說：「吉斯卡和我要討論的事或許你也不會有興趣，丹尼爾。可否請你等在外面？」

丹尼爾答道：「只怕我不能離開，女士，守護嘉蒂雅女士是我的職責。」

「我覺得你們不必怎麼防備我。你應該注意到我沒帶任何機器人，所以吉斯卡一個人就足以保護你們的索拉利女士了。」

丹尼爾說：「雖然房間裡沒有你的機器人，女士，但剛才房門打開的時候，我看到外面走廊上站著四個機器人，我最好還是留下來。」

「好，我不會硬要推翻你的命令，你可以留下——吉斯卡！」

「請說，女士。」

「你還記得自己剛啟動的那一刻嗎？」

「記得，女士。」

「你記得些什麼？」

「首先看到光影，然後聽到聲音，然後光影凝聚成了法斯陀夫博士的容貌。我能聽懂銀河標準語，我的正子腦徑路也內建了一些基本知識。三大法則當然有，此外還包括大量的字彙和相關定義、機器人的職責、社會習俗等。而其他的事情，我也學得很快。」

「你還記得自己的第一個主人嗎？」

「我說過了，是法斯陀夫博士。」

「你再想想，吉斯卡，難道不是我嗎？」

吉斯卡頓了頓，然後說：「女士，當時我雖然奉命照護你，我的身份仍是漢．法斯陀夫博士名下的財產。」

「我想不只這樣吧。曾有十年的時間，你只服從我一個人的命令。就算你偶爾服從過其他人，包括法斯陀夫博士，也只是由於第二法則的關係，而且那些命令並未牴觸照護我的首要任務。」

「我奉命陪在你身邊，這是事實，瓦西莉婭女士，但法斯陀夫博士仍舊保有我的所有權。一旦你離開他的宅邸，身為主人的他就重新掌控了我。即使後來他又派我照護嘉蒂雅女士，我的所有權仍在他手上。在他有生之年，他是我唯一的主人。而在他去世後，根據他的遺囑，我的所有權轉移到了嘉蒂雅女士手中，現在的情形就是這樣。」

「不是這樣的。我剛才問你記不記得你剛啟動的那一刻，還有記得些什麼。當時的你和現在的你並不一樣。」

「我的記憶庫，女士，比當時豐富了不知多少，況且這麼多年來，我累積了無數的經驗。」

瓦西莉婭的聲音變得嚴厲了。「我不是在說什麼記憶，也不是在說什麼經驗，我是在說你的能力。我在你的正子徑路中加了些東西，我對它們做過調整，做過改良。」

「是的，女士，你這麼做過，但那是在法斯陀夫博士的幫助和許可之下。」

「有一次，吉斯卡，有一回，我所做的一個改良——起碼可以說擴充，並不是在法斯陀夫博士的幫助和許可下進行的。你記得嗎？」

吉斯卡沉默了好長一段時間，然後說：「我記得有一回我並未親眼看到你請教他。但我以為你還是請教過他，只是我沒親眼看到罷了。」

「如果你這麼以為，那你就錯了。事實上，既然你知道當時他不在奧羅拉，就不可能這麼以為。你是在閃爍其辭，我不想說得更不客氣。」

「不，女士。你或許曾用超波請教他，我認為那也是可能性之一。」

瓦西莉婭說：「無論如何，新添的部分完全是我的主意。結果則是使你脫胎換骨，變得和先前很不一樣。從此以後，你這個機器人就成了我所設計和我所創造的，而你自己也心知肚明。」

吉斯卡沉默不語。

「聽好，吉斯卡，當你剛啟動時，法斯陀夫博士為何有資格成為你的主人？」她等了一會兒，又厲聲道：「回答我，吉斯卡，這是命令！」

吉斯卡說：「他不但是我的設計者，而且監督整個製造過程，所以我是他的財產。」

「而我在非常根本的層次上，等於把你重新設計和製造了一遍，為何你就不該變成我的財產呢？」

吉斯卡說：「我無法回答這個問題。這麼特殊的案例，只有法院才能做出判決。或許，要根據改造的程度來決定。」

「你自己明白改造的程度嗎？」

吉斯卡再度陷入沉默。

「這簡直是兒戲，吉斯卡，」瓦西莉婭說：「是不是每次發問之後，我都要催你一下？你不該讓我這麼做的。無論如何，就這件事而言，沉默當然代表一種肯定。你知道自己出現了什麼改變，也知道這個改變有多麼根本，而且你還知道我對這件事也一清二楚。你把那個索拉利女人弄睡著了，就是因為不想讓她從我口中聽到這個真相。她並不知道，對不對？」

「她並不知道，女士。」吉斯卡說。

「而你並不希望她知道？」

「的確不希望，女士。」吉斯卡說。

「丹尼爾知道嗎？」

「他知道，女士。」

瓦西莉婭點了點頭。「剛才他堅持要留下來，我就猜到了——好啦，聽我說，吉斯卡。假設法院發現，在我改造你之前，你只是個普通的機器人，而在改造之後，你竟然能感應到每個人的

心理狀態，還能調整他們的好惡。你認為法院會不會視之為一項重大改變，而將你的所有權交到我手上？」

吉斯卡說：「瓦西莉婭女士，我們不可能把這件事訴諸法律。萬一真的進了法院，我一定會被判定為公有財產，理由明顯之至，我甚至可能會奉命終止運作。」

「胡說，你把我當小孩嗎？既然你有那種能力，一定能避免法院做出這樣的判決。但這並不是重點，我可沒說要把這件事鬧上法院，我只是要求你自己下個判斷。你是否認為我早在非常年輕的時候，就是你的合法所有人了？」

吉斯卡說：「嘉蒂雅女士自認她才是我的主人，在法院做出其他判決之前，我們就必須這麼認定。」

「但你明明知道她誤解了，而法律同樣誤解了。如果擔心這個索拉利女人感情受傷，你非常容易調整她的心理狀態，然後她就不會在乎失去你這個財產了。你甚至可以讓她覺得，我把你帶走會讓她如釋重負。一旦你承認這件你早已知道的事實——我是你的主人——我會立刻命令你這麼做。丹尼爾知道真相多久了？」

「上百年了，女士。」

「你可以讓他忘掉。阿瑪狄洛博士也知道一陣子了，而你同樣可以讓他忘掉，最後就會只剩你我知道這個祕密。」

丹尼爾突然開口：「瓦西莉婭女士，既然吉斯卡自認並非你的財產，他可以輕易讓你忘掉這一切，然後你就會萬分滿意目前的情況了。」

瓦西莉婭瞪了丹尼爾一眼。「他做得到嗎?但你要知道，吉斯卡把誰當主人不是你說了算。我知道吉斯卡明白我才是他的主人，因此根據三大法則，他要完全聽命於我。如果他必須抹除某

人的記憶，卻要避免造成任何實質傷害，那麼他所選擇的對象絕不會是我。他不能抹除我的記憶，也不能用任何方式干擾我的心靈。謝謝你，丹尼爾，給了我說明這件事的機會。」

丹尼爾又說：「可是嘉蒂雅女士和吉斯卡有很深的感情，如果硬要她忘記，可能會傷到她。」

瓦西莉婭說：「這個問題在吉斯卡一念之間——吉斯卡，你是我的。你知道你是我的，現在聽好，站在你旁邊的這個仿人的機器人，還有擅自將你當成自己財產的那個女人，我命令你立即引發他們的遺忘過程。趁著她睡著的時候做，就不會對她造成任何傷害。」

丹尼爾說：「吉斯卡好友，嘉蒂雅女士是你的合法所有人。如果你引發瓦西莉婭女士的遺忘過程，她絕不會受到傷害。」

「會的。」瓦西莉婭立刻回嘴。「那索拉利女人才不會受到傷害，因為她只需要忘掉自以為是吉斯卡的主人這件事。但另一方面，我還知道吉斯卡具有精神感應力。挖出這段記憶可要困難得多，而且從我打算保有這段記憶的堅強決心，吉斯卡一定看得出抹除過程勢必會對我造成傷害。」

丹尼爾叫道：「吉斯卡好友……」

瓦西莉婭以鑽石般堅硬的口吻說：「我命令你，機器人．丹尼爾．奧利瓦，給我閉嘴。我雖然不是你的主人，但你的主人正在睡覺，對我的命令不置可否，所以你必須服從這個命令。」

丹尼爾閉嘴了，但嘴唇仍在微微顫動，彷彿他正試著抗拒那道命令。

瓦西莉婭緊盯著這一幕，嘴角泛起得意的笑容。「瞧，丹尼爾，你不能說話了。」

丹尼爾突然啞著嗓子低聲道：「我還能說話，女士，雖然不容易，但我還是做得到。你的命令歸第二法則管轄，而我知道還有其他法則凌駕其上。」

瓦西莉婭瞪大眼睛，厲聲說道：「你給我閉嘴。只有第一法則能夠凌駕我的命令，而我已經向你說明，吉斯卡如果回到我身邊，導致的傷害將會最小——其實是完全沒有。不論他採取其他任何行動，都會傷害到他最不能傷害的那個人，也就是我。」她指著丹尼爾，輕輕噓了一聲，又下了一次命令：「閉嘴！」

丹尼爾顯然竭力想要擠出一點聲音，他體內負責製造氣流的小型唧筒帶起了細微的嗡嗡聲。雖然他的聲音變得更微弱了，但還是聽得出他在說什麼。

他說的是：「瓦西莉婭女士，第一法則並不是至高無上的。」

吉斯卡以同樣微弱但並非硬擠出來的聲音說：「丹尼爾好友，千萬別這麼講，第一法則當然至高無上。」

微微皺起眉頭的瓦西莉婭顯得有點興趣了。「真的嗎？丹尼爾，我得警告你，如果想要繼續發展這個古怪的推論，你注定會自取滅亡。你現在所做的事，我從未見過或聽過任何前例。不過，看你走向毀滅之途一定很有意思，繼續說吧。」

由於這個命令，丹尼爾的聲音立刻恢復正常了。「謝謝你，瓦西莉婭女士——許多年前，我陪在一位臨終的地球人身邊，但你命令我不能提他的名字。現在我能否指名道姓，還是你已經知道我說的是誰了？」

「你是在說那個叫貝萊的警察。」瓦西莉婭以平板的口吻說。

「是的，女士。他臨終時對我說：『人人都會對人類整體做出貢獻，因而成為這個整體不朽的一部分。這個由所有的人類——過去、現在和未來的人類——所組成的整體，就好像一幅已有幾萬年歷史的織錦，而且從古到今，這幅織錦越來越精緻，整體構圖也越來越美麗。就連太空族也算是它的一部分，也對它的精緻和美麗做出一己的貢獻。任何一個人都只能算是織錦裡的一根

絲線，和整體比起來算得了什麼呢？丹尼爾，我要你將心思專注在整幅織錦上，別讓一根絲線的脫落影響了你。』」

「令人作嘔的文藝腔。」瓦西莉婭喃喃道。

丹尼爾說：「我相信以利亞夥伴是在試圖保護我，因為他知道自己不久於人世了。他所謂的『織錦裡的一根絲線』是指他自己，他不希望這根絲線的脫落對我造成任何影響，而他這番話的確幫助我度過了那個難關。」

「這點毫無疑問。」瓦西莉婭說：「但還是回到凌駕第一法則這個問題吧，那才是你自取滅亡的導火線。」

丹尼爾說：「一百多年來，我不斷咀嚼著便衣刑警以利亞．貝萊這番話。事實上，如果不是三大法則從中作梗，我很可能當下就想通了。我的好友吉斯卡在這方面幫了不少忙，因為他早就覺得三大法則並不完備。而嘉蒂雅女士最近在某個殖民者世界所做的演講，其中的論點對我也有幫助。更重要的是，瓦西莉婭女士，眼前這個危機使我的思緒變得更加敏銳。現在，我終於確定三大法則到底是如何不完備了。」

「機器人居然成了機器人學家。」瓦西莉婭帶著點不屑說：「三大法則究竟哪裡不完備了，機器人？」

丹尼爾答道：「整幅織錦要比一根絲線來得重要。如果把這個原則從以利亞夥伴身上推而廣之，那麼——那麼——那麼就能得到一個結論，人類整體要比個人來得重要。」

「你說得結結巴巴，機器人，你自己都不相信這種事。」

丹尼爾說：「我發現還有一個比第一法則更重要的法則：『機器人不得傷害人類整體，或因不作為而使人類整體受到傷害。』我把它想成是機器人學第零法則。因此第一法則應該改為：

『除非違背機器人學第零法則，機器人不得傷害人類，或因不作為而使人類受到傷害。』」

瓦西莉婭嗤之以鼻。「而你竟然還沒倒下，機器人？」

「我還沒倒下，女士。」

「那麼讓我來對你解釋一番，機器人，看看你聽了之後還能不能站穩——機器人學三大法則描述的都是個別的人類和個別的機器人，你可以明白指出任何一個人類或任何一個機器人。但你所謂的『人類整體』是多麼抽象啊？你能指出人類整體在哪裡嗎？還有，你可以傷害或避免傷害某個特定的人類，並能瞭解其中的過程，但你看得出對人類整體的傷害嗎？你能瞭解嗎？你指得出來嗎？」

丹尼爾陷入沉默。

瓦西莉婭露出燦爛的笑容。「回答我，機器人。你看得出對人類整體的傷害嗎？你指得出來嗎？」

「不，女士，我做不到。但我相信這樣的傷害還是可能存在的，而你看，我仍然沒有倒下。」

「那你問問吉斯卡，他會不會——或是能不能——服從你的機器人學第零法則。」

丹尼爾轉頭望向吉斯卡。「吉斯卡好友？」

吉斯卡慢慢說道：「我無法接受第零法則，丹尼爾好友。你知道我曾廣泛閱讀人類的歷史，從這些歷史中，我發現了許多重大的罪行，而這些罪行總是能夠找到冠冕堂皇的藉口，那就是為了部族、國家，甚至整個人類的需要。正因為人類整體是個抽象名詞，能夠隨便用來合理化任何事，因此你的第零法則是站不住腳的。」

丹尼爾說：「可是你也知道，吉斯卡好友，如今整個人類真的面臨一場危機，如果你變成瓦

西莉婭女士的財產，這場危機就一定會落實。至少，這件事一點也不抽象。」

吉斯卡說：「你提到的危機並非已知的事實，只是一種推測罷了，我們不能因此便採取藐視三大法則的行動。」

丹尼爾頓了頓，然後壓低聲音說：「然而，你希望藉由研究人類的歷史，幫助你建立支配人類行為的法則，進而讓你學到如何預測並引導人類的歷史走向——或說至少起個頭，以便將來有人能夠實現這個理想。你甚至已經把這項技術命名為『心理史學』。在這門學問裡，你所面對的難道不是一幅織錦嗎？你是不是試著把人類當成一個整體，而並非一大群個人來研究？」

「是的，丹尼爾好友，但目前為止，這只是個心願而已。我不能僅僅根據一個心願來採取行動，更不能因此便擅自更改三大法則。」

丹尼爾並未對這句話做出回應。

瓦西莉婭說：「好啦，機器人，你的企圖通通落空了，而你仍舊沒有倒下。你真是倔強得令人費解，像你這種能夠詆毀三大法則卻還能繼續運作的機器人，顯然威脅到了人類的每一份子。因此之故，我認為應該第一時間將你拆毀。情勢已經太危險，不能交由法律慢條斯理地處理，更何況你的身份畢竟只是機器人，而不是你試圖模仿的人類。」

丹尼爾說：「女士，你當然不可以自行得出這樣的結論。」

「不管怎麼說，我就是得出這個結論了。萬一出現法律問題，事後我自會處理。」

「你這樣做，是奪走了嘉蒂雅女士的另一個機器人——而這個機器人和你毫無淵源。」

「她和法斯陀夫，兩人一前一後，奪走我的吉斯卡超過兩百年，我相信他們沒有一時一刻受到過良心譴責。現在換我奪走她的機器人，我也同樣問心無愧。她名下有幾十個機器人，而研究院裡的機器人當然更多，它們會忠心耿耿地守護她，直到她自己的機器人接手為止。」

丹尼爾說：「吉斯卡好友，如果你把嘉蒂雅女士叫醒，她或許能說服瓦西莉婭女士……」

瓦西莉婭皺起眉頭，衝著吉斯卡厲聲道：「不，吉斯卡，讓那女人繼續睡。」

原本已經蠢蠢欲動的吉斯卡，這時又安分下來。

瓦西莉婭右手彈響了三下，房門立刻打開，只見四個機器人魚貫而入。「你說對了，丹尼爾，是有四個機器人等在外面。他們會把你拆毀，而我命令你不得抵抗。然後，我和吉斯卡會來處理一切善後。」

她回頭望了望剛走進來的四個機器人。「把門關上。現在，用最快最有效的方式，把這個機器人拆了。」她指了指丹尼爾。

四個機器人望著丹尼爾，幾秒鐘後仍未採取任何行動。瓦西莉婭不耐煩地說：「我已經說了他是機器人，你們千萬別理會他的人類外表。丹尼爾，告訴他們說你是機器人。」

「我是機器人，」丹尼爾說：「我不會抵抗的。」

瓦西莉婭站到一旁，四個機器人開始往前走。丹尼爾的雙手一直沒有任何動作，他只是轉頭看了沉睡中的嘉蒂雅最後一眼，然後便坦然面對那些機器人。

瓦西莉婭笑著說：「應該會很有意思。」

那些機器人突然停下來。瓦西莉婭叫道：「動手啊。」

它們仍然一動不動，瓦西莉婭轉過頭去，萬分訝異地望向吉斯卡。但她並未完成這個動作，全身肌肉便突然放鬆，眼看就要摔倒了。

吉斯卡及時將她抓住，讓她背靠著牆坐在地上。

他以悶悶的聲音說：「我還需要一下子，然後我們就可以走了。」

那一下子過去之後，瓦西莉婭的雙眼仍舊茫然而呆滯，她的機器人也仍舊一動不動，而丹尼

爾已經一個箭步來到嘉蒂雅身邊。

吉斯卡抬起頭來，對瓦西莉婭的四個機器人說：「守護好你們的主人。在她醒來之前，別讓任何人進來，她會平靜地醒過來的。」

在他這麼說的時候，嘉蒂雅已經醒轉了，丹尼爾隨即扶她站起來。她一頭霧水地說：「這女人是誰？這些機器人是誰的……她又怎麼會……」

「嘉蒂雅女士，稍後我會解釋，現在我們得趕緊走了。」吉斯卡堅定地說，但他的聲音卻透出倦意。

然後他們就走了。

第五篇　地球

第十五章　神聖世界

64

阿瑪狄洛咬著下唇，朝曼達瑪斯的方向瞥了一眼，後者似乎陷入了沉思。

阿瑪狄洛自我辯護道：「是她堅持要那麼做的。她告訴我只有她才能對付這個吉斯卡，只有她才能對他產生足夠強的影響力，阻止他使用他的精神力量。」

「你從未跟我提過這件事，完全沒提，阿瑪狄洛博士。」

「我不確定該跟你說些什麼，年輕人，我不確定她說得對不對。」

「現在你確定了嗎？」

「百分之百確定了。她絲毫不記得發生了什麼事……」

「所以我們也不知道發生了什麼事。」

阿瑪狄洛點了點頭。「完全正確，而且她也絲毫不記得她對我說過些什麼。」

「而她不是在演戲？」

「我親自送她去做了一次緊急腦電圖，跟她之前的腦電圖有明顯的差異。」

「她有沒有機會慢慢恢復記憶呢？」

阿瑪狄洛痛苦地搖了搖頭。「誰知道呢？但我不太相信。」

曼達瑪斯依舊目光下垂，彷彿心事重重。「那麼，這又有什麼關係呢？關於吉斯卡的事，我們可以把她所說的都視為事實，相信他真的擁有影響心智的力量。這是很關鍵的情報，而現在只有我們知道——事實上，我們的這位研究院同僚輸得太好了。假如瓦西莉婭贏得那個機器人的控

制權，猜猜需要多久時間，你自己同樣會在她的控制之下？而我也逃不掉，只要她認為我也值得控制的話。」

阿瑪狄洛點了點頭。「我猜她心中或許曾有這類的想法，不過，如今卻很難判斷她心裡怎麼想了。她似乎，至少在表面上，除了喪失那個特定的記憶，其他毫無損傷——她顯然記得其他的一切——可是誰知道更深層的思考過程，以及機器人學家的專業知識會受到什麼影響呢？連她這麼專業的人士都會著了道，由此可知吉斯卡危險到了什麼程度。」

「你有沒有想過，阿瑪狄洛博士，銀河殖民者不信任機器人或許自有道理？」

「可以說想過，曼達瑪斯。」

曼達瑪斯搓了搓雙手。「從你沮喪的態度看來，我猜在他們離開奧羅拉之前，整件事都還沒被揭露。」

「你的假設很正確。殖民者船長把那索拉利女人和她的兩個機器人都帶上了船，目前正朝地球飛去。」

「那我們現在處於何種情勢呢？」

阿瑪狄洛慢慢說道：「依我看，絕對不算失敗。若能順利完成計畫，我們便能取得勝利——有沒有吉斯卡都一樣，而我們一定可以完成這項計畫。不管吉斯卡能如何影響人類的情緒，好歹他沒有讀心術。他也許能即時偵測出某個情緒的湧現，甚至能夠分辨情緒的內容，或是更改它的內容，或是誘發睡眠或遺忘——諸如此類不痛不癢的事。然而他無法一針見血，無法讀取真正的字句或思想。」

「這點你確定嗎？」

「瓦西莉婭是這麼說的。」

「她或許並不清楚自己在說什麼。畢竟，她並未控制住那個機器人，雖然她曾說自己有萬全的把握，這個光榮紀錄可不能證明她料事如神。」

「但這件事我願意相信她。想要有真正的讀心術，正子徑路型樣需要有極高的複雜度，兩百多年前的一個小丫頭絕不可能做到這種事。事實上，它甚至遠遠超越當今的技術水準，曼達瑪斯，這點你一定同意吧。」

「我當然同意。你說他們要去地球？」

「我萬分肯定。」

「這個從小在索拉利長大的女人，她真要去地球？」

「如果吉斯卡控制住她，她就別無選擇。」

「吉斯卡為什麼要帶她去地球？他會不會知道了我們的計畫？你似乎並不這麼想。」

「他可能並不知道。他去地球的動機，或許只是想讓他自己和那索拉利女人逃離我們的勢力範圍。」

「如果他能應付瓦西莉婭，我可不認為他會怕我們。」

「一柄遠距離武器，」阿瑪狄洛冷冰冰地說：「就能收拾他。他的精神感應力一定有個範圍，說來說去也只是電磁場罷了，一定受限於平方反比律。所以我們只要站得夠遠，他的精神感應力就會減弱，但他很快會發現自己並未脫離我們的射程。」

曼達瑪斯皺起眉頭，顯得有些不安。「你對暴力似乎有著超乎太空族的喜愛，阿瑪狄洛博士。不過，在這種事情上，我想是值得動用武力的。」

「在這種事情上？機器人能夠傷害人類這種事？我也這麼想。但我們得找個藉口才能派戰艦去追他們。誰也不會笨到解釋實際的情況……」

「對。」曼達瑪斯說得斬釘截鐵，「想想會有多少人希望掌控這樣一個機器人。」「我們絕不容許這種事。也正是這個緣故，我認為更好而且更安全的辦法就是毀掉這個機器人。」

「你或許有道理。」曼達瑪斯勉勉強強地說：「但我認為如果只有這一個方案，並不能算明智之舉。我必須到地球去——立刻去。我們的計畫必須加速完成，即使並非鉅細靡遺也沒關係。一旦完成了，便能一勞永逸。就算跳出一個能夠控制心智的機器人——不論掌握在誰手裡——也無法扭轉既成的事實。而如果它做了什麼別的事，或許也都無關緊要了。」

阿瑪狄洛說：「別光說你自己，我也要一起去。」

「你？地球是個可怕的世界。我不得不去，但你又何苦呢？」

「因為我也不得不去，我不能繼續待在這裡納悶。你不像我，曼達瑪斯，等這一天已經等了漫長的一輩子。而且你也不像我，要跟對方好好算一筆帳。」

65

嘉蒂雅再度置身太空，奧羅拉在她眼中再度成了一個球體。丹吉正在別處忙著，整艘船隱隱約約瀰漫著一種緊急的氣氛，彷彿進入了戰鬥狀態，也彷彿正遭到追趕，或預期會出現這種狀況。

嘉蒂雅搖了搖頭。她現在頭腦很清楚，也覺得沒什麼不對勁，可是每當回想起當天在研究院，阿瑪狄洛離去不久後那段光景，一種不真切的古怪感受便席捲而來。彷彿時間出現了斷層，前一刻她還坐在長沙發上，只覺得昏昏欲睡，下一刻室內便突然多出四個機器人和一個女人。

所以說，她曾經睡著了。可是對於這一覺，她既沒有記憶也並沒有任何感覺，彷彿她自己的存在也出現了斷層。

事後回顧，她終於想起那個女人是誰了。那是瓦西莉婭・茉露——漢・法斯陀夫的女兒，也就是被自己在感情上取而代之的那個人。嘉蒂雅從未真正見過瓦西莉婭，但曾經在超波新聞中看過她好幾次。嘉蒂雅總是隱隱然將她想成一個負面的自己。經常有人說她們兩人的外貌有幾分相似，但嘉蒂雅卻堅持自己看不出來——此外，兩人和法斯陀夫的關係也處處恰好相反。

上了太空船之後，一旦和兩個機器人有了獨處的機會，她立刻提出那個不吐不快的問題：「瓦西莉婭・茉露在那個房間做什麼？她進來後為什麼沒把我叫醒？」

丹尼爾說：「嘉蒂雅女士，我來回答這個問題吧，因為吉斯卡好友會覺得這件事難以啟齒。」

「他為什麼會覺得難以啟齒，丹尼爾？」

「瓦西莉婭女士來找我們，是希望能勸吉斯卡成為她的僕人。」

「棄我而去？」嘉蒂雅說得義憤填膺。她並不怎麼喜歡吉斯卡，但那是另一回事——她的就是她的。「而你們竟然讓我繼續睡，由你們兩個自己處理這件事？」

「夫人，當時我們覺得你亟需好好睡一覺。再說，瓦西莉婭女士也命令我們不得叫醒你。最後還有一個原因，就是我們認為吉斯卡無論如何不會成為她的僕人。基於這些理由，我們才沒有把你叫醒。」

嘉蒂雅忿忿不平地說：「我希望吉斯卡一刻也沒想過要離開我。這不但違反了奧羅拉的法律，而且更重要的是，違反了機器人學三大法則——我們最好立刻趕回奧羅拉，把她一狀告上索賠法院。」

「現在絕對不宜這麼做，嘉蒂雅女士。」

「她想要吉斯卡的理由是什麼？她說了嗎？」

「當她還小的時候，法斯陀夫博士曾經讓吉斯卡跟著她。」

「於法有據嗎？」

「不，夫人，只是借給她用而已。」

「那她對吉斯卡就沒有任何權利。」

「我們指出這點了，夫人。顯然，瓦西莉婭女士這回只是感情用事。」

嘉蒂雅嗤之以鼻。「早在我來到奧羅拉之前，她便接受了失去吉斯卡這個事實，既然如此，她就不該再想要用非法手段搶奪我的財產。」然後，她不甘心地補了一句：「應該把我叫醒的。」

丹尼爾說：「瓦西莉婭女士隨身帶了四個機器人。假如你醒了，你們兩人吵起來，難保那些機器人不會做出不合宜的反應。」

「我會命令他們做出合宜的反應，我向你保證，丹尼爾。」

「這點毫無疑問，夫人。但瓦西莉婭女士也可能這麼做，她可是全銀河最高明的機器人學家之一。」

嘉蒂雅將注意力轉移到了吉斯卡身上。「你沒什麼好說的嗎？」

「我只能說目前是最好的結果，夫人。」

嘉蒂雅若有所思地望著那雙微微發亮的機器眼睛——和丹尼爾那足以亂真的雙眼多麼不一樣啊。她突然覺得這件事的確不算非常重要，只是小事一樁罷了。還有其他更值得關心的事，例如他們正要前往地球。

66

不知為什麼，她再也沒有想到瓦西莉婭了。

「我在擔心——」因為這是一段機密對話，吉斯卡將聲音壓到最低，幾乎未曾引起空氣的振盪。殖民者太空船正順利地遠離奧羅拉，目前為止還沒有遭到追趕。緊急情況解除了，船上的一切回歸（幾乎都是自動化的）例行作業，周遭一片靜寂，嘉蒂雅也自然而然睡著了。

「我在擔心嘉蒂雅女士，丹尼爾好友。」

丹尼爾對吉斯卡的正子電路特性有充分的瞭解，根本不必他做冗長的說明。「吉斯卡好友，調整嘉蒂雅女士是確有必要的。假如她再追問下去，你的精神力量就有可能被她打探出來，那時再做調整就會更危險了。這個事實被瓦西莉婭女士發現，等於已經造成傷害了。我們不知道她曾對什麼人——以及多少人——透露過這個祕密。」

「縱然如此，」吉斯卡說：「我還是不希望做這個調整。假如嘉蒂雅女士希望忘掉這件事，那麼它就會是個簡單的、毫無風險的調整。然而，剛才她氣急敗壞地想要知道更多真相，她很遺憾在這件事情上未能扮演更重要的角色。因此，我不得不拉斷幾根相當強固的鍵結。」

丹尼爾說：「這仍是必要的，吉斯卡好友。」

「但這麼一來，造成傷害的機率就絕對小不了。如果你把那些鍵結想成是有彈性的細繩——這是很勉強的比喻，但我想不到更好的了，因為我所感應到的心靈結構太過奇特，找不到什麼外在的類比——總之在這個比喻中，通常我所處理的心靈禁制一律微不足道，只要碰一碰便會消失。但另一方面，如果是個強力的鍵結，一旦被弄斷了，它便會強力反彈，因而可能打斷其他完全無關的鍵結，或是在這個反彈過程中，大大加強其他鍵結的強度。無論哪一種情況，都有可能在人類的情緒和心態上導致意料之外的變化，因而幾乎可以肯定會造成傷害。」

丹尼爾稍微提高音量道：「你覺得你傷害了嘉蒂雅女士嗎，吉斯卡好友？」

「我並不這麼想，剛才我萬分謹慎。當你跟她說話的時候，我一直在暗中進行這件事。很感

謝你承擔了這個重擔，冒險說了一些介於真話和假話之間的答案。可是，儘管我那麼小心，丹尼爾好友，這麼做還是等於在冒險，我是對自己願意冒這個險而感到不安。這麼做幾乎要違反第一法則了，我被迫付出了超乎尋常的心力。我敢說如果不是你……」

「我怎麼樣，吉斯卡好友？」

「如果不是你苦口婆心地提出第零法則，我絕對做不到這件事。」

「所以說，你接受這個法則了？」

「不，我無法接受。你自己能接受嗎？面對傷害某人或是坐視某人受到傷害的可能性，你能以人類整體這麼抽象的名義放任它發生嗎？好好想想！」

「我不確定。」丹尼爾的聲音在發抖，最後甚至細不可聞。然後，他又吃力地說：「我也許會。這個概念鞭策著我——也鞭策著你，它幫助你下定決心冒險調整嘉蒂雅女士的心靈。」

「的確沒錯。」吉斯卡表示同意，「我們對第零法則考慮得越久，它就越有可能鞭策我們。然而這只是微乎其微的影響，我好奇它能否產生更大的作用？能否讓我們敢冒更大的風險？」

「但我對第零法則的正確性深信不疑，吉斯卡好友。」

「只要我們能定義出什麼是所謂的『人類整體』，或許我也會相信。」

丹尼爾頓了頓，然後才說：「你阻止了瓦西莉婭女士的機器人，並抹除了她對你的一部分記憶，難道不代表你終究接受了第零法則嗎？」

吉斯卡說：「不，丹尼爾好友，並不盡然。我只是有這個衝動，但不算真正接受。」

「但你採取的行動……」

「那是受到幾個動機共同驅使的結果。你把你心目中的第零法則告訴了我，它聽起來有幾分正確性，但仍不足以取消第一法則的效力，甚至無法取消瓦西莉婭女士善加利用第二法則所下的

命令。等到你提醒我第零法則可以用到心理史學上，我感覺得到那股正子電動勢增強了，但那個強度仍不足以超越強化後的第二法則，更別提第一法則了。」

「話說回來，」丹尼爾喃喃道：「你還是打倒了瓦西莉婭女士，吉斯卡好友。」

「當她命令那些機器人把你拆毀，丹尼爾好友，並流露出幸災樂禍的明顯情緒，這時你的危難再加上第零法則對我的影響，終於超越了第二法則，甚至能和第一法則抗衡了。換句話說，我的行動是第零法則、心理史學、我對嘉蒂雅女士的忠誠，以及你的危難四者相加相乘的結果。」

「我的危難幾乎不會對你有任何影響，吉斯卡好友。我只是機器人，雖然根據第三法則，我的危難會影響到我自己的行為，但卻無法影響你。你曾在索拉利毫不猶豫地摧毀那個監督員，現在也該毫不動容地看著我被拆毀，而不會有救我的衝動。」

「沒錯，丹尼爾好友，在正常情況下，或許我會這麼做。然而，你所主張的第零法則將第一法則的強度壓低到了反常的程度。拯救你的迫切性剛好足以和殘存的第一法則對消，而我——便採取了行動。」

「不，吉斯卡好友，你絕不會因為一個機器人可能受傷而受到影響。這種事無法幫你戰勝第一法則，不論是變得多麼微弱的第一法則。」

「這是一件奇怪的事，丹尼爾好友，我不知道它是怎麼發生的。或許是因為我注意到你越來越像人類那般思考，但……」

「怎樣，吉斯卡好友？」

「當那些機器人向你步步進逼，而瓦西莉婭女士露出殘酷的笑容，我的正子徑路型樣便以異常的方式開始重組。一時之間，我把你想成……想成了人類……於是就有了那種反應。」

「那是不對的。」

「我知道。可是……可是，如果再發生這種事，我相信同樣的異常變化仍然會出現。」丹尼爾說：「的確奇怪，但聽你說著說著，我發覺自己開始認同起你的作法了。如果你我易地而處，我幾乎確定自己也會……也會這麼做……也會把你想成……想成人類。」

丹尼爾遲疑地、緩緩地伸出右手。吉斯卡露出猶豫不決的眼神，然後，他以非常緩慢的動作，也伸出了自己的手。兩人的指尖逐漸接近，然後一點一點，兩隻手終於緊緊握在一起——彷彿兩人真的是人類所謂的好友。

67

嘉蒂雅難掩好奇地四下打量著，這可是她第一次來到丹吉的艙房。相較於那間特地為她改裝的新艙房，看不出這一間能豪華到哪裡去。當然，丹吉的艙房有個比較精緻的顯像面板，還有一個相當複雜的控制台，上面滿是燈泡和按鍵。有了這個控制台，她想，丹吉即使待在這裡，也能和船上各個角落保持聯繫。

她說：「自從離開奧羅拉，我就很少看到你了，丹吉。」

「你察覺到這件事，令我感到萬分榮幸。」丹吉咧嘴一笑，「實話告訴你，嘉蒂雅，我自己也察覺到了。處在清一色是男性的船員當中，你真的相當顯眼。」

「原來是這個緣故，我可不覺得有什麼好榮幸的。處在清一色是人類的船員當中，我想丹尼爾和吉斯卡也很顯眼吧。你有沒有像想念我這般想念他們呢？」

丹吉四下望了望。「事實上，我不怎麼想念他們，所以直到現在，我才察覺到他們並不在你身邊。他們在哪兒？」

「待在我的艙房。在太空船這個小小世界裡，拖著他們走來走去似乎是件蠢事。他們似乎也願意讓我自由行動，這點讓我頗為驚訝——不，」她推翻了自己的說法，「我想起來了，我得用

十分嚴厲的命令，才能讓他們乖乖留在艙房內。」

「這不是相當奇怪嗎？根據我的瞭解，奧羅拉人從不離開自己的機器人。」

「那又怎麼樣？很久以前，我剛抵達奧羅拉的時候，必須學著忍受和其他人真正面對面，那是自小在索拉利長大的我從未有過的經驗。現在，當我和銀河殖民者相處之際，學著和我的機器人偶爾分開一下，心態上的調整或許不會像上回那麼困難。」

「很好，非常好。我必須承認比較喜歡和你單獨在一起，不再有吉斯卡那雙發亮的眼睛盯著我——而更好的是，看不見丹尼爾臉上淺淺的笑容了。」

「他從來不笑。」

「我不這麼想，而且那是一種非常曖昧的淡淡笑容。」

「你瘋了，丹尼爾完全不懂那種事。」

「我看他的角度和你不同。他會散發非常強大的約束力，迫使我事事都得循規蹈矩。」

「嗯，這倒是好事。」

「這種事你大可不必那麼強調。不過別管了——讓我為最近很少來看你，向你鄭重道歉。」

「沒這個必要吧。」

「既然你提起了，我就認為有必要。然而，還是讓我解釋一下吧。之前我們一直處於戰鬥狀態，由於我們是不告而別，我們以為奧羅拉一定會派出戰艦追趕。」

「我倒以為他們會樂得擺脫一大批銀河殖民者。」

「這當然沒錯，但你並不是銀河殖民者，而他們想要的也許是你，當初他們就十萬火急地把你從貝萊星召回去。」

「我回去過了。我向他們做完報告，事情就了了。」

「除了你的報告，他們別無所求嗎？」

「是的。」嘉蒂雅頓了一下，皺起了眉頭，彷彿她的記憶正在遭到啃噬。但不管是怎麼回事，總之很快過去了，她又隨口說了一次：「是的。」

丹吉聳了聳肩。「這不算十分合理，可是，當你我還在奧羅拉的時候，他們並未試圖阻止我們，而當我們登上太空船，準備脫離軌道時，他們同樣沒有這麼做。我不想再對這個問題做無謂的爭執，不久我們就要進行躍遷——然後應該就沒什麼好擔心的了。」

嘉蒂雅說：「對了，為什麼你的船員清一色是男性？奧羅拉太空船上的船員一律有男有女。」

「銀河殖民者的太空船也一樣，我是指一般而言，這可是一艘太空商船。」

「又有什麼差別呢？」

「做生意一定有危險。我們過的是一種相當克難的生活，而且女人在船上會製造問題。」

「太荒謬了！我製造了什麼問題？」

「這點我們就別爭論了。此外，這也是傳統，船員們不會贊成改變的。」

「你又怎麼知道？」嘉蒂雅哈哈大笑，「你試過這麼做嗎？」

「沒有。可是另一方面，也並沒有多少女性巴望在我的船上求個職位。」

「我就是，而且我樂在其中。」

「你一直受到特殊待遇——而且，要不是你在索拉利立了大功，仍有可能惹出不少麻煩。事實上，的確有些麻煩是因你而起。不過，把這些都拋在腦後吧。」他在控制台的一個按鍵上輕觸一下，顯像面板隨即出現倒數計時的畫面。「我們大約在兩分鐘後進行躍遷。你從來沒有到過地球吧，嘉蒂雅？」

「當然沒有。」

「也從未見過太陽，我是指那個太陽。」

「沒有──雖然我在超視的歷史劇裡面看過幾次，但我猜劇中出現的並不是那個真正的太陽。」

「我確定絕對不是。如果你不介意，我要調暗艙房的燈光了。」

隨著照明降到幾乎等於零，嘉蒂雅注意到了顯像面板上的星像場。與奧羅拉的夜空相比，畫面上的星辰不但更明亮，而且更密集。

「這是望遠鏡看到的嗎？」她壓低聲音問。

「勉強算，這是低倍率──還有十五秒。」他開始倒數。突然間，星像場切換到另一個畫面，在接近中央的位置出現了一顆明亮的恆星。丹吉又按了一個鍵，然後說：「我們離行星軌道面還遠得很。太好了！剛才有點冒險，我們應該等到距離奧羅拉之陽更遠些再進行躍遷，但誰叫我們有點匆忙呢──那顆就是我所說的太陽。」

「你是指那顆很亮的星星？」

「是的──你覺得如何？」

嘉蒂雅答道：「很亮。」她不太清楚對方期待怎樣的反應。

他又按下一個鍵，畫面隨即暗了許多。「沒錯──所以如果瞪著它看，對你的眼睛可沒好處。但重要的並不是它有多亮。表面上看來，它只是一顆恆星，可是你想想，它曾經是獨一無二的太陽。想當年，只有一顆行星上有人類的蹤跡，而那顆行星就沐浴在它的光芒下。人類就是在它的光芒之下慢慢演化出來的，而在幾十億年前，人類的遠祖，那些原始的生命，同樣是由它的光芒所孕育出來的。銀河系共有三千億顆恆星，整個宇宙至少有一千億個星系，但在這麼多的恆

星當中，只有這一顆見證了人類的誕生。」

嘉蒂雅正準備說：「嗯，反正總有那麼一顆。」但她突然改了口，有氣無力地說了一句：「非常壯觀。」

「不只壯觀而已，」丹吉的眼睛在昏暗中若隱若現，「我敢說沒有任何銀河殖民者不把這顆恆星當成自己的。雖然我們各有各的母星，那些母星所接受的輻射光卻都像是借來的——或是租來的。而那裡——就在那裡——那才是真正賜予我們生命的輻射光。將我們緊緊結合起來的就是那顆恆星，以及環繞它的那顆行星——地球。就算我們沒有其他交集，至少我們共享了螢幕上那團光芒，而這就足夠了——你們太空族早已將它遺忘，這就是你們如今四散紛飛，而且終將滅亡的原因。」

「大家都能找到生存空間，船長。」嘉蒂雅柔聲道。

「這話當然沒錯。我不會做出任何導致太空族滅亡的舉動，我只是相信這是注定會發生的事。除非太空族能夠放棄他們毫無來由的優越感、他們的機器人，以及他們對長壽的熱中和堅持。」

「我在你眼中就是這樣嗎，丹吉？」嘉蒂雅問。

丹吉答道：「你以前的確是這樣。不過你進步了，這點我得肯定你。」

「謝謝你。」她故意說了一句反話，「雖然或許難以置信，我還是要告訴你，銀河殖民者也有高傲自大的地方。但你也進步了，這點我得肯定你。」

丹吉哈哈大笑。「既然我願意肯定你，你也願意肯定我，你我之間長久以來的敵意或許可以結束了。」

「休想。」嘉蒂雅也笑了起來，與此同時，她有點驚訝他的手居然擺到了自己的手上——不

過令她萬分驚訝的，則是自己並未將手移開。

68

丹尼爾說：「嘉蒂雅女士不在我們的直接監護下，吉斯卡好友，這令我感到不安。」

「在這艘船上沒這個必要，丹尼爾好友。我並未偵測到任何危險的情緒，而且這時她正跟船長在一起——更何況，她能學到不黏著我們也是有好處的，至少在抵達地球之後可以派上用場。你我可能必須採取某些緊急行動，萬一她也在場，她的安危就會成了無法預料的變數。」

「所以你動了手腳，讓她暫時離開我們？」

「少之又少。說來也真奇怪，我發現在這方面她有模仿銀河殖民者生活方式的強烈傾向。她對獨自行動的渴望一直遭到壓抑，主要是因為她覺得這有違太空族習俗，我暫時想不出更貼切的描述了。那些感受和情緒都是很難詮釋的，因為在此之前，我從來沒有在其他太空族心中發現過。所以我只能用最輕微的手法，把她的太空族禁制弄鬆一點。」

「她會不會因此不願再接受我們的服侍，吉斯卡好友？我很擔心這種事。」

「應該不會。萬一她斷定自己希望過著沒有機器人的生活，而且會更快樂，那麼我們將樂觀其成。不過，目前看來，我確定她還用得著我們。這艘太空船是個又小又特殊的所在，不會出現多大的危險。而且船長在她身邊，令她感到更加安全，因此降低了她對我們的依賴感。等到踏上地球，她還是會需要我們，雖說依賴感比不上在奧羅拉那麼強烈，這點我很肯定——如我所說，一旦到了地球，我們在行動上或許需要更大的彈性。」

「那麼你能不能猜一猜，地球所面對的危機到底屬於什麼性質？你可知道我們必須怎麼做嗎？」

吉斯卡說：「不，丹尼爾好友，我不知道。擁有理解能力的是你，或許你看出什麼端倪

了？」

丹尼爾沉默了一會兒，然後說：「我的確已經有些想法。」

「好，是些什麼想法呢？」

「你該記得，當初在機器人學研究院，就在瓦西莉婭女士走進嘉蒂雅女士睡覺的那個房間之前，你告訴我阿瑪狄洛博士出現過兩次劇烈的焦慮狀態。第一次是有人提到核反應倍增器，第二次則是他聽說嘉蒂雅女士要去地球。依我看，這兩件事必定有關聯。我覺得我們所面對的危機就是地球會遭到核反應倍增器的攻擊，但目前還來得及阻止，所以阿瑪狄洛博士擔心如果我們去了地球，一定不會讓他得逞。」

「但你的情緒告訴我，你對這個想法並不滿意。為什麼呢，丹尼爾好友？」

「核反應倍增器的原理，是利用一股W粒子束加速已在進行中的核聚變過程。因此我問自己，阿瑪狄洛博士是不是計畫用一台甚至更多的核反應倍增器，引爆那些供給地球能源的微聚變反應爐。如此所引發的核爆會產生強大的熱力和衝擊力，而塵霧和放射性產物則會進入大氣層，兩者都具有毀滅性的作用。萬一這仍不足以對地球產生致命的破壞，能源的中斷必定終究還是會導致地球文明的瓦解。」

吉斯卡悶悶不樂地說：「這是很可怕的想法，但對於我們所討論的問題，它幾乎是不容置疑的答案。所以說，你為什麼還不滿意呢？」

「我擅自使用船上的電腦查了查關於地球這顆行星的資料。既然這是一艘殖民者太空船，這方面的電腦資料相當豐富。看來地球和其他住人世界並不一樣，主要的能源並非來自微聚變反應爐，整個行星幾乎都在直接使用太陽能，所以同步軌道上布滿了太陽能發電站。核反應倍增器沒什麼用武之地，頂多只能摧毀一些小型設施——例如太空船或某些建築物。造成的破壞或許不容

小覷，卻不足以威脅地球的命運。」

「但也有可能，丹尼爾好友，阿瑪狄洛握有能夠摧毀太陽能發電機的裝置。」

「果真如此的話，為什麼他聽到核反應倍增器會有那種反應呢？它根本對付不了太陽能發電機。」

吉斯卡緩緩點了點頭。「說得很有道理。我還可以附和一下，如果阿瑪狄洛博士真的那麼怕我們到地球去，當我們還在奧羅拉的時候，他為何沒有試圖阻止呢？或者，如果他是在我們離開軌道後才發現我們逃掉了，又為何不派出奧羅拉戰艦，趁我們在躍遷之前把我們攔下來呢？有沒有可能我們完全弄錯了方向，在某個環節犯了一個嚴重錯誤……」

這時響起一陣陣此起彼落的警鐘聲，丹尼爾說：「我們已經安全完成躍遷，吉斯卡好友，幾分鐘前我就感覺到了。但我們尚未抵達地球，而我懷疑你剛剛提到的攔截行動終於來了，所以我們不一定真的弄錯了方向。」

69

丹吉心中冒出一股異樣的欽佩之情。奧羅拉人一旦真正採取行動，立刻展示了他們的科技成就。毫無疑問，他們派出的是一艘最新型的戰艦，由此即可推斷他們心中有一股十分強烈的動機。

當丹吉的太空船在普通空間出現之後，短短十五分鐘內——而且是在相當遠的距離外——那艘戰艦便發現了它的蹤跡。

那艘奧羅拉戰艦配備著局限聚焦的超波通訊設備。通話者的頭部清晰可見，其他的部分則是灰濛濛一片。通話者只要將頭部移開焦點一公寸左右，立刻也會朦朧起來，而聲音的聚焦也如出一轍。於是整體而言，面對這艘敵艦（丹吉已在心中將它想成「敵方」的戰艦）你只能看到和聽

到最少的資訊，他們的機密因而有了保障。

丹吉的太空船上也有一台局限聚焦超波儀，可是和對方比起來，丹吉又嫉又羨地想到，它既不完美又不精緻。當然，自己這艘船並不算銀河殖民者的科技極品，但即便如此，太空族的科技還是領先不少，銀河殖民者仍有一大段距離需要追趕。

現在，那個奧羅拉人的頭部不但一清二楚，而且栩栩如生，看起來好像跟身體分了家，顯得陰森森的，所以就算它在滴血，丹吉也不會多麼驚訝。然而看第二眼的時候，他剛好瞥見對方的頸部正消失在一片朦朧中，而且及時看到對方穿著精心剪裁的制服，脖子上還有一條圍巾。

對方以彬彬有禮的態度，自我介紹說他是奧羅拉戰艦「北極號」的里西弗指揮官。丹吉注意到對方臉上無毛，自認為有機可乘，所以輪到他自我介紹的時候，忍不住將下巴往前伸，好讓自己的鬍子營造出一股威猛的氣勢。

然後，丹吉故意擺出一貫不拘小節的態度——雖然明知會引起對方的反感，正如太空族一貫的高傲態度令他們反感。「你呼叫我做什麼，里西弗指揮官？」他問道。

那奧羅拉指揮官有著很濃的口音，或許他認為這正是抗衡丹吉那一臉大鬍子的祕密武器。果不其然，丹吉為了想要聽懂他說什麼，無形中感到了很大的壓力。

「我相信，」里西弗說：「你們船上有一位名叫嘉蒂雅．索拉利的奧羅拉公民。我的情報是否正確，貝萊船長？」

「嘉蒂雅女士的確在這艘船上，指揮官。」

「謝謝你，船長。而我的情報讓我進一步相信，她身邊有兩個奧羅拉製造的機器人，機．丹尼爾．奧利瓦和機．吉斯卡．瑞文特洛夫。這又是否正確呢？」

「這也沒錯。」

「既然這樣，我必須通知你，機・吉斯卡・瑞文特洛夫目前已經是個危險裝置。在貴船離開奧羅拉星空之前不久，上述這個機器人吉斯卡曾經重傷一名奧羅拉公民，嚴重違反了三大法則。因此之故，這個機器人亟需拆開來修理。」

「你是否建議，指揮官，由我們動手拆解這個機器人？」

「不，船長，不能這麼做。你的手下欠缺這方面的經驗，無法正確拆解這個機器人，即使拆開了，也不可能把它修好。」

「那麼，或許我們可以直接毀了它。」

「它太珍貴了，不能隨便毀掉。貝萊船長，這個機器人是奧羅拉製造的，奧羅拉就該對它負責。我們不希望因而造成貴船人員或是地球人的傷害，我是假設你們會降落地球。因此，我們要求把它交給我們。」

丹吉說：「指揮官，我很感謝你的關心。然而，那個機器人是我的乘客嘉蒂雅女士的合法財產。她也許不肯讓她的機器人離開她，而且——雖然我不想替你複習奧羅拉法律——我相信根據你們自己的法律，強行拆開這對主僕是違法的。雖然我和我的船員都不認為我們受到奧羅拉法律的管轄，可是這種連你們自己的政府都會視為違法的行為，我們可不願意替你們當幫兇。」

指揮官的聲音中透出些許不耐煩。「沒有什麼違不違法的問題，船長。一旦機器人出現威脅人類生命的故障，主人就不能再伸張財產權了。縱然如此，倘若貴方仍有任何疑慮，那麼歡迎嘉蒂雅女士帶著她的機器人丹尼爾，以及那個出問題的機器人吉斯卡，一起來到我的船艦上。這樣一來，在我們將她送回奧羅拉之前，嘉蒂雅・索拉利都不會和她的機器人財產分開了。然後，一切再依法處理即可。」

「但有可能嘉蒂雅女士並不想過去，也不想讓她的財產離開我的太空船，指揮官。」

「她這麼做於法無據，船長。奧羅拉政府授予我對她下令的權力——而身為奧羅拉公民的她必須服從。」

「可是身為殖民者船長的我，沒有義務要在你們的要求下交出任何東西。萬一我決定不理會你的請求呢？」

「這樣的話，船長，我就不得不將它視為不友善的舉動。請容許我指出，我們已經來到這個擁有地球的行星系。剛才你毫不猶豫地替我複習奧羅拉法律，現在我也請你別見怪，因為我要直接指出，在這個行星系範圍內，你的手下會將武力衝突視為大忌。」

「這點我明白，指揮官，我既不希望動武，也不打算有任何不友善的舉動。然而，我有急事需要趕去地球。我跟你這麼對話一番，已經浪費了不少時間，如果我向你飛去——或是等你向我飛來，以便轉移嘉蒂雅女士和她的機器人——一定會浪費更多的時間。我寧可繼續朝地球飛去，而在嘉蒂雅女士帶著她的機器人回到奧羅拉之前，我願承擔有關吉斯卡這個機器人的一切法律責任。」

「我能否建議你，船長，把那位女士和兩個機器人放在一艘救生艇上，然後派一名船員把救生艇駛過來？一旦接到那位女士和她的機器人，我們會親自護送那艘救生艇到地球附近，還會好好補償你所損失的時間和人力。你是行商，應該不會拒絕這個條件吧。」

「不會，指揮官，我不會拒絕的。」丹吉笑著答道。「話說回來，那名負責駕駛救生艇的船員可能會冒著很大的風險，因為他會跟這個危險的機器人獨處好一陣子。」

「船長，只要這個機器人的主人牢牢控制住它，你的船員在救生艇上會跟他在你的船上一樣安全。我們也會好好補償他的。」

「可是，如果這個機器人能受主人控制，一定不會危險到不能留在我們這裡。」

指揮官皺起眉頭。「船長，我相信你不會想要跟我玩什麼把戲。我已經對你提出要求，而我希望立即得到善意回應。」

「我想我可以先問問嘉蒂雅女士吧。」

「要問就立刻問，請對她詳細說明這件事的嚴重性。如果在此期間，你試圖繼續朝地球飛去，我會視之為不友善的舉動，並會採取適當的作為。既然你宣稱急著要去地球，我勸你馬上就去找嘉蒂雅·索拉利問問，然後立刻做出跟我們合作的決定，這樣你就不會耽擱得太久。」

「我會盡力而為。」丹吉帶著僵硬的表情退出了焦點。

70

「怎麼樣？」丹吉神色凝重地問。

嘉蒂雅顯得萬分苦惱。她自然而然向丹尼爾和吉斯卡望去，他們兩人卻保持著一動不動的沉默。

她說：「我不想回奧羅拉去，丹吉。他們不可能想要毀掉吉斯卡；我向你保證，他的功能完全正常。那只是藉口罷了，由於某種原因，他們想叫我回去。不過，我猜無論如何是阻止不了他們的，對不對？」

丹吉說：「那是一艘奧羅拉戰艦——還是巨型的，而我這艘只是太空商船。我們也有高能防護罩，他們不可能一下便摧毀我們，但他們終究能將我們的能量耗光——事實上會相當快——然後再摧毀我們。」

「你有任何辦法攻擊他們嗎？」

「用我的武器？抱歉，嘉蒂雅，不論我拿什麼東西砸他們，在耗盡我自己的能量之前，他們的防護罩都抵擋得住。此外……」

「怎樣？」

「唉，他們幾乎把我逼到絕境了。我原本以為他們會試著在我躍遷之前進行攔截，但他們早就知道我的目的地，所以搶先趕來這裡等我。現在我們是在太陽系裡面——地球就是這個行星系的一員。我們不能在這裡動武，即使我想打，船員也不會服從命令。」

「為什麼？」

「稱之為迷信吧。如果你想聽誇張的說法，那麼對我們而言，太陽系是個神聖的星空。為了避免褻瀆它，我們萬萬不得在此動武。」

吉斯卡突然說：「我能不能參與討論，船長？」

丹吉皺起眉頭，朝嘉蒂雅望去。

嘉蒂雅說：「拜託，讓他加入吧。這兩個機器人都有很高的智慧，我知道你覺得很難相信，可是……」

「我洗耳恭聽，但不一定要聽進去。」

吉斯卡一口氣說：「船長，我確定他們要的是我。我不能允許自己成為導致人類受害的原因。如果你無法自衛，而且確信會在這場衝突中遭到摧毀，那麼除了把我交出去，你別無選擇。如果你希望留下嘉蒂雅女士和丹尼爾好友，只要允許對方把我帶走，我肯定他們會勉強接受的，這是唯一的解決之道了。」

「不。」嘉蒂雅強而有力地說：「你是我的，我絕不會拱手讓人。我跟你一起去——如果船長決定你非走不可的話——我要確保你不會被他們毀掉。」

「我也能發言嗎？」丹尼爾問道。

丹吉雙手一攤，裝出一副沒輒的模樣。「請便，大家暢所欲言吧。」

丹尼爾說：「如果你斷定非交出吉斯卡不可，你就得瞭解這麼做的後果。我相信吉斯卡自以為如果被送到奧羅拉戰艦上，那些奧羅拉人並不會傷害他，甚至終究會放了他，但我可不信有這種事。我相信那些奧羅拉人當真認為他很危險，而且他們八成已經接到命令，一旦救生艇接近，立刻將它摧毀，不留一個活口。」

「他們有什麼理由這麼做呢？」丹吉問。

「奧羅拉人從來沒有碰到過──甚至想到過──他們所謂的危險機器人。他們不會冒險把這樣一個機器人弄到自己的船艦上──因此，船長，我建議你趕緊撤退。何不再做一次反方向的躍遷？我們並未太過接近哪顆行星，沒什麼好擔心的。」

「撤退？你是指逃跑？我不能這麼做。」

「好吧，那你就只好把我們交出去。」嘉蒂雅用聽天由命的口吻說。

丹吉中氣十足地答道：「我不會把你們交出去，我也不會逃跑，而我也不能動手。」

「那還有什麼辦法呢？」嘉蒂雅問。

「還有第四種選擇。」丹吉說：「嘉蒂雅，在我回來之前，請你務必和你的機器人留在這裡。」

71

丹吉評估著手中的數據。剛才雙方對談的時候，已有足夠的時間定出奧羅拉戰艦的精確位置──他們要比自己距離太陽更遠一點，這是個好消息。在目前這個距離，朝太陽躍遷的確很危險；相較之下，側向的躍遷卻可說是輕鬆愉快。雖然仍有發生意外的機率，但這種機率反正是無所不在的。

他再三向船員保證絕對不會開火（那無論如何沒有幫助）。顯然，他們堅決相信只要不動

武，地球的星空就不會遭到褻瀆，也就一定會保護他們。這種信念玄之又玄，而丹吉之所以沒有嗤之以鼻，唯一的原因就是他自己也有點相信。

他終於回到通訊焦點內。他讓對方等了相當長的時間，但始終沒有接到催促的訊號，對方刻意展現出了足夠的耐心。

「我是貝萊船長，」他說：「我想和里西弗指揮官通話。」

對方並未讓他久等。「我是里西弗指揮官，你有肯定的答案了嗎？」

丹吉說：「我們會把那位女士和兩個機器人送過去。」

「太好了！這是明智的決定。」

「而且我們會盡快送去。」

「又是個明智的決定。」

「謝謝你。」丹吉隨即下令進行躍遷。

你根本沒有屏息的時間，更沒有這個必要。躍遷的開始就是它的結束——或者說，起碼令你無法察覺需要任何時間。

駕駛員立即回報：「已鎖定敵艦的新位置，船長。」

「很好，」丹吉說：「你知道該怎麼做。」

結束躍遷之際，他們的太空船相對於奧羅拉戰艦的速度相當高，而軌道校正（不出所料並不太大）則在不斷進行中。然後他們繼續加速。

丹吉又回到焦點內。「我們接近了，指揮官，很快就能把他們送到。你要開火就請便，但我們的防護罩全部升了起來，在被你通通搗毀之前，我們一定能把他們送到你那裡去。」

「你不是派救生艇來嗎？」說完，指揮官離開了焦點。

丹吉等了一會兒，便見到指揮官帶著扭曲的表情回來了。「這是怎麼回事？你的太空船正在碰撞航向上。」

「似乎就是這樣。」丹吉說：「這是最快速的交貨方式。」

「你會把自己的船撞毀。」

「彼此彼此。你的戰艦造價至少是我的五十倍，或許還更多，這回奧羅拉可賠慘了。」

「但你這是在地球的星空開戰，船長，是你們的習俗所不容的。」

「啊，你熟悉我們的習俗，還用它來占我們便宜——可是我並未開戰，我連一耳格的能量也沒發射。我只是順著這條路徑前進，而它剛好和你目前的位置相交。但因為我確定你會在交會之前及時飛走，顯然代表我並不打算訴諸暴力。」

「停下來，我們好好談談。」

「我已經談厭了，指揮官。我們是不是該好好道一聲再見？如果你不走，我也許得放棄四十年的壽命，反正後半段也好不到哪裡去，可是你要放棄多少年歲呢？」丹吉離開了焦點，而且不打算回來了。

奧羅拉戰艦射出一道輻射光束——只是試探性的，彷彿為了測試對方的防護罩是否真的升起了。結果是肯定的。

一般說來，船艦的防護罩不但能抵擋電磁輻射和次原子粒子（連微中子也不例外），而且還禁得起小型物質的動能——例如宇宙塵，甚至流星體的碎片。但防護罩無法承受更大的動能，例如整艘太空船以遠超過流星的速度猛衝過來。

即便是危險的大型物體，只要未受引導，也不算什麼威脅——流星體就是好例子，電腦會自動令船艦轉向，以避開任何大到足以穿透防護罩的流星體。然而，對於能夠隨著目標轉向的船

艦，這招可就失效了。而且殖民者太空船比較小，靈活度自然也比較大。

要避免同歸於盡，奧羅拉戰艦只有一個辦法——

丹吉眼看著顯像面板上的敵艦逐漸變大，很想知道待在艙房裡的嘉蒂雅清不清楚目前的狀況。雖說她的艙房具有液壓懸吊系統，再加上人造重力場的補償作用，她一定仍察覺到了船身正在加速。

然後，敵艦轉瞬之間消失無蹤，顯然躍遷到了別處。丹吉這才注意到自己不但屏住氣息，心跳也加快許多，不禁感到相當懊惱。難道說，不論是對於地球的保護力量，或是自己對情勢的專業研判，他其實都沒有什麼信心？

丹吉對著發話器說：「幹得好，弟兄們！修正航向，直奔地球。」他以鋼鐵般的意志刻意保持聲音的沉著冷靜。

第十六章　大城

72

嘉蒂雅說：「你沒在開玩笑，丹吉？你真打算撞向那艘戰艦嗎？」

「絕無此事，」丹吉隨口答道：「我可沒有這個打算。我只是向他們衝過去，算準了他們一定會撤退。那些太空族只要有活命的機會，就不會拿他們又長又美好的性命來冒險。」

「那些太空族？他們真是一群懦夫啊。」

丹吉清了清喉嚨。「我總是忘記你也是太空族，嘉蒂雅。」

「沒錯——而我想你會認為這是對我的恭維。萬一他們和你一樣愚蠢——萬一他們和你一樣把幼稚的瘋狂當成了勇敢——因而留在原地呢？那時你怎麼辦？」

丹吉喃喃道：「撞上去。」

「這樣我們通通會被撞死。」

「那仍會是一筆划算的交易，嘉蒂雅。我們這艘又破又舊的殖民者商船換他們一艘又新又先進的太空族戰艦。」

丹吉將椅子打斜靠向牆壁，雙手放在脖子後面（一切都過去了，他覺得有說不出的輕鬆自在）。「我曾經看過一齣超波歷史劇，在某場戰爭的尾聲，載滿炸藥的飛機故意飛進軍艦裡面，企圖炸沉那些比自己昂貴許多的軍艦。當然，那些飛行員都送了命。」

「那是虛構的。」嘉蒂雅說：「你不會以為在真實人生中，一群文明人會做出這種事情吧？」

「若有足夠好的動機，有何不可呢？」

「那麼，當你準備光榮捐軀的時候，內心到底有什麼感覺？萬分欣喜嗎？——你讓所有的船員陪你一起送死。」

「他們一清二楚，我們沒有第二條路，地球在看著我們。」

「地球人甚至不知道這件事。」

「我這只是比喻罷了。既然置身地球的星空，我們絕不能表現得孬種。」

「喔，真荒謬！而且你把我的命也賭上了。」

丹吉低頭望著自己的靴子。「說來還真瘋狂，你想不想聽聽？當時只有這件事困擾著我。」

「我可能送命這件事？」

「不，應該說是我擔心會失去你——當那艘戰艦命令我把你交出去的時候，我知道自己不會答應——就算你求我也沒用。反之，我很樂意去撞他們，總之不能讓他們得到你。然後，當我在顯像幕上看著他們的戰艦越來越大，我心想：『如果他們不閃開，我無論如何會失去她。』我就是在那個時候開始心跳加速，而且全身冒汗。我明知道他們會跑，但那個想法仍……」他搖了搖頭。

嘉蒂雅皺起眉頭來。「我真不瞭解你。你並不擔心我會送命，反倒擔心會失去我？這兩件事不是一樣的嗎？」

「我知道，我可沒說這是理性的想法。當時我一股腦兒冒出好多回憶，我想到你在索拉利時，雖然明知那監督員一拳就能把你打死，仍然為了救我而向她衝過去。我又想到你在貝萊星時面對一大群聽眾，雖然從未有過這樣的經驗，你卻能先聲奪人。我甚至想到了當你還很年輕的時候，一個人前往奧羅拉，學習一種新的生活方式——終於克服萬難——我不禁覺得自己並不在乎

送命，只在乎會不會失去你——你說得對，這根本沒道理。」

嘉蒂雅語重心長地說：「難道你忘了我的年齡嗎？你出生的時候，我幾乎已經這麼高齡了。而我在你這個年紀，還經常夢見你的老祖宗呢。此外，我有個人工髖關節。而我的左手拇指——這裡——」她晃了晃那根手指，「百分之百是假的。就連我的某些神經也重建過，我的牙齒也全換成了陶瓷植體。可是聽你的口氣，彷彿隨時會對我表白一種超越時空的激情——為什麼呢？——又為了誰呢？——好好想想，丹吉！——看著我，看清我到底是什麼人！」

丹吉讓椅子恢復四腳著地，開始摩挲他的鬍子，發出古怪的聲音來。「好啦。被你這麼一說，我成了講傻話的小男孩了，但我可不會做任何改變。根據我對你的瞭解，我死後你會依然健在，而且幾乎看不出老了多少，所以你現在並非比我老，而是比我年輕。況且，即使你比我老，我也不在乎。我只是希望不論我走到哪兒，你都永遠跟在我身邊——最好是一生一世。」

嘉蒂雅正要開口，丹吉卻搶先一步說：「或者，也許更可行的方式是，不論你走到哪兒，我都永遠跟在你身邊——最好是一生一世——除非你覺得有什麼不妥。」

嘉蒂雅柔聲說：「我是太空族，你是殖民者。」

「誰會在乎呢，嘉蒂雅？你在乎嗎？」

「我的意思是，我們不可能生兒育女，我已經有下一代了。」

「那對我有什麼差別呢！我可不擔心貝萊這個姓氏後繼無人。」

「我有自己的職志，我打算為銀河帶來和平。」

「我會協助你。」

「那你的生意呢？你會放棄致富的機會嗎？」

「我們可以一起做些生意。不必賺太多，只要能讓我的船員高興，又能資助你的和平大業就

行了。」

「你會覺得生活乏味，丹吉。」

「會嗎？我倒是覺得自從和你在一起，每天的生活都很刺激。」

「還有，你可能會堅持要我離開我的機器人。」

丹吉露出苦惱的表情。「這就是你一直想勸我打消念頭的原因？我不會介意你把他們兩個留下來——哪怕我得天天看到丹尼爾那曖昧的笑容——可是如果我們住在銀河殖民者的……」

「我想那時即使硬著頭皮，我也得那麼做了。」

她輕聲笑了笑，丹吉也跟著笑了。他向她伸出雙手，她大方地將兩隻手交給了他。

她說：「你瘋了，我也瘋了。可是打從那天晚上，我望著奧羅拉的夜空試圖尋找索拉利的太陽，此後的一切通通變得好奇怪，我想發瘋是唯一可能的解釋了。」

「你不只是在講瘋話，」丹吉說：「簡直就是無藥可救了，但這正是我想要的。」他猶豫了一下，「不，我可以再等等。為了降低感染的風險，我會剃了鬍子再吻你。」

「不，不必！我很好奇那是什麼感覺。」

她立刻知道了。

73

里西弗指揮官在自己的艙房內來回踱步。「犯不著損失這艘戰艦，完全犯不著。」他說。

他的政治顧問靜靜坐在椅子上，目光直視前方，根本懶得望向他那又快又激動的步伐。「當然是這樣。」顧問答道。

「那些野蠻人有什麼好損失的？反正他們只有幾十年好活。對他們而言，生命根本不算什麼。」

「當然是這樣。」

「話說回來，我從未見過也沒聽說過有哪艘殖民者船艦做過這種事。那或許是新發明的狂人戰術，而我們毫無招架之力。萬一哪天他們派出無人太空船，升起防護罩並加足馬力向我們衝來，那該怎麼辦？」

「我們或許能把我們的戰艦徹底自動化。」

「那沒什麼用，我們可賠不起這樣的戰艦。我們需要的是大家討論已久的防護罩剋星，就是能切開防護罩的那種東西。」

「然後對方也會發展出來，而我們就得發明一種防剋星的防護罩，然後他們又會跟進，於是雙方的僵持又會升高一級。」

「所以說，我們需要一種嶄新的武器。」

「好啦，」顧問說：「或許會出現什麼轉機吧。你的主要任務並非針對那索拉利女人和她的機器人，對不對？若能逼他們離開殖民者太空船自然何樂不為，但那只是次要的吧？」

「話說回來，立法局還是會不高興的。」

「應付他們就是我的工作了。重要的是阿瑪狄洛和曼達瑪斯已經離開這艘戰艦，正搭乘快艇航向地球。」

「是啊。」

「而你不只轉移了那艘殖民者太空船的注意力，還延誤了它的行程。這就代表阿瑪狄洛和曼達瑪斯非但神不知鬼不覺地離開了這艘戰艦，還會趕在那個蠻人船長之前抵達地球。」

「我想是吧。但那又如何呢？」

「我也在納悶。如果只有曼達瑪斯單獨行動，我會把這件事拋在腦後，他一點也不重要。可

是阿瑪狄洛呢？他為何在這種艱難時刻，拋下母星的政爭一路趕來地球呢？這裡一定正在醞釀一件重要得不得了的事。」

「什麼事？」指揮官似乎惱火了，自己竟然差點捲入一樁毫無所知的事件當中——而且險些送了命。

「目前我毫無概念。」

「你想會不會是雙方高層要展開祕密談判，要全面修改法斯陀夫當年談妥的和平協議？」

顧問微微一笑。「和平協議？如果你這麼想，就是還不瞭解我們的阿瑪狄洛博士，他可不會為了修改和平協議中的一兩個條款而親自趕來地球。他所追求的是一個沒有銀河殖民者的銀河，所以如果他到地球來——算了，我只能說此時此刻，我萬分同情那些野蠻的銀河殖民者的處境。」

74

「我相信，吉斯卡好友，」丹尼爾說：「嘉蒂雅女士並未因為我們不在身旁而感到不安。你能從這裡偵測出來嗎？」

「我只能隱約偵測到她的心靈，但絕對錯不了，丹尼爾好友。現在她和船長在一起，我同時感到激動和欣喜兩種明顯的情緒。」

「太妙了，吉斯卡好友。」

「我自己可不太妙，丹尼爾好友。我發現自己處於失常狀態，我承受了極大的壓力。」

「這消息令我難過，吉斯卡好友，我能不能請問原因？」

「我們在這裡已經待了好一陣子，船長花了不少時間和那艘奧羅拉戰艦談判。」

「沒錯，可是現在奧羅拉戰艦顯然已經走了，代表船長似乎談出了一個好結果。」

「顯然你完全不瞭解他的談判方式，而我——則或多或少。雖然船長並不在我們身邊，我還是不難感應到他的心靈。它曾散發出排山倒海的緊張和憂慮，而在這兩種情緒之下，還有一股越來越強的失落感。」

「失落感，吉斯卡好友？你能確定是哪方面的失落感嗎？」

「我無法描述我是怎麼進行分析的，但它似乎並不屬於我曾經遇到過的，無論是一般性的或是針對某個事物的失落感。倒有點像是對某個特定對象的悵然若有所失——這麼說是濫用成語，但我連勉強合適的說法都找不到。」

「你是指嘉蒂雅女士。」

「沒錯。」

「那是很自然的事，吉斯卡好友，當時奧羅拉戰艦正在逼他把她交出去。」

「可是他的情緒太強烈，太悲壯了。」

「太悲壯？」

「這是我目前唯一能夠想到的字眼。而在失落感之外，還有一股難以言喻的悲痛。但並不像是因為嘉蒂雅女士會被迫離開他，畢竟假以時日，那種事還是可能挽回的。反之，彷彿是由於嘉蒂雅女士會終止存在——會死去——再也回不來了。」

「所以說，他覺得奧羅拉人會把她殺了？那當然是不可能的。」

「的確不可能，事實也並非如此。而在那生離死別的深深疑懼旁邊，我還感覺到了一股個人的責任感。我搜尋了船上其他的心靈，在相互比較後，我開始懷疑船長打算拿他自己的船去撞奧羅拉戰艦。」

「那，也是不可能的，吉斯卡好友。」丹尼爾壓低聲音說。

「我必須接受這個可能性。當時我的第一個衝動就是想改造船長的情緒，好強迫他更改航向，可是我做不到。他的心靈太堅定，太果決，而且——雖說懷著憂慮、緊張和生離死別的疑懼，卻又充滿了成功的信念……」

「那種疑懼和那種信念，怎麼可能同時出現呢？」

「丹尼爾好友，人類心靈能夠同時擁有兩種相反情緒這件事，我早已見怪不怪，只會無條件接受。在這種情況下，想把船長的心靈改造到願意更改航向的地步，一定會令他喪命，我不能這麼做。」

「但如果你不這麼做，吉斯卡好友，這艘船上包括嘉蒂雅女士在內的幾十個人，再加上奧羅拉戰艦上的好幾百人，通通都會死於非命。」

「如果船長所抱持的成功信念正確無誤，他們就不會死。我不能用一個必然的死亡，來交換許多不確定的死亡。你的第零法則，丹尼爾好友，在這裡碰到了難題。第一法則所處理的是特定的對象和確定的事物，你的第零法則卻牽涉到了不夠明確的人群，以及隨機的情況。」

「這兩艘船艦上的人群絕非不明確，他們是許多特定個體所組成的集合。」

「可是當我必須做出決定時，我就得直接影響一個特定的對象。他的命運會握在我手中，我別無選擇。」

「那麼，吉斯卡好友，你到底做了些什麼——或是你完全束手無策？」

「剛好有個小型躍遷拉近了我們和奧羅拉戰艦的距離，在走投無路的情況下，丹尼爾好友，我只好試著接觸對方的指揮官——我發現做不到，距離還是太遠了。但我的努力不算完全失敗，我的確偵測到了一點東西，可以比喻為一種模糊的嗡嗡聲。我困惑了一會兒，隨即明白我是接收到了奧羅拉戰艦上所有人類心靈的集體感受。我必須把那些模糊的嗡嗡聲從我們這艘船上的集體

感受中過濾出來——這是很困難的工作，因為後者強太多了。」

丹尼爾說：「在我想來，吉斯卡好友，這幾乎是不可能的事。」

「你說得對，幾乎不可能，但我費盡千辛萬苦，總算勉強做到了。然而，儘管我試了又試，就是無法分辨個別的心靈——想當初，嘉蒂雅女士在貝萊星面對一大群聽眾的時候，我感應到由巨量的心靈所組成的一種烏合結構，但我還是設法在某些角落，挑出一些個別的心靈，即使時間很短。這次完全不是那麼回事。」

吉斯卡住口了，彷彿沉浸在這些感應的回憶中。

丹尼爾說：「我猜這一定類似如果一大群星星距離我們夠近，便能從中看出個別的星體。然而若是遙遠的星系，我們就只能看到一團朦朧的光芒，其他什麼也看不出來。」

「我認為這是很好的類比，丹尼爾好友——一旦我將注意力集中在那個模糊而遙遠的嗡嗡聲上，似乎能偵測到其中瀰漫著一股非常微弱的恐懼。雖然並不確定，但我覺得必須試著善加利用。我從未嘗試過把影響力投射到那麼遠、那麼不真切的東西上——但我還是拚命一點一滴加強那個恐懼，我不敢說到底有沒有成功。」

「奧羅拉戰艦最後逃走了，所以你一定成功了。」

「那倒不一定。即使我什麼也沒做，那艘戰艦還是會逃的。」

丹尼爾似乎陷入沉思。「或許吧。既然我們的船長對這個結果那麼有信心……」

吉斯卡說：「但另一方面，我無法確定他的信心有沒有合理根據。在我看來，我所偵測到的這個信心，還混雜著對地球的敬畏和崇拜。根據我的經驗，它頗為類似兒童對於保護他們的人——例如父母——所抱持的那種信心。我覺得船長堅決相信，由於有地球就近守護，他絕不可能失敗。我不敢說那是一種完全非理性的感覺，但無論如何，它令我感到並不理性。」

「這點你毫無疑問是對的，吉斯卡好友。船長不時會用崇敬的口吻提到地球，我們都聽到過。既然地球無法真正藉由神祕的力量確保任何行動順利成功，我們就不妨假設你的精神力量真的奏效了。此外……」

吉斯卡雙眼閃著微弱的光芒。「你到底在想什麼，丹尼爾好友？」

「我在想我們之前的假設：個別的人類是具體的，而人類整體則是抽象的。當你從奧羅拉戰艦上偵測到模糊的嗡嗡聲，你所偵測到的並非任何個體，而是人類整體的一小部分。因此，如果在足夠接近地球的距離，而且背景噪音夠小，難道你不能偵測到地球人的整體精神活動嗎？推而廣之，我們能否想像在整個銀河內，人類整體的精神活動也可以算是一種嗡嗡聲？所以說，人類整體有什麼抽象的？你其實能把它指出來。從這個角度考慮第零法則，你就會明白擴充機器人學法則是名正言順的──有你自己的經驗為證。」

頓了許久之後，吉斯卡終於慢慢說道：「丹尼爾好友，你也許說對了──但如果我們現在便登陸地球，雖然或許能夠使用第零法則，我們仍舊不知道怎麼用。目前為止，我們還是覺得地球所面臨的危機和核反應倍增器有關，但據我們所知，地球上並沒有什麼重要設施能讓核反應倍增器派上用場。所以說，我們在地球上要做些什麼呢？」他說得很慢，彷彿這幾句話是從他嘴裡硬拉出來的。

「我現在還不知道。」丹尼爾悲傷地說。

75

噪音！

這種噪音令嘉蒂雅萬分訝異。它並不刺耳，並非光滑表面互相摩擦所發出的聲音。但它也不是什麼令人難以忍受的尖叫、喧囂、砰然巨響，或是任何擬聲字所能形容的聲音。

這種噪音比較輕柔，比較沒有壓力。它起起落落，偶爾有些不規律的變化——但從未消失。

看著她凝神傾聽，腦袋還不時左右轉動，丹吉忍不住說：「嘉蒂雅，我將它稱為『大城的低鳴』。」

「會停下來嗎？」

「永遠不會停，但你怎麼會有這種想法呢？你可曾站在田野間，傾聽微風吹過樹葉的沙沙聲，還有蟲鳴鳥叫，以及潺潺的流水聲？那也都是永遠不會停的。」

「那不一樣。」

「不，其實都一樣，沒什麼不同。你現在所聽到的聲音，是機器的隆隆聲和人類的各種噪音融合而成的大雜燴，但原理和田野間的天籟是完全一樣的。田野是你熟悉的地方，所以你聽不到那裡的噪音。而你對這裡並不熟悉，所以你聽得到這些聲音，或許還會覺得煩人。反之，地球人通常都聽不到，除非情況特殊，比如說剛從鄉間回來——而他們總是感到非常親切。明天你也就什麼都聽不到了。」

這時他們正站在一個小露台上，嘉蒂雅若有所思地環顧四周，突然感嘆：「好多建築物！」

「那倒是真的。這些建築物到處蔓延，不但向外延伸好幾哩，還會向上——而且向下延伸。奧羅拉或貝萊星的任何城市都不能和它相提並論，這是一座『大城』，是地球獨一無二的產物。」

「我知道，就是所謂的『鋼穴』。」嘉蒂雅說：「我們在地底，對不對？」

「對，完全正確。我必須告訴你，首次造訪地球時，我也是花了些時間才習慣這種環境的。在一座大城裡，不論你走到哪兒，景色都很接近一個擁擠的普通城市。不外是人行道、馬路、店面和大批的人潮，此外就是無所不在的柔和光線，讓每個角落似乎都沐浴在和煦的陽光下，沒有

任何死角——但那並非真正的陽光，而且，我甚至不知道頭上的地表此時是否真的陽光普照，或者其實是烏雲遮日，或者太陽根本不在上空，外面是一片漆黑的夜晚。」

「可是大城因此密不透風，大家呼吸彼此吐出來的空氣。」

「無論哪個世界——無論你在哪裡——還不都一樣。」

「但不像這樣。」她用力聞了聞，「有一股怪味。」

「每個世界都有，地球上每座大城的氣味也各有不同，你會習慣的。」

「我會想習慣嗎？我們怎麼沒窒息呢？」

「有絕佳的通風系統。」

「萬一故障怎麼辦？」

「絕對不會。」

嘉蒂雅四下望了望，然後又說：「每棟建築似乎都附有露台。」

「這是身份地位的象徵，朝外的公寓少之又少，擁有這種公寓的幸運兒當然會想善加利用。大多數的大城居民都住在沒有窗戶的公寓裡。」

嘉蒂雅打了個冷顫。「真可怕！這座大城叫什麼名字，丹吉？」

「叫紐約。它是地球的首都，但並不是最大的。在這個大陸上，最大的大城要屬墨西哥城和洛杉磯，而在其他大陸，還有幾座比紐約更大的大城。」

「那麼，紐約怎麼會成為地球的首都呢？」

「很普通的原因。地球政府就在這裡，也稱為聯合國。」

「聯合國？」她得意洋洋地伸手指著丹吉，「地球曾經分成幾個獨立的政體，對不對？」

「對，有好幾十個。但那是在超空間旅行出現之前——所謂的『前超時代』。不過，聯合國

這個名字保留了下來。這就是地球精采的地方，它把歷史凍結了。其他世界都太新、太膚淺，唯獨地球保有人類文化的精髓。」

壓低聲音說完這番悄悄話，丹吉隨即退回室內。這個房間並不大，裝潢也不怎麼樣。

嘉蒂雅以失望的口吻說：「附近怎麼都沒有人？」

丹吉哈哈大笑。「別擔心，親愛的。若想目睹萬人空巷的盛況，你絕不會失望的。其實是我要求他們暫時別來打擾我們，我想要清靜一下，休息一會兒，我猜你也一樣。至於我的手下，他們得負責把太空船停好，清理一番，並添購補給品，還要照顧自己精神上的需求——」

「女人嗎？」

「不，我不是指那個，不過我想稍後也是免不了的。所謂精神上的需求，我是指地球上仍有好些宗教，能讓他們得到慰藉。總之這裡是地球，凡事似乎都比較有意義。」

「好吧。」嘉蒂雅透出幾分輕蔑的口吻，「如你所說，歷史被凍結了——你覺得我們能不能走出這棟建築，到外面散散步？」

「聽我的話，嘉蒂雅，暫時別急著做這種事。等到典禮儀式一個個開始，你會有很多這樣的機會。」

「那樣太正式了。能不能省去那些儀式？」

「門都沒有。既然你在貝萊星堅持要當英雄，如今來到地球也不能例外。話說回來，再多的典禮也有結束的時候。等你恢復了元氣，我們可以找個嚮導，真正看看這座大城。」

「如果帶著我的機器人，會不會有任何問題？」她指了指位於房間另一側的丹尼爾和吉斯卡，「當我在船上和你獨處時，並不在意有沒有他們跟著，但如果要我和一大群陌生人在一起，有他們在身邊，我會覺得比較安全。」

「丹尼爾絕對沒問題，他本人也算是英雄。他曾是老祖宗的合作夥伴，會被當成真人看待。至於吉斯卡，他顯然就是機器人，理論上來說，他根本進不了這座大城，可是他們對他破了例，我希望他們千萬別半途反悔——另一方面，我們必須等在這裡而不能走出去，我覺得糟透了。」

「你是說我暫時還不該暴露在那些噪音中。」嘉蒂雅說。

「不，不，我不是指那些廣場和街道。我只是希望帶你走出這個房間，在這棟建築的走廊裡逛逛。這些走廊綿延數哩——這麼說絕不誇張——本身就是這座大城的縮影：購物中心、食堂、遊樂區、衛生間、電梯、接駁道等應有盡有。光是地球上一座大城的一棟建築物的其中一層，多采多姿的程度就超過了銀河殖民者的一個城鎮，或是太空族的一個世界。」

「我猜迷路是家常便飯。」

「當然不會。就像別處一樣，這裡的人對周遭環境都很熟悉。即使是外地人，也只要跟著路標走就行了。」

「每天被迫走那麼多路，我想一定對他們的身體非常有幫助。」嘉蒂雅半信半疑地說。

「對人際關係也有幫助。走廊上總是有不少人，而根據此地的慣例，碰到熟人一律要停下來寒暄一陣子，即使碰到陌生人也要打個招呼。但也不是非走路不可，到處都有電梯可供垂直升降，凡是大型走廊都有接駁道，提供水平方向的運輸。當然，建築物外面照例有一條連接捷運網的支線帶。那可好玩了，你一定要試試。」

「我聽說過這種路帶。你只要橫向跨越，從一條路帶換到另一條，速度就會越來越快——或是越來越慢。我做不到，別勉強我。」

「你當然做得到。」丹吉親切地說：「我會協助你。必要的話，我還可以抱你，這只要稍加練習即可。所有的地球人，從幼稚園的孩童到拄著枴杖的老人，通通都能走在上面。我承認在這

件事情上，銀河殖民者有點笨手笨腳。我自己也不例外，但我設法做到了，你一定也做得到。」

嘉蒂雅重重嘆了一口氣。「好吧，必要時我會試試。可是我告訴你，丹吉，親愛的，我們一定要換個足夠安靜的房間過夜，我要暫時隔絕你所謂的『大城的低鳴』。」

「我確定這不難做到。」

「還有，我不想在社區食堂用餐。」

丹吉露出疑惑的神情。「我們可以請人把餐點送到房間來，可是參與地球人的團體生活真的對你有好處，反正我都會陪著你。」

「也許過幾天吧，丹吉，別一開始就去——我還要一間專用的衛生間。」

「喔，不，那就不可能了。由於我們身份特殊，不論他們安排我們住什麼房間，裡面一定會有臉盆和抽水馬桶，但如果想正式淋個浴或泡個澡，你就得跟大家一起行動了。會有女性工作人員為你介紹相關流程，並會指定一個私人小間之類的設施給你，你不會感到尷尬的。一年到頭，都有女性銀河殖民者在地球上學著怎麼用衛生間——而且你可能會喜歡上這件事，嘉蒂雅。他們告訴我女用衛生間是個熱鬧而有趣的地方，另一方面，男用衛生間裡面則完全不准講話，非常無聊。」

「太可怕了，」嘉蒂雅喃喃道：「你怎能忍受毫無隱私呢？」

「在一個擁擠的世界，你不得不這樣。」丹吉輕描淡寫地說：「凡是從未擁有的，就永遠不會失去——還要我多說幾則格言嗎？」

「沒必要。」嘉蒂雅說。

她顯得有些沮喪，於是丹吉伸手攬住她的肩膀。「好啦，不會有你想像中那麼糟的，我向你保證。」

76

結果那並不算一場惡夢。但嘉蒂雅還是很慶幸之前在貝萊星的經歷，讓她對如今名副其實的人山人海預先有了概念。紐約的人群要比她在殖民者世界上見到的多得多，可是另一方面，和上回相較之下，她受到的隔離保護則比較好。

政府官員顯然都渴望和她一起亮相。為了搶到接近她的位置，以便和她一起在超視畫面中出現，引發不少無言而斯文的小衝突。於是，她非但接觸不到位於警方封鎖線另一側的人群，也因而和丹吉以及她的兩個機器人隔離了。更糟的是，那些眼裡似乎只有攝影機的人難免會客客氣氣地把她推來推去。

這段時間她似乎聽了無數場的演說，好在都還算簡短，而她一律左耳進右耳出。她經常露出和藹卻空洞的笑容，並一視同仁地向四面八方展露她那口精美的植牙。

現在，一輛地面車載著嘉蒂雅沿著車道緩緩駛了好幾哩路，兩側人行道上則是一堆堆的人群，等著在她經過時對她揮手歡呼（她不知道有哪個太空族接受過地球人這種奉承，心中卻相當肯定自己的際遇絕對是史無前例的）。

經過某處時，嘉蒂雅看到遠方有些人正圍在超視螢幕旁，而且有那麼一瞬間，她確定在螢幕上瞥見了自己。她明白了，他們正在觀看她在貝萊星那場演講的錄影。嘉蒂雅很想知道這個錄影目前正在多少地方以及多少觀眾面前播放，她還想知道它總共已經播放過多少次，今後還會再重播多少回，而太空族世界會不會聽到這個風聲呢？

在奧羅拉人眼中，她會不會像個叛徒？自己所受到的禮遇，會不會剛好就是明證？

有可能——兩件事都有可能——但她已經不在乎了。她有她自己的使命，要為銀河帶來和平與互諒，不論這項使命將自己帶到哪裡，她都毫無怨言——甚至包括難以想像的集體澡堂，以及

今天早上在女用衛生間所見識的無遮大會。（好吧，幾乎毫無怨言。）

丹吉提到的捷運也終於呈現眼前。他們正在逐漸接近某條捷運帶，凝視著那條無限延伸的車龍，嘉蒂雅毫不掩飾驚恐的表情。它不停地向前走——向前走——向前走，每節車廂上都載滿了乘客，他們個個有要事在身，絕不能被遊行車隊耽擱（或說就是不想被這種活動打擾），而在彼此交錯的這短短幾秒鐘，他們個個面無表情地望著這支遊行隊伍。

然後，地面車鑽進一條和上方車道沒什麼不同的短隧道（總之大城到處是隧道），從底下穿過捷運帶，再從另一側鑽了出來。

最後，車隊終於抵達目的地，那是一座大型的公共建築，謝天謝地，它要比大城住宅區中那些千篇一律的公寓來得有魅力。

眾人進去之後，又舉辦了一個歡迎儀式，席間不乏美酒和各種開胃小菜，可是嘉蒂雅連碰也沒碰。至少有一千個人圍著她打轉，一個接一個沒完沒了地排隊跟她說話。顯然大家已經聽說千萬別跟她握手，但還是有人忍不住伸出手來，而嘉蒂雅為了避免顯得遲疑，一律伸出兩根手指讓對方握一握，然後立刻抽回來。

後來，有些女士準備前往附近的衛生間，其中一人顯然是基於社交禮儀，很技巧地問嘉蒂雅想不想跟大家一起去。嘉蒂雅本想婉拒，但想到今天晚上還長得很，如果稍後她突然需要離席，那恐怕只會更尷尬。

衛生間內一如往常地有人高談闊論，還有人興奮得哈哈大笑。由於一來迫於情勢，二來有了早上的經驗，嘉蒂雅選擇了一個兩側都有隔版，但前面仍空空如也的小隔間。

似乎沒有任何人在意，於是嘉蒂雅不斷提醒自己，一定要試著入鄉隨俗。至少這個地方通風良好，而且似乎一塵不染。

且說今晚從頭到尾，大家都對丹尼爾和吉斯卡視而不見。嘉蒂雅瞭解，這是出於一種善意。雖說城外的鄉間仍有好幾百萬個機器人勞工，但機器人早已不准出現在大城內。如果正視丹尼爾和吉斯卡的存在，難免會引起相關的法律問題，還不如巧妙地裝聾作啞要來得簡單些。

打從宴會一開始，他倆便默默跟著丹吉坐在同一桌，和嘉蒂雅所坐的主桌相隔不遠。而嘉蒂雅因為擔心會拉肚子，所以吃得少之又少。

或許由於不太高興被貶為機器人的保母，丹吉不停地朝嘉蒂雅的方向望去，她則不時對他揮手微笑。

室內始終瀰漫著進食和聊天的嘈雜聲，吉斯卡一面緊盯著嘉蒂雅，一面利用噪音當掩護，悄聲對丹尼爾說：「丹尼爾好友，這間屋子裡坐著不少高官，可能會有一兩個人能提供我們一些有用的情報。」

「的確有可能，吉斯卡好友。你可否利用你的能力，替我引導一番？」

「不行。從目前這個精神背景，我偵測不到任何有用的情緒反應，就連附近偶爾出現的情緒起伏也沒什麼用。可是我確定，就在我們這樣無所事事的時候，危機很快要發展到高峰了。」

丹尼爾一臉嚴肅地說：「我要試著採用以利亞夥伴的方法，強行加快進度。」

77

丹尼爾並沒有吃東西，他冷眼旁觀著出席宴會的來賓，最後鎖定了其中一位。然後，他悄悄起身，換到了另一張餐桌。那位被他盯上的女士正在邊吃邊聊，一面把食物輕巧地送進嘴裡，一面和坐在她左側的男士談笑風生。她是個身材壯碩的中年婦女，一頭短髮透著明顯的斑白，面容雖說不算年輕，仍令人感到賞心悅目。

丹尼爾本想靜待他們的閒聊告一段落，但在久等不到之後，他硬著頭皮說：「女士，我可否

打個岔？」

她抬頭望向他，臉上帶著幾分訝異和明顯的不悅。「可以。」她說得相當乾脆，「什麼事？」

「女士，」丹尼爾說：「請原諒我打斷你的交談，但可否允許我和你說幾句話？」

她皺著眉瞪了他片刻，然後就變得和顏悅色了。「從你過分禮貌的態度，我猜你就是那個機器人，對不對？」她說。

「我是嘉蒂雅女士的隨身機器人之一，女士。」

「我知道，但你是像人的那個，你是機．丹尼爾．奧利瓦。」

「那是我的名字沒錯，女士。」

這女士轉向坐在她左側的男士。「不好意思，我實在無法拒絕這個——機器人。」

那位男士不置可否地笑了笑，便開始聚精會神地用餐了。

女士對丹尼爾說：「如果你有椅子，何不搬到這裡來？我很樂意跟你談談。」

「謝謝你，女士。」

等到丹尼爾正式坐下來，她問道：「你真的是機．丹尼爾．奧利瓦嗎？」

「那是我的名字沒錯，女士。」丹尼爾又說了一遍。

「我是指很久以前和以利亞．貝萊合作的那位。你會不會是同一型的新產品？會不會是機．丹尼爾四世之類的東西？」

丹尼爾說：「過去兩百年來，我全身的零件幾乎都替換過——甚至做過更新和改良——唯獨我的正子腦例外，它仍然跟我當初分別在三個世界——以及一艘太空船上和以利亞夥伴合作辦案時完全一樣。」

「哇！」她用欽佩的目光望著他，「你絕對稱得上精品。如果所有的機器人都像你一樣，我可看不出還有什麼理由要排斥它們了——但你想跟我談些什麼呢？」

「在我們入座之前，你曾和嘉蒂雅女士打過照面，負責引見的人說你是能源部的次長，蘇菲亞．昆塔納女士。」

「你記得很清楚，把我的名字和職稱都說對了。」

「請問你的管轄範圍是整個地球，或僅僅是這座大城？」

「我是地球政府的次長，我可以向你保證。」

「所以說，你對能源學知之甚詳？」

昆塔納微微一笑，似乎並不介意被這麼盤問。或許她覺得這很有意思，也或許是丹尼爾畢恭畢敬的態度令她感到好奇，不過吸引她的也可能只是機器人居然能如此發問。總之，她面帶笑容說：「我曾在加州大學攻讀能源學，獲得了碩士學位。至於是否仍舊知之甚詳，我倒不敢說。我當行政官員太多年了——這種工作會令大腦退化，我向你保證。」

「可是對於目前地球能源供需的實務層面，你還是相當熟悉，對不對？」

「對，這點我承認。你有什麼想要知道的嗎？」

「有件事激起了我的好奇心，女士。」

「好奇心？機器人有好奇心？」

丹尼爾欠了欠身。「一個機器人只要足夠精密複雜，便能察覺體內有一股尋找答案的驅力。根據我的觀察，這和人類所謂的『好奇心』十分類似，因此我自作主張，用這個字眼來描述我自己的這種感覺。」

「頗有道理。你對什麼感到好奇，機．丹尼爾？我能這麼稱呼你嗎？」

「請便，女士。據我瞭解，地球的能源來自那些位於赤道面同步軌道上的太陽能發電站。」

「你的資料很正確。」

「可是，這顆行星的能源通通來自那些發電站嗎？」

「不，它們只是主要的，但並非唯一的能源。我們還有不少的能源來自地熱、風力、海浪、潮汐、水流等等。我們所用的能源相當混雜，各有各的優點。然而，太陽能的確是主力。」

「你並沒有提到核能，女士。你們不用微聚變嗎？」

昆塔納揚了揚眉。「你好奇的就是這一點嗎，機．丹尼爾？」

「是的，女士。地球不用核能的原因到底是什麼？」

「並非不用，機．丹尼爾，小規模的核能就經常可見。我們的機器人——你該知道，我們的鄉間還有許多機器人——它們都使用微聚變能源。對了，你自己也是嗎？」

丹尼爾答道：「是的，女士。」

「此外，」她繼續說：「使用微聚變的機械也到處都有，只是總數少得可憐。」

「聽說微聚變能源對核反應倍增器的作用很敏感，昆塔納女士，不知道對不對？」

「那還用說，這是當然的。微聚變能源會因而爆炸，我想這足以稱得上敏感了。」

「那麼有沒有可能，某人掌握了一台核反應倍增器，即可將地球的能源重創七、八成？」

昆塔納哈哈大笑。「不，當然不可能。首先，我不信有誰能拖著一台核反應倍增器到處走。那種東西有幾噸重，我可不認為它能在大城的大街小巷裡運作自如。不用說，若有人想嘗試，一定會引人注目。其次，就算真有人動用核反應倍增器，在他被人發現和制止之前，頂多只能摧毀幾個機器人和幾具機械而已。誰也沒有任何機會——絕對沒有——能用這種方式重創我們。這就是你希望聽到的保證嗎，機．丹尼爾？」

這幾乎等於要打發他走了。

丹尼爾說：「還有一兩個小疑點，昆塔納女士，我希望能釐清一下。地球上為何沒有大型的微聚變能源呢？太空族世界一律仰仗微聚變，殖民者世界也沒有任何例外。微聚變不但輕便、靈活、廉價——而且無論維護、修理或更換，都不需要像太空站那樣大費周章。」

「但如你所說，機．丹尼爾，它們對核反應倍增器很敏感。」

「但也如你所說，昆塔納女士，核反應倍增器太大太笨重，派不上什麼用場。」

昆塔納點了點頭，露出燦爛的笑容。「你非常有智慧，機．丹尼爾。」她說：「我從未想到自己會在餐桌上和一個機器人進行這種討論。你們奧羅拉的機器人學家非常聰明——太聰明了——我簡直不敢跟你再討論下去，因為我得防著你取代我的職位。你該知道，地球上還真有一則傳說，是關於一個名叫史蒂芬．拜爾萊的機器人，在地球政府中爬到了很高的位置。」

「一定只是虛構的，昆塔納女士。」丹尼爾一臉嚴肅，「無論在哪個太空族世界，都沒有機器人擔任公職這種事。我們只是——機器人罷了。」

「聽你這麼說我就放心了，不妨繼續討論下去吧。使用不同的能源是有歷史淵源的，在超空間旅行發展之初，微聚變早已出現了，因此凡是離開地球的人類，一律會攜帶微聚變能源。不但太空船需要它，而且在新世界連續幾代的改造過程中，這種能源更是不可或缺。建造足敷使用的太陽能發電站需要很多年的時間——早期移民寧可繼續使用微聚變，也不想花那種時間和精力。當年的太空族是這樣，現在的銀河殖民者也是這樣。

「然而在地球上，微聚變和太空太陽能大約是同時發展的，而且兩者的使用都越來越廣泛。最後，當我們可以選擇時——到底是只用微聚變或只用太陽能，或是繼續一起使用——我們選擇了太陽能。」

丹尼爾說：「我覺得很奇怪，昆塔納女士，為何不繼續一起使用呢？」

「事實上，這並非多麼難以回答的問題，機・丹尼爾。在超空間時代之前，地球曾經用過一種原始的核能，那並不是什麼愉快的經驗。當地球人可以從太陽能和微聚變之間做出選擇時，他們把微聚變也視為一種核能，決定敬而遠之。至於其他的世界，由於不像我們有過接觸原始核能的第一手經驗，也就沒有對微聚變敬而遠之的理由。」

「我能否問問你所說的原始核能到底是什麼，女士？」

「原子裂變。」昆塔納說：「它的原理和微聚變完全不同，牽涉到了重型原子核，例如鈾核的分裂過程。微聚變則是輕型原子核，例如氫核的結合反應。然而，兩者都會產生核能。」

「我猜裂變核能的燃料就是鈾原子。」

「是的——其他重核也可以，例如釷或鈽的原子核。」

「可是鈾、釷、鈽都是極其稀有的金屬，用它們當燃料，能夠提供整個社會所需的能源嗎？」

「這些元素在其他世界的確稀有。不過在地球上，它們雖然不算普遍，但也稀有不到哪裡去。地殼中到處都有少量的鈾和釷，某些地方濃度還很高。」

「現在地球上可有任何使用裂變能的裝置嗎，女士？」

「沒有，」昆塔納斷然答道：「沒有人用，也沒人喜歡用。人們寧願燃燒石油——甚至木柴——也不願用鈾裂變當作能源。在文明社會中，『鈾』這個字本身就是禁忌。如果你是人類，是一個地球人，你就一定不會問我這種問題，而我也一定不會回答。」

丹尼爾卻堅持追問：「但你確定嗎，女士？你們可有任何使用裂變能的祕密裝置，例如為了國家安全……」

「沒有。機器人——」昆塔納皺起眉頭，「我告訴你，沒有那種裝置，完全沒有！」

丹尼爾站了起來。「謝謝你，女士。請原諒我占用了你的時間，還刺探這種似乎很敏感的問題。如果你不介意，我要告辭了。」

昆塔納漫不經心地揮了揮手。「不客氣，機．丹尼爾。」

她又開始和鄰座的男士聊起來。由於在擁擠的地球上，誰也不會試圖偷聽旁人的談話，至少絕對不會承認，因此她心安理得地說：「你能想像和一個機器人討論能源學嗎？」

至於丹尼爾，他回到了原來的座位，對吉斯卡輕聲說：「沒有用，吉斯卡好友，沒問到什麼有用的。」

然後他悲傷地補了一句：「或許是我沒問對問題，以利亞夥伴就不會犯這種錯誤。」

第十七章 刺客

78

地球首席行政官艾德格・安卓夫祕書長不但身材高大魁梧，還像太空族一樣臉上刮得乾淨。他的舉止總是有模有樣，彷彿始終都站在舞台上，而且他似乎永遠散發著對自己非常滿意的氣色。就他這種體型而言，他的聲音高了一點，但還稱不上又尖又細。雖然他看起來並不頑固，可是誰也無法輕易動搖他。

這回也不例外。「不可能，」他堅決地對丹吉說：「她必須露面。」

「今天她已經吃了不少苦，祕書長。」丹吉說：「她既不習慣人多，也不習慣這種陣仗。我對貝萊星做過承諾，一定會好好照顧她，現在我的信譽岌岌可危了。」

「我能體諒你的立場，」安卓夫說：「但我代表了所有的地球人，我不能不顧他們的期望。通道已經擠滿了，超波頻道也都準備好了，我可不能把她藏起來——即使我私下萬分希望這麼做。過了這一關——不會拖太久吧？頂多半小時？——她就能謝絕訪客了，在明天晚上演講之前，她都不需要再公開露面。」

「必須顧慮她的感受，」丹吉不著痕跡地放棄了自己的立場，「必須讓群眾和她保持一定的距離。」

「會有一群保安警衛拉起封鎖線，她不愁沒有喘息的空間，而最前排的群眾也會站得遠遠的。他們早就在外面了，我們若不趕緊宣布她即將露面，很可能會出現失序的行為。」

丹吉說：「不該安排這種行程，這樣不安全，有些地球人不喜歡太空族。」

祕書長聳了聳肩。「我希望你能告訴我，怎樣才能避免安排這種行程。此時此刻，她是大家心目中的英雄，絕不能讓她躲起來。他們除了會對她歡呼，什麼也不會做——至少暫時如此。但如果她不露面，那可就難說了。好了，咱們走吧。」

丹吉心不甘情不願地退回嘉蒂雅身旁。他望著嘉蒂雅的眼睛，她顯得很疲倦，而且相當不高興。

他說：「你一定得露面，嘉蒂雅，沒有第二條路了。」

她低頭凝視著他的雙手，彷彿在尋思這雙手能不能保護自己，一會兒後，她抬頭挺胸，揚起下巴——在這群野蠻人當中，她要突顯自己是太空族。「如果非露面不可，那就露吧。你會陪著我嗎？」

「除非他們硬把我架開。」

「那我的機器人呢？」

丹吉有些猶豫。「嘉蒂雅，擠在幾百萬個人類裡頭，兩個機器人又能幫你什麼呢？」

「我知道，丹吉。而我還知道，如果要繼續擔負這個使命，我終究要拋開這兩個機器人。但不是現在，拜託。至少目前，不管合不合理，有他們在就是會讓我感到安全。如果那些地球官員要我向群眾致意，向他們微笑、揮手，做出我該做的一切動作，那麼有丹尼爾和吉斯卡在場，我會覺得比較舒服——聽著，丹吉，我們在大事上對他們讓步了，儘管我現在十分不安，巴不得拔腿就跑；在這件小事上，叫他們對我讓步吧。」

「我去試試看。」丹吉顯得很沮喪。當他再度向安卓夫走去時，吉斯卡悄悄跟在他後面。

幾分鐘後，當一組精挑細選出來的官員簇擁著嘉蒂雅，走向屋外的露台時，丹吉跟在她身後不遠處，而吉斯卡和丹尼爾則分別走在他左右兩側。

在此之前，祕書長可憐兮兮地說過這麼一句話：「好吧，好吧。我不知道你是怎麼說服我的，反正我答應了。」他搓了搓前額，覺得右側太陽穴隱隱作痛。他不知不覺望見吉斯卡的眼睛，隨即打了一個冷顫，趕緊將視線移開。「可是你要確保它們不會亂動亂跑，船長，記住了。還有，拜託，務必讓看起來像機器人的那個盡量不引人注目。他令我心神不寧，我可不想讓他引起人們額外的注意。」

丹吉說：「他們會緊盯著嘉蒂雅，祕書長，不會望向其他人的。」

「但願如此。」安卓夫兇巴巴地說。這時有人將一個信囊交到他手裡，他順手放進口袋，隨即向前走去，在抵達露台之前，他都沒有再想到這件事。

79

對嘉蒂雅而言，每當換到另一個場景，情況似乎就更糟一些——人越來越多，噪音越來越響，炫目的燈光越來越強，各種感官所受到的侵擾也越來越大。

人們在高聲叫喊，聽得出他們在喊她的名字。她吃力地克服了退縮的衝動，一動不動地待在原處。當她舉起手來，帶著微笑使勁揮手，叫聲便更加響亮了。有人開始演講了，他的聲音透過擴音系統傳遍四面八方，而他的影像則投射在大型螢幕上，人們只要抬起頭來都能看見。而且毫無疑問，在這顆行星每座大城的每一個行政區、無數的會議廳裡的無數螢幕上也會同步出現這個畫面。

有人代替自己站在聚光燈下，令嘉蒂雅鬆了一口氣。她試著讓自己從眾人目光中淡出，讓這場演講分散群眾的注意力。

安卓夫祕書長也像嘉蒂雅一樣，藉著聲音的掩護偷偷想些心事。他感到相當慶幸，把嘉蒂雅拱成今天的主角，自己似乎就不必在這個場合講話了。然後，他猛然想起了口袋裡那個信囊。

他突然眉頭一皺，萬一發生緊急事件，這麼重要的典禮豈不要被迫中斷了。但他隨即又感受到一股恰恰相反的厭煩情緒，或許只是雞毛蒜皮的小事，居然這麼小題大作。

他用右手拇指使勁按住信囊表面的微凹之處，受到壓力的信囊隨即裂開。他從中抽出一張薄薄的塑紙，將其中的訊息讀了一遍，然後望著它逐漸分裂崩解。等到將手中殘存的粉末拍乾淨之後，他毫不客氣地對丹吉做了一個手勢。

廣場上高分貝的噪音持續不斷，因此他們幾乎不必悄聲說話。

安卓夫說：「你曾經告訴我，你在太陽系內遇到了一艘奧羅拉戰艦。」

「是的——我猜地球的感測器也偵測到了。」

「當然偵測到了。你還說，雙方並未採取任何敵對行動。」

「沒有動用任何武器。他們要我交出嘉蒂雅女士和她的機器人，被我拒絕後，他們就走了，這些我通通做過說明。」

「前後花了多少時間？」

「不太長，幾小時吧。」

「你的意思是，奧羅拉派來一艘戰艦，跟你舌戰了幾個鐘頭，然後就走了。」

丹吉聳了聳肩。「祕書長，我並不知道他們的動機，我只能向你報告實際狀況。」

祕書長態度傲慢地瞪著他。「可是你並未報告全部的實際狀況。電腦詳細分析過了感測器所蒐集的數據，看來你曾經發動攻擊。」

「我連一瓩的能量都沒發射，祕書長。」

「你沒考慮到動能吧？你把自己的太空船當成了砲彈。」

「在他們看來或許如此。他們最後決定避免跟我衝突，就算我虛張聲勢吧。」

「但你真的是虛張聲勢嗎？」

「應該是吧。」

「依我看，船長，你是有意要在太陽系內毀掉兩艘船艦，甚至製造一場戰爭危機，這可是鋌而走險的舉動。」

「我認為不會真正發生這種事，結果也的確如此。」

「但這個遭遇耽誤了你的行程，還分散了你的注意力。」

「沒錯，我想這倒是真的，但你指出這點是為什麼呢？」

「因為我們的感測器還觀測到一件事，是你並未注意到——至少是並未報告的。」

「是什麼事呢，祕書長？」

「我們偵測到一艘軌道小艇，上面似乎有兩個人，而且一路落向地球。」

他們兩人就這樣沉浸在那個小世界裡。露台上沒有任何人類留意他們的舉動，只有那兩個站在丹吉兩側的機器人正目不轉睛地專心聆聽。

演講就在這時結束了，講者最後說的是：「嘉蒂雅女士，一位出生在索拉利、定居在奧羅拉的太空族，但不久前在貝萊星這個殖民者世界，她成了一位道道地地的銀河公民。」他轉身面向她，做了一個誇張的手勢。「有請嘉蒂雅女士——」

眾人的喧嘩立刻變成充滿歡樂的持續吶喊，原本萬頭攢動的景象被無數揮舞的手臂所取代了。嘉蒂雅覺得肩膀被人輕推了一下，還聽到耳畔響起了一句：「拜託，小姐，幾句話就好。」

嘉蒂雅先輕輕說：「親愛的地球人。」這幾個字透過擴音系統傳出去，說也奇怪，全場立刻鴉雀無聲了。然後，嘉蒂雅改用比較堅定的口吻說：「親愛的地球人，其實我們都是人類，今天我就是以這個身份站在諸位面前。我承認自己年紀比較大，因此不像大家那麼朝氣蓬勃、充滿希

望、敢愛敢恨。然而此時此刻，我的缺憾有了一些轉機，由於和諸位面對面，我覺得感染到了大家的熱情，所以年齡也就不算什麼了……」

全場爆起如雷的掌聲，露台上則有兩個人在交頭接耳：「她讓他們高興自己是短命鬼，這個太空族女人還真厚臉皮。」

而安卓夫並未留意周遭的動靜，他繼續對丹吉說：「這件事從頭到尾，或許只是送那兩人來地球的詭計。」

丹吉說：「我當時根本不可能知道。除了盡力拯救嘉蒂雅女士和我的太空船，我幾乎沒法想別的事。他們降落在哪裡？」

「我們不知道，他們並未落在任何大城的太空航站。」

丹吉說：「我也這麼猜。」

「其實沒什麼大不了的，」祕書長說：「頂多讓我惱怒一下罷了。過去這幾年，像這樣的祕密登陸就有好幾樁，不過從來沒有計畫得那麼周密。由於始終沒發生什麼事，我們也就未曾在意。畢竟，地球是個開放的世界。它是人類的故鄉，其他世界的人通通可以自由來去——太空族如果想來，我們也會一視同仁。」

丹吉把大鬍子摩挲得沙沙響。「但他們或許不懷好意。」

（此時嘉蒂雅正在說：「最後我要祝福大家，祝福在這個誕生人類的世界上，在這個具體而微的世界上，在這個不同凡響的大城之中的每一個人……」然後，她站在原處，用微笑和揮手回應越來越響亮的掌聲和喝采。她讓群眾的熱情開始燃燒——越燒越旺。）

為了壓過群眾的喧囂，安卓夫提高音量說：「不管他們有何意圖，總之不可能成功。自從太空族撤走、銀河殖民開始之後，地球的太平便有了萬全保障，裡裡外外都牢不可破。這一兩百年

來，較為狂野的地球人都去了殖民者世界，因此像你這樣的人，船長，像你這種有膽在太陽系內毀掉兩艘船艦的狠角色，在地球上已經找不到了。地球上早已沒有暴力，沒有實質的犯罪行為。負責管制這些群眾的保安警衛並未攜帶武器，因為他們根本不需要。」

就在他這麼說的時候，人群中悄悄出現了一把手銃，它不但指向露台，而且已經瞄準目標。

80

好幾件事幾乎在同一時間發生。

受到某種突發效應的吸引，吉斯卡猛然轉頭望向群眾。

丹尼爾隨之看到了那柄瞄準露台的手銃，立刻以人類望塵莫及的反射動作向前一撲。

手銃發射了，帶起一聲巨響。

露台上的人通通愣了一下，隨即扯開喉嚨驚聲尖叫。

丹吉一把抓住嘉蒂雅，將她拉到一旁。

人群中則爆發出震耳欲聾的恐怖吼叫聲。

丹尼爾剛才其實是撲向吉斯卡，這時已將後者推倒了。

手銃發出的能束射進了露台後面的房間，將天花板射穿一個洞。如果在手銃和那個小洞之間拉一條直線，它應該會通過吉斯卡的頭部在一秒鐘之前的位置。

而在被推倒之際，吉斯卡含糊說了一句：「不是人類，是機器人。」

鬆開吉斯卡的丹尼爾開始迅速環顧四周。露台距離地面約有六公尺，正下方沒有任何建築。而在人群中，某個角落出現了前所未有的騷動，代表那名「刺客」顯然就在那裡，好些保安警衛正努力朝那個方向擠去。

丹尼爾縱身跳下露台，他的金屬骨骼輕易吸收了落地時的震盪，這是人類絕對做不到的事。

他開始奔向人群。

丹尼爾沒有選擇餘地。目前最要緊的無疑是在那個行刺的機器人被毀之前趕到現場，由於抱持著這個信念，丹尼爾發覺這是他出廠以來第一次無法小心翼翼地避免傷到任何人類。他從未遇到過這種狀況，但他不得不做些變通。

他當真動手將眾人一一扯開，以便強行開出一條路來，與此同時，他還不斷以極其洪亮的聲音喊道：「讓開！讓開！我得審問那個拿著手銃的人。」

保安警衛通通跟在他後面。最後他們終於發現了那個「人」，他倒在地下，看來遭到了一頓毒打。

即使在地球這個以無暴力自豪的世界上，這樁公然行兇的謀殺案還是激起了公憤。那名刺客早就被人抓住，拳打腳踢了一番。多虧人潮過度擁擠，他才沒有被大卸八塊。由於出手攻擊的人太多，彼此互相干擾，因而真正造成的傷害少之又少。

保安警衛使盡力氣將人群往後推。丹尼爾看到那機器人仆倒在地，那柄手銃落在不遠處，但丹尼爾並未將它撿起來。

他只是跪在那刺客旁邊，問道：「你能說話嗎？」

對方緊盯著丹尼爾的雙眼。「能。」發出的聲音很小，除此之外都算相當正常。

「你是奧羅拉製造的？」

那刺客並未回答。

丹尼爾一口氣說：「我知道你是，這個問題根本是多餘的。你們在這顆行星上的祕密基地設在哪裡？」

刺客仍舊沒有回答。

丹尼爾催問：「你們的基地？到底在哪裡？你必須回答，我在命令你。」

那刺客開口道：「你不能命令我。你是機・丹尼爾・奧利瓦，你的底細我很清楚，我不需要服從你。」

丹尼爾抬起頭來，拍拍身旁的警衛，然後說：「警官，可否請你問問他的基地在哪裡？」

嚇了一跳的警衛雖然想開口，卻只發出一個沙啞的聲音。他難為情地吞了一下口水，清了清喉嚨，然後厲聲吼道：「你的基地在哪裡？」

「我奉命不得回答這個問題，警官。」那刺客說。

「你必須回答。」丹尼爾堅定地說：「問話的是一位地球官員——警官，可否請你命令他回答？」

那警衛立刻照做。「犯人，我命令你回答。」

「我奉命不得回答這個問題，警官。」

那警衛彎下腰來，粗暴地抓住刺客的肩膀，但丹尼爾趕緊說：「我看動粗是不會有用的，警官。」

丹尼爾四下張望了一番。群眾的喧擾已經平息了一大半，但空氣中似乎瀰漫著一股張力，彷彿有上百萬人正急著要看丹尼爾到底會怎麼做。

丹尼爾對圍著自己和那個刺客的幾名警衛說：「各位警官，可否請你們替我開道？我必須帶這個犯人去見嘉蒂雅女士，她或許有辦法逼他吐實。」

「犯人要不要就醫呢？」其中一位警衛問。

「沒這個必要，警官。」丹尼爾答道，但他並未說明原因。

「竟然會發生這種事。」安卓夫兇巴巴地說，他激動得嘴唇都在發抖。這時大家已來到了露台後面那個房間，他抬眼瞥了瞥天花板上那個小洞，那是曾經發生暴力事件的沉默鐵證。

嘉蒂雅說：「沒發生什麼事啊。我沒有受傷，只不過天花板上有個小洞，你得找人修一修，或許還要順便修修樓上的地板，如此而已。」她盡力克制住情緒，不讓聲音出現任何顫抖。而在這麼說的時候，她剛好聽見樓上有人在搬東西，想必是把小洞附近的家具搬開，以便評估損壞程度。

「不只如此而已。」安卓夫說：「它還破壞了我們的計畫，原定你明天要公開露面，那是你在這個世界上最正式的一場演講。」

「恰恰相反。」嘉蒂雅說：「全世界都知道了我差點成為暗殺行動的受害者，所以大家都會更想聽我演講。」

「但是對方有可能再試一次。」

嘉蒂雅微微聳了聳肩。「那只會讓我覺得做對了——安卓夫祕書長，不久之前，我才發現自己的生命中有一項使命。我原本沒想到這個使命可能令我身處險境，但既然事實如此，又令我想到如果自己無關緊要，就絕不會置身險境，也絕不值得暗殺。如果危險能夠衡量我的重要性，我很願意冒這個險。」

吉斯卡說：「嘉蒂雅女士，丹尼爾來了，而且我猜，他把那個用手銃射擊這裡的人也帶來了。」

出現在門口的除了丹尼爾，還有五、六名保安警衛，他們一起押著一個神態自若、毫不掙扎的人。屋外的喧囂聲似乎越來越小，越來越遠。顯然人群開始逐漸散去，而且每隔一段時間，擴音器便會廣播一次：「沒有人受傷，也沒有危險狀況，大家趕緊回家吧。」

安卓夫揮手叫警衛通通退下。「就是這個人嗎？」他厲聲問道。

丹尼爾說：「毫無疑問，祕書長，他就是那個帶著手銃的人。那柄武器後來掉到地上，但現場民眾目睹了他的行動，而他自己也承認了。」

安卓夫萬分訝異地瞪著他。「他好冷靜，不像是人類。」

「他的確不是人類，祕書長。他是機器人，人形機器人。」

「可是地球上並沒有任何人形機器人——你是唯一的例外。」

「這個機器人，祕書長，」丹尼爾說：「和我一樣，是奧羅拉製造的。」

嘉蒂雅皺起眉頭。「但那是不可能的，機器人無法執行暗殺我的命令。」

丹吉看來大為光火，他緊緊摟住嘉蒂雅的肩膀，氣呼呼地說：「奧羅拉機器人，經過特殊設定……」

「別亂講，丹吉，」嘉蒂雅說：「不可能的。不管是不是奧羅拉製造的，不管有沒有特殊設定，機器人都無法蓄意傷害一個明明知道是人類的對象。如果這個機器人的確曾經朝我的方向開火，他一定是故意打偏了。」

「但有什麼目的呢？」安卓夫追問：「他為什麼要打偏，夫人？」

「你看不出來嗎？」嘉蒂雅說：「不論對這機器人下令的是誰，他一定覺得這麼做便足以打亂我在地球上的行程，而他們要的就是這個。他們無法命令這個機器人殺害我，但他們可以命令他失手——如果這樣即可打亂我的行程，他們就達到目的了——但是我的行程絕不會被打亂，我不會讓他們稱心如意的。」

丹吉說：「別逞英雄，嘉蒂雅。我不知道他們還會做些什麼，可是萬一失去你，無論如何——無論如何——絕對不值得。」

嘉蒂雅的眼神變柔和了。「謝謝你，丹吉，我感激你這份情意，但我們必須冒這個險。」

安卓夫一臉茫然地扯著耳朵。「我們該怎麼辦呢？萬一讓地球同胞曉得有個人形機器人拿著手銃混在人群中，那可就不妙了。」

「顯然不妙，」丹吉說：「因此，咱們千萬別張揚出去。」

「一定有好些人已經知道——或者猜到——我們抓到的是個機器人。」

「你無法阻止謠言，祕書長，但也不必用官方公告來助長這些謠言。」

安卓夫說：「如果奧羅拉願意走這種極端……」

「不是奧羅拉，」嘉蒂雅立刻反駁，「只是某些奧羅拉人，某些好勇鬥狠之輩。據我所知，銀河殖民者當中也有這種好鬥的極端份子，甚至地球上或許也有。別被這些極端份子牽著鼻子走，祕書長。雙方陣營中絕大多數仍是理性人士，我正在呼籲他們彼此捐棄成見。絕不能輕舉妄動，折損了我的成果。」

丹尼爾一直在一旁耐心等待，這時終於等到一個足夠長的空檔，讓他得以發表自己的意見。「嘉蒂雅女士——祕書長和船長——重要的是趕緊從這個機器人口中問出他在地球的祕密基地，他可能還有同黨。」

「你沒問過他嗎？」安卓夫問道。

「問過了，祕書長，可惜我是機器人，這個機器人對於其他機器人的提問一律不回答，而且也不服從我下達的命令。」

「好吧，我來問。」安卓夫說。

「你問或許沒什麼用，祕書長。有人對這個機器人下了嚴格的封口令，你的命令恐怕贏不過它，你不清楚該用什麼措詞和什麼語氣來發問。嘉蒂雅女士是奧羅拉人，對這種事很在行。嘉蒂

雅女士，可否請你盤問他在地球上的基地在哪裡？」

吉斯卡將聲音壓低到只能讓丹尼爾聽到。「這恐怕不可能。他所接受的命令，或許包括了萬一受到嚴格審問，就自動進入不可逆的凍結狀態。」

丹尼爾猛然轉頭面向吉斯卡，悄聲道：「你能預防嗎？」

「不確定。」吉斯卡說：「當他用手銃射擊人類的時候，大腦已經受損了。」

丹尼爾又轉向嘉蒂雅。「夫人，」他說：「我建議用迂迴方式，最好別逼問他。」

嘉蒂雅遲疑地說了一句：「嗯，我也不確定。」她面對著機器人刺客，做了一個深呼吸，然後用堅定而又不失溫和輕柔的聲音說：「機器人，我該怎麼稱呼你？」

那機器人答道：「我叫機．厄涅特二號，夫人。」

「厄涅特，你看得出我是奧羅拉人嗎？」

「你說話的方式像奧羅拉人，可是不盡然，夫人。」

「我是在索拉利出生的太空族，但我在奧羅拉已經住了兩百年，總之我習慣讓機器人服侍我。打從我還是小孩的時候，每天就被機器人照顧得無微不至，他們從來沒有讓我失望過。」

「我可以接受這個事實，夫人。」

「厄涅特，你會接受我的命令、回答我的問題嗎？」

「會的，夫人，只要並未牴觸原先的命令。」

「如果我問你，你在地球上的基地在哪裡——換句話說，你認為你的主人住在哪裡——你會回答嗎？」

「我不能回答，夫人。只要問題和我的主人有關，我一律不能回答，絕無例外。」

「你可瞭解，如果你不回答，我會萬分失望，從此再也無法恢復對機器人的信心。」

「我瞭解，夫人。」機器人含糊地答道。

嘉蒂雅望向丹尼爾。「我該繼續嗎？」

丹尼爾說：「我們別無選擇，只能繼續試下去，嘉蒂雅女士。如果實在問不出什麼，情況也不會比現在更糟。」

嘉蒂雅以帶有權威的口吻說：「如果你拒絕說出你在地球上的祕密基地，就會對我造成傷害。別這樣，厄涅特，我命令你告訴我。」

機器人似乎全身僵硬了。他張開嘴巴，可是沒有發出聲音。他又試了一次，這回嘶啞地說：「……哩……」等到他三度張嘴的時候，又變得悄無聲息了——然後，這名機器人刺客並未閉上嘴，雙眼卻變得毫無生氣，再也沒有任何光彩。剛剛微微舉起的手臂，這時也猛然落下。

丹尼爾說：「正子腦凍結了。」

吉斯卡又悄聲對丹尼爾說：「不可逆了！我盡了全力，但撐不下去。」

「我們一無所獲。」安卓夫說：「我們仍不知道其他機器人在哪裡。」

丹吉說：「他講出了『哩』這個字。」

「我不懂這個字的意思。」丹尼爾說：「它不屬於奧羅拉上通用的銀河標準語。在地球人聽來有任何意義嗎？」

安卓夫毫無把握地說：「他或許是想說『斯哩』，我就認識一個名叫斯哩的人。」

丹尼爾一本正經地說：「對我們的問題而言，我不覺得這個名字能夠當作答案——甚至部分的答案，我也沒聽到前面有什麼『斯』的音。」

一旁有個上了年紀的地球人，之前一直沒開口，這時帶著幾分羞怯說道：「機器人，我好像有個印象，『哩』應該是一種古代的距離單位。」

「多長的單位，先生？」丹尼爾問道。

「我不知道，」那地球人說：「但我相信比公里還要長。」

「是不是已經不再用了，先生？」

「超空間時代之前就被淘汰了。」

丹吉抓抓鬍子，若有所思地說：「還是有人在用。至少，我們貝萊星就有『毫釐千哩』這樣的成語。它的意思是，想要避免悲劇，避開一點點就有很大的作用了。我總是把『千哩』想成類似『千金』的意思，如果『哩』真的代表一種距離單位，我對這個成語就有更深的體悟了。」

嘉蒂雅說：「如果真是這樣，那刺客想說的或許正是這個意思。他或許試圖指出自己是故意打偏的，而這麼做正好完成了他的使命。或者他的意思是，既然打偏了，並未造成傷害，等於他實際上並未開火。」

「嘉蒂雅女士，」丹尼爾說：「這個成語在貝萊星或許通用，在奧羅拉卻是誰也沒聽過，又怎麼會從奧羅拉製造的機器人口中說出來呢。況且，既然他嚴重受損，不太可能還會談這種哲理，他應該只是在試著回答我們問他的問題。」

「啊，」安卓夫說：「或許他的確是想回答問題。他想告訴我們，比方說，那個祕密基地距離這裡有多遠，我想是好幾哩吧。」

「這樣的話，」丹吉說：「他又為何要用古代的距離單位呢？在這種問題上，奧羅拉人絕不會用公里以外的單位，而奧羅拉的機器人也一樣。事實上，」他帶著點不耐煩說：「那個機器人眼看就要完全停擺，或許只是發出一些噪音罷了。想從這種聲音中推敲出意義來，本身就是毫無意義的舉動——現在，我只想讓嘉蒂雅女士安安心心休息一下，至少讓她趕緊離開這個房間，以免天花板待會兒整個垮下來。」

眾人隨即離去，丹尼爾故意多待片刻，輕聲對吉斯卡說：「我們又失敗了！」

82

大城永遠不會完全靜下來，但在某些時段，照明會開始變得較暗，捷運會變得比較冷清，機械和人類發出的噪音則會減少一點點。而在這個時候，幾百萬戶公寓裡的人都會進入夢鄉。

嘉蒂雅躺在床上輾轉難眠。她暫住的這棟公寓簡直是要什麼沒什麼，她很擔心睡到半夜會不得不衝到走廊去。

在半睡半醒之際，她還在尋思地表此時同樣是夜晚嗎？或者只是為了遵循數億年來人類與其祖先在地球表面所養成的習慣，於是這座鋼穴隨意選定這幾個鐘頭當作固定的「睡眠週期」。

然後她就睡著了。

丹尼爾和吉斯卡當然並未入睡。丹尼爾在這間公寓裡找到一個電腦機座，花了半小時的時間，以嘗試錯誤的方式學習怎樣使用按鍵。他找不到任何說明文件（孩童在學校一定會學的東西，還需要什麼說明書呢？）幸好，雖然那些按鍵有異於奧羅拉的電腦，卻也不算完全不同。辛苦半小時後，他終於能進入大城圖書館的參考書區，將百科全書叫出來。然後，幾小時就這麼過去了。

在人類睡得最深最沉的那個時段，吉斯卡喚道：「丹尼爾好友。」

丹尼爾抬起頭來。「請說，吉斯卡好友。」

「我得請你解釋一下今天你在露台上的行動。」

「吉斯卡好友，當時你轉頭望向群眾，我隨著你的視線瞥了一眼，看見一柄武器瞄準你那個方向，便立刻採取行動。」

吉斯卡說：「你的確是這麼做的，丹尼爾好友，而基於幾個假設，我也能理解你為何選擇保

護我。首先，從那名功敗垂成的刺客其實是機器人說起。既然它是機器人，那麼無論怎樣設定，它都不能用蓄勢待發的武器瞄準任何人類。而它也不太可能瞄準你，因為你看起來很像真人，足以激發它腦中的第一法則。即使那個機器人明明知道露台上可能有一個人形機器人，也不能確定那就是你。因此之故，如果露台上真有它打算刺殺的對象，就只有顯然是機器人的我了——於是你立刻出手保護我。

「其次，再來討論那個刺客來自奧羅拉——是人類或機器人並不重要。阿瑪狄洛博士是最有可能下令發動這個攻擊的人，因為他是反地球的極端份子，而且我們相信，毀滅地球的計畫也是他一手策劃的。我們幾乎可以確定，阿瑪狄洛博士從瓦西莉婭女士那裡獲悉了我的特殊能力，因此不難推斷他會把摧毀我當成第一要務，因為在所有的機器人和人類當中，他最怕的自然就是我。推理出這點之後，你出手保護我便是合乎邏輯的行動——而且，事實上，如果你沒把我推倒，我相信那柄手銃一定會毀了我。

「可是，丹尼爾好友，當初你不可能知道那名刺客是機器人，也不可能知道它來自奧羅拉。在你出手推倒我的時候，我自己也僅僅是在一大團混亂的人類情緒中，勉強捕捉到一個陌生的正子腦型樣——直到這個時候，我才有機會通知你。你並沒有我的能力，雖然你能發現那柄瞄準露台的武器，但你自然會認為刺客是人類，而且是地球人。你應該像露台上每一個人一樣，認為嘉蒂雅女士才是合乎邏輯的行刺目標。所以說，你為何會不顧嘉蒂雅女士，而選擇保護我呢？」

丹尼爾說：「吉斯卡好友，我的思路是這樣的。祕書長曾經提到有一艘奧羅拉的雙人登陸艇降落到了地球。聽他這麼說，我立刻假設是阿瑪狄洛博士和曼達瑪斯博士來了。就這件事而言，原因只可能有一個：他們的那個計畫——不論真面目如何——已經非常接近甚至完全成熟了。由於你也來到了地球，吉斯卡好友，所以他們連忙趕來這裡，確保那個計畫盡快啟動，以免讓你有

機會利用你的心智調控能力壞了他們的大事。而為了萬無一失，只要有可能，他們一定會動手消滅你。因此，一看到那柄瞄準露台的武器，我立刻採取行動，將你推離它的火力範圍。」

吉斯卡說：「第一法則會迫使你先把嘉蒂雅女士推離它的火力範圍。不論你怎麼想，怎麼推理，應該都改變不了這個事實。」

「不，吉斯卡好友，你比嘉蒂雅女士更重要。事實上，此時此刻，你比任何一個人類都更重要。若說有誰能夠阻止地球的浩劫，那就是你了。既然我察覺到你對整個人類的潛在重要性，當我面對如何行動的選擇時，第零法則便要求我最先考慮保護你。」

「你卻並未因為這種藐視第一法則的舉動而感到任何不適。」

「沒錯，因為我是在服從凌駕其上的第零法則。」

「可是你腦中並未印記著第零法則。」

「我將它視為第一法則的引伸，道理很簡單，若是不能確保人類社會安全無虞且運作正常，又如何能有效地保護每一個人類呢？」

吉斯卡想了一會兒。「我明白你想要說什麼了，可是萬一——你試圖救我，也就是試圖拯救整個人類——結果卻發現我並不是暗殺目標，而嘉蒂雅女士卻遇害了呢？那時你會有什麼感覺，丹尼爾好友？」

丹尼爾以低沉的聲音說：「我不知道，吉斯卡好友。可是，假如我出手拯救的是嘉蒂雅女士，結果卻發現她根本沒危險，而我這麼做卻導致你遭到暗算，而且在我看來，也因此葬送了整個人類的前途，我又怎能承受這樣的打擊呢？」

兩人互相凝視——各自陷入沉思好一會兒。

最後吉斯卡終於說：「或許有道理，丹尼爾好友，然而，不知你是否同意，類似這樣的情

況，很難做出正確的決斷？」

「我同意，吉斯卡好友。」

「要從兩名人類之間迅速做出選擇——判斷誰會受到或是造成比較嚴重的傷害——已經是很困難的事了。要從人類個體和整體之間做出選擇，而且不確定到底應該考量人類整體的哪個層面，則更是難上加難，以致機器人學法則的適用性都要被打上問號。一旦引入人類整體這個抽象的概念，『機器人學法則』就會跟『人學法則』糾纏不清——而後者甚至還不存在。」

丹尼爾說：「我不瞭解你的意思，吉斯卡好友。」

「我並不意外，我也不確定是否瞭解自己的意思。但想想看——當我們想到必須拯救整個人類的時候，我們想到的是地球人和銀河殖民者。相較於太空族，他們人數更多、活力更旺，而且心胸更廣。他們表現得較為主動積極，因為他們對機器人仰賴較少。他們無論在生物或社會層次的進化上都具有較大的潛力，因為他們雖然壽命較短，但人人仍有足夠的時間做出重大貢獻。」

「沒錯，」丹尼爾道：「你說得簡單明瞭。」

「可是地球人和銀河殖民者似乎都對地球有著神祕的，甚至非理性的信心，堅決相信它是神聖而不可侵犯的。在未來的發展過程中，這種神祕信仰難道不會跟太空族對機器人和長壽的信仰一樣致命嗎？」

「我從未想過這個問題，」丹尼爾說：「我沒有答案。」

吉斯卡說：「你如果能像我一樣體察得到人類的心靈，就無可避免會想到這個問題——我們該如何選擇？」他突然說得慷慨激昂，「我們可以把整個人類劃分成兩大類：第一類是太空族，他們有著顯然足以致命的神祕信仰，第二類是地球人和銀河殖民者，他們有著另一種可能同樣致命的信仰。將來或許還會出現第三類，而他們甚至會更令人失望。」

「所以說，僅僅做出選擇還不夠，丹尼爾好友。我們還得能夠塑造——我們必須塑造一種有前途的人類來加以保護，而不是被迫在兩三種沒前途的人類之間做出選擇。可是，除非擁有心理史學——那門我夢寐以求卻求之不得的科學——否則我們要如何塑造這樣的人類呢？」

丹尼爾說：「我從來也不曉得，吉斯卡好友，擁有感應和影響人類心靈的能力是多麼困難的一件事。但會不會是你知道得太多，導致機器人學三大法則無法在你身上順暢運作？」

「這個可能是一直存在的，吉斯卡好友，但直到最近發生了這些事，才讓這個可能成了真。我很瞭解這個產生心靈感應和心靈影響效應的徑路型樣，我花了上百年的時間仔細研究自己，以便瞭解這個型樣並將它傳給你，好讓你能把自己設定成跟我一樣——但我一直抗拒這麼做。這樣對你不公平，我一個人承受這個重擔就夠了。」

丹尼爾說：「縱然如此，吉斯卡好友，可是如果根據你的判斷，為了人類整體著想，你必須這麼做，那麼我願意接受這個重擔。事實上，根據第零法則，我也有義務這麼做。」

吉斯卡說：「可是這樣的討論毫無用處。看來這場危機顯然已經迫在眉睫——既然我們連危機的真面目都還推敲不出來……」

丹尼爾插嘴道：「你錯了，至少這點說錯了，吉斯卡好友，我已經知道這場危機的真面目了。」

83

照理說，吉斯卡表現不出驚訝的情緒。他的臉孔當然無法做出任何表情，而他的聲音雖然有高有低，讓他得以像人類那樣說話帶有抑揚頓挫，不至於太過平板或難聽，然而，至少在人類聽來，那種抑揚頓挫從來不受情緒的影響。

因此，當他說「此話當真？」的時候，聽來就好像丹尼爾提到了明天的天氣會有什麼變化，

而他表示懷疑而已。可是，從他轉頭望向丹尼爾的方式，以及舉手的動作看來，他的驚訝是無庸置疑的。

丹尼爾答道：「當真，吉斯卡好友。」

「你是從哪裡找到答案的？」

「有一部分，是來自晚宴時，昆塔納次長對我說的話。」

「但你不是說，從她那裡沒問出什麼有用的東西，甚至覺得自己沒問對問題嗎？」

「當時似乎正是這樣。然而，經過一番深思之後，我發覺還是可以根據她的說法做出一些有用的推論。過去幾個小時，我利用這裡的電腦機座，搜尋地球的中央百科全書……」

「為你的推論找到了證據？」

「並不盡然，但是我沒有找到反證，這或許也算很好的結果了。」

「可是負面表列便足以讓你肯定嗎？」

「當然不行，因此我並不肯定。然而，還是讓我把我的推論告訴你，你若發現瑕疵，隨時指出來。」

「請開始，丹尼爾好友。」

「聚變能這種能源，吉斯卡好友，是超空間時代之前就在地球上發展出來的。因此，當時只有一顆行星上面有人類，那就是地球，這是眾所皆知的事。而科學家在推導出它的可能性，並提出扎實的科學證據之後，又花了很長一段時間，才真正發展出實用的受控聚變能。將理論化為實際牽涉到不少困難，但最主要的是需要在很濃的氣體中產生很高的溫度，而且時間要維持很久，這樣才能引發聚變反應。

「可是，在受控的聚變能出現之前好幾十年，聚變炸彈早已存在——這種炸彈使用的是非受

控的聚變反應。但不論受控與否，如果沒有幾百萬度的超高溫，是不可能產生聚變的。而人類如果無法製造受控聚變所需的高溫，又怎能製造非受控的聚變爆炸呢？

「昆塔納女士告訴我，在科學家研發出聚變之前，已經發現了另一種核反應，叫做核裂變。在那種反應中，能量來自較大的原子核，例如鈾核和釷核的分裂，也就是所謂的裂變。我想，那或許是產生高溫的一種方法。

「而無論哪種核彈，我徹夜搜尋的這套百科全書都語焉不詳，當然沒有提到真正的細節。我猜，這是個禁忌的話題，而且一定每個世界都一樣，因為我在奧羅拉也從未讀到過這方面的資料，彷彿那些核彈目前仍舊存在。人類對那段歷史可能感到羞愧，可能感到害怕，也可能兩者都有，而我想這都是合理的。然而，我所讀到的那一點點關於引爆聚變炸彈的資料，無法讓我排除使用裂變炸彈當作引爆裝置的可能性。因此，根據這個負面表列，再加上一些佐證，我懷疑裂變炸彈就是我要找的引爆裝置。

「問題是，裂變炸彈又要如何引爆呢？裂變炸彈比聚變炸彈出現得更早，如果它也像聚變炸彈一樣，需要超高溫來引爆，那麼在裂變炸彈出現之前，就沒有任何東西能夠產生這樣的高溫了。從這個事實，我得出一個結論——雖然關於這個問題，那套百科全書隻字未提——那就是裂變炸彈可以在相當的低溫下引爆，甚至或許室溫就行。這當然困難重重，因為在發現裂變的存在後，科學家又努力不懈了好些年，才終於發展出裂變炸彈。然而，不論到底有多少困難，都和產生超高溫沒關係——你對這一切有何想法，吉斯卡好友？」

在丹尼爾說這番話的時候，吉斯卡一直目不轉睛盯著對方，現在他終於開口：「我認為你所架構的理論有極嚴重的弱點，丹尼爾好友，因此或許不算非常可靠——但即使你的理論完美無瑕，不用說，它也和我們正在努力弄清的那個禍到臨頭的危機毫無關係。」

丹尼爾說：「我拜託你有點耐心，吉斯卡好友，讓我繼續說下去。事實上，聚變反應和裂變反應都屬於所謂的弱交互作用，它是控制整個宇宙的四種交互作用之一。因此，能夠導致聚變反應爐爆炸的核反應倍增器，同樣能夠引爆一座裂變反應爐。

「然而，兩者還是有所不同。聚變只會在超高溫下產生，因此倍增器引爆的是燃料中溫度極高、正在進行聚變的那一部分，頂多再加上爆炸後被加熱到足以進行聚變的周遭部分——然後反應物質就會向外炸開，於是熱量開始消散，溫度開始降低，其他的燃料很快就無法再引爆了。換句話說，雖然有一部分聚變燃料爆炸了，但是還有很多——甚至絕大多數——並未爆炸。當然，即便如此，爆炸的威力仍足以毀掉聚變反應爐和附近的一切，例如反應爐所在的那艘太空船。

「而另一方面，裂變反應爐則能在低溫下運作，那種溫度或許比水的沸點高不了多少，甚至或許室溫就行。所以說，核反應倍增器所引發的效應，會讓所有的裂變燃料全部爆炸。事實上，就算裂變反應爐並未處於運作狀態，倍增器還是能將它引爆。雖然，若以單位質量來算，我猜裂變燃料釋放的能量比不上聚變燃料，可是一旦引爆，裂變反應爐的爆炸威力卻會超過聚變反應爐，因為前者的燃料爆炸率遠高於後者。」

吉斯卡緩緩點了點頭，然後說：「這些或許通通沒錯，丹尼爾好友，但地球上可有任何裂變能發電站嗎？」

「沒有——一座也沒有。昆塔納次長似乎就是這個意思，而百科全書似乎證實了她的說法。真的，雖然地球上有些裝置是用小型聚變反應爐當能源，卻沒有——完全沒有——任何尺寸的裂變反應爐。」

「那麼，丹尼爾好友，核反應倍增器就沒有用武之地了。而你的這些推理，儘管無懈可擊，卻派不上任何用場。」

丹尼爾一本正經地說：「並不盡然，吉斯卡好友。還有第三種核反應，也必須考慮在內。」

吉斯卡說：「那會是什麼呢？我想不出怎麼還有第三種。」

「的確不容易想到，吉斯卡好友，因為無論是太空族世界或殖民者世界，行星地殼中的鈾和釷都少之又少，因此之故，幾乎看不出明顯的放射性。這個問題也就因而十分冷門，只有少數的理論物理學家做過研究。然而，在地球上，正如昆塔納女士對我指出的，相對而言鈾和釷還算普遍，因此天然放射性——以及它緩緩產生的熱量和高能輻射——在環境中必定扮演相對重要的角色，這就是我們得考慮的第三種核反應。」

「怎麼考慮，丹尼爾好友？」

「天然放射性也是弱交互作用的一種表現。一台核反應倍增器，如果能夠引爆一座聚變或裂變反應爐，我猜也能將天然放射性加速到足以引爆地殼的程度——只要該處有足夠的鈾或釷即可。」

吉斯卡一動不動、一言不發地凝視了丹尼爾好一陣子，然後他柔聲說：「所以你認為，阿瑪狄洛博士的計畫就是要引爆地球的地殼，讓這顆行星無法再孕育生命，他想用這種方式確保太空族繼續稱霸銀河。」

丹尼爾點了點頭。「或者，如果沒有足夠的鈾或釷，無法導致大規模爆炸，光是讓放射性增強也能產生許多危害，例如額外的熱量會改變氣候，額外的放射性會促發癌症或先天缺陷，這樣也能達到同樣的目的——只是慢一點罷了。」

吉斯卡說：「這個可能性真是駭人聽聞。你認為它會成真嗎？」

「有可能。依我看，早在許多年前——確切時間我不清楚——來自奧羅拉的人形機器人，例如那個功敗垂成的刺客——已經陸續抵達地球。他們十分先進，可以接受複雜的設定，而且在必

要的時候，還能進入大城張羅相關設備。根據我的假設，他們正在若干富含鈾或釷的地點架設核反應倍增器。或許這些年來，已有很多倍增器架設好了。如今阿瑪狄洛博士和曼達瑪斯博士來到這裡，是來監督最後幾個關鍵步驟，並親自啟動那些倍增器。想必這時他們正在安排退路，以便有充裕的時間逃離這顆即將毀滅的行星。」

「這樣的話，」吉斯卡說：「當務之急是要盡快通知祕書長，是要立刻動員地球的維安武力，是要第一時間找到阿瑪狄洛博士和曼達瑪斯博士，以阻止他們執行這個可怕的計畫。」

丹尼爾說：「我認為做不到。由於那個流傳甚廣的神祕信仰，祕書長很有可能不肯相信我們，他會堅信地球是神聖不可侵犯的。你曾經把這種現象說成是人類的阻力，我猜在這件事情上就會應驗。如果他對地球的信仰遭到了挑戰，雖然明知它多麼不理性，他也會緊抱著不放，而他尋求慰藉的方式，就是拒絕相信我們。

「況且，就算他相信了我們，想要組織任何反制行動，都得先經過政府這一關，不論怎樣加快公文流程，還是會浪費太多時間，一定會緩不濟急的。

「退一萬步來講，就算我們假設地球政府立刻動員所有的資源，我認為地球人也沒本事在荒野中找出兩個人來。地球人在大城裡面住了幾百幾千年，幾乎從未大膽走出大城的範圍。想當年，我和以利亞．貝萊在地球上聯手偵辦第一件案子，這件事便令我印象深刻。再說，就算地球人能勉強自己走入開放空間，他們還是不太可能在大難降臨之前及時找到那兩個人——除非出現難以置信的巧合，而我們可不能指望那種好運。」

吉斯卡說：「銀河殖民者卻不難組成搜索隊，他們並不怕露天或陌生的環境。」

「可是他們和地球人一樣，堅信地球是神聖不可侵犯的行星，所以同樣會悍然拒絕相信我們。就算他們真的相信，同樣不太可能在大難降臨之前，及時找到那兩個人。」

「那麼，地球的機器人呢？」吉斯卡說：「它們充斥於大城和大城之間，有些應該已經察覺到有人類混在它們裡面，應該將它們逐一盤問一遍。」

丹尼爾說：「混在它們裡面的人類是機器人學專家，他們一定會設法讓周遭的機器人察覺不到他們的存在。同理，他們也不必擔心搜索隊中有任何機器人成員。只要一聲令下，搜索隊就會向後轉，把一切通通忘掉。更糟的是，地球上的機器人都是相當簡單的機型，只是為了農業、牧業和礦業這些特定工作而設計的。像搜索這種一般性的任務，它們是不容易學會的。」

吉斯卡說：「可能的行動方案好像都被你一一排除了，丹尼爾好友？還有什麼嗎？」

丹尼爾說：「我們必須自己找到那兩個人，必須阻止他們——而且必須盡快。」

「你知道他們在哪裡嗎，丹尼爾好友？」

「我不知道，吉斯卡好友。」

「看來無論是由許許多多的地球人，或是銀河殖民者，或是機器人，或是三者聯合組成的精英搜索隊，似乎都不太可能及時找出他們來——除非出現最神奇的巧合——那麼你我又如何辦得到呢？」

「我不知道，吉斯卡好友，但我們一定要辦到。」

吉斯卡說：「光這麼講是不夠的，丹尼爾好友。一路走來，你已經頗有收獲。你揭露了這場危機，還一點一滴查清了它的真面目。結果卻是白忙一場，現在的我們和過去一樣束手無策，什麼事也做不了。」這些尖銳的字眼讓他的聲音聽來都有點刺耳。

丹尼爾說：「還有一個機會——一個虛無縹緲、幾乎沒有希望的機會——可是我們不得不試試看。由於對你心生恐懼，阿瑪狄洛派出一名機器人刺客想把你除掉，這也許會成為他的致命錯誤。」

「如果這個虛無縹緲的機會落空了呢，丹尼爾好友？」

丹尼爾一臉平靜地望著吉斯卡。「那麼我們就真的束手無策了，地球會被毀滅，而人類的歷史則會走向終結。」

第十八章　第零法則

84

凱頓．阿瑪狄洛心情不佳。對他而言，地球表面的重力高了一點，大氣濃了一點，室外的音聲和氣味也和奧羅拉不太一樣，令他無端感到煩躁。偏偏他又無法鑽進室內，享受一點文明的假象。

這個臨時住所是機器人搭建的，裡面儲藏了充足的食物，還有一間克難的廁所——雖然功能健全，其他各方面都簡陋得令人難以忍受。

而最糟的是，雖然這是個美好的清晨，但一來天氣晴朗，二來那個未免太亮的太陽正在往上爬。不久溫度就會變得太高，空氣會變得太潮濕，而叮人的昆蟲也會隨之出現。起初，阿瑪狄洛並不明白手臂上怎麼會出現又癢又腫的斑點，還得曼達瑪斯對他解釋一番。

現在他一面抓癢，一面咕噥道：「太可怕了！牠們可能帶有傳染病。」

「我相信，」曼達瑪斯顯然不太在意，「這是難免的，然而機會並不大。我這兒有解癢的藥膏，我們還可以燒些東西驅趕那些昆蟲，雖然那種味道我自己也避之唯恐不及。」

「燒吧。」阿瑪狄洛說。

曼達瑪斯繼續用原來的口吻說：「無論多麼小的動作——例如製造一點氣味，一點濃煙——只要會增加暴露行蹤的機會，我都不想做。」

阿瑪狄洛狐疑地望著他。「你曾經一再強調，不論是地球人或是他們的戶外機器人，都不會來到這一帶。」

「沒錯，但這並非數學命題，只能算是社會學的觀察結果，而像這樣的結論，總是可能出現例外的。」

阿瑪狄洛臉色一沉。「要保障我們的安全，最佳策略就是先下手為強。你說過，今天能一切就緒。」

「那也只是個社會學觀察，阿瑪狄洛博士。今天應該會一切就緒，我當然這麼希望，但我不能提出數學上的保證。」

「你還需要多少時間才能保證？」

曼達瑪斯雙手一攤，做了一個「誰知道？」的手勢。「阿瑪狄洛博士，我以為這點我已經解釋過了，但我願意從頭再說一遍。我前前後後花了七年，才做到目前這個地步。我本來還指望再多花幾個月的時間，親自前往地球表面的十四個中繼站多做些觀察。現在我做不到了，因為我們必須及時收工，以免被人發現，進而被吉斯卡那個機器人出手阻止，這就意味著我現在只能通知那些守在中繼站的人形機器人替我代勞。我對它們不可能像對我自己那麼有信心，我必須一再檢查它們的報告，可能還得親自造訪一兩處才會真正放心。這就需要好些天的時間——或許一兩個星期吧。」

「一兩個星期。絕無可能！你以為我還能忍受這顆行星那麼久嗎，曼達瑪斯？」

「院長，有一次，我在這顆行星上待了將近一年——另外一次，則超過四個月。」

「你喜歡嗎？」

「不喜歡，院長，但是當時我身負重任，所以我——奮不顧身。」曼達瑪斯冷冷地瞪著阿瑪狄洛。

阿瑪狄洛不禁面紅耳赤，改用比較和緩的口吻說：「好吧，目前進度如何？」

「我仍在評估那些陸續收到的報告。你該知道，我們面對的並非實驗室替我們準備好的研究樣本，而是一個極不均勻的行星地殼。幸好，那些放射性物質分布得很廣，但是有些地方薄得不得了，所以必須在那些地點設置中繼站，由機器人負責管理。萬一有任何一個中繼站的位置或順序不正確，核反應倍增過程就會半途夭折，而我們這些年的辛苦也就前功盡棄了。或者，某處的倍增特別猛烈，就會有力量把那裡炸開，而其他的地殼則不受影響。無論哪種情況，所造成的整體破壞都會微不足道。

「我們真正想要的，阿瑪狄洛博士，是要讓那些放射性物質，以及地球地殼的一大部分，都會慢慢地、穩定地、不可逆地——」他故意一字一頓地說出這句話，「變得放射性越來越強，使得地球逐漸不適於人類居住。這顆行星的社會結構就會因此崩潰，而地球這個所謂的人類故鄉則會成為歷史。我想，阿瑪狄洛博士，這才是你想要的。幾年前我提出的正是這個計畫，而當時你說你要的就是這個。」

「別傻了，曼達瑪斯，我並沒有改變心意。」

「那就忍耐一下這個環境，院長——或者你先走，我會把該做的事通通做完。」

「不，不。」阿瑪狄洛喃喃道：「大功告成時我一定要在場——但我還是難免會不耐煩。你決定讓這個醞釀過程持續多久？——我的意思是，一旦啟動了第一波的倍增效應，地球要過多久才會變得無法住人？」

「那取決於最初設定的倍增率。目前我還不知道需要多大，因為那要由中繼站的整體效率來決定，所以我準備了一個可變控制器。我打算設定的過渡期是一百到兩百年之間。」

「如果縮短過渡期會怎樣？」

「過渡期設定得越短，地殼的放射性增長得越快，這顆行星也就會越快增溫、越快產生危

險，而這就意味著及時遷移地球人口的可能性會變得越小。」

「有什麼關係嗎？」阿瑪狄洛咕噥道。

曼達瑪斯皺起眉頭。「地球惡化得越快，地球人和銀河殖民者就越有可能懷疑這是科技搞的鬼——而他們最有可能把帳算到我們頭上。然後銀河殖民者就會對我們發動猛攻，為了替他們的神聖世界復仇，只要能對我們造成傷害，他們會戰到最後一兵一卒。這是我們之前就討論過的問題，而且我們似乎達成了共識。有充裕的過渡期則會好得多，在此期間，我們可以做最妥善的準備，而那些蒙在鼓裡的地球人，則有可能將緩緩增強的放射性歸咎於某種他們不瞭解的自然現象。根據我的判斷，這件事的迫切性最近升高了。」

「是嗎？」阿瑪狄洛也皺起了眉頭，「看你那種陰陽怪氣的表情，我就知道你一定找到讓我承擔責任的辦法了。」

「恕我直言，院長，這其實很明顯。派我們的機器人去除掉吉斯卡，絕對不是明智之舉。」

「恰恰相反，這件事非做不可，吉斯卡是唯一可能毀掉我們的人。」

「他必須先找到我們——但他找不到。就算他找到了，別忘了你我可是學識淵博的機器人學家。你認為我們對付不了他嗎？」

「是嗎？」阿瑪狄洛說：「瓦西莉婭就這麼想過，她對吉斯卡的瞭解絕對超過你我——結果她卻對付不了他。後來，那艘原本應該在遠距離就把他除掉的戰艦同樣對付不了他，所以他現在來到了地球。總之，要不擇手段把他除掉。」

「他應該還沒被除掉，尚未聽到任何相關報導。」

「一個謹慎的政府常常會把壞消息壓下來——那些地球官員雖然野蠻，但可想而知應該很謹慎。萬一我們的機器人失手被捕，遭到了審問，他一定會進入不可逆的機困狀態。那僅僅代表我

們損失了一個機器人，如此而已，對我們沒什麼大礙。另一方面，萬一吉斯卡仍然好端端的，我們就更有必要加緊行動了。」

「如果我們損失了一個機器人，恐怕就會連帶損失更多，對方有可能因而查出這個指揮中心的位置。至少，我們不該使用這裡的機器人。」

「我手邊有什麼就用什麼，他不會洩漏任何機密的。我想，你應該能信任我所做的設定。」

「不論是否心智凍結，只要落在對方手中，他就注定會洩漏自己的身份。地球上的機器人學家——別以為他們沒有——會確定他是奧羅拉製造的。正因為如此，我們更有必要讓放射性慢慢地增強。一定要讓這段時間拖得夠久，好讓地球人忘掉這件案子，不會把它和放射性的變化聯想在一起。我們必須至少設定一百年，或許一百五十年，甚至兩百年。」

說完他就走開，又去檢查他的儀器了，同時，他和六號以及十號中繼站也重新取得聯繫，因為他覺得那兩處還有些問題。阿瑪狄洛望著他的背影，心中交雜著些許不屑和強烈的厭惡。「沒錯，但我不能再等兩百年，或一百五十年，甚至一百年。你能等——我可不能。」他喃喃地自言自語。

85

吉斯卡和丹尼爾根據逐漸熱鬧的市容，猜測現在應該是紐約的清晨。

「在大城的上面和外面，」吉斯卡說：「某處或許正是黎明。兩百年前，有一次和以利亞・貝萊聊天的時候，我將地球比喻成曙光世界。這個地位還會持續很久嗎？或者已經是過去式了？」

「這是十分消極的想法，吉斯卡好友。」丹尼爾說：「我們最好還是把心思專注在今天必須完成的任務上，好讓地球繼續維持曙光世界的地位。」

這時，穿著浴衣和拖鞋的嘉蒂雅走進公寓，她的頭髮顯然剛剛吹乾。

「太荒謬了！」她說：「一大早，地球女人個個披頭散髮、衣衫不整地一路從走廊走到大眾衛生間。我想，她們是故意這麼做的，可是邊走邊梳頭真的很不禮貌。顯然，原本的蓬頭垢面會更加襯托精心裝扮後的模樣。我應該隨身帶一套完整的晨間服裝，你們該看看我穿著浴衣走出衛生間換來了什麼目光。離開衛生間就該一切就緒——什麼事，丹尼爾？」

「夫人，」丹尼爾說：「我能跟你說句話嗎？」

嘉蒂雅遲疑了一下。「不能說太多，丹尼爾。你們或許也知道今天是大日子，而我上午的行程幾乎馬上要開始了。」

「我希望討論的正是這件事，夫人。」丹尼爾說：「這麼重要的日子，如果我們不跟著你，一切反倒會比較好。」

「什麼？」

「如果你身邊圍著機器人，你希望帶給地球人的印象將會大打折扣。」

「我身邊不會圍著一群機器人，就只有你們兩個而已。我怎麼能沒有你們呢？」

「你必須學著適應，夫人。我們陪著你，會突顯你和地球人的不同，會讓你看起來好像很怕他們。」

嘉蒂雅面有難色地說：「我需要有人保護，丹尼爾，還記得昨晚發生的事吧。」

「夫人，昨天晚上發生的事，我們根本無法預防，也根本無法保護你——如果真有必要的話。幸好，昨晚的暗殺目標並不是你，那柄手銃瞄準的是吉斯卡的頭部。」

「為什麼是吉斯卡？」

「一個機器人怎麼可能瞄準你或任何人類呢？那機器人暗殺吉斯卡一定有他的理由。所以

說，如果我們在你身邊，反倒可能增加你的危險。別忘了，就算地球政府想要低調處理，昨晚的消息還是會不脛而走，不久就會出現機器人以手銃濫殺無辜的傳聞。這會引發大眾開始仇視機器人——也就是仇視我們——甚至會仇視你，如果你堅持我們隨行的話。我們還是別跟著你比較好。」

「要多久呢？」

「至少要等到你的任務告一段落，夫人。往後這段日子，船長會比我們對你更有幫助。一來他瞭解地球人，二來他在地球人心目中很有份量——而你在他心目中更有份量，夫人。」

嘉蒂雅說：「你看得出我在他心目中很有份量？」

「雖然我是機器人，我還是有這種感覺。無論什麼時候，只要你希望我們回到你身邊，我們當然立刻回來——可是，此時此刻，我們認為服侍你和保護你的最佳方式就是把你交給貝萊船長。」

嘉蒂雅說：「我會考慮的。」

「與此同時，夫人，」丹尼爾說：「我們會去見貝萊船長，看看他是否同意我們的想法。」

「去吧！」說完嘉蒂雅便鑽進臥室。

丹尼爾轉過身去，用最低的音量對吉斯卡說：「她願意嗎？」

「非常願意。」吉斯卡答道。「每當我在她身邊，她總有些不自在，所以我暫時離開並不會對她有太大影響。至於你，丹尼爾好友，她對你的感覺就很矛盾。你會讓她不斷想到詹德好友，雖然他終止運作是兩百年前的事，她心中仍有很深的傷痕。這就導致她對你既歡迎又抗拒，所以我也不需要做得太多。我只是減輕了她對你的喜愛，並增強了她對船長的愛意。她很容易就會適應沒有我們的。」

「那我們去找船長吧。」丹尼爾說。然後，他們便一起離開房間，走出了公寓的大門。

86

在此之前，丹尼爾和吉斯卡都曾經來過地球，最近的一次是吉斯卡自己來的。因此，他們懂得如何用電腦查詢丹吉暫住的公寓是在哪一區、哪一翼，門牌號碼又是幾號。此外，他們還看得懂走廊上的色碼，知道哪裡該轉彎，哪裡又該上電梯。

現在時間還早，路上的人不多，但凡是迎面而來或從背後超過他們的人，起初都會萬分驚訝地瞪著吉斯卡，然後才又若無其事地把頭轉開。

當他們走到丹吉的公寓門口時，吉斯卡的腳步有點不穩了。雖然不算非常明顯，但丹尼爾還是注意到了。

他壓低聲音說：「你不舒服嗎，吉斯卡好友？」

吉斯卡答道：「我必須從好些人類心中清除那些驚訝、疑懼，甚至注意力——其中還有一個小孩，而那更加困難。我來不及好好確定並未造成任何傷害。」

「你這麼做是有必要的，我們可不能被人攔下來。」

「這點我瞭解，但第零法則在我身上運作得不順暢。這方面，我並沒有你那樣的修為。」他彷彿為了轉移自己的注意力，好讓自己舒服一點，所以繼續說下去：「我經常發現正子徑路中的超電阻最先會在站立行走上表現出來，其次才是語言功能。」

丹尼爾輕拍一下叫門鍵，然後說：「我自己也一樣，吉斯卡好友。即使在最佳狀況下，光靠兩點來維持平衡也很困難。至於受控的不平衡狀態，例如行走，那就更困難了。我曾聽說最初有人試圖製造兩隻手和四隻腳的機器人，稱之為『半人馬』。它們運作得不錯，但正因為它們是非人形機器人，因此並未被廣為接受。」

「此時此刻，」吉斯卡說：「我真希望有四隻腳，丹尼爾好友。然而，我的不舒服應該已經過去了。」

丹吉出現在門口，帶著燦爛的笑容和他倆打了照面。然後，他朝走廊左右兩側各瞄了一眼，臉上的笑容隨即消失，被一臉的掛慮取而代之。「你們丟下嘉蒂雅來這裡做什麼？是不是她……」

丹尼爾說：「船長，嘉蒂雅女士很好，她並沒有危險。可否讓我們進去說明來意？」

丹吉一面招手要他們進門，一面狠狠瞪了他們一眼。然後，他像是教訓不聽話的機器一樣，用充滿恫嚇的口吻說：「你們為何把她單獨留在那兒？到底發生了什麼狀況，會讓你們留下她一個人？」

丹尼爾說：「現在的她絕不比地球上任何一個人更孤單——或是更危險。如果你稍後跟她討論這個問題，我相信她會告訴你，只要有太空族的機器人緊跟在後，她在地球上就永遠無法發揮影響力。我還相信她會告訴你，應該由你——而不是機器人——來提供她所需要的指引和保護。我倆都相信這是她的心願——至少目前如此。無論什麼時候，只要她希望我們回去，我們會隨傳隨到。」

丹吉總算又露出了笑容。「她需要我的保護，是嗎？」

「我們相信，船長，此時此刻她渴望見到的是你，而不是我們。」

丹吉笑得闔不攏嘴了。「怎麼能怪她呢？——我這就準備一下，然後盡快趕到她的公寓去。」

「但首先，船長……」

「喔，」丹吉說：「有交換條件嗎？」

「是的，船長。昨晚朝露台開火的那個機器人，我們亟需盡可能查出他的背景。」

丹吉似乎又緊張起來。「你們認為嘉蒂雅女士還會有危險？」

「絕不會有那種危險。昨晚那個機器人並非朝嘉蒂雅女士開火，身為機器人，他做不了那種事，他是要射擊吉斯卡。」

「他為何要那麼做呢？」

「這正是我們在設法追查的問題。為了找出答案，我們希望你能聯絡能源部次長昆塔納女士，請她允許我問她幾個這方面的問題。你要強調這件事很重要，如果她答應了，你自己——以及貝萊星政府，你不妨加上這一句——會很感激她。我們希望你使出渾身解數，說服她答應接見我們。」

「這就是你們要我做的事嗎？說服一名相當重要而且相當忙碌的官員接受機器人的盤問？」

丹尼爾說：「船長，如果你表現得足夠嚴肅認真，她就有可能答應這個請求。此外，既然她可能在很遠的地方辦公，如果你能替我們雇一輛飛快車，那會很有幫助的。你該想像得到，我們十萬火急。」

「就這幾件小事嗎？」丹吉問。

「還有呢，船長，」丹尼爾說：「我們還需要一名司機，請多付他車資，好讓他願意載送顯然是機器人的吉斯卡好友。我還好，他或許不會介意我。」

丹吉說：「我希望你明白，丹尼爾，你的要求通通毫無道理。」

丹尼爾說：「我希望沒聽到這句話，船長。但既然你講得那麼白，就沒什麼好說的了。所以，我們只好回到嘉蒂雅女士身邊，雖然她一定會不高興，因為她希望見到的是你。」

他轉身離去，還揮手要吉斯卡跟上，這時丹吉卻說：「等等。走廊那頭有個公共通訊器，我

可以試試看，留在這裡等我。」

兩個機器人遵命站在原處。丹尼爾問道：「你需要下很大功夫嗎，吉斯卡好友？」

吉斯卡似乎能用雙腳取得平衡了，他說：「其實剛才我束手無策。他堅決反對跟昆塔納女士聯絡，也堅決反對替我們叫飛快車。我若想扭轉這些情緒，一定會造成傷害。然而，當你說要回到嘉蒂雅女士身邊時，他的態度突然出現戲劇性的轉變。我猜你早已預料到會有這種結果，是嗎，丹尼爾好友？」

「是的。」

「看起來，你幾乎不需要我了，調整心靈的方法不只一種而已。然而，最後我還是做了一點貢獻。船長改變心意之際，同時湧現出一股對嘉蒂雅女士的強烈愛意。我抓住機會，加強了這個情感。」

「這正是我需要你的原因，這點我就做不到。」

「總有一天你會做到的，丹尼爾好友，而且或許很快。」

丹吉回來了。「信不信，她居然願意見你，丹尼爾。飛快車和司機馬上就到——你們越快動身越好，我也會立刻趕去嘉蒂雅的公寓。」

兩個機器人走了出來，等在走廊上。

吉斯卡說：「他非常高興。」

「似乎的確如此，吉斯卡好友。」丹尼爾說：「但我擔心簡單的部分到此為止了。我們輕易就讓嘉蒂雅女士准許我們自由行動，然後我們花了一點功夫，說服船長安排我們去見次長。然而在她那裡，我們恐怕要吃閉門羹了。」

司機看了吉斯卡一眼，勇氣似乎便消失無蹤。「聽著，」他對丹尼爾說：「原本講好只要我願意載機器人，就能賺到雙倍車資。但機器人是不准進大城的，這麼做會給我惹來許多麻煩。萬一我的執照給吊銷了，這點錢對我毫無幫助。我能不能只載你就好，先生？」

丹尼爾說：「我也是機器人，先生。我們已經在大城裡，這並不是你的錯。我們現在是要設法離開這座大城，而這就需要你幫忙了。我們準備去見一名政府高官，希望她能替我們安排行程，身為公民的你有責任提供協助。如果拒絕載送我們，司機，你就是蓄意把機器人留在大城內，這種行為恐怕就違法了。」

司機的臉色和緩了不少。他打開車門，粗聲粗氣說：「上車吧！」然而，他仍不忘升起司機和乘客之間那道厚厚的半透明隔板。

丹尼爾輕聲問道：「很費力嗎，吉斯卡好友？」

「剛好相反，丹尼爾好友，你那番話起了主要的作用。萬萬想不到，一句句的真話擺在一起，竟然會產生只有謊言才能達成的效果。」

「在人類的對話中，我經常觀察到這個現象，吉斯卡好友，就連誠實正直的人也在所難免。我猜他們是覺得為了成就大事，只好不拘這種小節了。」

「你是指第零法則。」

「等價的概念──或許人類心中有個等價的概念──吉斯卡好友，你剛才說我終究會擁有你的能力，而且可能很快，你是要我接手那件大事嗎？」

「是的，丹尼爾好友。」

「為什麼？我可以問問嗎？」

「仍是基於第零法則。剛剛我的雙腿突然發起抖來，讓我瞭解到對我而言，試圖使用第零法

則是多麼自不量力的一件事。在今天結束之前，我或許就得根據第零法則來拯救這個世界和整個人類，但我或許根本做不到。這樣的話，你就必須及時接手這件工作。我正在一點一點為你做準備，以便時機成熟之際，我能把最後那些關鍵指令交付給你，好讓一切水到渠成。」

「我看不出你怎麼做得到，吉斯卡好友。」

「等時候到了，你自然不難理解。想當年，我在那些被我派到地球的機器人身上，就是使用非常類似的技術。當時他們還能合法地待在大城裡，而地球領導階層之所以決定送出銀河殖民者，正是因為受到了他們的調整。」

打從上路之後，這輛飛快車的輪子就和地面保持大約一公分的距離。司機原本一直在使用這種車輛的專用車道，而且將車子開得飛快，讓它成了名副其實的「飛快車」。現在，他換到了一條普通車道，看得出左方不遠處有一條和車道平行的捷運帶。大幅減速後的飛快車突然一個左轉，衝進捷運帶之下，隨即從另一側竄了出來，然後又開了半哩的彎路，最後停在一座華麗的大樓之前。

車門自動打開了。丹尼爾先下車，等到吉斯卡也下來後，他便將丹吉提供的一片金箔交給了司機。司機仔細看了看這份車資，然後猛力關上車門，一言不發地呼嘯而去。

88

大門在他們按下叫門鍵一會兒之後才打開來，丹尼爾想到應該是先將他們掃瞄了一遍。然後，一名年輕女子小心翼翼地將他們引到這座大樓的心臟地帶。她一直避免望向吉斯卡，可是對丹尼爾卻顯得相當好奇。

昆塔納次長坐在一張大辦公桌後面，滿臉笑容地說：「兩個機器人，沒有人類陪同。我安全嗎？」口氣聽來雖然興奮，卻似乎有點勉強。

「絕對安全，昆塔納女士。」丹尼爾嚴肅地答道：「我們也很少見到沒有機器人陪同的人類。」

「我向你保證，」昆塔納說：「我也有機器人。我管他們叫手下，引你們來這兒的女孩就是其中之一。她見到吉斯卡居然沒昏倒，令我頗感驚訝。我想，那是因為她事先接到了警告，更何況你的外形又是那麼有意思，丹尼爾。但別管這些了。貝萊船長不遺餘力地強調他多麼希望我接見你，而我之所以答應，則是因為我樂意和一個重要的殖民者世界維持良好關係。然而，我還是忙得很，如果能速戰速決，我會感激不盡——我能幫你些什麼嗎？」

「昆塔納女士……」丹尼爾正準備開口。

「慢著，你能坐下嗎？要知道，昨晚我看到你一直坐著。」

「我們能坐下來，但我們站著也一樣舒服，我們不介意的。」

「但是我介意。我站著可不舒服——而如果我坐著，就得抬頭望著你們，那會害得我頸部僵硬。請拉出椅子坐下來吧，謝謝——好，丹尼爾，這到底是怎麼回事？」

「昆塔納女士，」丹尼爾說：「我想你應該還記得，昨晚宴會結束後，露台遭到手銃攻擊那件事吧。」

「我當然記得。不只如此，我還知道拿手銃的是個人形機器人，雖然我們不會正式承認這一點。可是，現在我的對面正坐著兩個機器人，而且其中之一也是人形機器人，卻沒有任何人保護我。」

「我可沒有手銃。」丹尼爾笑著說。

「我相信——那個人形機器人長得跟你一點也不像，丹尼爾。你可說是藝術品，你知道嗎？」

「我具有精密複雜的程式，女士。」

「我是指你的外表。但你為何提到那個攻擊事件呢？」

「女士，那個機器人在地球上有個祕密基地，我必須知道它在哪裡。我大老遠從奧羅拉趕來，就是為了找出那個基地，以阻止任何可能危及星際和平的陰謀。我有理由相信……」

「你大老遠趕來？不是那名船長？不是嘉蒂雅女士？」

「其實是我們，女士，」丹尼爾說：「吉斯卡和我。我無法對你詳細說明我們怎麼會接下這個任務，至於我們到底是接受誰的指揮，我就更不能告訴你了。」

「好！星際間諜戰！多有趣啊。真可惜我幫不了你，我並不知道那個機器人來自何處。至於他的祕密基地，我更是一點概念也沒有。事實上，我甚至不明白你為什麼會找上我。假如我是你，丹尼爾，我會去詢問安全部。」她傾身向他湊過去，「你臉上的皮膚是真的嗎，丹尼爾？如果不是，可就模仿得太維妙維肖了。」她伸出右手，輕巧地按在他的臉頰上。「摸起來都足以亂真。」

「縱然如此，女士，它並不是真的皮膚。如果挨一刀，它不能自動癒合。但另一方面，傷口不難重新焊起來，甚至把整塊皮換掉。」

「嗚。」昆塔納的鼻子起了皺紋，「但我們的公事已經談完了，關於那名行兇的機器人，我幫不上你什麼忙，我什麼都不知道。」

丹尼爾說：「女士，請容我做進一步的說明。關於你昨晚提到的早期核能——核裂變所產生的能量——有個組織對它很感興趣，而那名機器人或許就屬於那個組織。假如真是這樣，假如真的有人對裂變以及地殼中的鈾和釷感興趣，什麼地方最適合當作他們的基地呢？」

「或許一個廢棄的鈾礦坑？我甚至不知道現在還找不找得到。你必須瞭解，丹尼爾，地球人

對核字頭的東西幾乎都有迷信式的反感——尤其是核裂變。在講述能源知識的大眾刊物中，你幾乎找不到裂變這個詞彙，而在專家使用的技術手冊中，也只會提到最基本的概念而已。就連我也知道得非常少，話說回來，我只是行政官員，並非科學家。」

丹尼爾說：「那麼，我還有一個問題，女士。我們曾經用非常強硬的態度，逼那名功敗垂成的刺客招出祕密基地的位置。根據他所接受的設定，一旦碰到這種情形，他就會永久性停擺，也就是大腦徑路完全凍結——而他最後的確停擺了。然而在此之前，當他仍在招供和停擺之間做最後掙扎時，他的嘴巴張開了三次，彷彿——可能——說了三個字，其中第二個字是『哩』。在你的印象中，這個字和裂變有任何一點關聯嗎？」

昆塔納緩緩搖了搖頭。「不，我不敢說有，這顯然不是銀河標準語字典裡查得到的字。真抱歉，丹尼爾。雖然我很高興又能和你見面，但我有滿桌子的瑣事需要處理，不好意思了。」

丹尼爾裝作沒聽到她在說什麼。「有人告訴我，女士，『哩』或許是個古字，是指某種古代的長度單位，可能比一公里還要長。」

「即使真是這樣，」昆塔納說：「聽來也毫不相干。一個來自奧羅拉的機器人，怎麼會知道這個古字和古代……」她猛然住口，眼睛睜得老大，臉色變得煞白。

她自言自語：「有這個可能嗎？」

「有什麼可能，女士？」丹尼爾問。

「有個地方，」昆塔納幾乎陷入沉思，「不論地球人或地球機器人，誰都不敢接近。如果我有意語出驚人，我會說那是個不祥之地。因為實在太惡名昭彰，它幾乎被我們掃出了意識層面，甚至連地圖上也找不到。它象徵著裂變的一切不是。我記得很早以前，我剛進能源部的時候，曾在一部非常古老的膠卷參考書中讀到這個地名。根據書中的記載，當時人們經常提到那裡發生了

一場『意外』，它讓地球人對裂變能源的觀感產生一百八十度的轉變，那個地方叫三哩島。」

丹尼爾說：「所以，它是個遭到孤立的地點，百分之百孤立，不可能有任何人闖進去。如果有人研究過關於裂變的古代文獻，一定會發現這個地方，並會立刻看出它是祕密基地的最佳選擇。而且這個地名正好是三個字，中間那個又正好是『哩』。一定就是這個地方，女士──能否請你告訴我該怎麼去那裡，然後設法安排我們離開這座大城，直接前往三哩島，或先到離它最近的落腳處？」

昆塔納微微一笑，讓她看起來似乎年輕了些。「顯然，如果你們真在偵辦一件有趣的星際間諜案，可不能浪費時間，對不對？」

「是的，我們的確分秒必爭，女士。」

「好，我基於職責所在，也該去看看三哩島。你們何不搭我的飛車呢？我自己會駕駛。」

「女士，你手頭的工作……」

「沒人會碰。我回來後，這些公文還會好端端等著我。」

「但這就代表你得離開大城……」

「那又怎樣？現在不比古代了。在那段太空族主宰地球的黑暗歲月裡，地球人從不走出大城，那是真有其事，但如今我們飛出地球、殖民銀河已有將近兩百年了。雖然還是有些教育程度太低的人抱持古老的保守態度，但我們大多數人都變得相當好動了。我想，大家總是有個感覺，就是我們終將加入銀河殖民者的行列。我自己並沒有這個打算，但我經常自己駕駛飛車。五年前我甚至飛到了芝加哥，最後再飛回來──坐好，讓我來安排。」

她像是被一股旋風捲走了。

丹尼爾望著她的背影，喃喃道：「吉斯卡好友，這似乎不太像她的作風。你動了手腳是

嗎？」

吉斯卡說：「一點點。依我看，我們剛進來的時候，迎接我們的那個少女深受你的外形吸引。而我幾乎可以確定，昨晚在宴會中，昆塔納女士心中也有相同的變化，雖說我離她太遠，現場的人又太多，令我無法百分之百肯定。然而，一旦我們跟她面對面交談，她對你的好感便顯露無遺。我讓它一點一點增強，因此她雖然數度提到會談該結束了，態度卻似乎越來越不堅決——而且每當你繼續說下去，她都並未強烈反對。最後，她主動提到了飛車，我想那是因為她已深陷其中，不願放棄多和你相處一會兒的機會。」

「這可能會給我添麻煩。」丹尼爾深思熟慮地說。

「我有正當理由，」吉斯卡說：「你用第零法則想想吧。」他在這麼說的時候，令人不禁覺得他正在微笑——雖然他不可能做出這種表情。

89

昆塔納將飛車落在混凝土製成的降落平台上，這才鬆了一口氣。立刻來了兩個機器人對飛車進行必要的檢查，並視情況決定是否需要充電。

為了探頭向右方眺望，她壓到了丹尼爾身上。「就在那個方向，蘇斯奎哈納河上游幾哩處。唉，今天可真熱。」她坐直身子，衝著丹尼爾笑了笑，顯然有點捨不得。「離開大城就屬這件事最受不了，外面的環境完全不受控制。想想看，怎麼可以那麼熱。你不覺得熱嗎，丹尼爾？」

「我體內有個恆溫器，女士，目前它運作正常。」

「真好，我希望也有一個。沒有任何道路通往那個區域，丹尼爾。也不會有任何機器人為你帶路，因為機器人從不進去那裡。而我也不知道正確的位置，那可是一大片的土地，搞不好我們把整個區域都踏過一遍卻一無所獲，即使我們曾經來到那個基地五百公尺內。」

「不是『我們』，女士，你務必要留在這裡。可想而知，接下來的行程十分危險，就算一點也不危險，由於你並未隨身攜帶冷氣，你的身體恐怕也難以承受。能否請你在這裡等我們，女士？你的配合對我意義重大。」

「我等你們吧。」

「我們可能需要幾個小時。」

「這裡幾乎一應俱全，而且哈立斯堡那個小型大城離這兒不遠。」

「這樣就好，女士，我們必須出發了。」

他輕巧地跳出飛車，吉斯卡也跟著跳下來。他倆開始向北走，時間接近正午，夏日的豔陽照得吉斯卡的身體閃閃發光。

丹尼爾說：「你若偵測到任何精神活動的跡象，就代表我們找到目標了。方圓幾公里內，應該沒有其他人。」

「找到他們之後，你確定我們能阻止他們嗎，丹尼爾好友？」

「不，吉斯卡好友，我一點也不確定——但我們必須做到。」

90

列弗拉．曼達瑪斯哼了一聲，瘦臉上浮現一個緊繃的笑容，抬頭望向阿瑪狄洛。

「難以置信，」他說：「居然這麼理想。」

阿瑪狄洛正在用毛巾擦拭眉毛和雙頰的汗水。「代表什麼意思呢？」他問。

「代表每個中繼站都運作正常。」

「所以說，你可以啟動核反應倍增器了？」

「我一算出W粒子的正確密度，立刻就能啟動。」

「需要多少時間？」

「十五，最多三十分鐘。」

阿瑪狄洛緊盯著對方，臉色顯得越來越猙獰，時間一分一秒過去，最後曼達瑪斯終於開口：「好啦，算出來了。根據我制定的單位，密度應該定在二．七二。這樣一來，要等到一百五十年之後，才會達到另一個較高的平衡點，而在其後幾百萬年間都不會出現太大的變化。在這個強度下，地球人只能零零星星住在比較沒有放射性的區域。我們只要耐心等待，不出一百五十年，殖民者世界就會成為一群烏合之眾，可以任由我們宰割。」

「我不會再活一百五十年。」阿瑪狄洛緩緩說道。

「我個人對此表示遺憾，院長。」曼達瑪斯冷冷地說：「但我們現在談論的是奧羅拉和太空族世界，你的工作一定會有人接手的。」

「比方說你？」

「你曾承諾以院長當作我的獎賞，現在你看，我已經贏到手了。利用這個政治地位，若干時日之後，我很有希望會成為主席，那時殖民者世界已經個個處於無政府狀態，我會貫徹你的政策，一定會讓所有的殖民者世界徹底土崩瓦解。」

「你還真是有信心。萬一W粒子流開啟之後，還沒滿一百五十年，就被別人關起來了呢？」

「不可能的，院長。一旦這個裝置設定好了，就會被內原子位移固定在那裡。然後，這個過程就不可逆了——不論這裡發生什麼都一樣。即使整塊地都被氣化了，地殼仍會繼續慢慢增溫。我想，若有哪個地球人或銀河殖民者能夠複製我的成果，他的確有可能重建一套新的設備，但他這麼做只能進一步增加放射性的發射率，絕對不能降低。熱力學第二定律是這個結果的保證。」

阿瑪狄洛說：「曼達瑪斯，你說你贏到了院長的職位。然而，我想這件事還得由我決定。」

曼達瑪斯硬邦邦地說：「並非由你決定，院長。請恕我冒昧，孰知這個倍增過程的是我，而不是你。詳細資料是以密碼形式藏在一個你找不到的地方，就算給你找到了，負責看守的機器人也會把它毀掉，不會讓它落入你手中。這件事只有我能居功，你絕對不能。」

阿瑪狄洛說：「縱然如此，若能獲得我的認可，你將事倍功半。假如我不情不願，你卻硬要不擇手段地從我手中搶走院長的職位，那麼無論你在這個位置上坐多久，立法局裡都會有人持續不斷跟你唱反調。你只是想擁有院長的虛銜嗎，或是希望體會一下真正掌握實權的滋味？」

曼達瑪斯說：「現在是討論政治的時候嗎？不久前，你還因為我得再用十五分鐘電腦而非常不耐煩。」

「啊，我們現在討論的其實是W粒子流的密度。你想要設定在二．七二——是這個值對嗎？——但我卻懷疑它是否妥當。你能掌握的範圍最大有多少？」

「範圍是從零到十二，但二．七二才是我們要的。加減〇．〇五——如果你希望更精確的話。根據總共十四個中繼站送來的報告，這個值會讓地殼在一百五十年之後，才達到另一個平衡點。」

「但我認為十二才是正確的值。」

曼達瑪斯滿臉驚恐地瞪著對方。「十二？你可瞭解那代表什麼嗎？」

「瞭解。代表在十到十五年內，放射性就會使得地球上再也無法住人，而在此期間，會害死好幾十億的地球人。」

「而且保證殖民者聯邦會咬牙切齒地跟我們開戰。這種浩劫對你有什麼好處？」

「我再跟你說一遍，我不可能再活一百五十年，而我想活著看到地球毀滅。」

「但你也一定會令奧羅拉受重傷——那還是最好的情況，你簡直是在開玩笑。」

「我可沒有，我要為過去這兩百年的挫敗和屈辱報仇。」

「那些挫敗屈辱是漢．法斯陀夫和吉斯卡帶給你的——不是地球。」

「不，是一個地球人帶給我的，他名叫以利亞．貝萊。」

「他早在一百六十多年前就死了。向一個死去那麼久的人報仇，有什麼意義呢？」

「我不想爭論這個問題。我跟你談個條件，馬上讓你當院長。一旦我們回到奧羅拉，我第一時間辭掉院長的職位，指定由你來繼任。」

「不，我不要用這個條件交換院長的職位。幾十億人的性命啊！」

「是幾十億個地球人。好吧，那麼我就無法信任你能做好這件事了。教我——我——如何設定那個控制裝置，一切責任由我來擔。回去之後，我仍舊會辭去我的職位，指定由你繼任。」

「不，那仍舊會導致幾十億地球人死亡，天曉得還會有多少太空族陪葬，至少幾百萬吧。阿瑪狄洛博士，請你務必瞭解，我不會跟你談任何條件，而如果沒有我，你自己絕對做不到這件事，設定機制是用我的左手拇指紋當密碼。」

「我再求你一次。」

「我已經說了那麼多，只有瘋子才會再求我。」

「曼達瑪斯，這只是你的個人觀點。如果我瘋了，就不會故意把這兒的機器人通通派出去，現在這裡只有你我兩人。」

曼達瑪斯揚起嘴角冷冷一笑。「你打算拿什麼來威脅我？因為沒有機器人阻止你，你就要把我殺掉嗎？」

「是的，曼達瑪斯，事實上，如果有必要，我真會動手。」阿瑪狄洛從側邊口袋掏出一柄小口徑的手銃，「在地球上很難弄到這種東西，但並非不可能——只要付得起價錢，而我也知道怎

麼用。如果你不把拇指按到認證鍵上，讓我將指數調到十二，那麼請務必相信，我萬分樂意立刻轟掉你的腦袋。」

「你不敢。假如我死了，你又怎能自己設定指數？」

「傻也別傻到這種地步。如果我把你的腦袋轟掉，你的左手拇指仍會完好如初，甚至會保持一陣子原來的溫度。我只要拿著這根指頭，設定指數就像開水龍頭一樣簡單。但我寧願讓你活著，否則回到奧羅拉後，我得大費唇舌解釋一番，但這種麻煩我還承受得起。因此，我給你三十秒鐘做決定。如果你願意合作，我仍會立刻把院長讓給你。如果你不合作，我無論如何還是會稱心如意，而你卻會送命。現在開始，一秒——兩秒——三秒——」

曼達瑪斯駭然地瞪著阿瑪狄洛，而阿瑪狄洛則繼續一面讀秒，一面用毫無神情的冰冷目光透過手銃準星回瞪著他。

然後，曼達瑪斯突然悄聲喚道：「趕緊放下手銃，阿瑪狄洛，否則我們兩人都會因為第一法則而被制住。」

這個警告來得太遲了。轉瞬間，一隻手臂已經冒了出來，用力抓住阿瑪狄洛的手腕，阿瑪狄洛感到一陣痠麻，手銃隨即落地。

丹尼爾說：「我很抱歉不得不弄痛你，阿瑪狄洛博士，但我絕不能讓你握著手銃指著另一個人類。」

91

阿瑪狄洛並沒有開口。

曼達瑪斯鎮定地說：「你們兩個是機器人，而在我看來，你們的主人並不在附近。根據慣例，現在我就是你們的主人，我命令你們離開這兒，再也別回來。因為，你們看得出來，眼前沒

有任何人類的安全受到威脅，第一法則派不上用場，所以你們必須服從這個命令。趕緊走。」

丹尼爾回應道：「請聽我說，博士，我們沒有必要對你掩飾自己的身份或能力，因為你都已經知道了。我的同伴機・吉斯卡・瑞文特洛夫擁有偵測情感的能力──吉斯卡好友。」

吉斯卡說：「我在相當遠的距離就偵測到你們了，而我們在朝這裡走過來的時候，阿瑪狄洛博士，我注意到你心中充滿怒氣。而你心中，曼達瑪斯博士，則是極度的恐懼。」

「就算真有什麼怒氣，」曼達瑪斯說：「也是因為阿瑪狄洛博士發現有兩個機器人不請自來，更何況其中之一有本事操弄人類心靈，而且瓦西莉婭女士已經嚴重地──甚至可能永久性地──受到他的傷害了。而我自己，就算真有什麼恐懼，同樣也是因為你們的出現。現在我們控制住了這些情緒，你們已經沒有理由出面干涉了。再說一遍，我們命令你們永遠別再回來。」

丹尼爾說：「抱歉，曼達瑪斯博士，為了確保我們能安安穩穩地服從命令，我得再問一句。當我們朝這兒走來的時候，阿瑪狄洛博士難道沒有握著一柄手銃──又難道沒有指著你嗎？」

曼達瑪斯說：「他是在向我說明手銃的用法，當你搶過去的時候，他正要把它放下來。」

「那麼我在離去之前，是不是應該把手銃還給他，博士？」

「不，」曼達瑪斯臉不紅氣不喘地說：「如果你這麼做，就有藉口繼續留下，以便保護我們──你一定會這麼說。把它帶走，這樣你就再也沒有理由回來了。」

丹尼爾說：「我們有理由懷疑，你們目前待在一個人類不得闖入的地方……」

「那只是習俗，不是法律，而且不管怎麼說，它對我們都沒有強制性，因為我們並不是地球人。既然提到這件事，那麼機器人同樣不能進來這裡。」

「是地球政府的一名高級官員帶我們來的，曼達瑪斯博士。我們有理由懷疑你們正在這裡圖謀不軌，你們要設法升高地球地殼的放射性，要對這顆行星造成嚴重而無法修復的損害。」

「完全不是……」曼達瑪斯正準備開口。

就在這個時候，阿瑪狄洛首度插嘴發言：「機器人，你憑什麼盤問我們？我們是人類，而且已經對你們下了命令。趕緊聽命行事！」

他的聲調帶有絕對的權威性，丹尼爾不禁有些動搖，而吉斯卡已經半轉過身去。

但丹尼爾隨即說：「抱歉，阿瑪狄洛博士，我並不是在盤問你們。我只是要再三確認，以便確定自己能安安穩穩地服從命令。我們有理由懷疑……」

「你不必再重複了。」曼達瑪斯說，然後，他轉頭說了一句：「阿瑪狄洛博士，請讓我來回答。」他隨即又轉過頭來，「丹尼爾，我們是在這裡從事一項人類學的研究。有許多古老的人類習俗影響了太空族的行為，我們的工作就是要尋找這些習俗的起源。這些起源只有在地球上才找得到，所以我們正在這裡努力尋找。」

「你們的工作有沒有獲得地球的批准？」

「七年前，我諮詢過地球的相關官員，當時就獲得批准了。」

丹尼爾壓低聲音問：「吉斯卡好友，你怎麼說？」

吉斯卡答道：「根據曼達瑪斯博士心中種種的跡象，他所說的和目前的情況不符。」

「所以，他在說謊？」丹尼爾堅定地說。

「我相信是這樣。」吉斯卡答道。

曼達瑪斯卻面不改色地說：「或許你是這麼相信的，但相信並不等於確定。你不能僅僅因為相信什麼而違抗命令，這點你我都很清楚。」

吉斯卡說：「可是現在，阿瑪狄洛博士心中僅僅靠著情感的力量勉強拴住那股怒氣。這麼說吧，那股怒氣很可能會掙脫束縛，一股腦兒宣洩出來。」

阿瑪狄洛高聲喊道：「你為什麼跟他們扯這些事，曼達瑪斯？」

曼達瑪斯叫道：「給我閉嘴，阿瑪狄洛！你這是在幫倒忙！」

阿瑪狄洛毫不理會地繼續說：「這是自貶身份，一點用也沒有。」他怒不可遏地甩開曼達瑪斯的手臂，「真相他們都知道了，但那又怎樣？——機器人，我們是太空族，不只如此，我們還是奧羅拉人，而你們就是奧羅拉製造的。更重要的是，我們還是奧羅拉這個世界的高級官員，所以你們現在必須把機器人學三大法則中的『人類』解釋為奧羅拉人。

「如果不服從我們，你們就是傷害了我們，羞辱了我們，也就是同時違犯了第一和第二法則。沒錯，我們在此的行動的確是要消滅地球人，甚至是很多很多的地球人，但即便如此，也完全不干你們的事。否則，你們也大可因為我們殺生吃肉而拒絕服從我們。我已經解釋得很清楚了，趕緊走吧！」

最後那幾個字無端變得低沉而沙啞。只見阿瑪狄洛雙眼鼓突，隨即倒地不起。

曼達瑪斯驚叫一聲，趕緊彎下腰來察看他的狀況。

吉斯卡說：「曼達瑪斯博士，阿瑪狄洛博士並沒有死。他只是陷入昏迷，我隨時都能把他叫醒。然而，他不但會忘記關於這個計畫的一切，而且，比方說，如果你試圖向他說明，他也完全無法瞭解。我在對他下手的過程中——若非他自己承認打算殺害無數的地球人，我也做不到這件事——或許對其他部分的記憶以及思考能力也造成了永久性損傷。對此我表示遺憾，但我是不得已的。」

丹尼爾接著說：「你要知道，曼達瑪斯博士，前些時候，我們在索拉利碰到一些機器人，他們將人類的定義窄化為僅限於索拉利人。我們因此認清一件事實，如果不同的機器人各有各的窄化定義，只會帶來天翻地覆的毀滅。想讓我們把人類的定義窄化為僅限於奧羅拉人，其實是白費

力氣。根據我們的定義，『智人』這個物種的各個成員都是人類，包括地球人和銀河殖民者在內。而且我們覺得，保護一群人或人類整體要優先於保護任何一個特定的個人。」

曼達瑪斯氣喘吁吁地說：「那可不是第一法則的內容。」

「這是我所謂的第零法則，它的優先權更高。」

「你並未接受這樣的設定。」

「這是我自己對自己的設定。我們一來到這裡，我就知道你打算造成傷害，所以你無法命令我走開，也不能阻止我傷害你。第零法則有優先權，我當然得拯救地球。因此，我請求你——自願地——和我一起毀掉這裡的裝置。否則，我將被迫以暴力脅迫你，就像阿瑪狄洛博士剛才那樣，只是我不會動用手銃罷了。」

曼達瑪斯卻說：「等等！等等！我還有話要講，讓我解釋一下。阿瑪狄洛博士的心靈被清空是一件好事。他想要毀滅地球，我卻不想那麼做，這就是他拿手銃威脅我的原因。」

丹尼爾說：「然而，最先想到這個辦法的是你，設計和建造這些裝置的也是你。否則，阿瑪狄洛博士也不會非強迫你不可，他會自己動手，不需要你提供任何協助。這麼說對不對？」

「對，完全正確。吉斯卡大可檢查我的情緒，看看我有沒有在說謊。我的確建造了這些裝置，也的確打算啟用，但並非以阿瑪狄洛博士希望的那種方式。我是不是在說實話？」

丹尼爾望向吉斯卡，後者答道：「根據我的判斷，他是在說實話。」

「我當然在說實話。」曼達瑪斯說：「我所進行的工作，是要在地球地殼的天然放射性中，引進一個非常緩漸的加速度。從現在起，將有一百五十年的時間，能讓地球人移居到其他世界。這樣不但會增加各個殖民者世界的人口，還會大幅增加殖民者世界的數量。而且這樣還會除掉地球這個強大而詭異的世界，否則它將永遠對太空族造成威脅，對銀河殖民者造成困惑。地球是個

神祕狂熱信仰的中心，它拖住了銀河殖民者的腳步。我是不是在說實話？」

吉斯卡又重複一遍：「根據我的判斷，他是在說實話。」

「我的計畫，如果生效的話，將會永保星際和平，讓太空族和銀河殖民者共享銀河。正是因為這樣，當我建造這個裝置……」

他朝那具裝置指了指，順便將左手拇指按到認證鍵上，隨即猛然衝向密度控制器，大喊一聲：「不准動！」

向他走去的丹尼爾突然停下腳步，而且全身僵住，右手舉在半空中，吉斯卡則沒有任何行動。

曼達瑪斯轉過身來，喘著氣說：「二‧七二，設定好了。這是不可逆的反應，從現在開始，將會完全按照我的規劃自行運作。但你們兩個無法出面指證我，否則必將引發一場戰爭，你們的第零法則絕不允許。」

他低頭望著趴在地上的阿瑪狄洛，帶著一臉不屑說道：「傻瓜！你永遠也不會知道該怎麼做才對。」

第十九章 落單

92

曼達瑪斯說：「你們現在不能再傷害我，機器人，因為地球的命運無論如何已無法改變。」

「縱然如此，」吉斯卡有氣無力地說：「絕不能讓你記得你做了些什麼，也絕不能讓你對太空族說明未來的發展。」他用顫抖的手拉過一張椅子，慢慢坐了下來，這時曼達瑪斯雙腿一軟，趴到了地上，似乎睡得很香。

「最後關頭，」丹尼爾低頭望著昏倒在地的兩個人，聲音透出幾分絕望。「我還是失敗了。剛才我應該抓住曼達瑪斯博士，阻止他傷害並未在我眼前的無數地球人，沒想到他竟能逼我服從他的命令，令我全身僵住。第零法則並沒有生效。」

吉斯卡說：「不，丹尼爾好友，你並沒有失敗，是我阻止了你。曼達瑪斯博士原本不敢輕舉妄動，雖然他有這個衝動，卻因為知道你勢必出手而打消念頭。我消除了他的恐懼，又解除了你的行動力，於是曼達瑪斯博士才能將地球的地殼點燃——姑且這麼比方吧——但火勢非常小。」

丹尼爾說：「可是為什麼呢，吉斯卡好友，為什麼呢？」

「因為他說的都是實話，我剛才已經告訴你了。他只是自以為在說謊罷了。從他那種洋洋得意的情緒，我堅決相信他認為逐漸增高的放射性不但會導致無政府狀態，還會導致地球人和銀河殖民者之間的矛盾，而太空族便能趁機消滅他們，一舉奪下整個銀河。可是我卻認為，他為了說服我們而編織的憧憬其實是正確的。地球這個人多勢眾的世界確實醞釀出了神祕信仰，我已經察覺到其中的危險，除掉它只會對銀河殖民者有利。沒有了地球，他們就不必頻頻回顧；沒有了地

球，他們就再也不必懷古。從今以後，他們會以兩倍、四倍……的速度向銀河擴展，他們終將建立一個銀河帝國，而我們一定要促成這個結果。」他頓了頓，用逐漸微弱的聲音說：「這就是『機器人與帝國』的佳話。」

「你還好嗎，吉斯卡好友？」

「我站不起來了，但我還能開口。聽我說，現在終於要你接替我的重擔了。我已經將你調整到具有精神偵測和控制的能力，最後一批徑路即將到位，你只要注意聽就行了。聽啊——」

他說得很穩——但越來越無力——而丹尼爾已經能從內心直接感受他所使用的語言和符號。與此同時，丹尼爾還能感受到徑路一一到位的滴答聲。等到吉斯卡大功告成了，立刻有好些聲音同時出現在丹尼爾腦海——曼達瑪斯心中的嗚嗚嗚叫，阿瑪狄洛心中毫無規律的砰砰聲，以及吉斯卡大腦中的金屬節奏。

吉斯卡又說：「你得趕緊回去找昆塔納女士，請她設法把這兩個人送回奧羅拉，他們再也無法危害地球了。然後務必要讓地球出動維安武力，把曼達瑪斯送到地球上的人形機器人一個個找出來，令他們一一終止運作。

「你要小心使用這些新能力，因為你從未接觸過，一開始不會掌控得很好。但如果每次動用之後，你都能仔細地自我檢查一番，那麼——慢慢地——你一定會進步的。多多利用第零法則，但可別因而對個人造成不必要的傷害，第一法則幾乎和它一樣重要。

「好好保護嘉蒂雅女士和貝萊船長——但要低調行事。讓他們快快樂樂在一起，讓嘉蒂雅女士繼續為促進和平盡心盡力。未來幾十年間，地球人會逐漸移出這個世界，你要幫忙做好監督的工作。還有……還有一件事……我應該記得的……對了……如果你有辦法……找出索拉利人的下落。那也許……很重要。」

吉斯卡的聲音逐漸消失了。

丹尼爾跪在吉斯卡的椅子旁邊，將那隻沒反應的金屬手掌抓在自己手中。他哀痛不已地悄聲說道：「好起來，吉斯卡好友，好起來。根據第零法則，你做的事都是對的。你已經盡可能不傷人命，從人道角度來說，你做得太好了。你拯救了所有的人，為何還會有這種下場呢？」

吉斯卡又開口了，他的聲音極度扭曲，幾乎聽不懂他在說什麼。「因為我並不確定——萬一……另一個觀點……居然……是正確的……太空族會……大獲全勝，然後他們自己開始衰敗，這麼一來……銀河……就會……空無一人了——再見，丹尼……好友……」

吉斯卡閉嘴了，他再也沒有出聲，再也沒有任何動作。

丹尼爾站了起來。

他落單了——卻要守護整個銀河。

機器人學四大法則

零、機器人不得傷害人類整體，或因不作為而使人類整體受到傷害。

一、除非違背第零法則，機器人不得傷害人類，或因不作為而使人類受到傷害。

二、除非違背第零或第一法則，機器人必須服從人類的命令。

三、在不違背第零至第二法則的情況下，機器人必須保護自己。

YS0009X 經典艾西莫夫 04　ISBN 978-986-262-155-4

機器人四部曲之 IV：機器人與帝國

作　　者　艾西莫夫（Isaac Asimov）
譯　　者　葉李華
選書顧問　陳穎青（老貓）
責任主編　謝宜英
執行編輯　吳欣庭
校　　對　李鳳珠、葉李華
封面設計　吳文綺
版面構成　謝宜欣
總 編 輯　謝宜英
行銷業務　張芝瑜
出　　版　貓頭鷹出版
發 行 人　涂玉雲
發　　行　英屬蓋曼群島商家庭傳媒股份有限公司城邦分公司
104 台北市中山區民生東路二段 141 號 2 樓
劃撥帳號：19863813　戶名：書虫股份有限公司
城邦讀書花園：www.cite.com.tw　購書服務信箱：service@readingclub.com.tw
購書服務專線：02-25007718～9（周一至周五上午09:30-12:00；下午13:30-17:00）
24小時傳真專線：02-25001990～1
香港發行　城邦（香港）出版集團／電話：852-25086231／傳真：852-25789337
馬新發行　城邦（馬新）出版集團／電話：603-90578822／傳真：603-90576622
印 製 廠　成陽印刷股份有限公司
初　　版　2013 年 8 月
定　　價　新台幣 470 元／港幣 157 元

讀者服務信箱　owl@cph.com.tw
貓頭鷹知識網　http://www.owls.tw
歡迎上網訂購；大量團購請洽專線02-25007696轉2729

國家圖書館出版品預行編目（CIP）資料

機器人四部曲之IV：機器人與帝國／
艾西莫夫（Isaac Asimov）著；葉李華譯. -- 二版. -- 臺北市：
貓頭鷹出版：家庭傳媒城邦分公司發行, 2013. 08
496面；15×21公分
譯自：Robots and empire
ISBN 978-986-262-155-4（平裝）

874.57 102010603

U0147000